Britannica®
ENCICLOPEDIA
UNIVERSAL
ILUSTRADA

matriarcado
—
músculo

ENCYCLOPÆDIA
Britannica

Britannica
ENCICLOPEDIA UNIVERSAL ILUSTRADA

Edición en español de BRITANNICA CONCISE ENCYCLOPEDIA

© 2006 Encyclopædia Britannica, Inc.

Edición promocional para América Latina desarrollada, diseñada y publicada por Sociedad Comercial y Editorial Santiago Ltda., Avda. Apoquindo 3650, Santiago, Chile.

ISBN 956-8402-79-9 (Obra completa)
ISBN 956-8402-92-6 (Volumen 13)

Impreso en Chile, Printed in Chile.
Código de barras 978 956840292 - 1

matriarcado Sistema social en el que la autoridad familiar y política es ejercida por las mujeres. Algunos estudiosos del s. XIX, influidos por las teorías evolucionistas de CHARLES DARWIN y, en especial, por el trabajo del antropólogo suizo Johann Jakob Bachofen (n. 1815–m. 1887), pensaban que el matriarcado era posterior a una etapa de promiscuidad general y que precedía al predominio masculino (patriarcado) en la secuencia evolutiva de la sociedad humana. Tal como ha ocurrido con otros aspectos de la concepción evolucionista de la cultura, la noción de matriarcado como etapa universal del desarrollo ha caído en el descrédito general, y actualmente hay consenso en que nunca ha existido una sociedad estrictamente matriarcal. Sin embargo, en las sociedades con FILIACIÓN matrilineal, el acceso a las posiciones de poder social está mediado por la línea materna de parentesco. Ver también EVOLUCIÓN SOCIOCULTURAL.

matrices, fabricación de ver fabricación de TROQUELES Y MATRICES

matrimonial, derecho Conjunto de normas y disposiciones legales que regulan la celebración, vigencia y validez del matrimonio, así como sus requisitos y características. En Europa occidental la mayor parte del derecho matrimonial deriva del derecho canónico. Aunque la Iglesia considera que el matrimonio es una unión sagrada e indisoluble, en Europa occidental y EE.UU. el derecho matrimonial moderno no lo trata como una transacción civil. El derecho matrimonial sólo admite uniones monogámicas; los contrayentes deben ser mayores de cierta edad y no pertenecer a alguno de los grados de parentesco por consanguinidad prohibidos por la ley; deben ser libres para casarse y consentir en el matrimonio. En la actualidad, el DIVORCIO se admite casi universalmente. Para el derecho islámico, el matrimonio es un contrato puramente civil para "legalizar las relaciones sexuales y procrear". Aunque a lo largo de la historia se ha permitido, la práctica de la POLIGAMIA ha caído en desuso; en muchos países de África el derecho consuetudinario permite el matrimonio poligámico, pero se observa una tendencia creciente hacia la monogamia. Actualmente, en China y Japón el derecho matrimonial se asemeja al occidental. Aunque la mayoría de las legislaciones limitan el matrimonio a la unión entre un hombre y una mujer, algunos países han legalizado el matrimonio entre personas del mismo sexo (p. ej., los Países Bajos y Bélgica).

matrimonio Unión sancionada legal y socialmente, por lo general entre un hombre y una o más mujeres, que otorga un estatus legal a los hijos y que está regulada por leyes, normas, costumbres, creencias y actitudes que prescriben los derechos y deberes de la pareja. La universalidad del matrimonio se atribuye a las numerosas funciones sociales y personales básicas que cumple, como la procreación, la gratificación y la regulación sexual, el cuidado de los hijos y su educación y socialización, la reglamentación de las líneas de FILIACIÓN, la DIVISIÓN DEL TRABAJO entre sexos, la producción y el consumo económico, y la satisfacción de las necesidades personales de ESTATUS SOCIAL, afecto y compañía. Hasta la época moderna, pocas veces el matrimonio ha sido un asunto de libre elección. En la sociedad occidental se ha llegado a asociar el amor con el matrimonio; sin embargo, históricamente, el amor romántico no ha sido su principal motivación y en la mayoría de las sociedades se ha normado cuidadosamente quiénes son las posibles parejas matrimoniales. En las

Procesión durante la celebración del festival sintoísta matsuri, Kioto, Japón.

FOTOBANCO

sociedades en que la FAMILIA extendida o clan sigue siendo la unidad básica, los matrimonios suelen ser concertados por la familia. Se supone que el amor entre los cónyuges vendrá después del casamiento y se concede más importancia a las ventajas socioeconómicas que beneficiarán a la familia ampliada por efecto del enlace. En las sociedades donde se practica el matrimonio concertado, es casi universal alguna forma de DOTE O PRECIO DE LA NOVIA. Los ritos y las ceremonias en torno al matrimonio se relacionan primordialmente con la religión y la fecundidad, y validan su importancia para la perpetuación de una familia, CLAN, TRIBU o sociedad. En los últimos años, la definición del matrimonio como unión entre miembros de sexos opuestos se ha puesto en entredicho; en 2000, los Países Bajos se convirtieron en el primer país que legalizó el matrimonio entre personas del mismo sexo. Ver también DIVORCIO; EXOGAMIA Y ENDOGAMIA; POLIGAMIA.

matrimonio de hecho Matrimonio sin ceremonia civil o religiosa, basado en el acuerdo de las partes al considerarse casadas y habitualmente también en la cohabitación por un período de tiempo. La mayoría de las legislaciones ya no admiten este tipo de matrimonio, aunque pueden reconocer aquellos que se hayan constituido antes de una fecha determinada o al amparo de un sistema legal que los admite.

matriz Herramienta o dispositivo para darle a un material una forma o un acabado determinado. Ejemplos de matrices son un bloque perforado a través del cual se extrude un METAL o PLÁSTICO, las piezas de acero templado que producen por presión los diseños en monedas y medallas y los moldes en los cuales se inyecta un metal o plástico. Las matrices modernas tienen su origen en el trabajo de Honoré Blanc en la armería Saint-Étienne de Francia a contar de 1780. Las técnicas de Blanc fueron adoptadas y masificadas en EE.UU. por ELI WHITNEY y otros, quienes emplearon plantillas (patrones para guiar las herramientas) y fijaciones –los antecesores de las herramientas y matrices de hoy– en la producción en serie de armas de fuego para el ejército estadounidense (ver ARMOURY PRACTICE). Actualmente, las matrices usadas en el moldeo de metales, el MOLDEO A PRESIÓN y de plásticos son fabricadas por talleres especializados.

matriz Conjunto de números distribuidos en filas y columnas que forman una tabla rectangular. Los elementos de una matriz también pueden ser operadores diferenciales, vectores o funciones. Las matrices tienen extensas aplicaciones en ingeniería, física, economía y estadística, así como en varias ramas de la matemática. Se las encuentra por primera vez en el estudio de sistemas de ECUACIONES representados por ecuaciones matriciales de la forma $Ax = B$, la cual puede resolverse encontrando el inverso de la matriz A, o usando un método algebraico basado en su DETERMINANTE.

matriz ver ÚTERO

Matsuo Bashō ver BASHŌ

matsuri Festival civil o religioso en Japón, que se desarrolla en un templo sintoísta (ver SINTOÍSMO). Tradicionalmente consta de dos partes: un solemne ritual de adoración y una alegre celebración. Los participantes primero se purifican mediante períodos de abstinencia y con el baño. Luego se abren las puertas internas del templo, se toca un tambor o campanas y la deidad o potencia sagrada (*kami*) es invitada a descender. El ritual continúa con ofrendas, oraciones, música y danza ceremoniales. Generalmente forman parte de la celebración un banquete, representaciones teatrales, adivinaciones y competencias atléticas. Con frecuencia un tabernáculo portátil que alberga el *kami* es llevado en procesión.

Matsushita Electric Industrial Co., Ltd. Importante empresa japonesa fabricante de aparatos eléctricos y productos electrónicos de consumo masivo. Fundada en 1918 por Matsushita Konosuke (n. 1894–m. 1989) con el objeto de fabricar portalámparas y enchufes, la empresa se constituyó como sociedad anónima en 1935. En la década de 1930 fabricaba diversos productos eléctricos, como radios y fonógrafos. En la década de 1950 agregó televisores, grabadoras y electrodomésticos. Una década más tarde lanzó al mercado hornos microonda, equipos de aire acondicionado y videograbadoras. Comercializa sus productos con marcas como Panasonic, JVC y Quasar. Matsushita se ha destacado por su gran inversión en investigación y desarrollo. Sus oficinas centrales están en Kadoma, cerca de Osaka. Tiene filiales de fabricación y venta en varios mercados extranjeros.

Matta Echaurren, Roberto Sebastián (11 nov. 1911, Santiago, Chile–23 nov. 2002, Tarquinia, Italia). Pintor, grabador y escultor chileno. Estudió arquitectura en Santiago de Chile y, en París, con LE CORBUSIER. Desde 1937 se dedicó a la pintura. Trabajó en París, Italia y EE.UU. Entre 1938 y 1947 fue miembro activo del SURREALISMO. Sus obras, del expresionismo abstracto, influenciaron a pintores, como ARSHILE GORKY y JACKSON POLLOCK; ambos artistas estadounidenses que experimentaron con sus técnicas de AUTOMATISMO.

Matteotti, Giacomo (22 may. 1885, Fratta Polesine, Italia–10 jun. 1924, Roma). Líder socialista italiano. Abogado, se unió al Partido Socialista italiano y fue elegido diputado en 1919. Como líder de los socialistas en 1924, denunció fuertemente al Partido Fascista. Dos semanas después de su discurso, fue secuestrado y asesinado por fascistas. El crimen provocó un escándalo mundial y BENITO MUSSOLINI asumió la responsabilidad como líder del Partido Fascista y desafió a sus críticos a enjuiciarlo. La oposición fue débil y la crisis de Matteotti permitió a Mussolini consolidar aún más su poder.

Matterhorn, monte *francés* **mont Cervin** *italiano* **monte Cervino** Pico de los ALPES en la frontera italosuiza. Alcanza 4.478 m (14.692 pies) de altura y desde el lado suizo parece una cumbre aislada, pero en realidad es el final de la cadena montañosa. Su ladera italiana es más difícil de ascender que la suiza. El explorador británico Edward Whymper lo escaló por primera vez el 14 de julio de 1865, por el lado suizo. Tres días más tarde, Giovanni A. Carrel lideró un grupo de italianos que lo escalaron por primera vez desde el lado italiano.

Matthau, Walter (1 oct. 1920, New York, N.Y., EE.UU.–1 jul. 2000, Santa Mónica, Cal.). Actor estadounidense. Comenzó su carrera desde niño en el teatro yiddish, y posteriormente actuó en Broadway en obras como *Once More, with Feeling* (1958) y *Un disparo en la sombra* (1962). Durante la década de 1950 trabajó en forma estable como actor de carácter en teatro y televisión. Su debut cinematográfico fue en *El hombre de Kentucky* (1955), y se consagró por su rol teatral en *La extraña pareja* (1965), que revivió en la versión fílmi-

ca de 1968 junto con su habitual coprotagonista JACK LEMMON. Fue conocido por su rostro arrugado, sus gritos roncos y nasales y por su preciso manejo del ritmo. Actuó en numerosas películas como *En bandeja de plata* (1966, premio de la Academia), *La gran estafa* (1973), *La pareja chiflada* (1975), *Dos viejos gruñones* (1993) y *Dos viejos chiflados* (1996).

maturidiyya Escuela musulmana ortodoxa de teología denominada con el nombre de su fundador, Abū Manṣūr Muḥammad al-Māturīdī (m. 944). Se caracteriza por seguir el CORÁN con fidelidad, haciendo una interpretación literal del texto. Con respecto al libre albedrío, en un tiempo hizo hincapié en la absoluta omnipotencia de Dios y admitió sólo una libertad de acción limitada, pero posteriormente estableció en forma inequívoca que los humanos tienen completa libertad de acción. A diferencia de la ASARIYÁ (de los seguidores de al-ASHʿARI), quienes creían que sólo Dios podía determinar si una persona era salvada, los maturidiyya afirmaron que un musulmán que cumplía sinceramente todos los deberes religiosos prescritos en el Corán tenía asegurado un lugar en el cielo.

El monte Matterhorn, o Cervino, una de las más altas cumbres de los Alpes, en la frontera italosuiza.
ARCHIVO EDIT. SANTIAGO

Matusalén Patriarca bíblico que vivió hasta la edad de 969 años. Hijo de Enoc, es mencionado en el GÉNESIS como descendiente de Set, el hijo de Adán y Eva engendrado después de CAÍN Y ABEL. Es recor-

dado como el ser humano más longevo del mundo. Fue padre de Lamec y abuelo de NOÉ; entre sus descendientes posteriores están ABRAHAM, JACOB y DAVID.

Mauchly, John W(illiam) (30 ago. 1907, Cincinnati, Ohio, EE.UU.–8 ene. 1980, Ambler, Pa.). Físico e ingeniero estadounidense. Se incorporó al cuerpo docente de la Universidad de Pensilvania después de completar sus estudios de grado. Durante la segunda guerra mundial, el ejército de EE.UU. le pidió a él y a J. PRESPER ECKERT que idearan la forma de acelerar el recálculo de tablas de fuego de artillería, para lo cual desarrollaron la computadora electrónica ENIAC. Ambos formaron una firma de fabricación de computadoras en 1948, y en 1949 produjeron la computadora automática binaria (BINAC, por su sigla en inglés), la cual utilizó cinta magnética en lugar de tarjetas perforadas para almacenar datos. Su tercera computadora, la UNIVAC I, fue diseñada para manejar datos comerciales.

Maud ver MATILDE

Maudslay, Henry (22 ago. 1771, Woolwich, Kent, Inglaterra–14 feb. 1831, Londres). Ingeniero e inventor británico. Hijo de un obrero, se convirtió en inventor de máquinas fundamentales para la REVOLUCIÓN INDUSTRIAL, siendo la más importante el TORNO para metales. También inventó métodos para imprimir telas calicó y desalinizar agua de mar para las calderas de los barcos, como también una máquina para medir con una precisión de 0,00025 cm (0,0001 pulg.). Diseñó y construyó varios motores estacionarios y marinos. Muchos ingenieros importantes, como JAMES NASMYTH y JOSEPH WHITWORTH, aprendieron su profesión en el taller de Maudslay. Ver también JOSEPH BRAMAH.

Maugham, W(illiam) Somerset (25 ene. 1874, París, Francia–16 dic. 1965, Niza). Novelista, dramaturgo y cuentista inglés. Abandonó una efímera carrera de medicina cuando su primera novela, *Liza de Lambeth* (1897), logró cierto éxito. Sus obras de teatro, en su mayoría comedias sociales eduardianas, le brindaron estabilidad económica. Su reputación se debe principalmente a sus novelas *Servidumbre humana* (1915), *La luna y seis peniques* (1919), *Pasteles y cerveza* (1930) y *El filo de la navaja* (1944) todas las cuales han sido llevadas al cine y algunas a la televisión. Sus cuentos suelen retratar la confusión que se apodera de los europeos en entornos que no les son familiares. Sus obras, actualmente no son tan estimadas como antaño; se caracterizan por un estilo claro y sin adornos, por ambientaciones cosmopolitas y por una aguda comprensión de la naturaleza humana.

Mau-mau Movimiento nacionalista y militar liderado por los KIKUYU en la década de 1950 en Kenia. Los Mau-mau (el origen del nombre es incierto) abogaron por la resistencia violenta a la dominación británica en Kenia. En respuesta a las acciones de los rebeldes Mau-mau, el gobierno británico de Kenia proscribió el movimiento en 1950 y emprendió una serie de operaciones militares entre 1952 y 1956. Aproximadamente 11.000 kikuyu, 100 europeos y 2.000 africanos leales a los británicos murieron en el conflicto; otros 20.000 kikuyu fueron confinados en campos de detenidos. A pesar de las bajas, la resistencia de los kikuyu encabezó el movimiento independentista y JOMO KENYATTA, encarcelado por dirigir a los Mau-mau en 1953, se convirtió en primer ministro de Kenia independiente en 1963. En 2003 se levantó la proscripción del movimiento.

Mauna Kea Volcán inactivo en el centro-norte de la isla de HAWAI, estado de Hawai, EE.UU. Se eleva a 4.205 m (13.796 pies) y es el punto más alto del estado, ubicado en un parque nacional que ocupa una superficie de 202 ha (500 acres). Su nombre significa "montaña blanca", en referencia al pico nevado. Su domo tiene 48 km (30 mi) de ancho y allí se emplaza un importante observatorio astronómico. Las corrientes de lava del volcán han sepultado las laderas meridionales de las montañas Kohala, ubicadas al noroeste, y sus propias laderas del lado oeste y sur se encuentran cubiertas con lava proveniente del volcán contiguo, el MAUNA LOA.

Mauna Loa Volcán en el centro-sur de la isla de HAWAI, estado de Hawai, EE.UU. Se ubica en el parque nacional HAWAII VOLCANOES y es uno de los macizos más grandes del mundo. Se eleva a 4.169 m (13.678 pies) y tiene un domo de 120 km (75 mi) de largo por 103 km (64 mi) de ancho. Mokuaweoweo, su cráter de hundimiento, ocupa una superficie de cerca de 10 km² (4 mi²) y una profundidad de 150–180 m (500–600 pies). Desde 1832 presenta en promedio una erupción cada 3,5 años. Muchas de sus erupciones se circunscriben a su cráter Mokuaweoweo y otras escapan por fisuras y chimeneas. Sus corrientes de lava ocupan más de 5.120 km² (2.000 mi²) de la isla. Ver también KILAUEA.

Guy de Maupassant, fotografía de Nadar (Gaspar-Félix Tournachon), c. 1885.

Maupassant, (Henry-René-Albert-) Guy de (5 ago. 1850, ¿Château de Miromesnil?, cerca de Dieppe, Francia– 6 jul. 1893, París). Cuentista francés. Sus estudios de derecho fueron interrumpidos por la guerra FRANCO-PRUSIANA; su experiencia como voluntario le sirvió de material para algunas de sus mejores obras. Posteriormente, mientras se ganaba la vida como empleado del servicio civil, se transformó en un protegido de GUSTAVE FLAUBERT. Se dio a conocer con "Bola de cebo" (1880), probablemente su mejor cuento. Durante los diez años siguientes publicó alrededor de 300 cuentos, seis novelas y tres libros de viaje. En su conjunto, sus cuentos presentan una amplia visión naturalista de la vida francesa de 1870–90. Sus cuentos abordan los temas de la guerra, el campesinado normando, la burocracia, la vida en las riberas del Sena, los problemas emocionales de las diferentes clases sociales y las alucinaciones, que ya anunciaban su enfermedad mental. Maupassant era extremadamente promiscuo y antes de cumplir los 25 años de edad su salud se debilitó a causa de la sífilis. En 1892 intentó suicidarse y fue recluido en un manicomio, donde murió a los 42 años. Es considerado el mayor exponente del cuento en Francia.

Mauriac, François (11 oct. 1885, Burdeos, Francia–1 sep. 1970, París). Escritor francés. Mauriac creció en una familia católica devota y estricta. Más tarde centraría todas sus obras en la lucha del espíritu con los problemas del pecado, la gracia y la salvación. Se le conoce principalmente por sus austeras novelas psicológicas, entre ellas *L'enfant chargé de chaînes* [El niño encadenado] (1913), *El beso al leproso* (1922), *Thérèse Desqueyroux* (1927), *Nudo de víboras* (1932), considerada a menudo como su obra maestra, y *La farisea* (1941). En la década de 1930 escribió obras polémicas contra el totalitarismo y el fascismo y participó activamente en la Resistencia durante la segunda guerra mundial. En 1952 fue galardonado con el Premio Nobel de Literatura.

Maurice, Joan (Violet) ver Joan (Violet) ROBINSON

MAURICIO

▸ **Superficie:** 2.040 km² (788 mi²)

▸ **Población:** 1.245.000 hab. (est. 2005)

▸ **Capital:** PORT LOUIS

▸ **Moneda:** rupia mauriciana

Mauricio *ofic.* **República de Mauricio** País insular que se extiende al este de Madagascar en el océano Índico. Estado independiente ubicado en el centro del archipiélago de las Mascareñas, tiene una extensión de 61 km (38 mi) de norte a sur y de 47 km (29 mi) de este a oeste. Sus territorios periféricos son la isla Rodrigues al este, los Cargados Carajos o archipiélago Saint Brandon al nordeste y las Agalega al norte. Cerca de 60% de la población es creolé (ver CRIOLLO) o descendiente de franceses, y el 40% restante es indio. Idioma: inglés (oficial), criollo (lengua franca) y varios dialectos. Religiones: hinduismo (la mitad de la población), cristianismo (un tercio) e islamismo. De origen volcánico y casi rodeada de arrecifes costeros, se eleva hasta 826 m (2.711 pies) en el pico Petite Rivière Noire; su principal fuente de agua dulce es el lago Vacoas. Cerca de la mitad del suelo es cultivable, y la caña de azúcar es el principal cultivo, aunque el gobierno ha promovido la diversificación agrícola. El país depende en alto grado de la importación de alimentos, en especial de arroz. La densidad demográfica es una de las más altas del mundo. Los portugueses llegaron a la isla a comienzos del s. XVI, pero no se asentaron en ella. Los holandeses la ocuparon (1598–1710) y recibió el nombre de Mauricio en honor del gobernador Mauricio de Nassau, e intentaron colonizarla (1638–58, 1664–1710) antes de abandonarla a los piratas. Los franceses la ocuparon por intermedio de la Compañía de las Indias Orientales, y le dieron el nombre de Île de France en 1721. La compañía ejerció el gobierno hasta que el ministro francés de marina se encargó de su administración en 1767. La principal actividad económica fue el cultivo de la caña de azúcar, que dio prosperidad a la colonia.

Los británicos se apropiaron del territorio en 1810, y su control obtuvo reconocimiento formal por el tratado de PARÍS (1814), en virtud del cual volvió a denominarse Mauricio y se abolió la esclavitud. A fines del s. XIX, la competencia representada por el azúcar de remolacha hizo declinar la economía de la isla, situación agravada con la apertura del canal de SUEZ, en 1869. Después de la segunda guerra mundial, Mauricio introdujo reformas políticas y económicas, y en 1968 se transformó en un estado independiente dentro de la COMMONWEALTH. En 1992 se constituyó en república. El país experimentó inestabilidad política a comienzos del s. XXI.

Mauricio, conde de Sajonia (28 oct. 1696, Goslar, Sajonia–30 nov. 1750, Chambord, Francia). General francés de origen alemán. Hijo ilegítimo de Federico Augusto I de Sajonia, sirvió bajo las órdenes de EUGENIO DE SABOYA en Flandes y le fue concedido el título de conde de Sajonia en 1711. Comandó un regimiento alemán al servicio de Francia (1719)

Mauricio, conde de Sajonia, detalle de un retrato de Maurice-Quentin de La Tour; Staatliche Museum, Dresde, Alemania.
GIRAUDON—ART RESOURCE/EB INC.

e introdujo innovaciones en el adiestramiento militar, especialmente en mosquetería. Sirvió con distinción en el ejército francés contra su medio hermano AUGUSTO III en la guerra de sucesión POLACA y fue nombrado general (1734). Dirigió con éxito fuerzas francesas en la guerra de sucesión AUSTRÍACA, capturó Praga (1741) e invadió los Países Bajos austríacos. Allí ganó la batalla de Fontenoy (1745) y capturó Bruselas y Amberes (1746). Nombrado mariscal general de Francia por LUIS XV, dirigió la exitosa invasión de Holanda en 1747.

Mauricio de Nassau *p. ext. neerlandés* **Maurits, prince van Oranje, count van Nassau** (13 nov. 1567, Dillenburg, Nassau–23 abr. 1625, La Haya). General y estadista holandés. Hijo de GUILLERMO I (el Taciturno), fue investido en 1585 como estatúder (jefe o magistrado supremo) de las provincias septentrionales de los Países Bajos. Con el liderazgo político de JOHAN VAN OLDENBARNEVELT, consolidó el poder de las provincias en contra de España y las convirtió en centros comerciales y navieros. Ideó una planificación militar y la guerra de asedio para derrotar a las fuerzas españolas en el norte y el este, pero no pudo capturar el sur de los Países Bajos, por lo que se vio forzado a acordar una tregua con España en 1609. Desarrolló la estrategia y las tácticas militares, lo que convirtió al ejército holandés en el más moderno de Europa. En 1618 consolidó su poder político después de remover a Oldenbarnevelt del cargo y como príncipe de Orange, conde de Nassau, se convirtió en jefe absoluto de los Países Bajos.

Maurier, Dame Daphne du (13 may. 1907, Londres, Inglaterra– 19 abr. 1989, Par, Cornualles). Novelista y dramaturga británica, nieta de GEORGE DU MAURIER e hija del representante de actores Sir Gerald du Maurier (n. 1873–m. 1934). Es conocida principalmente por la novela gótica y romántica de suspenso *Rebeca* (1938), uno de los tantos relatos brillantes que ambientó en los parajes de la costa de Cornualles. Entre sus otras novelas, se destacan *La posada de Jamaica* (1936), *La cala del francés* (1942) y *Mi prima Raquel* (1951). Su cuento "Los pájaros", al igual que *La posada de Jamaica* y *Rebeca*, fueron llevados al cine por ALFRED HITCHCOCK.

Maurier, George (Louis Palmella Busson) du (6 mar. 1834, París, Francia–6 de oct. 1896, Londres, Inglaterra). Caricaturista y novelista británico. Al quedar ciego de un ojo, tuvo que abandonar la pintura por el dibujo; su habilidad en el oficio y su atractiva personalidad lo llevaron rápidamente

al éxito. Sus dibujos para *Punch*, *Once a Week* y *The Leisure Hour* constituían agudas observaciones sobre la sociedad victoriana. Su novela *Trilby* (1894), un gran éxito de librería, relata la historia de la modelo de un artista que cae bajo el embrujo del músico Svengali; relato que ha pasado a formar parte de la mitología popular. Entre sus otras novelas cabe mencionar *Peter Ibbetson* (1891) y *The Martian* [El marciano] (1897). Su nieta DAPHNE DU MAURIER también fue escritora.

MAURITANIA

▸ **Superficie:** 1.030.700 km² (398.000 mi²)

▸ **Población:** 3.069.000 hab. (est. 2005)

▸ **Capital:** NOUAKCHOTT

▸ **Moneda:** ouguiya

Mauritania País de África septentrional. Limita con Marruecos, Argelia, Senegal, Malí y el océano Atlántico. Los moros (descendientes de la mezcla de árabes bereberes y sudaneses) constituyen la gran mayoría de la población. Idiomas: árabe (oficial), fulani, soninke y uolof (todos nacionales). Religión: Islam (oficial). La mayor parte del territorio es de baja altura y árido que conforma el extremo occidental del desierto del SAHARA. Sólo una fracción de la tierra es cultivable, pero casi un 40% es apta para el pastoreo, principalmente de cabras, ovejas y camellos, actividad que ocupa a una proporción importante de la población, mayoritariamente nómada. La pesca de alta mar y la producción de hierro constituyen las principales fuente de ingresos. Es una república bicameral; el jefe de Estado y de Gobierno es el presidente, asistido por un primer ministro. Habitada en tiempos remotos por BEREBERES sanhaya, en los s. XI–XII fue el centro de la dinastía ALMORÁVIDE, también bereber, la cual impuso el Islam sobre muchos pueblos vecinos. Tribus árabes llegaron al lugar en el s. XV y formaron varias confederaciones poderosas: Trarza y Brakna, que dominaron la región del río Senegal; Kunta, al este, y Rigaibat, al norte. Los portugueses llegaron en el s. XV. Francia logró el control de la región costera en virtud del tratado de Senegal de 1817, y en 1903 se formalizó un protectorado francés sobre el territorio. En 1904 perteneció a África Occidental Francesa, y en 1920 se convirtió en colonia. Obtuvo su independencia en 1960 y abandonó la Unión Francesa. El primer presidente del país, Moktar Ould Dada, fue derrocado por un golpe de Estado en 1978, y se estableció un gobierno militar. En 1980 se constituyó un gobierno civil, y en 1991 se adoptó una nueva constitución. Durante la década de 1990 se deterioraron las relaciones entre el gobierno y los grupos opositores, aunque hubo algunos avances en cuanto a la liberalización de la economía.

Mauritania *o* **Mauretania** Antigua región de África septentrional que corresponde al norte del actual MARRUECOS y al oeste y centro de ARGELIA. Fenicios y cartagineses se asentaron en el lugar a partir del s. VI AC. Sus habitantes posteriores fueron conocidos como mauríes y masaeylíes por los romanos. Fue anexada a Roma c. 42 DC y dividida en dos provincias. Llegó a ser virtualmente independiente en el s. V, pero fue arrasada primero por los VÁNDALOS y luego por los árabes en el s. VII.

Maurois, André *orig.* **Émile Herzog** (26 jul. 1885, Elbeuf, Francia–9 oct. 1967, París). Escritor francés. Mientras servía como oficial del ejército británico durante la primera guerra mundial, obtuvo su primer éxito literario con *Los silencios del coronel Bramble* (1918), una descripción graciosa de la guerra y del carácter británico. Sus novelas de mayor relieve son *Bernard Quesnay* (1926) y *Whatever Gods May Be* [Lo que los dioses sean] (1928). Es conocido principalmente por sus biografías, que tienen el interés narrativo propio de las novelas; algunas de las figuras sobre las cuales escribió son PERCY B. SHELLEY, Lord BYRON, VICTOR HUGO y MARCEL PROUST.

Maurras, Charles (-Marie-Photius) (20 abr. 1868, Martigues, Francia–16 nov. 1952, Tours). Escritor y teórico político francés. En 1891 cofundó un grupo de poetas contrario al movimiento SIMBOLISTA, más tarde conocido como la *école romane*. Fervoroso monárquico, cofundó *L'Action Française* (1899), revista cuyo "nacionalismo integral" promovía la idea de la supremacía del Estado; se convirtió en órgano del partido reaccionario ACTION FRANÇAISE. También escribió breves historias filosóficas y poesía. Durante la segunda guerra mundial fue un fuerte partidario del gobierno de PHILIPPE PÉTAIN, por lo que fue encarcelado (1945–52).

Maurya, Imperio (c. 321–c. 185 AC). En la antigua India, estado que tuvo su centro en Pataliputra (posteriormente Patna) cerca de la confluencia de los ríos Son y Ganges (Ganga). Tras la muerte de ALEJANDRO MAGNO, CHANDRAGUPTA (Candra Gupta), fundador de la dinastía Maurya, forjó un imperio que abarcó la mayor parte del subcontinente indio, con excepción del sur, ocupado por los tamiles. ASOKA (r. circa 269–232 AC), famoso emperador budista, legó edictos en piedra que incluyen algunos de los más antiguos textos originales de India que se han descifrado. El imperio declinó después de la muerte de Asoka, pero durante su apogeo fue una autocracia eficiente y muy organizada. Ver también dinastía GUPTA; dinastía NANDA.

mausoleo Tumba grande e imponente, especialmente aquella construida en piedra que se eleva sobre la superficie, con un lugar para sepultar a los muertos. La palabra deriva de MAUSOLO, cuya viuda le erigió una espléndida tumba en HALICARNASO (c. 353–350 AC). El TAJ MAHAL es tal vez el mausoleo más espectacular.

Mausolo (m. 353 AC). Sátrapa (gobernador) de Caria en el sur de Asia Menor. Nominalmente bajo el control del Imperio persa, aprovechó la confusión en Asia Menor para obtener la independencia. Fue influyente entre las ciudades griegas de Jonia e instigó la revuelta de los aliados de Atenas en 357. Dotó con magníficas construcciones a su capital, HALICARNASO. Su esposa y hermana, ARTEMISA II, terminó de construir su tumba, el Mausoleo. Fue diseñado por el arquitecto griego Pitio y es considerado una de las SIETE MARAVILLAS DEL MUNDO.

Mauss, Marcel (10 may. 1872, Épinal, Francia–10 feb. 1950, París). Sociólogo y antropólogo francés. Era sobrino de ÉMILE DURKHEIM, quien contribuyó en gran medida a su formación intelectual y con el cual colaboró en trabajos tan importantes como *El suicidio* (1897) y *Clasificaciones primitivas* (1901–02). Su obra independiente de mayor influencia fue *Ensayo sobre el don* (1925), estudio comparativo sumamente original acerca de la relación existente entre las modalidades de intercambio de REGALOS y la estructura social. Fue docente en la École Pratique des Hautes Études y en el Collège de France y fue uno de los fundadores del Instituto de Etnología de la Universidad de París. Sus ideas acerca de la teoría y los métodos etnológicos influyeron en CLAUDE LÉVI-STRAUSS, A.R. RADCLIFFE-BROWN, BRONISŁAW MALINOWSKI y EDWARD EVANS-PRITCHARD.

maxilar Cualquiera de los dos huesos que enmarcan la BOCA: un maxilar inferior móvil (mandíbula) y uno superior fijo (maxilar superior). Estos huesos sujetan los DIENTES y se usan para morder, masticar y hablar. Las ramas ascendentes de la mandíbula forman gínglimos con el hueso temporal. La rama horizontal arciforme se engruesa en el centro para formar el mentón. El maxilar superior está unido a huesos del puente nasal, de la órbita de los ojos, techo bucal y los pómulos. Contiene los grandes SENOS maxilares.

Maxim, Sir Hiram (Stevens) (5 feb. 1840, Sangerville, Maine, EE.UU.–24 nov. 1916, Londres, Inglaterra). Inventor británico nacido en EE.UU. Hijo de un granjero de Maine, fue aprendiz de un fabricante de carruajes. Llegó a ser ingeniero jefe de la U.S. Electric Lighting Co. (1878–81), para la cual desarrolló los filamentos de carbono para las bombillas eléctricas. En su laboratorio de Londres comenzó a trabajar en una AMETRALLADORA totalmente automática; en 1884 tuvo éxito con un diseño que usaba el retroceso del cañón para eyectar el cartucho vacío y recargar la cámara. También desarrolló su propia PÓLVORA sin humo, la cordita. Muy pronto todos los ejércitos estaban equipados con ametralladoras Maxim o adaptaciones. Sus otros inventos son un encrespador de pelo, un cañón neumático y un aeroplano (1894). Su compañía, la Maxim Gun, fue finalmente absorbida por la Vickers Ltd. Su hijo, Hiram Percy (n. 1869–m. 1936), inventó el silenciador Maxim para RIFLES, el cual adaptó para uso en tubos de escape y otras tecnologías, y diseñó el automóvil eléctrico Columbia.

El mausoleo de Halicarnaso, una de las siete maravillas del mundo, grabado de Maarten van Heemskerck, s. XVI.
FOTOBANCO

Maximiano *latín* **Marcus Aurelius Valerius Maximianus** (c. 250 DC, Sirmium, Panonia Inferior–c. jul. 310). Emperador romano junto a DIOCLECIANO (286–305). Fue designado para gobernar Occidente, y no pudo sofocar las revueltas en la Galia y en Britania; CONSTANCIO I CLORO se hizo cargo de ellas y le dejó Italia, Hispania y África. Aunque se sabe que persiguió a los cristianos, probablemente actuó por órdenes de Diocleciano. Abdicó a regañadientes junto a Diocleciano, pero se retractó para apoyar la pretensión de su hijo Majencio al cargo de césar. Nuevamente fue obligado a abdicar y vivió en la corte de su yerno, CONSTANTINO I. Se suicidó después de encabezar una fracasada revuelta contra Constantino.

Maximiliano *orig.* **Fernando Maximiliano José** (6 jul. 1832, Viena, Austria–19 jun. 1867, cerca de Querétaro, México). Archiduque de Austria y emperador de México (1864–67). Hermano menor de FRANCISCO JOSÉ I de Austria-Hungría, fue almte. de la armada austríaca y gobernador gral. del reino Lombardo-Véneto. Aceptó la oferta del trono mexicano, creyendo inocentemente que los mexicanos habían votado por él para rey. El ofrecimiento fue una conspiración entre los conservadores mexicanos

Maximiliano, emperador de México (1864–67).
GENTILEZA DE LA BIBLIOTECA DEL CONGRESO, WASHINGTON, D.C.

que querían derrocar al pdte. BENITO JUÁREZ, y NAPOLEÓN III, que quería cobrar una deuda de México y que tenía ambiciones imperialistas en la región. Intentando gobernar con benevolencia paternal, mantuvo las reformas de Juárez para furia de los conservadores. El fin de la guerra de Secesión permitió que EE.UU. interviniera en favor de Juárez; las fuerzas francesas que habían apoyado a Maximiliano se retiraron a petición de EE.UU. y el ejército de Juárez retomó la Ciudad de México. Maximiliano se negó a abdicar, y fue derrotado y ejecutado.

Maximiliano I (22 mar. 1459, Wiener Neustadt, Austria–12 ene. 1519, Wels). Rey germánico y emperador del Sacro Imperio romano (1493–1519). Hijo mayor del emperador FEDERICO III y miembro de los HABSBURGO; en 1477 obtuvo por matrimonio los territorios de BORGOÑA en los Países Bajos, pero posteriormente fue obligado a entregarlos a LUIS XI (1482). En 1490 recuperó de manos de los húngaros la mayor parte de los territorios de los Habsburgo en Austria y, después de ser coronado emperador, desplazó a los turcos del límite sudoriental del imperio. Libró una serie de guerras contra los franceses, hasta lograr expulsarlos de Italia en 1496, pero perdió Milán frente a ellos en 1515. También perdió Suiza, pero se apoderó del TIROL en forma pacífica. Obtuvo España para los Habsburgos mediante el matrimonio de sus hijos; ganó influencia en Hungría y Bohemia y estableció una intrincada red de alianzas en Europa. Fue un monarca popular y fomentó la cultura y las artes.

Maximiliano I (17 abr. 1573, Munich–27 sep. 1651, Ingolstadt, Baviera). Duque de Baviera (1597–1651) y elector desde 1623. Al suceder a su padre como duque, devolvió al ducado su solvencia, reformó el código legal y creó un ejército eficaz. Opuesto a la causa protestante, formó la Liga CATÓLICA (1610). En la guerra de los TREINTA AÑOS proporcionó ayuda militar a Austria en contra del elector del Palatinado Federico V y, gracias a las victorias militares del conde de TILLY, obtuvo territorio y la calidad de elector de Baviera (1623). Amenazado por un ejército independiente al mando de ALBRECHT W.E. VON WALLENSTEIN, forzó la destitución del general en 1630. Posteriormente combatió sin éxito contra Francia y Suecia e hizo una paz separada para conservar su calidad de elector.

Maximiliano I José (27 may. 1756, Mannheim, Palatinado–13 oct. 1825, Munich). Primer rey de Baviera (1806–25). Miembro de la casa de WITTELSBACH, en 1799 heredó sus territorios con el nombre de Maximiliano IV José, elector de Baviera. Forzado por Austria a entrar en la guerra contra Francia, firmó una paz separada en 1801. Receloso de Austria, apoyó el esfuerzo de guerra francés (1805–09) con el ingreso de Baviera a la CONFEDERACIÓN DEL RIN. Recibió territorios con lo cual se coronó a sí mismo rey de Baviera (1806). Después de 1813 se alió con Austria para garantizar la integridad de su reino y cedió partes del oeste de Austria a cambio de territorios en el margen occidental del Rin. Con la ayuda de su principal ministro, conde Von Montgelas (n. 1759–m. 1838), convirtió a Baviera en un estado liberal eficiente bajo una nueva constitución (1808) y un nuevo estatuto (1818) que establecieron un parlamento bicameral.

Maximiliano II (31 jul. 1527, Viena, Austria–12 oct. 1576, Ratisbona). Emperador del Sacro Imperio romano (1564–76). Hijo del emperador FERNANDO I, fue un cristiano humanista que fomentó el entendimiento entre católicos y protestantes. Se convirtió en rey de Bohemia en 1562 y ascendió al trono imperial en 1564. Extendió la tolerancia religiosa y trabajó por la reforma de la Iglesia católica. No logró alcanzar sus objetivos políticos; una fallida campaña contra los turcos terminó con una tregua en 1568 que lo obligó a continuar pagando tributo al sultán.

Maximiliano II José (28 nov. 1811, Munich–10 mar. 1864, Munich). Rey de Baviera (1848–64). Hijo del rey LUIS I, ascendió al trono después de la abdicación de su padre en 1848. Propuso una liga de los estados más pequeños que actuara como una "tercera fuerza" en los asuntos alemanes, pero se encontró con la oposición de los estados dominantes de Austria y Prusia. Introdujo con éxito reformas liberales en Baviera, como la libertad de prensa y la responsabilidad ministerial. Convirtió a Munich en un centro de la cultura y apoyó a eruditos como LEOPOLD VON RANKE. Fue sucedido por su hijo LUIS II.

máximo En matemática, punto en el que una FUNCIÓN tiene su mayor valor. Si el valor es mayor que o igual a todo otro valor de la función, es un máximo absoluto. Si es sólo mayor que cualquiera otro en la vecindad del punto, es un máximo relativo o local. En un punto donde la función es máxima, la DERIVADA (ver CÁLCULO) es cero, o no existe. Las técnicas para encontrar puntos de máximo y mínimo motivaron en parte el desarrollo inicial del cálculo e hicieron más fácil la solución de problemas, tales como encontrar las dimensiones del recipiente con el mayor volumen para una cantidad dada de material a usar en su fabricación. Ver también MÍNIMO; OPTIMIZACIÓN.

Máximo el Griego (1480, Arta, Grecia–1556, cerca de Moscú, Rusia; festividad: 21 de enero). Erudito y lingüista griego. Educado en París, Venecia y Florencia, se convirtió en parte de un círculo de sabios humanistas y fue influenciado por el reformador dominico GIROLAMO SAVONAROLA. Se convirtió en monje ortodoxo griego y fue escogido para traducir al ruso textos teológicos y litúrgicos griegos, haciendo así posible la difusión de la cultura bizantina en toda Rusia. En Moscú se involucró en una controversia religiosa cuando se unió a una facción llamada los desposeídos, que abogaba por la renuncia a la posesión de bienes de la Iglesia. Arrestado por herejía en 1525, estuvo preso durante 20 años en un monasterio. Después de su muerte fue venerado como santo.

Maxwell, ecuaciones de Cuatro ecuaciones, formuladas por JAMES CLERK MAXWELL, que juntas forman una descripción completa de la producción e interrelación de campos ELÉCTRICOS y MAGNÉTICOS. Los postulados de estas cuatro ecuaciones son (1) el campo eléctrico diverge de la CARGA ELÉCTRICA; (2) no hay polos magnéticos aislados; (3) los campos magnéticos variables producen campos eléctricos, y (4) los campos eléctricos variables y las corrientes eléctricas producen campos magnéticos variables. Maxwell basó su descripción de los CAMPOS ELECTROMAGNÉTICOS en estos cuatro enunciados.

Maxwell, (Ian) Robert *orig.* **Jan Ludvik Hoch** (10 jun. 1923, Slatina-Selo, Checoslovaquia–5 nov. 1991, mar de las islas Canarias). Editor checobritánico. De origen judío, perdió gran parte de su familia durante el holocausto. Sin embargo, él logró trasladarse a Gran Bretaña donde se convirtió en oficial del ejército. Después de la guerra fundó la Pergamon Press, que se transformó en una importante editorial de revistas de negocios y libros científicos. Durante la década de 1980 hizo renacer a la British Printing Corp. y compró la Mirror Group Newspapers, si bien sus prácticas financieras fueron oficialmente cuestionadas. Algunas de las adquisiciones de la Maxwell Communications fueron el *New York Daily News* (1991) y la casa editorial Macmillan. La revelación de las prácticas financieras fraudulentas a las que había recurrido para evitar el colapso de su imperio precedió a su muerte en el Atlántico, donde se le halló ahogado cerca de su yate. Se supuso que fue un suicidio.

Maxwell, James Clerk (13 jun. 1831, Edimburgo, Escocia–5 nov. 1879, Cambridge, Cambridgeshire, Inglaterra). Físico escocés. Publicó su primer artículo científico a los 14 años de edad, entró a la Universidad de Edimburgo a los 16 y se graduó en la Universidad de Cambridge. Enseñó en la Universidad de Aberdeen, en el King's College de Londres y en Cambridge (desde 1871), donde supervisó la construcción del Laboratorio

Cavendish. Su logro más revolucionario fue su demostración de que la luz es una onda electromagnética, y originó el concepto de RADIACIÓN ELECTROMAGNÉTICA. Sus ecuaciones de campo (ver ecuaciones de MAXWELL) allanaron el camino para la teoría especial de la relatividad de ALBERT EINSTEIN. Estableció la naturaleza de los anillos de Saturno, realizó un trabajo importante sobre la percepción del color y elaboró la teoría cinética de los gases. Sus ideas formaron la base de la MECÁNICA CUÁNTICA y en última instancia, de la teoría moderna de la estructura de átomos y moléculas.

Maxwell, William (16 ago. 1908, Lincoln, Ill., EE.UU.– 31 jul. 2000, Nueva York, N.Y.). Editor y autor estadounidense. Impartió clases de inglés en la Universidad de Illinois, antes de pasar a formar parte del equipo editorial de la revista *The New Yorker*. Durante los 40 años que trabajó en esta, editó a escritores como JOHN CHEEVER, J.D. SALINGER, EUDORA WELTY y MAVIS GALLANT. Escribió cuentos y novelas depuradas y evocadoras. Tal vez su obra más conocida sea *The Folded Leaf* [La hoja doblada] (1945), que cuenta la historia de la amistad entre dos niños pueblerinos. Entre sus otras obras, se destacan las novelas *The Château* [El castillo] (1961) y *Adiós, hasta mañana* (1980) y la colección de cuentos *All the Days and Nights* [Todos los días y noches] (1995).

maya En el HINDUISMO, una fuerza poderosa que crea la ilusión cósmica de que el mundo de los fenómenos es real. La palabra maya se refería originalmente a la magia con la que un dios logra que los seres humanos crean en lo que resulta ser una ilusión y su sentido filosófico es una extensión de este significado. El concepto es particularmente importante en la escuela ADVAITA del sistema ortodoxo de VEDANTA, que la considera como la fuerza cósmica que presenta al BRAHMAN infinito como el mundo finito de los fenómenos.

maya Grupo de nativos mesoamericanos que entre 250 y 900 DC desarrollaron una de las más grandes civilizaciones de toda América. En 200 DC vivían en ciudades que tenían palacios, templos, plazas y campos de juego. Usaban herramientas de piedra para extraer la inmensa cantidad de rocas necesarias para esas estructuras; sus técnicas de escultura y tallado en relieve también estaban muy desarrolladas. La escritura jeroglífica MAYA sobrevive en libros e inscripciones. Su matemática se destaca por la asignación de valores a las cifras según su posición y por el uso del cero; en astronomía utilizaban un año solar calculado con exactitud con tablas precisas de las posiciones de Venus y la Luna. La precisión de este calendario fue importante para los complejos rituales y ceremonias de su religión, que se basaba en un panteón de dioses. Se realizaban rituales de desangramiento, torturas y sacrificios humanos para celebrar la voluntad de los dioses, asegurar la fecundidad y evitar el caos cósmico. En el auge de su período clásico, la civilización maya contaba con más de 40 ciudades de entre 5.000 y 50.000 habitantes. Después del año 900 declinó rápidamente por razones desconocidas. Sus descendientes actuales practican la agricultura de subsistencia en el sur de México y Guatemala. Ver también CHICHÉN ITZÁ; COPÁN; LACANDÓN; códices MAYAS; lenguas MAYAS; QUICHÉ; TIKAL; TZELTAL; TZOTZIL; UXMAL.

maya, escritura jeroglífica Sistema de escritura utilizado por la civilización MAYA desde alrededor del s. III DC hasta el s. XVII. La escritura maya es sin duda la más compleja y abundantemente documentada de las diversas escrituras desarrolladas en la Mesoamérica precolombina: se han registrado cerca de 800 signos en más de 5.000 ejemplos (ver códices MAYAS). Los signos –algunos figurativos, otros abstractos– son logogramas (que representan palabras) o silabogramas (que representan secuencias consonántico-vocálicas). Por lo general, se colocan hasta cinco signos en grupos cuadrados o rectangulares que luego se organizan en hileras o cuadrículas. Se considera que el idioma de la escritura del período clásico (c. 250–900 DC) es el chol, antepasado de varias lenguas MAYAS modernas; posteriormente, las inscripciones usaron el yucateco. En la década de 1990, los eruditos lograron alcanzar una comprensión de entre 60–70% de las inscripciones mayas; algunos textos resultaron completamente inteligibles y otros todavía bastante crípticos. La mayoría de las inscripciones registran eventos y fechas significativos en la vida de los gobernantes mayas.

mayas, códices Libros en escritura jeroglífica MAYA que sobrevivieron a la conquista española. Están hechos en papel de corteza de higuera plegado como un acordeón, con cubiertas de piel de jaguar. Aunque la mayoría de los libros mayas fueron destruidos como objetos paganos por sacerdotes españoles, se conocen cuatro que han perdurado: el códice de DRESDE, que data probablemente de los s. XI o XII, copia de textos más antiguos de los s. V–IX; el de Madrid, que data del s. XV; el de París, un poco más antiguo que el de Madrid, y el códice de Grolier, descubierto en 1971 y fechado en el s. XIII. Tratan acerca de cálculos astronómicos, adivinación y ritual.

Templo I o Templo del Jaguar, cultura maya, Tikal, Guatemala.
ARCHIVO EDIT. SANTIAGO

mayas, lenguas Familia de cerca de 30 lenguas amerindias y conjuntos de lenguas, habladas por más de tres millones de personas, principalmente en el sur de México y en Guatemala. Mientras algunas conservan pocos hablantes, el yucateco en México y las lenguas quiché, cakchiquel, mam y kekchí en Guatemala cuentan con cientos de miles de hablantes. Las lenguas mayas se registraron en un sistema de escritura indígena (ver códices MAYAS; escritura jeroglífica MAYA), como asimismo en documentos coloniales con una ortografía basada en el español, incluido el *Popol Vuh* y los textos proféticos yucatecos conocidos como los *Libros de Chilam Balam*.

Mayer, Louis B(urt) *orig.* **Eliezer Mayer** *o* **Lazar Mayer** (4 jul. 1885, Minsk, Imperio ruso–29 oct. 1957, Los Ángeles, Cal., EE.UU.). Ejecutivo cinematográfico estadounidense de origen ruso. Emigró junto a su familia primero a Canadá y luego a EE.UU. A la edad de 14 años comenzó a trabajar en el negocio de chatarra de su padre, y en 1907, adquirió un pequeño "nickelodeon" (un cine de 5 centavos la entrada) cerca de Boston. Ya en 1918 era propietario de la cadena de salas de cine más grande del nordeste de EE.UU. En 1917 fundó una compañía de producción cinematográfica en Hollywood, y por medio de una fusión con otras compañías formó la MGM en 1925. Bajo su liderazgo, y apoyado por su director artístico IRVING THALBERG, la MGM se convirtió en el estudio más grande y prestigioso de Hollywood, y Mayer logró contratar a un gran número de las más destacadas estrellas de la pantalla de ese entonces, como GRETA GARBO, CLARK GABLE y JUDY GARLAND. Fue considerado el más poderoso ejecutivo de Hollywood hasta su retiro obligado en 1951, y también, el principal fundador de la Academia de las Artes y las Ciencias Cinematográficas de EE.UU.

Mayer, Maria (Gertrude) *orig.* **Maria (Gertrude) Goeppert** (28 jun. 1906, Kattowitz, Alemania–20 feb. 1972, San Diego, Cal., EE.UU.). Física estadounidense de origen alemán. En 1930 emigró a EE.UU. donde enseñó en diversas universidades. Trabajó en la separación de ISÓTOPOS de URANIO para el proyecto MANHATTAN. Su labor en física teórica condujo a la explicación de las propiedades de los núcleos atómicos, basadas en una estructura de "capas" ocupadas por protones y neutrones. Fue galardonada con el Premio Nobel en 1963, el cual compartió con Hans Jensen (n. 1907–m. 1973) y EUGENE WIGNER.

Mayfield, Curtis (3 jun. 1942, Chicago, Ill., EE.UU.–26 dic. 1999, Roswell, Ga.). Cantautor y guitarrista estadounidense. En 1957 se convirtió en cantante y guitarrista del grupo The Impressions. Junto con Sam Gooden (bajo) y Fred Cash (tenor bajo), Mayfield (tenor alto) creó un estilo vocal muy imitado. Guitarrista autodidacta, cuando usaba alguna afinación abierta en su instrumento, conseguía un lirismo sutil que ejerció influencia. Las canciones de Mayfield, como "It's All Right" (1963), "People Get Ready" (1965) y "Choice of Colors" (1969) eran inspiradoras y humanísticas. En 1970 comenzó su carrera como solista y alcanzó su cenit con la influyente banda sonora de *Superfly* (1972), que lo transformó en una de las fuerzas principales del desarrollo del estilo musical conocido como "funk". En 1990 quedó paralítico cuando durante un concierto una torre de iluminación cayó sobre él.

Mayflower, pacto del (1620). Documento firmado por 41 pasajeros varones del Mayflower antes de desembarcar en PLYMOUTH (Massachusetts). Preocupados de que algunos participantes pudieran partir a formar sus propias colonias, WILLIAM BRADFORD y otros redactaron el pacto para cohesionar al grupo en un organismo político y que los participantes se comprometieran a cumplir las leyes que se establecieren. El documento fue una adaptación de un pacto religioso a una situación civil y formó la base del gobierno de la colonia.

Mayo, familia Familia de médicos estadounidenses. William Worrall Mayo (31 may. 1819, cerca de Manchester, Inglaterra–6 mar. 1911, Rochester, Minn., EE.UU.) llegó a EE.UU. en 1845. Comenzó a ejercer la cirugía en Rochester, Minn., en 1863, y en 1889 inauguró el Hospital St. Mary junto a sus dos hijos y las hermanas franciscanas. Su hijo mayor, William James (29 jun. 1861, Le Sueur, Minn.–28 jul. 1939, Rochester), se especializó en cirugía de abdomen, pelvis y riñones, y se desempeñó como administrador. Charles Horace (19 jul. 1865, Rochester–26 may. 1939, Chicago, Ill.), talentoso cirujano polivalente, creó modernos procedimientos en la cirugía del bocio, la neurocirugía y la cirugía ortopédica. Alrededor de 1900, la sociedad se transformó en una asociación voluntaria de médicos y especialistas, conocida más tarde como la Clínica Mayo. En 1915, los hermanos establecieron la Fundación Mayo de educación e investigación médica, que ofrece formación de posgrado en medicina y materias afines.

mayo, poste de *inglés* **maypole** Madero en rollo alto adornado con guirnaldas de flores y follaje, al que se colgaban cintas que bailarines iban entretejiendo en complejos diseños durante una danza ceremonial popular. La costumbre se originó probablemente en antiguos ritos de fertilidad, expresados en danzas alrededor de un árbol durante la primavera. En muchos países europeos, principalmente en Inglaterra, el poste se instalaba el primero de MAYO como parte de las festividades de esa fecha. Danzas de cintas semejantes se realizaban en India y en la América Latina precolombina

mayo, primero de En Europa, tradicionalmente el día (1 de mayo) de las celebraciones primaverales. Es probable que se haya originado de rituales agrícolas precristianos. En las celebraciones se designaban un rey y una reina de mayo y el elemento simbólico era un árbol de mayo; las personas participaban llevando árboles, ramas verdes o guirnaldas. Este día primero de mayo fue designado día internacional del trabajo por el Congreso Socialista Internacional de 1899 y en la actualidad es reconocido como Día del Trabajo en todo el mundo, con algunas pocas excepciones como Canadá y EE.UU. Festividad de gran importancia en la Unión Soviética y otros países comunistas, era la ocasión de importantes manifestaciones políticas.

mayólica *italiano* **maiolica** LOZA con esmalte estannífero introducida desde la España morisca a través de la isla de Mallorca y producida en Italia desde el s. XIV. La mayólica suele restringirse a cinco colores: azul cobalto, amarillo antimonio, rojo hierro, verde cobrizo y púrpura manganeso. El púrpura y azul se usaron en varios períodos, sobre todo para los contornos. También se empleó un esmalte estannífero blanco para dar realce, o solo, sobre el vidriado del estaño blanco. La forma más común fue un plato de exhibición decorado en estilo *istoriato*, i.e., narrativo italiano del s. XVI, que utiliza el cuerpo de la alfarería sólo como soporte para dar un efecto puramente pictórico. Ver también cerámica de DELFT; FAYENZA; FAYENZA MAYÓLICA; loza MAYÓLICA DE URBINO.

Piso en mayólica, nave central de la iglesia San Michele, Capri, Italia.

Mayon, volcán Volcán activo del sudeste de LUZÓN, Filipinas. Uno de los conos volcánicos más perfectos del mundo, tiene una base de 130 km (80 mi) de circunferencia y una altura de 2.421 m (7.943 pies). Visitado por escaladores y excursionistas, está en el centro del parque nacional Volcán Mayon, de 55 km^2 (21 mi^2). Desde 1616 ha erupcionado más de 30 veces; en 1993, una erupción mató a 75 personas. La más destructiva ocurrió en 1814, dejando sepultado el pueblo de Cagsawa.

Mayor, lago *italiano* **Maggiore** *antg.* **lacus Verbanus** Lago en el norte de Italia y el sur de Suiza, que limita al norte con los ALPES suizos. Con 212 km^2 (82 mi^2) de superficie, es el segundo lago más grande de Italia. Mide 54 km (34 mi) de largo, 11 km (7 mi) en su punto más ancho y alcanza 372 m (1.220 pies) de profundidad máxima. Este lago, alimentado por el río Tresa que viene del LUGANO en el este, recibe también las aguas del TICINO que lo cruza de norte a sur. Es un balneario muy conocido.

mayoría simple, sistema de Proceso electoral en el que el candidato que obtiene más votos que cualquier otro resulta elegido. Se lo distingue del sistema de mayoría absoluta, en el que para ganar el candidato debe obtener más votos que todos los demás candidatos juntos. Es el método más común para seleccionar a los candidatos a cargos públicos. Su principal ventaja consiste en que evita la necesidad de una segunda vuelta para definir el ganador. Su principal desventaja consiste en que puede ganar un candidato con votación minoritaria. Opera mejor en un sistema de dos partidos, donde una votación pequeña a favor de un tercer partido raramente traerá como consecuencia un resultado contrario a la voluntad de los electores.

mayorista, comercio Venta y compra de mercancías en grandes cantidades. El término puede incluir ventas a comerciantes minoristas, comerciantes mayoristas, agentes, distribuidores o empresas comerciales. El comercio mayorista generalmente implica ventas en cantidades a un costo significativamente menor que el precio promedio del comercio minorista. Se ha transformado en un paso importante en la cadena de abastecimiento desde la introducción de la PRODUCCIÓN EN SERIE y de las técnicas de comercialización masiva del s. XIX. Sin los comerciantes mayoristas, los fabricantes tendrían que comercializar sus productos directamente entre una miríada de clientes a costos unitarios elevados y los compradores tendrían el inconveniente de tener que tratar con un gran número de proveedores. Existen tres categorías principales de comerciantes mayoristas. Las empresas mayoristas –la categoría más importante– son empresas independientes que compran mercancías en grandes cantidades a los fabricantes y las revenden a comerciantes minoristas. Las sucursales de venta de los fabricantes son tiendas abiertas por ellos para vender directamente a los comerciantes minoristas. Los agentes e intermediarios representan a varios fabricantes y normalmente no compran la mercancía que manejan, sino que se encargan de obtener espacios en estanterías para exhibirla. Las tiendas de bodega venden grandes cantidades de productos a precios cercanos a los del comercio mayorista. Ver también comercio MINORISTA.

Mayotte, isla Isla meridional (pob., est. 2002: 165.000 hab.) del archipiélago de COMORES, posesión territorial francesa de ultramar. Situada al noroeste de Madagascar, tiene una superficie de 373 km² (144 mi²); Mamoudzou es el principal centro urbano y administrativo. Dzaoudzi, la capital actual, es un puerto importante. La mayoría de la población es de origen malgache. Estuvo habitada inicialmente por descendientes de pueblos BANTÚES y malayo-indonesios que fueron convertidos al Islam en el s. XV por invasores árabes. Capturada a fines del s. XVIII por pueblos malgaches procedentes de Madagascar, pasó a control francés en 1843. A comienzos del s. XX, junto con Madagascar y las restantes islas Comores, formó parte de un territorio francés de ultramar. Ha tenido una administración separada desde 1975, fecha en que las tres islas más septentrionales de las Comores se declararon independientes.

Mayr, Ernst (Walter) (5 jul. 1904, Kempten, Alemania–3 feb. 2005, Bedford, Mass., EE.UU.). Biólogo estadounidense de origen alemán. Obtuvo un Ph.D. en la Universidad de Berlín y emigró a EE.UU. en 1932. Mientras fue curador (1932–53) del Museo Americano de Historia Natural de Nueva York, escribió más de 100 artículos sobre taxonomía aviaria. Desde 1953 hasta

Ernst Mayr.
GENTILEZA DEL DEPARTMENT OF LIBRARY SERVICES, AMERICAN MUSEUM OF NATURAL HISTORY, NUEVA YORK, NEG. N° 334102

1975 enseñó en la Universidad de Harvard. Sus primeros estudios sobre el proceso de evolución de las especies y las poblaciones fundadoras lo transformaron en un líder del desarrollo de la teoría moderna sintética de la EVOLUCIÓN. En 1940, Mayr propuso una definición de las especies que tuvo gran aceptación y condujo al descubrimiento de algunas especies desconocidas hasta entonces. Entre sus obras influyentes figuran *Systematics and the Origin of Species* [La sistemática y el origen de las especies] (1942) y *The Growth of Biology Thought* [El desarrollo del pensamiento biológico] (1982).

Mays, Willie (Howard) (n. 6 may. 1931, Westfield, Ala., EE.UU.). Beisbolista estadounidense. Jugó en los Birmingham Black Barons de la Liga Negra cuando tenía sólo 16 años de edad. Luego pasó a los New York (más tarde San Francisco) Giants de las grandes ligas (1951–72). Brillante jardinero (defensa) central y diestro bateador, figura entre los cinco mejo-

Willie Mays, beisbolista estadounidense.
UPI

res de todos los tiempos en cuanto a *home runs* (660), carreras (2.062) y *hits* de más de una base (1.323), y entre los diez mejores en carreras impulsadas (1.903) y *hits* (3.283). Es considerado uno de los mejores jugadores de la historia en las distintas facetas del béisbol.

Maysles, Al(bert) y David (n. 26 nov. 1926, Brookline, Mass., EE.UU.) (10 ene. 1932, Boston, Mass., EE.UU.–3 ene. 1987, Nueva York, N.Y.). Documentalistas estadounidenses. Albert rodó su primer documental, *Psychiatry in Russia*, en 1955, y en 1962 los hermanos comenzaron a trabajar en filmes que se inscriben dentro del CINE VERDAD, y que ellos denominaron "direct cinema". Se hicieron conocidos con las películas *Salesman* (1969) y *Gimme shelter* (1970), ambas en colaboración con Charlotte Zwerin. Entre sus posteriores documentales se cuentan *Christo's Valley Curtain* (1972), *Grey Gardens* (1975) y *Vladimir Horowitz* (1985).

mayúscula En CALIGRAFÍA, letra de caja alta o grande, en contraste con la MINÚSCULA, letra de caja baja o pequeña. Todas las letras de un escrito en mayúsculas están contenidas entre un único par de líneas horizontales reales o teóricas. Las primeras letras mayúsculas romanas conocidas se adscriben al estilo llamado mayúsculas cuadradas, que se diferencian por los trazos descendentes, más gruesos que los ascendentes, y por los trazos terminales, serifa o gracia (pequeños trazos en ángulo recto en la parte superior e inferior de una letra). Las mayúsculas cuadradas se usaron sobre todo en inscripciones para monumentos romanos imperiales. Las mayúsculas rústicas, usadas en libros y documentos oficiales, formaron una escritura elíptica más libre. Las mayúsculas cursivas romanas, usadas en notas y cartas, fueron las precursoras de los escritos en minúscula que aparecieron más tarde.

Mazarino, Julio, cardenal *orig.* **Giulio Raimondo Mazarini** (14 jul. 1602, Pescina, Abruzos, Reino de Nápoles–9 mar. 1661, Vincennes, Francia). Cardenal y estadista francés de origen italiano. Miembro del servicio diplomático pontificio (1627–34), negoció el fin de la guerra de sucesión de Mantua entre Francia y España. Fue nuncio papal en la corte francesa (1634–36), donde sintió gran

Mazarino, detalle de un retrato de Philippe de Champaigne, Musée Condé, Chantilly, Francia.
GENTILEZA DEL MUSÉE CONDÉ, CHANTILLY, FRANCIA; FOTOGRAFÍA, GIRAUDON–ART RESOURCE

admiración por el cardenal RICHELIEU. Trabajó en favor de los intereses franceses en la corte papal, entró luego al servicio de Francia y se convirtió en ciudadano francés (1639) y en cardenal (1641). Después de la muerte de Richelieu (1642) y de LUIS XIII (1643), fue nombrado primer ministro de Francia por ANA DE AUSTRIA, regente de LUIS XIV, y dirigió la educación de Luis. Consejero de gran influencia del joven rey, ayudó a formar un equipo de administradores eficientes. Su política exterior estableció la supremacía de Francia entre las potencias europeas, y llevó a cabo la paz de WESTFALIA (1648) y la paz de los PIRINEOS (1659). Mecenas de las artes, fundó una academia de pintura y escultura y formó una gran biblioteca.

Mazatlán Ciudad portuaria (pob., 2000: 327.989 hab.) del sudoeste del estado de SINALOA, centro-norte de México. Ocupa una península que domina la bahía de Olas Altas en el golfo de CALIFORNIA. Es el puerto mexicano más grande del océano Pacífico, y su rada salpicada de islas es famosa por sus playas de fina arena. Al otro lado del golfo, en forma diagonal, se encuentra el extremo de BAJA CALIFORNIA SUR: Mazatlán sirve de enlace entre esta última y el continente. Conocida también como "la perla del Pacífico", la ciudad es un foco de atracción turística por la pesca deportiva y sus playas.

Mazda Motor Corp. Empresa japonesa fabricante de automóviles. Fundada en 1920 como una planta elaboradora de corcho, operó con la razón social Toyo Kogyo Co. entre 1927 y 1984, año en que adoptó la razón social Mazda Motor Corp. En 1931 comenzó a fabricar camiones y abastecía a las fuerzas armadas japonesas durante la segunda guerra mundial. Su fábrica resistió el bombardeo atómico de Hiroshima porque se encontraba protegida detrás de un cerro. En la década de 1960 empezó a fabricar automóviles y a comercializarlos en EE.UU. Después de una recesión económica en la década de 1970, se convirtió en una de las empresas fabricantes de automóviles más grandes de Japón. Suministra ejes y otros productos automotrices a FORD MOTOR CO., la que a comienzos del s. XXI adquirió una importante participación en Mazda. Sus oficinas centrales se encuentran en Hiroshima.

mazdeísmo Religión dualista que surgió en Irán a fines del s. V DC. Sus orígenes son inciertos y no se ha conservado ningún texto mazdeísta. Su nombre deriva de Mazdak, su principal exponente persa en el s. V, quien convirtió al rey sasánida Kavadh I. Sostenía que existían dos principios originales, Luz (o Bien) y Oscuridad (o Mal), los cuales por accidente se mezclaron, dando origen al mundo. El deber de los humanos era esforzarse por liberar la Luz en el mundo a través de la conducta moral. El mazdeísmo fue suprimido en el s. VI por los nobles persas y los clérigos zoroástricos que objetaron sus preceptos acerca de la posesión común de bienes y mujeres, pero perduró en secreto hasta el s. VIII. Ver también DUALISMO; ZOROASTRISMO Y PARSISMO.

Mazia, Daniel (18 dic. 1912, Scranton, Pa., EE.UU.–9 jun. 1996, Monterey, Cal.). Biólogo celular estadounidense. Obtuvo un Ph.D. en la Universidad de Pensilvania. Sus investigaciones se concentraron en diversos aspectos de la reproducción celular, como la MITOSIS y su regulación. Científico de renombre por haber aislado la estructura responsable de la división celular en una investigación realizada con Katsuma Dan (n. ¿1905?–m. 1996) en 1951.

Mazowiecki, Tadeusz (n. 18 abr. 1927, Płock, Polonia). Político polaco. Después de estudiar derecho, cofundó y editó la revista mensual católica independiente *Więź* (1958–81). Principal asesor del movimiento sindical SOLIDARIDAD, fue nombrado su editor periodístico (1981) por LECH WAŁĘSA. Después de las elecciones nacionales de 1989, ejerció el cargo de primer ministro de un gobierno de coalición de miembros de Solidaridad y comunistas. Emprendió reformas económicas radicales para desarrollar una economía de libre mercado, que ayudó a estabilizar el mercado de bienes de consumo de Polonia e incrementó las exportaciones del país, pero provocó un alto desempleo. Perdió en su tentativa de ser presidente en 1990 y fue reemplazado como primer ministro en 1991.

mazurca Danza folclórica polaca en compás de 3 por 4 para un grupo de parejas en círculo, caracterizada por taconazos y golpes de talón, que tradicionalmente se bailaba al son de gaitas. Originada en Mazuria (nordeste de Polonia) en el s. XVI, se popularizó en la corte polaca y se extendió a Rusia y Alemania, llegando a Inglaterra y Francia en la década de 1830. Las 50 mazurcas para piano de FRÉDÉRIC CHOPIN reflejaron y aumentaron la popularidad de esta danza. Como no tenía una pauta fija de figuras, admitía una improvisación entre cualquiera de los más de 50 pasos diferentes.

Mazuria *o* **Masuria** Región del nordeste de Polonia, con más de 2.000 lagos y pantanos. Se extiende 290 km (180 mi) hacia el este desde el curso inferior del río VÍSTULA hasta la frontera entre Polonia y Belarús, y ocupa 52.000 km² (20.000 mi²) de superficie. En 1914–15 fue escenario de algunas derrotas rusas durante la primera guerra mundial. En enero de 1945 quedó en poder de Rusia, pero fue devuelta a Polonia tras la conferencia de POTSDAM.

Mazzini, Giuseppe (22 jun. 1805, Génova–10 mar. 1872, Pisa, Italia). Patriota italiano e importante figura en la creación de la Italia moderna. Abogado, se unió al grupo independentista clandestino de los CARBONARIOS. Tras ser encarcelado por sus actividades, se trasladó a Marsella (1831), donde fundó el movimiento patriótico la JOVEN ITALIA. Más tarde amplió su plan de lograr una federación republicana mundial y en Suiza fundó la Joven Europa. En Londres (1837) continuó sus actividades revolucionarias por medio de la correspondencia con representantes en todo el mundo. Fundó la Liga Internacional de los Pueblos (1847) y recibió el apoyo de liberales ingleses. En 1848 regresó a Italia para ayudar a gobernar la efímera República de Roma, pero regresó a Inglaterra después de que el papa restableció su control en Roma. Fundó los Amigos de Italia (1851) y respaldó fallidas rebeliones en Milán, Mantua y Génova. Republicano intransigente, desaprobó el nuevo reino unido de Italia (1861). Ver también RISORGIMENTO.

Mbabane Capital y ciudad más grande (pob., est. 1998: 60.000 hab.) de SWAZILANDIA. Situada en el oeste del país, se desarrolló a fines del s. XIX cerca de la residencia del rey swazi Mbandzeni. El pueblo en sí fue fundado en 1902, cuando los británicos tomaron el control de Swazilandia e instalaron allí su centro administrativo. En 1964, una extensión de la línea férrea de Mozambique llegó hasta las cercanías de Mbabane, principalmente con el objeto de exportar el hierro que se extrae en la región; la producción de mineral prácticamente se había paralizado a fines de la década de 1970.

Mbeki, Thabo (n. 18 jun. 1942, Idutywa, Transkei). Presidente de Sudáfrica (desde 1999). Hijo de un activista contra el APARTHEID, estudió economía en la Universidad de SUSSEX en Gran Bretaña y con posterioridad recibió entrenamiento militar en la Unión Soviética. NELSON MANDELA lo nombró vicepresidente tras las primeras elecciones (1994) que se realizaron en Sudáfrica por sufragio universal y pronto llegó a controlar las actividades diarias del gobierno. Menos carismático que Mandela, ha sido criticado por sus puntos de vista sobre los aspectos biológicos del sida. Ha tenido una participación especial en la estrategia de crecimiento económico de Sudáfrica después del fin del *apartheid*. Fue reelegido en 2004 para un segundo período.

mbira *o* **piano de pulgar** Instrumento musical africano que consiste en una serie de lengüetas afinadas de metal o de bambú, unidas a una tabla o a una caja de resonancia. Las láminas se presionan y se sueltan con los pulgares y los índices para producir melodías y acompañamientos de canciones. El mbira data al menos del s. XVI en África y fue llevado a América Latina por los esclavos.

Mbomou, río Río de África central. Fluye al oeste, formando el límite entre el norte de la República Democrática del Congo y el sur de la República Centroafricana. Describe una ancha curva de 800 km (500 mi) a través de las sabanas para unirse con el río Uele y así formar el UBANGUI.

Mboya, Tom *orig.* **Thomas Joseph Mboya** (15 ago. 1930, Kilima Mbogo, cerca de Nairobi, Kenia–5 jul. 1969, Nairobi). Líder político keniano. Durante la rebelión MAU-MAU (1952–56) y en el período que transcurrió hasta la independencia de Kenia (1963), Mboya (educado en Oxford) encabezó la Federación de trabajadores de Kenia. En 1960 ayudó a fundar el importante Partido Unión Nacional Africana de

Kenia (KANU por su sigla en inglés). Después de la independencia, ocupó cargos administrativos importantes durante el gobierno de JOMO KENYATTA. Su asesinato en 1969 conmocionó a la nación y exacerbó las tensiones entre los KIKUYU, el grupo predominante, y otros grupos étnicos, en especial los LUO, al cual pertenecía Mboya.

mbundu Grupo de pueblos de habla bantú de la región centronorte de Angola. En el s. XV fundaron el reino Ndongo, rival del reino del KONGO. Fue destruido por los portugueses a fines de la década de 1600. En la década de 1970 fueron el principal respaldo del Movimiento Popular para la Liberación de Angola (MPLA), de orientación marxista, que asumió el poder en 1976. En la actualidad suman cerca de 2,3 millones de personas.

mbundu ver OVIMBUNDU

mbuti ver BAMBUTI

MCA *sigla de* **Music Corporation of America** Conglomerado de industrias dedicadas a la entretención. Fue fundada en Chicago en 1924 por Jules Stein como una agencia de talentos. En la década de 1960 adquirió el sello discográfico Decca Records y los estudios UNIVERSAL PICTURES. Actualmente produce películas, programas de televisión y productos propios de la industria musical. Desde 1990 pertenece a la corporación japonesa Matsushita.

McAdam, John (Loudon) (21 sep. 1756, Ayr, Ayrshire, Escocia–26 nov. 1836, Moffat, Dumfriesshire). Inventor escocés del proceso MACADÁN para pavimentar carreteras. Hizo temprana fortuna en la oficina de contabilidad de su tío en Nueva York (1770–83). De regreso en Escocia se dio cuenta de las malas condiciones de los caminos cerca de su propiedad y decidió experimentar en su construcción. Recomendó

John McAdam, grabado por Charles Turner.

que los caminos se elevaran sobre el nivel del terreno adyacente para tener un buen drenaje y que se cubrieran, primero con piedras grandes y luego con pequeñas, aglomerando la masa total con gravilla o escoria. En 1823 sus recomendaciones fueron oficialmente adoptadas, y en 1827 fue nombrado supervisor general de los caminos metropolitanos británicos. El macadán fue rápidamente adoptado por otros países, lo que contribuyó a hacer más fáciles los viajes y las comunicaciones.

McCarthy, John (n. 4 sep. 1927, Boston, Mass., EE.UU.). Científico en informática estadounidense. Obtuvo un Ph.D. en la Universidad de Princeton. Pionero en el campo de la INTELIGENCIA ARTIFICIAL, creó el LISP en 1958. También desarrolló ideas acerca de las características de procesamiento de los árboles (como los usados en computación), distintas de las redes. Fue distinguido con el Premio Turing (1971), el Premio Kioto (1988) y la Medalla nacional de ciencias (1990).

McCarthy, Mary (Therese) (21 jun. 1912, Seattle, Wash., EE.UU.– 25 oct. 1989, Nueva York, N.Y.). Novelista y crítica estadounidense. Trabajó en el equipo editorial del *Partisan Review* de 1937 a 1948. Empezó a escribir ficción bajo el estímulo de su segundo esposo, EDMUND WILSON. Su obra es conocida por sus mordaces comentarios satíricos sobre el matrimonio, la impotencia de los intelectuales y papel de la mujer en los centros urbanos. Entre sus novelas, sobresalen *La compañía* (1942), *El grupo* (1963), esta última su obra más conocida, *Pájaros de América* (1971) y *Cannibals and Missionaries* [Caníbales y misioneros] (1979). También

escribió dos autobiografías, *Memorias de una católica* (1957) y *How I Grew* [Cómo crecí] (1987).

McCartney, Sir (James) Paul (n. 18 jun. 1942, Liverpool, Inglaterra). Cantautor británico. Proveniente de una familia de clase obrera, aprendió a tocar el piano, pero lo cambió por la guitarra después de escuchar discos estadounidenses de rock-and-roll. A mediados de la década de 1950 conoció a JOHN LENNON, con quien formó el grupo The Quarrymen, que más tarde tomó el nombre The BEATLES. Él y Lennon colaboraron en la composición de muchas canciones, entre ellas, algunas de las más populares del s. XX. En 1970 lanzó su primer álbum como so-

lista. Con su esposa, la fotógrafa Linda Eastman (n. 1941–m. 1998), formó el grupo Wings, entre cuyos álbumes exitosos destacan *Band on the Run* (1973) y *Wings at the Speed of Sound* (1976). Después de la disolución del grupo, McCartney tuvo varios éxitos en la década de 1980. En 1990 en Río de Janeiro, Brasil, batió un récord mundial al presentarse en un concierto pagado ante un público de más de 184.000 personas. Fue ordenado caballero en 1997.

Paul McCartney, cantautor británico y ex Beatle.

McCarty, Maclyn (n. 9 jun. 1911, South Bend, Ind., EE.UU.). Biólogo estadounidense. Obtuvo un M.D. en la Universidad Johns Hopkins. Con OSWALD AVERY y Colin M. MacLeod proporcionó la primera prueba experimental de que el material genético de las células vivas está compuesto por ADN. En sus experimentos clásicos (1944), la introducción de cierto material de un tipo de bacterias de neumococo dentro de otro tipo, transformaba las bacterias receptoras en el tipo del cual provenía el material extraído. La sustancia responsable del cambio era el ADN.

McClellan, George B(rinton) (3 dic. 1826, Filadelfia, Pa., EE.UU.–29 oct. 1885, Orange, N.J.). Oficial de ejército estadounidense. Cuando egresó de West Point, prestó servicios en la guerra mexicano-estadounidense y luego regresó a West Point a enseñar ingeniería militar. En 1855–56 emprendió una misión a Crimea para estudiar los métodos bélicos europeos. En 1857 renunció al ejército para ocupar el puesto de jefe de ingeniería en la empresa de ferrocarriles Illinois Central Railroad (1857); en 1860 fue presidente de la Ohio and Mississippi Railroad. Al iniciarse la guerra de SECESIÓN recibió el grado de oficial en el ejército regular y estuvo al mando del departamento del Ohio. En 1861, ABRAHAM LINCOLN lo nombró general en jefe del ejército; McClellan organizó una fuerza de combate eficiente, pero en el otoño de ese año se negó a tomar la ofensiva, hecho que indujo a Lincoln a emitir su orden general de guerra (1862), en que mandaba el movimiento de avance de todos los ejércitos. Dirigió con cautela la campaña peninsular, pero no logró tomar Richmond y combatió con indecisión en las batallas de los SIETE DÍAS. En la batalla de ANTIETAM no consiguió destruir el ejército de ROBERT E. LEE y Lincoln lo destituyó. En 1864 fue el candidato presidencial demócrata contra Lincoln, sin éxito. En 1872–77 fue presidente del Atlantic and Great Western Railroad.

McClintock, Barbara (16 jun. 1902, Hartford, Conn., EE.UU.–2 sep. 1992, Huntington, N.Y.). Genetista estadounidense. Obtuvo un doctorado en la Universidad Cornell. En las décadas de 1940–50, sus experimentos con las variaciones del color de los granos de maíz revelaron que la información genética no es estacionaria. Aisló dos elementos de control en el material genético y no sólo encontró que se movían, sino que el cambio de posición afectaba el comportamiento de los genes vecinos; sugirió que estos elementos eran responsables de la diversidad en las células durante el desarrollo de un organismo. Su investigación sin precedentes, cuya importancia no fue reconocida durante muchos años, le significó finalmente obtener el Premio Nobel en 1983.

McClung, Clarence E(rwin) (6 abr. 1870, Clayton, Cal., EE.UU.–17 ene. 1946, Swarthmore, Pa.). Zoólogo estadounidense. Obtuvo un Ph.D. en la Universidad de Kansas. El estudio de los mecanismos de la herencia lo condujo a la hipótesis (1901) de que un cromosoma extra o accesorio determinaba el sexo. El descubrimiento del cromosoma que determina el sexo proporcionó parte de la prueba inicial que un cromosoma dado contiene un conjunto definible de caracteres hereditarios. También estudió cómo afecta la herencia de diferentes organismos el comportamiento de los cromosomas de las células sexuales.

Avión caza F-15 B biplaza fabricado por la McDonnell Douglas Corp.
FOTOBANCO

McCormack, John (14 jun. 1884, Athlone, cond. de Westmeath, Irlanda–16 sep. 1945, cerca de Dublín). Tenor estadounidense de origen irlandés. En su niñez viajó con el coro de la catedral de Dublín, estudió canto en Milán y en 1906 hizo su debut en Italia. Al año siguiente debutó en Londres con *Cavalleria rusticana* y durante la siguiente década realizó una carrera internacional de ópera, sobre todo en EE.UU. A partir de 1918 se dedicó principalmente a hacer recitales y grabaciones, con un repertorio que abarcó desde *lieder* alemanas hasta populares canciones sentimentales. Sus canciones irlandesas fueron muy apreciadas.

McCormick, Cyrus Hall (15 feb. 1809, cond. de Rockbridge, Va. EE.UU.–13 may. 1884, Chicago, Ill.). Industrial e inventor estadounidense. Se le atribuye el desarrollo (desde 1831) de la SEGADORA mecánica, la cual revolucionó la cosecha de cereales. Hacia 1850 la segadora de McCormick era conocida a lo largo y ancho de EE.UU.; sus premios y honores, como la Gran medalla de honor en la Exposición de París de 1855, la hicieron famosa en todo el mundo. En 1902, la McCormick Harvesting Co. y otras compañías se unieron para formar la International Harvester Co., con Cyrus hijo como su primer presidente.

Cyrus Hall McCormick.
CULVER PICTURES

McCrea, Joel (Albert) (5 nov. 1905, South Pasadena, Cal., EE.UU.–20 oct. 1990, Woodland Hills, Cal.). Actor de cine estadounidense. Interpretó pequeños papeles y trabajó como doble de escenas riesgosas en Hollywood antes de obtener su primer rol protagónico en *La horda argentada* (1930). Entre sus películas se cuentan numerosos *westerns*, en los que retrató al individuo seguro y equilibrado con un hablar sonoro y nasal de acento estadounidense, como *El malvado Zaroff* (1932), *Una canción en marcha* (1937), *Unión Pacífico* (1939), *Enviado especial* (1940), *Los viajes de Sullivan* (1941), *El virginiano* (1946) y *Duelo en la alta sierra* (1962).

McCullers, Carson *orig.* **Lula Carson Smith** (19 feb. 1917, Columbus, Ga., EE.UU.–29 sep. 1967, Nyack, N.Y.). Novelista y cuentista estadounidense. Estudió en las universidades de Columbia y de Nueva York, y finalmente se radicó en Greenwich Village en Nueva York. Debido a una serie de apoplejías que sufrió de niña, quedó parcialmente paralítica. La mayoría de sus cuentos están ambientados en pequeñas comunidades sureñas y describen la vida interior de personajes solitarios. Entre sus novelas se cuentan *El corazón es un cazador solitario* (1940), tal vez su mejor obra, *Reflejos en un ojo dorado* (1941), *Frankie y la boda* (1946), la cual adaptó para el teatro (1950), y *La balada del café triste* (1951), llevada al teatro por EDWARD ALBEE en 1963. Todas ellas fueron llevadas al cine.

McCulloch v. Maryland (1819) Sentencia de la Corte Suprema de los ESTADOS UNIDOS DE AMÉRICA que confirmó la doctrina constitucional de los poderes implícitos del congreso. En el caso se discutió si un banco nacional que acababa de crearse podía o no fiscalizar la emisión de moneda por los estados, entre ellos el estado de Maryland. El fallo unánime, redactado por JOHN MARSHALL, estableció que el congreso no sólo tiene las atribuciones que expresamente le confiere la constitución, sino también la autoridad necesaria para su adecuado ejercicio, en este caso la creación de dicho banco. Esta doctrina, extraída de la "cláusula elástica" del artículo primero, fue elemento importante para el aumento sostenido de los poderes federales. Además reforzó la facultad de CONTROL DE LA CONSTITUCIONALIDAD establecida en el caso MARBURY V. MADISON (1803).

McDonnell Douglas Corp. Fabricante estadounidense de aviones caza a reacción, comerciales y vehículos espaciales. Se constituyó en 1967 como resultado de la fusión de la McDonnell Aircraft Co. (fundada en 1939) y Douglas Co. (1921). Durante la segunda guerra mundial, Douglas aportó 29.000 aviones de guerra, un 16% de la flota aérea estadounidense. En la posguerra dominó las rutas aéreas comerciales con sus DC-6 y DC-7. Con el desarrollo de los reactores comerciales, Douglas comenzó a quedar a la zaga de la BOEING CO., por lo que procuró fusionarse con la empresa McDonnell que había crecido rápidamente durante la segunda guerra mundial y continuaba siendo una importante proveedora de la defensa y había diseñado el primer caza reactor para portaaviones. Tras la fusión, McDonnell Douglas fabricaba reactores caza de uso generalizado (entre ellos, el F-4 Phantom, el A-4 Skyhawk, el F-15 Eagle y el F-18 Hornet), así como LANZADERAS ESPACIALES y MISILES CRUCERO. Boeing compró la empresa en 1997. Ver también LOCKHEED MARTIN CORP.

McEnroe, John (Patrick), Jr. (n. 16 feb. 1959, Wiesbaden, Alemania Occidental). Tenista estadounidense. Nacido en Alemania Occidental, creció en Douglaston, N.Y., EE.UU. Jugador atlético, de saque y volea, ganó tres títulos consecutivos de singles en el Abierto de EE.UU. (1979–81) y un cuarto en 1984. También ganó los singles de Wimbledon en 1981, 1983 y 1984, así como muchos títulos en dobles. Conocido por sus berrinches e insultos en la cancha, fue el primer jugador, en cerca de 30 años, en ser expulsado de un partido de Grand Slam.

McFadden, Daniel L. (n. 29 jul. 1937, Raleigh, N.C., EE.UU.). Economista estadounidense. Obtuvo el Premio NOBEL de ciencias económicas en conjunto con JAMES J. HECKMAN en

2000, por el desarrollo de métodos de análisis del comportamiento individual o familiar. McFadden estudió física (B.Sc. 1957) y economía (Ph.D. 1962) en la Universidad de Minnesota. Fue profesor de economía de la Universidad de California, en Berkeley (1963–79 y desde 1990), de la Universidad de Yale (1977–78) y del Instituto Tecnológico de Massachusetts (1978–91). En 1974 desarrolló el análisis Logit condicional, método para determinar cómo las personas realizan elecciones que maximizan la utilidad de sus decisiones. Su trabajo ha contribuido a predecir las tasas de utilización del TRANSPORTE PÚBLICO y sus métodos estadísticos se han empleado para efectuar estudios relacionados con la participación de mano de obra, atención de salud, vivienda y medio ambiente.

McGill, Universidad Universidad privada con financiamiento estatal y sede en Montreal, Quebec, Canadá. Fue fundada en 1821 mediante una donación legada por el mercader canadiense de nacionalidad escocesa, James McGill (n. 1744– m. 1813). Reconocida internacionalmente por sus trabajos en química, medicina y biología, cuenta además con facultades de agronomía y ciencia medioambiental, arte, odontología, educación, ingeniería, derecho, administración de negocios, música, estudios religiosos y ciencia. Las clases se imparten en inglés, aun cuando los estudiantes pueden rendir sus exámenes en francés.

McGillivray, Alexander (c. 1759–17 feb. 1793, Pensacola, Fla., EE.UU.). Principal jefe de los CREEKS en los años posteriores a la guerra de independencia de Estados Unidos. De ascendencia francesa y creek, fue educado por blancos en Charleston, S.C., antes de convertirse en líder de su pueblo. Desconfiaba de los especuladores de tierras, y firmó un tratado (1784) con los españoles en Florida que dejó a los creeks bajo la protección de España. Tras reiteradas solicitudes de EE.UU., finalmente aceptó su soberanía sobre las tierras de los creeks, a condición de que estos permanecieran libres de invasiones estadounidenses.

McGwire, Mark (David) (n. 1 oct. 1963, Pomona, Cal., EE.UU.). Beisbolista estadounidense. En sus años universitarios jugó en primera base; en 1987 se unió a los Oakland Athletics. Pronto mostró la potencia que sería su marca registrada. Los 49 *home runs* que logró en su primera temporada en las grandes ligas constituyeron un récord, lo que le valió ser nombrado el mejor neoprofesional de la Liga Americana. En 1989, su promedio de bateo de 0,343 durante la postemporada llevó a los Oakland a ganar la Serie Mundial. Las lesiones lo persiguieron entre 1993 y 1995. En 1997 fue transferido a los St. Louis Cardinals y ese mismo año conectó 58 *home runs*. En 1998 quebró el récord de 61 *home runs* en una temporada, que había ostentado durante 37 años ROGER MARIS. McGwire y SAMMY SOSA mantuvieron en vilo a los fanáticos con su competencia de *home runs*; finalmente, McGwire estableció un nuevo récord de 70, marca que rompió en 2001 BARRY BONDS (73). En 1999, McGwire conectó 65 *home runs*. Al concluir la temporada 2001 se retiró del béisbol profesional.

McKellen, Sir Ian (Murray) (n. 25 may. 1939, Burnley, Lancashire, Inglaterra). Actor británico. Titulado en la Universidad de Cambridge, debutó profesionalmente en el teatro en 1961. En el festival de Edimburgo de 1969 fue aclamado por sus interpretaciones de Ricardo II y Eduardo II. Fue cofundador de la compañía Actors' Company en 1971, pero se retiró en 1974 para unirse a la Royal Shakespeare Company. Conocido como un actor versátil y apasionado, ha interpretado una amplia gama de personajes que abarcan desde el teatro isabelino hasta el contemporáneo. En 1981 obtuvo un premio Tony por *Amadeus*; entre sus películas se cuentan *Plenty* (1985), *Escándalo* (1988), *Ricardo III* (1995) y *Dioses y monstruos* (1998). En 2001 interpretó al mago Gandalf en la versión cinematográfica de *El señor de los anillos* de J.R.R.

TOLKIEN. En 1988 comenzó a apoyar públicamente los derechos de los homosexuales, y en 1991 se le concedió el título de caballero.

McKim, Charles Follen (24 ago. 1847, cond. de Chester, Pa., EE.UU.–14 sep. 1909, St. James, Long Island, N.Y.). Arquitecto estadounidense. Estudió en la Universidad de Harvard y en la École des Beaux-Arts, en París. En 1879 se unió a William Rutherford Mead y STANDFORD WHITE para fundar McKim, Mead & White, la empresa de arquitectura más exitosa de la época en EE.UU., que se distinguió hasta 1887 por sus residencias estilo SHINGLE. En años posteriores se convirtió en adalid de la tradición formal renacentista y de sus antecesores clásicos, fomentando un resurgimiento del estilo neoclásico. Entre los ejemplos más admirados del esquema formal de McKim figuran la biblioteca pública de Boston (1887), la biblioteca de la Universidad de Columbia (1893), el proyecto de la World's Columbian Exposition en Chicago (1893, con DANIEL H. BURNHAM y RICHARD MORRIS HUNT), y en la ciudad de Nueva York, la biblioteca Morgan (1903) y la magnífica estación ferroviaria Pensilvania (1904–10, demolida en 1963).

McKinley, monte *atabascano* **Denali** Cumbre más alta de América del Norte. Con una elevación de 6.194 m (20.320 pies), se ubica en la cordillera de Alaska, en el centro-sur del estado de Alaska, EE.UU., al interior del parque nacional DENALI. El pico norte fue escalado por primera vez en 1910; tres años después Hudson Stuck y Harry Karstens alcanzaron el pico sur, la verdadera cima. En 1889 recibió el nombre de pico Densmores en honor a un prospector, pero fue rebautizado en 1896 en honor al pdte. WILLIAM MCKINLEY.

McKinley, William (29 ene. 1843, Niles, Ohio, EE.UU.– 14 sep. 1901, Buffalo, N.Y.). Vigésimo quinto presidente de EE.UU. (1897–1901). Durante la guerra de SECESIÓN fue ayudante del cnel. RUTHERFORD B. HAYES, quien lo alentó después en su

carrera política. Perteneció a la Cámara de Representantes (1877–91), donde fue partidario de los aranceles proteccionistas; fue el principal patrocinador del arancel McKinley de 1890. Con el apoyo de MARK HANNA ganó dos períodos en el cargo de gobernador de Ohio (1892–96). Candidato presidencial republicano en 1896, derrotó holgadamente al demócrata WILLIAM JENNINGS BRYAN. En 1897 firmó el arancel Dingley, hasta entonces el arancel proteccionista más alto en la historia de EE.UU. En 1898 el *USS Maine* estalló (ver destrucción del MAINE) y se hundió en la

William McKinley, presidente de EE.UU. (1897–1901).

GENTILEZA DE LA BIBLIOTECA DEL CONGRESO, WASHINGTON, D.C.

bahía de La Habana, Cuba, entonces colonia española; McKinley pensó que los españoles eran los responsables y exigió la independencia de la isla, lo que España rehusó. Estados Unidos ganó con facilidad la breve guerra HISPANO-ESTADOUNIDENSE. Apoyó la ratificación del tratado de paz que cedió a EE.UU. las posesiones españolas de Puerto Rico, Guam y Filipinas; en su opinión, su país tenía la obligación de hacerse cargo del bienestar de un pueblo extranjero. En 1901, luego de ser reelegido, inició una gira de discursos por los estados occidentales, en la cual instó a controlar las sociedades de inversión y a alentar la reciprocidad comercial con el fin de impulsar el comercio exterior. El 6 de sep. de 1901, el anarquista Leon Czolgosz le disparó y lo hirió de muerte. Lo sucedió THEODORE ROOSEVELT.

McLuhan, (Herbert) Marshall (21 jul. 1911, Edmonton, Alberta, Canadá–31 dic. 1980, Toronto, Ontario). Teórico de la comunicación y profesor canadiense. Desde 1946 fue docente en la Universidad de Toronto y se hizo conocido por su aforismo "el medio es el mensaje", que resumía su visión acerca de la poderosa influencia de los "medios calientes" (televisión, computadora y otros medios de comunicación electrónicos) en la configuración de las formas de opinión y de pensamiento, ya fuese en sociología, arte, ciencia o religión. Consideraba que el libro impreso, como "medio frío", estaba condenado a desaparecer. Entre sus obras más influyentes figuran *La galaxia Gutenberg* (1962), *Comprender los medios de comunicación* (1964) y *El medio es el mensaje* (junto con Q. Fiore, 1967).

McMahon, línea Frontera entre el Tíbet y ASSAM en la India británica, negociada entre el Tíbet y Gran Bretaña al finalizar la conferencia de Shimla (Simla) en 1913–14. Su nombre se debe al principal negociador británico, sir Henry McMahon. China se negó a reconocer la línea fronteriza, argumentando que por estar subordinado a China, el Tíbet no podía suscribir tratados. Un conflicto protagonizado por India y China en 1962 no resolvió la disputa fronteriza. China todavía considera que la línea es ilegal.

McMurdo, estrecho de Ensenada del sudoeste del mar de Ross, Antártida. Situado en el borde de la barrera de hielo de ROSS, el canal tiene una extensión de 148 km (92 mi) y hasta 74 km (46 mi) de ancho; ha sido un importante centro para la exploración antártica. Descubierto en 1841 por el explorador escocés James C. Ross, fue una de las principales rutas de acceso al continente antártico. La isla de Ross, ubicada cerca de las costas del estrecho, fue la base de operaciones de los exploradores británicos ROBERT FALCON SCOTT y ERNEST SHACKLETON.

McNally, Terrence (n. 3 nov. 1939, St. Petersburg, Fla., EE.UU.). Dramaturgo estadounidense. Fue reportero de un periódico, tutor de los hijos de JOHN STEINBECK, y ejerció como director de escena de la compañía Actors Studio. Entre sus obras, que generalmente indagan las relaciones personales y se caracterizan por un humor negro, se cuentan *Bad Habits* (1971), *Master Class con María Callas* (1995), *Love! Valour! Compassion!* (1995, premio Tony; película, 1997) y la controvertida *Corpus Christi* (1998, premio Tony). Además, escribió el libreto de la comedia musical *El beso de la mujer araña* (1993).

McNamara, Robert S(trange) (n. 9 jun. 1916, San Francisco, Cal., EE.UU.). Secretario de defensa de EE.UU. (1961–68). Se tituló en la Universidad de California, en Berkeley (1937), obtuvo un título de posgrado en la escuela de negocios de Harvard (1939) y más adelante se incorporó al profesorado de Harvard. Durante la segunda guerra mundial creó sistemas logísticos y estadísticos para las fuerzas armadas. Después de la guerra fue uno de los prodigios (*Whiz Kids*) contratados para revitalizar la Ford Motor Company y, en 1960, fue el primer presidente de la empresa que no pertenecía a la familia Ford. En 1961, JOHN F. KENNEDY lo nombró secretario de defensa. Aunque al comienzo apoyó la participación de EE.UU. en la guerra de VIETNAM, en 1967 abogó por las negociaciones de paz; su oposición al bombardeo de Vietnam del Norte le hizo perder influencia con el pdte, LYNDON B. JOHNSON. En 1968 renunció para ocupar la presidencia del Banco Mundial (1968–81).

McQueen, (Terence) Steve(n) (24 mar. 1930, Beech Grove, Ind., EE.UU.–7 nov. 1980, Juárez, México). Actor de cine estadounidense. Cuando joven permaneció internado en un reformatorio hasta enrolarse como soldado de infantería de marina, y finalmente estudiar actuación en Nueva York. Se dio a conocer en Broadway con *El ansia perversa* (1955) y debutó en el cine con *Marcado por el odio* (1956). Luego protagonizó la serie televisiva *Wanted: Dead or Alive* (1958–61). Interpretó personajes fríos y estoicos, y sus héroes solitarios se expresaban más con acciones que con palabras, en películas como *El gran escape* (1963), *El Yang-Tse en llamas* (1966), *Bullitt* (1968), *El caso de Thomas Crown* (1968), *Papillon* (1973) e *Infierno en la torre* (1974).

McRae, Carmen (8 abr. 1920, Nueva York, EE.UU.–10 nov. 1994, Beverly Hills, Cal.). Cantante y pianista estadounidense. Recibió la influencia de BILLIE HOLIDAY y SARAH VAUGHAN. En 1943 empezó su carrera como cantante en el Minton's Playhouse de Harlem, donde incorporó las innovaciones de los primeros músicos del BEBOP. Desde mediados de la década de 1950, hizo carrera como solista y se convirtió en una de las cantantes de *scat* e intérpretes de baladas más dotadas del JAZZ.

Me 109 ver MESSERSCHMITT 109

Me Nam ver CHAO PHRAYA

Mead, George Herbert (27 feb. 1863, South Hadley, Mass., EE.UU.–26 abr. 1931, Chicago, Ill). Filósofo, sociólogo y psicólogo social estadounidense, destacado en el desarrollo del PRAGMATISMO. Estudió en el Oberlin College, se graduó en la Universidad de Harvard (B.A., 1888) y luego siguió estudios de filosofía y psicología en las universidades de Leipzig y Berlín (1888–91), Alemania. Posteriormente dictó cátedra de filosofía y psicología en la Universidad de Michigan (1891–94) con JOHN DEWEY y CHARLES HORTON COOLEY. En 1894 se trasladó con Dewey a la Universidad de Chicago, donde se dedicó a la docencia el resto de su vida. Mead se centró en la relación entre el yo y la sociedad, en especial, en el surgimiento del yo en el proceso de interacción social. Algunas de sus obras son *The Philosophy of the present* [La filosofía del presente] (1932) y *Espíritu, persona y sociedad* (1934). Ver también INTERACCIONISMO.

Mead, lago Embalse de la represa HOOVER, en el límite entre los estados de Arizona y Nevada, EE.UU. Uno de los lagos artificiales más grandes del mundo, se formó con la construcción de la represa en el río COLORADO. Mide 185 km (115 mi) de largo y 1,6–16 km (1–10 mi) de ancho; con una capacidad superior a los 38.000 millones de m³ (31 millones de pies-acre), ocupa una superficie de 593 km² (229 mi²). Debe su nombre a Elwood Mead, comisionado de reclamación de tierras. La Lake Mead National Recreation Area (zona de recreación nacional), establecida en 1936, ocupa una superficie de 6.055 km² (2.338 mi²) y se extiende por 386 km (240 mi) a lo largo del río.

Mead, Margaret (16 dic. 1901, Filadelfia, Pa., EE.UU.–15 nov. 1978, Nueva York, N.Y.). Antropóloga estadounidense. Discípula de FRANZ BOAS y RUTH BENEDICT en la Universidad de Columbia, realizó estudios etnográficos en Samoa antes de obtener un Ph.D. (1929). El primero y más famoso de sus 23 libros, *Adolescencia, sexo y cultura en Samoa* (1928), presenta evidencias que sustentan el determinismo cultural con respecto a la formación de la personalidad o TEMPERAMENTO. Otros de sus libros son *Sexo y temperamento en las sociedades primitivas* (1935), *El hombre y la mujer* (1949) y *Cultura y compromiso* (1970). Sus teorías llevaron a que posteriormente otros antropólogos del s. XX cuestionaran tanto la exactitud de sus observaciones como la solidez de sus conclusiones. En sus últimos años se convirtió en importante portavoz de asuntos tan diversos como los derechos de la mujer y la proliferación nuclear; debe su gran fama a la fuerza de su personalidad y su franqueza, como también a la calidad de su trabajo científico. Desempeñó diferentes funciones como conservadora del American Museum of National History durante más de 50 años.

Meade, George G(ordon) (31 dic. 1815, Cádiz, España–6 nov. 1872, Filadelfia, Pa., EE.UU.). General estadounidense en la guerra de SECESIÓN. Fue hijo de un agente naval estadounidense en España. Después de egresar de West Point, en

Millones de peregrinos musulmanes visitan La Meca; al centro, el santuario de la Ka'ba.
FOTOBANCO

1835, trabajó de topógrafo. En 1842 se reincorporó al ejército y en 1861 ascendió a general de brigada de los voluntarios de Pensilvania. Combatió en Bull Run, Antietam y Chancellorsville. Tres días antes de la batalla de GETTYSBURG, reemplazó a JOSEPH HOOKER como comandante del ejército del Potomac. En Gettysburg repelió el ataque confederado, pero se le criticó por no perseguir a las fuerzas de ROBERT E. LEE. A partir de1864 fue subordinado del gral. ULYSSES S. GRANT, a quien sirvió con lealtad. Terminada la guerra, estuvo al mando de diversos servicios militares.

meandro Curva en forma de U muy cerrada en el curso de un río, que a menudo se presenta en serie y es causada por características propias del flujo del agua. Los meandros se forman por procesos erosivos y el depósito de sedimentos en la curvatura. Esta dependerá del caudal, carga de sedimentación y tipo de terreno por el que fluye el río. Como los meandros son activos y migran aguas abajo, puede producirse el estrangulamiento de uno de ellos, formando una LAGUNA MUERTA semicircular. Con el tiempo, estos meandros abandonados se pueden llenar de sedimentos para formar una CIÉNAGA.

Meandro, río ver río MENDERES

Meany, George (16 ago. 1894, Nueva York, N.Y., EE.UU.– 10 ene. 1980, Washington, D.C.). Líder sindical estadounidense. Plomero de oficio, se afilió a la United Association of Plumbers and Steam Fitters en 1915, y escaló posiciones hasta llegar a ser dirigente sindical. En 1939 fue elegido secretario-tesorero de la American Federation of Labor (AFL) y llegó a ser su presidente en 1952. En 1955 encabezó la fusión de la AFL y del Comité de organización industrial (CIO) y contribuyó a la reconciliación de ambas federaciones, a pesar de la competencia que existía entre ellas y de sus antiguas diferencias. Conservador y anticomunista, en su calidad de presidente de la AFL-CIO (1955–79), alejó del radicalismo al movimiento sindical estadounidense. Enérgico y a menudo dictatorial, en 1957 expulsó a la TEAMSTERS UNION (sindicato de conductores de camiones) de la AFL-CIO y en 1967, a raíz de sus disputas con WALTER REUTHER, se produjo el alejamiento del UNITED AUTOMOBILE WORKERS (Sindicato de trabajadores de la industria automovilística). Meany ejerció una influencia considerable en el Partido Demócrata en la década de 1970.

Meca, La *árabe* **Al-Makkah** Ciudad (pob., 1992: 965.697 hab.) en el oeste de Arabia Saudita. Es la ciudad santa del IS-LAM, cuna del profeta MAHOMA y su hogar hasta 622 DC, fecha en que se vio forzado a escapar a MEDINA (ver también HÉGI-RA); en 630 volvió y capturó la ciudad. Fue dominada por la dinastía de los MAMELUCOS en 1269 y por el Imperio OTOMANO en 1517. El rey IBN SA'UD la ocupó en 1925 y pasó a formar parte del reino de Arabia Saudita. Es un centro religioso al que los musulmanes deberían peregrinar (ver HAJJ) al menos una vez en la vida; sólo los adherentes pueden entrar en ella. Los servicios asociados a las peregrinaciones son su principal actividad económica. Allí se localiza la gran mezquita, llamada al-Haram, en cuyo centro se halla la KA'BA.

mecánica Ciencia que estudia la acción de las fuerzas sobre cuerpos materiales. Es una rama fundamental de la física y la ingeniería. Desde sus orígenes con las leyes del movimiento de NEWTON en el s. XVII, ha sido modificada y ampliada por las teorías de la MECÁNICA CUÁNTICA y de la RELATIVIDAD. La teoría mecánica de Newton, conocida como mecánica clásica, representa de manera precisa los efectos de fuerzas bajo todas las condiciones conocidas en su tiempo. Puede dividirse en estática, que estudia el EQUILIBRIO, y DINÁMICA, que estudia el movimiento causado por las fuerzas. Aunque la mecánica clásica falla en la escala de ÁTOMOS y moléculas, sigue siendo el marco de referencia para gran parte de la ciencia y tecnología modernas.

mecánica celeste Rama de la ASTRONOMÍA que trata sobre la teoría matemática del movimiento de los cuerpos celestes. Las leyes del movimiento planetario de JOHANNES KEPLER (1609–19) y las leyes del movimiento de NEWTON (1687) son sus fundamentos. En el s. XVIII los métodos de análisis matemático disponibles lograron generalmente explicar los movimientos de los cuerpos del sistema solar. Una rama de la mecánica celeste estudia el efecto de la GRAVITACIÓN sobre los cuerpos en rotación, con aplicaciones a la Tierra (ver MAREA) y a otros objetos en el espacio. Una derivación moderna de ella, llamada mecánica orbital o mecánica de vuelo, trata sobre los movimientos de las naves espaciales bajo la influencia de la gravedad, el empuje de sus motores, la resistencia atmosférica y otras fuerzas; se usa para calcular trayectorias y velocidades de ascenso al espacio, entrada en órbita y análisis de acoplamientos con otros vehículos, vuelos lunares e interplanetarios y descenso sobre un planeta.

mecánica cuántica Rama de la física matemática que trata especialmente de sistemas atómicos y subatómicos. Se ocupa de fenómenos en tan pequeña escala que no pueden describirse en términos clásicos, y se formula enteramente en términos de probabilidades estadísticas. Considerada una de las grandes ideas del s. XX, la mecánica cuántica fue desarrollada principalmente por NIELS BOHR, ERWIN SCHRÖDINGER, WERNER HEISENBERG y MAX BORN, y condujo a una reconsideración drástica del concepto de realidad objetiva. Explicó la estructura de los ÁTOMOS, los NÚCLEOS atómicos y las MOLÉCULAS; el comportamiento de las PARTÍCULAS SUBATÓMICAS, la naturaleza de los ENLACES químicos, las propiedades de los sólidos cristalinos (ver CRISTAL), la ENERGÍA NUCLEAR, y las fuerzas que estabilizan a las ESTRELLAS colapsadas. También condujo directamente al desarrollo del LÁSER, el microscopio electrónico (ver MICROSCOPIA ELECTRÓNICA) y el TRANSISTOR.

mecánica de fluidos Estudio de los efectos de fuerzas y energía en líquidos y gases. Una de sus ramas, la HIDROSTÁTICA, trata sobre fluidos en reposo; la otra, la dinámica de fluidos, trata sobre fluidos en movimiento y sobre el movimiento de cuerpos a través de fluidos. Tanto los líquidos como los gases son tratados como fluidos porque a menudo tienen las mismas ecuaciones de movimiento y presentan los mismos fenómenos de flujo. El tema tiene numerosas aplicaciones en campos que van desde la aeronáutica e ingeniería naval hasta el estudio del flujo sanguíneo y la dinámica de la natación.

mecánica de suelos Estudio de los suelos y su uso, especialmente en el diseño de fundaciones para estructuras y carreteras. La forma en que el suelo de un determinado lugar soportará el peso de una estructura o reaccionará frente al trajín durante la construcción, depende de un conjunto de propiedades (p. ej., compresibilidad, elasticidad y permeabilidad). Las técnicas de ensayo comprenden excavación de calicatas, perforaciones y bombeo con agua de muestras a la superficie. Las pruebas sísmicas y la medición de resistencia eléctrica también proporcionan información útil. En la construcción de carreteras, la mecánica de suelos ayuda a determinar qué tipo de pavimento (rígido o flexible) será más durable. El estudio de las características del suelo también se usa para elegir el método más adecuado para la excavación de túneles. Ver también ASENTAMIENTO; FUNDACIÓN.

mecánica estadística Rama de la física que combina los principios y procedimientos de la ESTADÍSTICA con las leyes de la MECÁNICA clásica y la MECÁNICA CUÁNTICA. Considera el comportamiento promedio de un gran número de partículas y no en forma individual. Fundada de preferencia en las leyes de las probabilidades; apunta a predecir y explicar las propiedades mensurables de sistemas macroscópicos (a escala mucho mayor que una molécula) en base a las propiedades y comportamiento de sus constituyentes microscópicos.

mecanicismo Modalidad del MATERIALISMO que sostiene que todos los procesos naturales pueden explicarse en términos de leyes de la materia en movimiento. Uno de los objetivos principales de los mecanicistas consistía en erradicar de la ciencia toda entidad oculta –p. ej., la forma sustancial– que no se pudiera observar empíricamente o tratar de modo matemático. En consecuencia, el mecanicismo se oponía al empleo de supuestos teleológicos en los principios explicativos de las ciencias naturales (ver TELEOLOGÍA). Ver también ATOMISMO.

mecanismo En construcción mecánica, el medio de transmitir y modificar el movimiento en una MÁQUINA o un conjunto de partes mecánicas. La característica principal del mecanismo de una máquina es que todas sus piezas tienen movimiento restringido; esto es, cada parte puede moverse sólo de cierta manera en relación con las otras. A pesar de su complejidad, el mecanismo de una máquina siempre puede ser analizado como un grupo de mecanismos básicos y simples, cada uno de los cuales contiene piezas que transmiten el movimiento de un eslabón móvil al otro. En general, el movimiento se transmite de una de las tres maneras siguientes: por un conector envolvente como la TRANSMISIÓN POR CADENA o la TRANSMISIÓN POR CORREA; por contacto directo como una LEVA o un ENGRANAJE, o por un mecanismo de ESLABONADO conectado con pasadores.

mecanismo de defensa En la teoría psicoanalítica, proceso mental a menudo inconsciente (como la REPRESIÓN) que posibilita soluciones de compromiso ante problemas o CONFLICTOS personales. El compromiso por lo general implica ocultarse a sí mismo los impulsos internos o sentimientos que amenazan con reducir la autoestima o provocar ANSIEDAD. El término fue originalmente usado por SIGMUND FREUD en 1894. Los principales mecanismos de defensa son la represión, proceso por el cual los deseos o las pulsiones inaceptables son excluidos de la conciencia; la formación reactiva, respuesta mental o emocional que representa lo opuesto de lo que realmente se siente; la proyección, atribución a otros de las propias ideas, sentimientos o actitudes (especialmente culpa, reproche o sentido de responsabilidad); la REGRESIÓN, vuelta a un nivel mental o conductual anterior; la negación, rechazo a aceptar de la existencia de un hecho doloroso; la racionalización, sustitución de los motivos verdaderos (pero amenazantes) por motivos racionales y loables, y la SUBLIMACIÓN, desviación de un deseo o impulso instintivo desde su forma primitiva a una forma más aceptable desde el punto de vista social o cultural. Ver también YO; NEUROSIS; PSICOANÁLISIS.

mecanización El uso de MÁQUINAS, en forma parcial o total, para reemplazar el trabajo humano o animal. Al contrario de la AUTOMATIZACIÓN, la cual puede ser absolutamente independiente de un operador humano, la mecanización requiere de la participación humana para dar información o instrucciones. La mecanización comenzó con máquinas operadas por seres humanos para reemplazar el trabajo manual de los artesanos; hoy es frecuente que los procesos mecanizados sean controlados por computadoras.

mecanorrecepción Facultad de detectar y responder a los estímulos mecánicos del medio. Una leve deformación de una NEURONA mecanorreceptiva produce una carga eléctrica en su superficie, activando una respuesta. Los mecanorreceptores de los "puntos dolorosos" (puntos de presión) de la piel (probablemente manojos de terminaciones nerviosas) tienen una sensibilidad variable. Responden a una amplia gama de estímulos, a veces con un REFLEJO (p. ej., la retirada de un dedo al pincharse, antes de que el cerebro registre dolor). Las estructuras que responden al sonido (ver OÍDO) y las que perciben la orientación con respecto a la gravedad (ver OÍDO INTERNO), o detectan la posición y el movimiento de las extremidades (ver PROPIOCEPCIÓN) son mecanorreceptores. Algunos animales tienen mecanorreceptores que detectan el movimiento de las corrientes de agua o de aire. Ver también SENTIDO.

Mecenas, Cayo Cilnio (c. 70–08 AC). Diplomático romano y protector de las letras. Afirmaba ser descendiente de los reyes etruscos. Aunque tenía gran

Cayo Cilnio Mecenas, busto en mármol; Palazzo dei Conservatori, Roma.
ALINARI—ART RESOURCE/EB INC.

influencia en el estado, no ostentó ningún título ni deseó ser senador. A partir de 43 ayudó a Octavio (posteriormente AUGUSTO) en los asuntos diplomáticos e internos; administró Roma e Italia mientras Octavio combatía a SEXTO POMPEYO en 36 y a MARCO ANTONIO en 31. Generoso protector de escritores como VIRGILIO, HORACIO y PROPERCIO, se valió de las obras de estos literatos para glorificar el régimen de Augusto. En 23, tras descubrirse la conspiración de su cuñado contra Augusto, fue obligado a retirarse. La palabra "mecenas" en castellano debe su origen a este personaje histórico.

Mecherino ver Domenico BECCAFUMI

Méchnikov, Ilya orig. **Ilya Ilich Mechnikov** (16 may. 1845, cerca de Járkov, Ucrania, Imperio ruso–16 jul. 1916, París, Francia). Zoólogo y microbiólogo ruso. En 1888, LOUIS PASTEUR le ofreció un puesto en el Instituto Pasteur, sucediéndole como director del mismo en 1895. Al trabajar con estrellas de mar, descubrió en sus sistemas células amebiformes que absorben cuerpos extraños como bacterias. Demostró que los fagocitos (como los denominó, empleando la expresión griega para células devoradoras) constituyen la primera línea de defensa contra las infecciones agudas en la mayoría de los animales. Este fenómeno, conocido hoy como fagocitosis, es fundamental para la inmunología. En 1908 compartió el Premio Nobel con PAUL EHRLICH.

Meckel, Johann Friedrich (17 oct. 1781, Halle, Prusia–31 oct. 1833, Halle). Anatomista alemán. Fue el primero en describir el cartílago embrionario (cartílago de Meckel) que forma parte del maxilar inferior en peces, anfibios y aves. También describió una formación sacular congénita (divertículo de Meckel) en el intestino delgado. Escribió un tratado de anatomía patológica y un atlas de anomalías del cuerpo humano.

Mecklemburgo, Nueva ver NUEVA IRLANDA

medalla Pieza de metal grabada con un dibujo o inscripción en relieve que conmemora a un personaje, lugar o suceso. Pueden ser de variados tamaños y formas; abarcan desde grandes medallones hasta pequeñas insignias o placas. La mayoría están hechas en oro, plata, bronce o plomo. Los metales preciosos se usan para las producciones más finas. El arte del medallista se inició a mediados del s. XV con las medallas de bronce de los gobernantes y humanistas del Renacimiento italiano. Algunas de las más bellas fueron realizadas por BENVENUTO CELLINI.

Enrique IV y María de Médicis retratados en el anverso de una medalla en bronce de Guillaume Dupré, 1603; Galería Nacional de Arte, Washington, D.C.

GENTILEZA DE LA GALERÍA NACIONAL DE ARTE, WASHINGTON, D.C., SAMUEL H. KRESS COLLECTION

Medan Ciudad (pob., est. 1995: 1.843.919 hab.) del nordeste de Sumatra. Su desarrollo se inició en 1873 con la instalación de diversas plantaciones de tabaco en sus inmediaciones. Tiempo después se convertiría en el centro comercial de una zona agrícola de cultivos de exportación, entre ellos, tabaco y caucho. En 1886 los holandeses le dieron el rango de ciudad. Fue ocupada por los japoneses durante la segunda guerra mundial. El palacio del sultán de Deli data del s. XIX. Medan es sede de la Universidad de Sumatra Septentrional y de la Universidad Islámica de Sumatra Septentrional.

Medawar, Sir Peter B(rian) (28 feb. 1915, Río de Janeiro, Brasil–2 oct. 1987, Londres, Inglaterra). Zoólogo británico de origen brasileño. Educado en Oxford, comenzó a investigar sobre trasplantes en 1949. Descubrió (1953) que los animales adultos, inyectados precozmente en vida con células extrañas, aceptan injertos de piel del donante original o de su gemelo, respaldando la hipótesis de MACFARLANE BURNET, de que las células aprenden, durante y enseguida del nacimiento, a distinguir lo "propio" de lo "extraño". Descubrió que los terneros mellizos no idénticos aceptan injertos de piel entre sí, demostrando que los antígenos se "filtran" entre los sacos vitelinos de los embriones, y mostró con ratones que cada célula contiene antígenos genéticos importantes para la inmunidad. Sus trabajos hicieron que la inmunología dejara de centrarse en el mecanismo inmunitario plenamente establecido para tratar de alterar el mecanismo en sí (p. ej., supresión del rechazo a los trasplantes). En 1960 compartió el Premio Nobel con Burnet.

Medea En la mitología GRIEGA, la hija de Eetes, rey de Cólquida. Después de ayudar a JASÓN, líder de los ARGONAUTAS, a obtener el vellocino de oro de su padre, ambos se casaron y regresó con él a Yolco, donde mató al rey que había despojado a Jasón de su herencia. Obligados a marchar al exilio, la pareja se estableció en Corinto. En la tragedia *Medea* de EURÍPIDES, Jasón luego la abandona por la hija del rey Creón, por lo que se venga asesinando a este y a su hija, así como a los dos hijos que había tenido con Jasón antes de huir a Atenas.

Medellín Ciudad (pob., est. 1999: 1.861.265 hab.) del noroeste de Colombia. La segunda más populosa del país, cuenta con numerosas industrias. Fundada en 1675 como pueblo minero, tuvo un rápido crecimiento a partir de 1914, cuando se terminó de construir el canal de PANAMÁ y la vía férrea llegó a ella. En la actualidad es conocida por sus plantas textiles, fábricas de vestuario e industria siderúrgica. Es uno de los centros de comercialización de café más grandes de Colombia. A fines del s. XX se convirtió también en sede de la distribución ilegal de narcóticos (principalmente cocaína) a escala internacional.

Media Antigua región del Medio Oriente que corresponde a la zona noroccidental del actual Irán, habitada por los medos, un pueblo iraní. Las tribus de la zona fueron unidas bajo un solo reino por Ciaxares en 625 AC. El mismo rey capturó ASSUR en 614 AC; más tarde derrotó al Imperio asirio y conquistó territorios en Irán, en el norte de Asiria y en Armenia. En 550 AC, Media pasó a formar parte de la nueva dinastía AQUEMÉNIDA, gobernada por el rey persa CIRO II. ALEJANDRO MAGNO la ocupó en 330 AC. En la división de su imperio, el sur de Media correspondió a los macedonios y más tarde a los SELÉUCIDAS; el norte de la región se transformó en el reino de Atropatene, que estuvo sucesivamente bajo el dominio de Partia, Armenia y Roma. En 226 AC la totalidad de Media quedó en poder de otra dinastía persa, los SASÁNIDAS.

Media Luna Fértil Región del MEDIO ORIENTE. El término se refiere a una zona cultivable en forma de media luna, probablemente de mayor productividad agrícola en la antigüedad que en el presente. Se extendía desde la costa sudoriental del Mediterráneo, bordeaba el desierto sirio, pasaba por el norte de la península ARÁBIGA y llegaba hasta el golfo PÉRSICO; en general, suele incluir también el valle del NILO. Los asentamientos agrícolas en el Creciente Fértil datan de c. 8000 AC. Fue escenario de luchas y migraciones de algunos de los pueblos más antiguos conocidos, entre ellos, sumerios, asirios, acadios, varios grupos semitas, babilonios y fenicios.

media, mediana y moda En matemática, las tres formas principales para designar el valor promedio de una lista de números. La media aritmética se encuentra sumando los números de la lista y dividiéndola por la cantidad de números en ella. La media es lo que en la mayoría de los casos se entiende por promedio. La mediana es el valor que se encuentra en el medio en una lista ordenada de menor a mayor. La moda es el valor que ocurre con mayor frecuencia en la lista. Además

Catedral de Villanueva en el Parque Bolívar, Medellín, Colombia.

RALPH MANDOL–DPI

hay otros tipos de promedios. Un promedio geométrico se encuentra multiplicando todos los valores de la lista y extrayéndole al producto la raíz de grado igual al número de valores (p. ej., la raíz cuadrada si hay dos números). El promedio geométrico se utiliza generalmente en casos de crecimiento o declinación exponencial (ver FUNCIÓN EXPONENCIAL). En ESTADÍSTICA, la media de una VARIABLE ALEATORIA es su valor esperado, i. e., la media aritmética teórica en una larga secuencia de resultados de ensayos repetidos, como lanzar un dado un gran número de veces.

mediación En derecho, intervención no vinculante entre partes con el objeto de promover la solución de una controversia, la reconciliación, el acuerdo o la transacción. Se utiliza principalmente en los conflictos laborales. En muchos países industrializados, el gobierno proporciona servicios de mediación para proteger el interés público. En EE.UU., esta función corresponde al National Mediation Board. La mediación también es uno de los métodos pacíficos de solución de los conflictos internacionales. Ver también ARBITRAJE.

medicamento ver DROGA

Medicare y Medicaid Programas de salud del gobierno estadounidense vigentes desde 1966. Medicare cubre a la mayor parte de las personas de 65 años de edad o más y a los que sufren discapacidades crónicas. La Parte A, un plan de seguro hospitalario, también paga por visitas médicas domiciliarias y cuidados en hogares. La Parte B, un plan suplementario, paga por prestaciones médicas, exámenes y otros servicios. Los requisitos y beneficios son complejos. Los pacientes pagan deducibles y copagos. Medicaid es un programa conjunto federal y estatal; cubre a las personas de bajos ingresos menores de 65 años y a quienes han agotado los beneficios de Medicare. Su cobertura comprende: atención hospitalaria, servicios médicos, atención en hogares de convalecencia, servicios de salud domiciliarios, planificación familiar y exámenes colectivos. Los estados participantes deben ofrecer Medicaid a todas las personas que reciben asistencia pública, pero deciden sus propios criterios para seleccionar candidatos. Muchos médicos se niegan a atender pacientes de Medicaid porque los reembolsos son bajos.

médicas, guerras (492–449 AC). Serie de guerras entre los estados griegos y Persia, en particular, dos invasiones de los persas a Grecia (490, 480–479). El nombre de guerras médicas proviene de que los griegos no hacían distinción entre medos y persas. Cuando DARÍO I llegó al poder en Persia en 522, las ciudades-estado griegas de Anatolia quedaron bajo el control persa. Estas se sublevaron infructuosamente en la revuelta de los JONIOS (499–494). El apoyo brindado por Atenas provocó que Darío invadiera Grecia (492), pero su flota fue destruida en una tempestad. En 490 reunió un enorme ejército en una llanura cerca de Atenas; la aplastante derrota en la batalla de MARATÓN

Derrota de la flota persa en la batalla de Salamina, segunda guerra médica.
FOTOBANCO

lo hizo regresar a Persia. En 480, con JERJES I, los persas invadieron Grecia nuevamente, buscando revancha. En esa ocasión toda Grecia luchó unida, con Esparta a cargo del ejército y Atenas a cargo de la armada. Un grupo de espartanos dirigidos por LEÓNIDAS fue vencido en la batalla de las TERMÓPILAS, lo que permitió que el ejército persa llegara a Atenas, la que fue saqueada (480). Cuando la armada persa sufrió una rotunda derrota en la batalla de SALAMINA, Jerjes ordenó su regreso a Persia. Su ejército fue derrotado en la batalla de PLATEA en 479 y expulsado de Grecia; la flota tuvo la misma suerte en Micala, en la costa de Anatolia. Por más de 30 años continuaron algunos enfrentamientos esporádicos, período en el cual Atenas formó la Liga de DELOS para liberar a los jonios. La paz de Calias (449) finalizó las hostilidades.

Medici, Cosimo de ver COSME I

medicina Conjunto de disciplinas científicas relacionadas con la prevención, el DIAGNÓSTICO y tratamiento de las enfermedades y la preservación de la salud, que se practican en consultorios médicos, instalaciones de HMO, hospitales y clínicas. Además de la MEDICINA FAMILIAR, MEDICINA INTERNA y especialidades para sistemas corporales específicos, incluye investigación, SALUD PÚBLICA, EPIDEMIOLOGÍA y FARMACOLOGÍA. Cada país establece sus propios requisitos para otorgar grados académicos y licencias para ejercer la medicina. Existen juntas y consejos médicos que establecen los estándares de la educación médica y la supervisan. Las juntas de certificación, a su vez, exigen requisitos rigurosos a los médicos que desean ejercer una especialidad y enfatizan la educación continuada. Los progresos en el diagnóstico y tratamiento (ver TERAPÉUTICA) han hecho surgir complejas cuestiones legales y morales en esferas como el ABORTO, EUTANASIA y derechos de los pacientes. Los cambios recientes apuntan a que los pacientes participen en su propio cuidado y a tomar en consideración los factores culturales.

medicina aeroespacial Rama de la medicina, iniciada por PAUL BERT, que trata de los vuelos en la atmósfera (medicina de aviación) y en el espacio exterior (medicina espacial). El entrenamiento intensivo en simuladores de vuelo y la meticulosidad en el diseño de los equipos y las naves espaciales contribuyen a la seguridad y a la eficiencia de los seres humanos expuestos al estrés del vuelo, y pueden prevenir algunos problemas. La primera unidad de investigación espacial en el mundo se estableció en 1948 en EE.UU. Los médicos formados en medicina aeroespacial se denominan médicos de aviación.

medicina alternativa o **medicina complementaria** Cualquiera de una amplia variedad de enfoques curativos que no emplea la medicina occidental convencional. Muchos son holísticos (ver MEDICINA HOLÍSTICA); otros tantos también enfatizan la prevención y educación. Entre las terapias alternativas destacan la ACUPUNTURA, AROMATERAPIA, medicina ayurvédica (ver AYURVEDA), MEDICINA TRADICIONAL CHINA, QUIROPRÁCTICA, medicina herbolaria, HOMEOPATÍA, MASAJE, MEDITACIÓN, naturopatía, toques terapéuticos y YOGA. Aunque en Occidente es considerada complementaria, esta medicina constituye la fuente principal de atención de salud para cerca del 80% de la población en países de menor desarrollo. Algunas prácticas de medicina alternativa son inútiles o nocivas, pero otras son efectivas y pueden ofrecer tratamientos en áreas donde los enfoques convencionales han fracasado (p. ej., los trastornos crónicos).

medicina ayurvédica ver AYURVEDA

medicina del deporte Especialidad que se ocupa de la supervisión y tratamiento médico y paramédico de los atletas. Consta de cuatro aspectos. La preparación (acondicionamiento) emplea dietas, ejercicios y equipos de monitoreo durante las sesiones de práctica para mejorar el rendimiento. La prevención identifica cualquier predisposición a sufrir lesiones o enfermedades; abarca el calentamiento y estiramiento, así como el diseño y manejo de los equipos protectores. La aplicación de técnicas quirúrgicas desarrolladas en la medicina del deporte, especialmente para lesiones de rodilla, se recomiendan y emplean ahora en la población general. La rehabilitación (ver MEDICINA FÍSICA Y REHABILITACIÓN) prepara a un atleta lesionado o enfermo para que retorne a sus actividades después del tratamiento inicial.

medicina familiar *o* **medicina general familiar** *o* **medicina general** Campo de la medicina que privilegia la atención de salud primaria integral, con énfasis en el grupo familiar. Los generalistas deben estar familiarizados hasta cierto punto con las especialidades médicas, particularmente en las organizaciones de mantención de la salud, donde a menudo obran de filtros que se encargan de remitir los pacientes a los especialistas en caso necesario. Antaño, la medicina familiar era virtualmente la única forma de medicina, pero sólo vino a ser definida como disciplina aparte cuando la especialización progresiva provocó escasez de médicos generales. Un informe de la Organización Mundial de la Salud de 1963, que subrayaba la necesidad de que la educación médica se centrara en el paciente como un todo a lo largo de su vida, se tradujo en programas concretos de medicina familiar.

medicina física y rehabilitación *o* **fisiatría** Especialidad médica que trata las discapacidades crónicas con medios físicos para contribuir a que los pacientes reinicien una vida confortable y productiva, a pesar de sufrir un problema médico. Sus objetivos son aliviar el dolor, mejorar o conservar las funciones, proporcionar entrenamiento para actividades esenciales y evaluar funcionalmente aspectos como fuerza, movilidad, capacidad respiratoria y coordinación. La medicina física puede emplear DIATERMIA, HIDROTERAPIA, MASAJE, ejercicios y entrenamiento funcional. Esto último consiste tanto en aprender a trabajar con un lazarillo o con una PRÓTESIS, como aprender nuevas formas de realizar las actividades cotidianas sin una extremidad, utilizando, a veces, implementos de apoyo. Los equipos de rehabilitación están dirigidos por médicos especialistas e incluyen terapeutas físicos (kinesiólogos), técnicos en rehabilitación, enfermeras de rehabilitación, orientadores psicológicos y a veces terapeutas respiratorios o del habla (fonoaudiólogos). Ver también ORTOPEDIA; TERAPIA OCUPACIONAL.

medicina forense Disciplina que aplica conocimientos médicos a materias legales, reconocida como especialidad desde comienzos del s. XIX. Su herramienta primaria ha sido siempre la AUTOPSIA, para identificar a los fallecidos (p. ej., las víctimas de un accidente aéreo) o determinar la causa de muerte, lo que puede afectar significativamente los juicios relativos a herencias o seguros. La psiquiatría forense determina la salud mental de los individuos que están por ser sometidos a juicio. La genética forense permite determinar la paternidad y puede identificar la persona de la que proceden muestras de sangre u otros tejidos (ver identificación por ADN). La TOXICOLOGÍA forense, dedicada a tópicos como envenenamientos intencionales y uso de drogas, es cada vez más importante en casos de intoxicaciones industriales y ambientales.

medicina holística Doctrina de la prevención y el tratamiento que enfatiza considerar la persona "cuerpo, mente, emociones y medio ambiente" como un todo integral, en vez de centrarse en una función u órgano aislado. Promueve el empleo de una amplia variedad de prácticas sanitarias y terapéuticas, como la ACUPUNTURA, HOMEOPATÍA y nutrición, haciendo hincapié en el "autocuidado" que se basa en lo esencial del sentido común tradicional. Llevada al extremo, puede otorgar igual validez a una amplia gama de métodos de atención de salud, algunos incompatibles y no todos científicos. No desconoce las principales prácticas médicas occidentales, pero no las considera las únicas terapias efectivas. Ver también MEDICINA ALTERNATIVA.

medicina interna Especialidad médica que se ocupa del paciente como un todo y no sólo de un determinado órgano o sistema; abarca DIAGNÓSTICO y tratamiento médico (en lugar del quirúrgico) en personas adultas. Su desarrollo se inició en el s. XVII con el concepto de enfermedad de THOMAS SYDENHAM, pero hasta el s. XX, cuando se desarrollaron terapias específicas para las diferentes enfermedades, los internistas podían hacer muy poco para tratarlas. La medicina interna alcanzó reconocimiento como especialidad a medida que se dispuso de tratamientos más específicos, aumentaron los conocimientos médicos y se definieron las subespecialidades en diferentes sistemas orgánicos.

medicina laboral *o* **medicina ocupacional** Rama de la medicina que se ocupa de la salud de los trabajadores y de la prevención y tratamiento de las enfermedades y lesiones que se producen en el lugar de trabajo. Los riesgos de los lugares de trabajo incluyen la exposición a materiales peligrosos como asbesto, polvo de carbón, radiaciones y maquinaria capaz de causar lesiones que pueden ser mínimas o poner la vida en peligro. Los programas médicos laborales obligan a emplear implementos de protección cerca de las partes móviles de las máquinas, ventilación adecuada de las áreas de trabajo, uso de materiales menos tóxicos, control de los procesos de producción, así como equipos y ropa de protección. Los programas médicos laborales eficientes mejoran las relaciones entre trabajadores y empresarios, aumentan la salud y productividad de los trabajadores y reducen los gastos en seguros.

medicina legal Ciencia que aplica hechos médicos a problemas legales. Sus tareas de rutina consisten en llenar certificados de nacimiento y defunción, decidir quienes cumplen con los requisitos para cobrar seguros y denunciar enfermedades infecciosas. Tal vez lo más significativo es el testimonio médico que presta en los tribunales. Cuando se limitan a relatar observaciones, los médicos son testigos ordinarios; cuando interpretan hechos fundados en conocimientos médicos ofician de testigos expertos, quienes deben emitir sus opiniones sin favorecer a la parte que los ha citado. Entre la medicina y la ley pueden suscitarse conflictos, habitualmente sobre la confidencialidad médica. Ver también MEDICINA FORENSE.

medicina nuclear Especialidad médica que emplea ELEMENTOS QUÍMICOS o ISÓTOPOS radiactivos para el diagnóstico y tratamiento de las enfermedades. Los radioisótopos se introducen en el cuerpo (por lo general inyectándolos). La radiación que emiten, detectada y registrada por un escáner, refleja su distribución en los diferentes tejidos y puede revelar la presencia, tamaño y forma de anomalías en diversos órganos. Los isótopos empleados son de vida media corta y se desintegran espontáneamente antes de que la RADIACTIVIDAD produzca daño. Distintos isótopos tienden a concentrarse en órganos determinados (p. ej., el yodo 131 en la tiroides). También pueden implantarse sustancias radiactivas para tratar cánceres pequeños en etapas precoces. Estas proporcionan dosis lentas y continuas que limitan el daño de las células normales, mientras destruyen las tumorales. Ver también IMAGINOLOGÍA DIAGNÓSTICA; RADIOLOGÍA; RADIOTERAPIA; TOMOGRAFÍA AXIAL COMPUTARIZADA; TOMOGRAFÍA POR EMISIÓN DE POSITRONES.

medicina ocupacional ver MEDICINA LABORAL

medicina preventiva Actividades destinadas a prevenir enfermedades en la comunidad y en los individuos. Abarca entrevistas y exámenes a los pacientes para detectar factores de riesgo; medidas sanitarias en los hogares, comunidades e instalaciones médicas; educación de los pacientes; programas dietéticos y de ejercicios; y también prevención medicamentosa y quirúrgica. Tiene tres niveles: primario (p. ej., prevención de la cardiopatía coronaria en personas sanas), secundario (p. ej., prevención de ataques cardíacos en personas con cardiopatías) y terciario (p. ej., prevención de incapacidad y muerte después de un ataque cardíaco). El primero es el más económico. Avances importantes en medicina preventiva son las vacunaciones (ver VACUNA), ANTIBIÓTICOS, IMAGINOLOGÍA DIAGNÓSTICA y el reconocimiento de factores psicológicos que pueden incidir en la salud. Ver también CUARENTENA; EPIDEMIOLOGÍA; INMUNOLOGÍA; MEDICINA LABORAL.

medicina tradicional china Sistema de medicina de a lo menos 23 siglos de antigüedad que persigue prevenir o curar las enfermedades conservando o restaurando el equilibrio del YIN-YANG. Se formulan preguntas detalladas sobre la enfermedad del paciente y aspectos como el gusto, el olfato y los sueños, pero lo primordial es el cuidadoso examen del pulso en distintas zonas y momentos, y con presiones variadas. Muchos de los numerosos remedios de la medicina china han sido adoptados por la medicina occidental, como el hierro (para la anemia) y el aceite de chaulmugra (para la lepra). El empleo de ciertos remedios de origen animal ha contribuido bastante a la condición de especies en peligro de extinción de algunas de ellas (tigres y rinocerontes, entre otros). La medicina china empleó inoculaciones para la viruela mucho antes de que lo hiciera la occidental. Otras de sus prácticas son la HIDROTERAPIA, ACUPUNTURA y ACUPRESIÓN.

medicina tropical Disciplina que se ocupa de las enfermedades que ocurren principalmente en climas tropicales o subtropicales. Surgió en el s. XIX durante el colonialismo europeo, cuando los médicos se encontraron con enfermedades infecciosas desconocidas en el viejo continente. El descubrimiento de que muchas enfermedades tropicales (p. ej., PALUDISMO, FIEBRE AMARILLA) eran diseminadas por mosquitos (zancudos), permitió la determinación de los roles de otros vectores (ver enfermedad del SUEÑO, PESTE, TIFUS) y el despliegue de esfuerzos para destruir sus lugares de reproducción (p. ej., drenaje de pantanos). Posteriormente, los antibióticos adquirieron un papel cada vez más importante. Al menos en las zonas donde vivían los europeos, se organizaron comisiones nacionales e internacionales para investigación experimental con el fin de controlar las enfermedades tropicales comunes. A medida que las colonias se independizaron, sus propios gobiernos asumieron la mayoría de estas actividades con la ayuda de la OMS (Organización Mundial de la Salud) y de los ex países colonizadores.

Medicine Bow, cordillera de Sección noroccidental de Front Range, en la parte central de las montañas ROCOSAS, EE.UU. Su altura media es de 3.050 m (10.000 pies) y se extiende hacia el sudeste 160 km (100 mi) aprox. desde Medicine Bow, Wyo. hasta Cameron Pass, Col., al noroeste del parque nacional ROCKY MOUNTAIN. La cumbre más alta, el pico Medicine Bow, alcanza los 3.662 m (12.014 pies). El nombre hace referencia a las prácticas de los nativos, quienes recogían madera para sus arcos en la zona y practicaban danzas curativas ceremoniales.

medición Asociación de números con cantidades físicas y fenómenos naturales mediante la comparación de una cantidad desconocida con una conocida del mismo tipo. Los PESOS y medidas son cantidades estándares con las cuales se realizan dichas comparaciones. Las que se usaban en tiempos antiguos medían masa (peso), volumen (líquido o medida de volumen), longitud y área, con unidades basadas en su mayor parte en las dimensiones del cuerpo humano. El codo, que representa la distancia desde el codo a la punta de los dedos, era la unidad de medida de uso más difundida en la antigüedad. Al tiempo que tales unidades se estandarizaron, se agregaron más, como las unidades de temperatura, luminosidad, presión y corriente eléctrica. Las medidas realizadas con los sentidos en lugar de efectuarlas con instrumentos de medición se denominan ESTIMACIONES.

Médicis, Alejandro de *italiano* **Alessandro de Medici** (1510/11, Florencia–5/6 ene. 1537, Florencia). Primer duque de Florencia (1532–37). Miembro de la rama más antigua de la familia MÉDICIS, fue probablemente hijo ilegítimo del cardenal Julio de Médicis (luego papa CLEMENTE VII). El papa nombró al cardenal Passerini como regente de Alejandro en Florencia, pero ambos debieron huir cuando la impopularidad de la regencia provocó una revuelta en 1527. Un acuerdo entre el papa y el emperador CARLOS V restauró a los Médicis en Florencia (1530). Fue declarado duque hereditario (1532). Gobernante tiránico, buscó consolidar su poder casándose con la hija de Carlos V, MARGARITA DE AUSTRIA, en 1536. En un infructuoso intento por causar una revuelta, un primo lejano, Lorenzino de Médicis (n. 1514– m. 1548), lo asesinó en 1537.

Médicis, Catalina de ver CATALINA DE MÉDICIS

Médicis, Cosme de *llamado* **Cosme el Viejo** *italiano* **Cosimo de Medici** (27 sep. 1389, Florencia–1 ago. 1464, Careggi, cerca de Florencia). Fundador de una de las principales líneas de la familia MÉDICIS. Hijo del banquero florentino Giovanni di Bicci (n. 1360–m. 1429), representó al banco Médicis y manejó las finanzas del papa, convirtiéndose en el hombre más rico de su época. Otra familia importante, los Albizzi, lo encarceló (1433) y trató de asesinarlo, pero un año más tarde los Médicis recuperaron el poder en Florencia y Cosme regresó triunfante. Fue el artífice de la paz de LODI (1454). La alianza con la familia SFORZA de Milán le proporcionó tropas para sofocar un golpe de Estado en 1458, tras lo cual creó un Senado compuesto por 100 partidarios leales (el *Cento*). Fue mecenas de figuras como DONATELLO y FILIPPO BRUNELLESCHI.

Médicis, familia *italiano* **Medici** Familia burguesa italiana que gobernó Florencia y luego Toscana desde c. 1430 hasta 1737. La familia, célebre por sus gobernantes a menudo tiránicos y sus filantrópicos mecenas de las artes, también dio a la Iglesia cuatro papas (LEÓN X, CLEMENTE VII, Pío IV y León XI) y se emparentó por medio del matrimonio con familias reales de Europa, principalmente en Francia (CATALINA DE MÉDICIS y MARÍA DE MÉDICIS). El fundador efectivo de la familia fue Juan (Giovanni di Bicci) de Médicis (n. 1360–m. 1429), mercader que amasó una gran fortuna en el comercio y fue el gobernante de hecho de Florencia entre 1421 y 1429. De sus dos hijos derivaron las principales ramas de la familia. La llamada rama mayor comenzó con COSME DE MÉDICIS. Su nieto, LORENZO DE MÉDICIS, o Lorenzo el Magnífico, expandió en gran medida el poder de la familia. Su hijo JULIANO DE MÉDICIS se convirtió en duque de Nemours. Otro hijo, Juan, llegó a ser el papa León X. La bisnieta de Lorenzo fue Catalina de Médicis. Otro de los nietos de Cosme, Julio de Médicis (n. 1478– m. 1534) se convirtió en papa con el nombre de Clemente VII. Su probable hijo ilegítimo, el tirano ALEJANDRO DE MÉDICIS, fue el último de la línea masculina directa de la rama mayor. La llamada rama menor de la familia comenzó con el hijo menor de Juan, Lorenzo de Médicis. Su hijo Juan se casó con Catalina Sforza, de la poderosa familia SFORZA, y el hijo de ambos, JUAN DE MÉDICIS, llegó a ser un célebre general. Su hijo COSME I se convirtió en duque de Florencia y el hijo de Cosme, Francisco de Médicis (n. 1541– m. 1587) fue el padre de María de Médicis. El nieto de Cosme I, Cosme II (n. 1590– m. 1621), renunció a la actividad familiar de la banca y el comercio. El nieto de Cosme II, Cosme III (n. 1642– m. 1723) fue un gobernante débil, bajo el cual declinó el poder de Toscana. Su hijo Juan Gastón de Médicis (n. 1671–m. 1737), quien murió sin sucesión, fue el último gran duque de Toscana.

Médicis, Juan de *italiano* **Giovanni de Medici** (6 abr. 1498, Forlí, Estados Pontificios–30 nov. 1526, Mantua, marquesado de Mantua). General italiano. Miembro de la rama menor de la familia MÉDICIS, era hijo de Juan de Médicis, quien murió poco después de su nacimiento, y Catalina Sforza, de la poderosa familia SFORZA de Milán. Tomó el nombre de su padre, se adiestró como militar y combatió para un primo de la familia Médicis, el papa LEÓN X, en 1516–17 y 1521. Al servicio de los franceses (1522, 1525) combatió con el ejército de la Liga de Cognac en 1526 y fue mortalmente herido en la batalla cerca de Mantua. Fue conocido como Giovanni dalle Bande Nere ("Juan de las Bandas Negras") por los estandartes negros de su ejército (o bandas) llevados en señal de luto por León X después de 1521.

Médicis, Juliano de *italiano* **Giuliano de Medici** (1479–17 mar. 1516, Florencia). Gobernante de Florencia (1512–13). Miembro de la rama mayor de la familia MÉDICIS, era hijo de LORENZO DE MÉDICIS. Su hermano, Piero de Médicis, fue destituido en 1494 como gobernante de Florencia por los republicanos, con la ayuda de los franceses. En 1512, el papa JULIO II exigió que Florencia entrara a su Santa Liga en contra de Francia y permitió a los exiliados Médicis volver a Florencia. Juliano regresó como gobernante (Piero había muerto en 1503) y recurrió a severas medidas para suprimir una conspiración.

En 1513, después de que otro hermano se convirtió en el papa LEÓN X, se trasladó a Roma como cardenal. En 1515 recibió el título francés de duque de Nemours.

Médicis, Lorenzo de *llamado* **Lorenzo el Magnífico** *italiano* **Lorenzo de Medici** (1 ene. 1449, Florencia–9 abr. 1492, Careggi, cerca de Florencia). Estadista florentino y mecenas. Nieto de COSME DE MÉDICIS, fue el más brillante de la familia MÉDICIS. Gobernó FLORENCIA con su hermano menor, Juliano, desde 1469. Juliano fue asesinado

Lorenzo de Médicis, busto de terracota por Andrea del Verrocchio, c. 1485; National Gallery of Art, Washington, D.C.
GENTILEZA DE LA NATIONAL GALLERY OF ART, WASHINGTON, D.C., SAMUEL H. KRESS COLLECTION, 1943

en 1478 por los Pazzi, una importante familia de banqueros florentinos aliada del papa SIXTO IV (quien no apoyó el asesinato) y el rey de Nápoles. Lorenzo recurrió directamente al rey, lo que le permitió recuperar el poder en Florencia y fue el único gobernante de la ciudad hasta su muerte. Su hijo de 13 años de edad, Juan, fue nombrado cardenal por el papa Inocencio VIII y más tarde se convirtió en papa con el nombre de LEÓN X. Lorenzo utilizó la riqueza de los Médicis para patrocinar a muchos artistas, entre ellos, SANDRO BOTTICELLI, LEONARDO DA VINCI y MIGUEL ÁNGEL, y todavía es considerado quizás el mecenas más famoso de todos los tiempos. Sus políticas dejaron en bancarrota el banco de los Médicis, pero el poder político de la familia mantuvo su fuerza en Florencia y Toscana.

Médicis, María de ver MARÍA DE MÉDICIS

médico brujo Curandero o CHAMÁN sacerdotal, especialmente entre los indígenas americanos. Comúnmente, el médico brujo (una mujer en algunas sociedades) lleva consigo un conjunto de objetos, como plumas, piedras y plantas alucinógenas con propiedades mágicas. El trabajo de curación implica la extracción de las sustancias perniciosas del cuerpo del paciente, succionando, tirando o por otros medios. Ceremonias como el canto, la recitación de mitos y otras solían acompañar el rito de curación.

Médicos sin fronteras *francés* **Médecins sans frontières (MSF)** Organismo independiente de socorro médico internacional más grande del mundo. Establecido por un grupo de médicos franceses en 1971, presta ayuda a víctimas de conflictos armados, epidemias y desastres causados por la naturaleza o por el hombre; también auxilia a personas cuya carencia de atención médica se debe a la lejanía geográfica o a la marginalización étnica o política. Sus equipos proporcionan atención primaria de salud, realizan cirugías, vacunan niños, rehabilitan hospitales, llevan a cabo programas sanitarios y nutricionales de emergencia, y adiestran a equipos médicos locales. La organización actúa en forma independiente de los gobiernos y depende de profesionales de la salud voluntarios (más de 2.000 anualmente) y de donaciones privadas. Recibió el Premio Nobel de la Paz en 1999.

medida, teoría de la En matemática, generalización de los conceptos de longitud y área (ver LONGITUD, ÁREA Y VOLUMEN) o, más propia y técnicamente, de la integral de Riemann, de Lebesgue y otras, a conjuntos arbitrarios de puntos no compuestos de segmentos de recta o rectángulos. Una medida es cualquier regla para asociar un número con un conjunto. El resultado debe ser no negativo y también aditivo, vale decir que la medida de dos conjuntos que no se traslapan es igual a la suma de sus medidas individuales. Esto es bastante simple para conjuntos que constan de segmentos de recta o rectángulos, pero la medida de conjuntos como regiones curvas o intervalos a los que les faltan puntos, requiere de métodos más abstractos, que comprenden LÍMITES y cotas superiores e inferiores.

medidor de caudal ver medidor de CAUDAL

Medina *árabe* **al-Madīna** *antig.* **Yatrib** Ciudad (pob., 1992: 608.295 hab.) del este de Arabia Saudita, al norte de LA MECA. Se desarrolló a partir de un oasis poblado por judíos c. 135 DC. En 622, el profeta MAHOMA escapó desde La Meca hasta Medina (ver HÉGIRA), donde se refugió. Fue la capital del estado islámico hasta 661. Dominada por el Imperio otomano (1517–1804), fue conquistada después por los WAHHABÍES. En 1812 la recuperó una fuerza egipcio-otomana. El dominio otomano cesó durante la primera guerra mundial (1914–18), y en 1925 la ciudad cayó ante las fuerzas de IBN SA'UD. Ciudad santa del ISLAM, sigue en importancia a La Meca como lugar de peregrinación; entre sus muchas mezquitas figura la del Profeta, donde se encuentra la tumba de Mahoma.

La mezquita del Profeta que alberga la tumba de Mahoma, en Medina, ciudad santa del Islam.
FOTOBANCO

medio de contraste Sustancia comparativamente opaca a los RAYOS X, que aparece más clara en las radiografías y permite ver estructuras corporales que normalmente no se contrastan con su trasfondo, como para distinguirse en forma clara en la película radiográfica. Los medios de contraste comunes son el sulfato de BARIO y los compuestos orgánicos yodados. Se suministran por una vía que los introduce en la estructura que se va a examinar, por ingestión o en enema para el tracto digestivo, por inhalación para la vía respiratoria, por inyección en los vasos sanguíneos o para los órganos o sistemas que estos irrigan. Las reacciones graves contra los medios de contraste son algo frecuente. Ver también IMAGINOLOGÍA DIAGNÓSTICA.

medio interestelar Contenido del espacio entre las estrellas, que incluye vastas y difusas nubes de gases y pequeñísimas partículas sólidas. Cerca del 5% de la masa total de la VÍA LÁCTEA corresponde a esta materia tenue. Bajo ninguna consideración el medio interestelar es un vacío absoluto; contiene principalmente gas de hidrógeno, helio en menor proporción y partículas de polvo de composición incierta en cantidad no despreciable. Además, hay rayos CÓSMICOS primarios que viajan a través del espacio interestelar y campos magnéticos que cruzan gran parte del mismo. La mayoría de la materia interestelar crea concentraciones en forma de nubes, que se pueden condensar como ESTRELLAS. Estas, a su vez, pierden masa de manera continua en la forma de vientos estelares (ver VIENTO SOLAR). Las SUPERNOVAS y las NEBULOSAS PLANETARIAS también devuelven masa al medio interestelar, donde se mezcla con la materia ahí existente que aún no ha formado estrellas (ver POBLACIONES I Y II).

Medio Oeste *inglés* **Middle West** Región en el norte y centro de EE.UU. Se ubica al norte del río OHIO, a mitad de camino entre los APALACHES y las montañas ROCOSAS. Según lo establecido por el gobierno federal, comprende los estados de Illinois, Indiana, Iowa, Kansas, Michigan, Minnesota, Missouri, Nebraska, Dakota del Norte, Ohio, Dakota del Sur y Wisconsin. Incluye gran parte de las GRANDES LLANURAS, la región de los GRANDES LAGOS y el valle del alto MISSISSIPPI.

Medio Oriente *o* **Cercano Oriente** Región geográfica donde confluyen Europa, África y Asia. Es un término no oficial e impreciso que en la actualidad designa generalmente a los territorios que rodean las costas meridional y oriental del mar Mediterráneo –principalmente Egipto, Jordania, Israel, Líbano y Siria– así como Irán, Irak y los países de la península Arábiga. Algunas veces se incluyen también Afganistán, Libia, Turquía y Sudán. El término fue usado antiguamente por geógrafos e historiadores occidentales para designar la región comprendida entre el golfo Pérsico y el Sudeste asiático; a veces, esa misma área se denomina Cercano Oriente.

mediotono, proceso de En IMPRESIÓN gráfica, técnica que consiste en descomponer una imagen en una serie de puntos para poder reproducir una fotografía u obra de arte en toda su gama de tonalidades. Tradicionalmente, el proceso consiste en colocar una placa de vidrio, con una cuadrícula impresa muy tupida, sobre la imagen que se quiere reproducir. La cuadrícula descompone la imagen en cientos de pequeños puntos. Una cámara distingue cada punto como si fuera negro o blanco o, en el caso de arte en colores, como un único color de impresión o blanco. La imagen resultante, llamada mediotono, se vuelve a fotografiar para su impresión. Las placas se fabrican con un número variable de líneas por pulgada, según la aplicación; para periódicos el rango es de 80 a 120, mientras que para revistas con papel satinado a menudo se requiere de 133 a 175 líneas por pulgada.

meditación Devoción religiosa o ejercicio mental privado, en los que se usan técnicas de concentración y contemplación para alcanzar un elevado nivel de conciencia espiritual. La práctica ha existido en todas las religiones desde tiempos antiguos. En el hinduismo ha sido sistematizada en la escuela de YOGA. Un aspecto del yoga, *dhyana* (sánscrito: "meditación concentrada"), dio origen a una escuela propia entre los budistas, convirtiéndose en la base del ZEN. En muchas religiones, la meditación entraña la repetición verbal o mental de una sola sílaba, palabra o texto (p. ej., un MANTRA). Imágenes visuales (p. ej., un MANDALA) o dispositivos mecánicos como el MOLINILLO DE ORACIÓN o el ROSARIO pueden servir para enfocar la concentración. En el s. XX, movimientos como la MEDITACIÓN TRANSCENDENTAL surgieron para enseñar técnicas de meditación fuera de un contexto religioso.

Postura de yoga que propicia la meditación.
ARCHIVO EDIT. SANTIAGO

Meditación Transcendental (MT) Técnica de desarrollo espiritual creada y promovida por MAHARISHI MAHESH YOGI, un ex asceta hindú. Movimiento que se popularizó en Occidente en la década de 1960, basado en técnicas de MEDITACIÓN específicas y que en estricto rigor no está conectado con ninguna tradición religiosa, aunque se enmarca en un contexto arraigado en el VEDANTA. Su práctica supone la repetición mental de un MANTRA para así neutralizar la actividad del pensamiento y experimentar un nivel más profundo de conciencia. A través de este proceso, el practicante alcanza una relajación profunda, que puede conducir a un sentimiento de felicidad interior y a aumentar la vitalidad y creatividad.

La Costa Azul en Marsella, primer puerto comercial de Francia y el principal del mar Mediterráneo.
YANNICK LE GAL/PHOTOGRAPHER'S CHOICE/GETTY IMAGES

Mediterráneo, mar Mar intercontinental circundado por Europa, África y Asia. Tiene una extensión de 4.000 km (2.500 mi) aprox. de oeste a este, y alrededor de 800 km (500 mi) aprox. de norte a sur. Ocupa aprox. 2.510.000 km^2 (970.000 mi^2) de superficie, con 4.900 m (16.000 pies) aprox. de profundidad máxima. En el oeste, el estrecho de GIBRALTAR comunica el Mediterráneo con el océano Atlántico. En el nordeste, el mar de MÁRMARA, los DARDANELOS y el BÓSFORO lo comunican con el mar NEGRO, y en el sudeste, el canal de SUEZ conecta el Mediterráneo con el mar ROJO. Entre SICILIA y África existe una barrera subterránea que divide al Mediterráneo en las cuencas oriental y occidental, las cuales a su vez se subdividen en los mares Adriático, Egeo, Tirreno, Jónico y de Liguria. Sus islas de mayor tamaño son MALLORCA, CÓRCEGA, CERDEÑA, SICILIA, CRETA, CHIPRE y RODAS. Sus únicos deltas de importancia son los del RÓDANO, el PO y el NILO.

médula espinal Principal vía nerviosa corporal en los vertebrados. En los seres humanos mide 45 cm (18 pulg.) aprox. de largo, y se extiende desde la base del ENCÉFALO a lo largo de la COLUMNA VERTEBRAL. Cubierta por las MENINGES y protegida por el efecto amortiguador del LÍQUIDO CEFALORRAQUÍDEO, conecta el sistema nervioso periférico (situado fuera del encéfalo y la médula espinal) con el encéfalo. La médula espinal y el encéfalo constituyen el sistema NERVIOSO central. Los impulsos sensoriales ascienden al encéfalo por la médula espinal y los impulsos del encéfalo descienden por ella hasta las neuronas motoras, que llegan hasta los músculos y las glándulas a través de los nervios periféricos. Estos están conectados con la médula mediante los nervios raquídeos. En los humanos existen 31 pares de nervios raquídeos que contienen fibras sensitivas y motoras, se originan en la médula espinal y emergen entre las vértebras. Estos nervios se ramifican y retransmiten los impulsos motores a todo el cuerpo. Las lesiones de la médula espinal interrumpen la comunicación entre el encéfalo y la periferia, causando parálisis, pérdida de sensibilidad o debilidad en las partes del cuerpo situadas por debajo de la región dañada. Como las células y las fibras nerviosas son incapaces de regenerarse, estos efectos suelen ser permanentes.

médula ósea *o* **tejido mieloide** Tejido blando, gelatinoso, que ocupa las cavidades de los HUESOS. La médula ósea roja contiene células sanguíneas troncales, precursoras y funcionales (ver sistema RETICULOENDOTELIAL). Los LINFOCITOS maduran en los órganos linfáticos (ver TEJIDO LINFOIDE). La formación de todas las demás células sanguíneas ocurre en la médula roja, que también participa en la destrucción de los ERITROCITOS (glóbulos rojos) envejecidos. La médula ósea amarilla almacena principalmente GRASAS. Como los LEUCOCITOS (glóbulos blancos) producidos en la médula ósea participan en las defensas inmunitarias, los trasplantes de médula pueden servir para tratar algunas formas de INMUNODEFICIENCIA. Las radiaciones y algunos medicamentos anticancerosos pueden dañar la médula ósea y afectar la INMUNIDAD. El examen de la médula ósea sirve para diagnosticar enfermedades relacionadas con la sangre y sus órganos formadores.

médula ósea, anemia por falla de la ver ANEMIA APLÁSTICA

medusa En zoología, una de las dos formas corporales principales de los CNIDARIOS; la forma típica del AGUAVIVA. El nombre proviene de los tentáculos, que asemejan las serpientes que llevaba MEDUSA en lugar de pelo. El cuerpo es acampanado o umbeliforme. Del centro cuelga una estructura tubular, el manubrio, que lleva la boca en el extremo. La boca se abre hacia la cavidad principal del cuerpo, que se conecta con canales radiales que se extienden hacia el borde exterior de la campana. La medusa es una especie de nado libre y se desplaza por las contracciones musculares rítmicas de la campana, lo que genera una acción propulsora lenta contra el agua. La otra forma corporal principal de los cnidarios es el PÓLIPO.

Medusa En la mitología GRIEGA, el más famoso de los monstruos conocidos como GORGONAS. Cualquiera que la mirara directamente se convertía en piedra. Era la única Gorgona mortal. El héroe PERSEO la mató cortándole la cabeza, mirando sólo su reflejo en un escudo que le dio ATENEA. Luego le dio la cabeza cercenada a Atenea, quien la colocó en su escudo; según otro relato, él la enterró en la plaza del mercado de ARGOS.

Meegeren, Han van *orig.* **Henricus Antonius van Meegeren** (10 oct. 1889, Deventer, Países Bajos–30 dic. 1947, Amsterdam). Falsificador de arte holandés. Falsificó obras de al menos 14 "antiguos maestros" y las vendió, obteniendo enormes ganancias. Los críticos aclamaron su *Cristo y los discípulos en Emaús*, como una obra maestra de JAN VERMEER. Sus actividades se descubrieron después de la segunda guerra mundial, cuando se estableció una comisión para devolver a sus dueños las obras de arte requisadas por los líderes nazis. Al descubrir una supuesta obra de Vermeer entre las acumuladas por HERMANN GÖRING, la comisión la rastreó hasta llegar a Meegeren. Acusado de colaboracionismo, este confesó. Murió de un ataque al corazón antes de que comenzara su pena de un año.

megalito Piedra de gran tamaño, con frecuencia no trabajada, utilizada en varios tipos de monumentos del período NEOLÍTICO y de la EDAD DEL BRONCE temprano. La forma más antigua de construcción megalítica es probablemente el dolmen, tipo de cámara funeraria con varios soportes en posición vertical y una laja horizontal como techo. Otra forma es el menhir, una simple piedra en posición vertical generalmente dispuesta en círculo con otras piedras semejantes como en STONEHENGE y Avebury en Inglaterra, o en una hilera recta, como en Carnac, Francia. El significado de los monumentos megalíticos continúa siendo prácticamente desconocido, sin embargo, todos comparten ciertos rasgos arquitectónicos y técnicos que parecen indicar que sus creadores deseaban imponer un diseño innegablemente humano en el paisaje e investirlo con símbolos culturales. Ver también ARTE RUPESTRE.

megalópolis Gran conurbación. Generalmente el término describe cualquier entidad social y económica densamente poblada que comprende dos o más ciudades y la urbaniza-

ción creciente del espacio entre ellas. Particularmente, viene a describir la región urbanizada del nordeste de EE.UU. que surgió en la segunda mitad del s. XX. Se extiende entre las áreas metropolitanas de BOSTON al nordeste, a WASHINGTON, D.C., en el sudoeste, e incluye las áreas metropolitanas de NUEVA YORK, FILADELFIA y BALTIMORE, Md. El nombre, que significa "gran ciudad," fue acuñado por el geógrafo francés Jean Gottmann.

Megalópolis Antigua ciudad del Peloponeso central en Grecia. Ocupaba ambas riberas del río Helisson; la fundó Epaminondas de TEBAS en 371–368 AC, como sede de la Liga de ARCADIA. Atacada en numerosas ocasiones por ESPARTA, se unió a la Liga AQUEA en 234 AC. Decayó rápidamente después del saqueo de Cleomenes III de Esparta en 223 AC, y quedó en ruinas en el s. II DC. La ciudad actual se encuentra en una región cercana con grandes reservas de lignito, elemento que se utiliza de combustible para centrales térmicas.

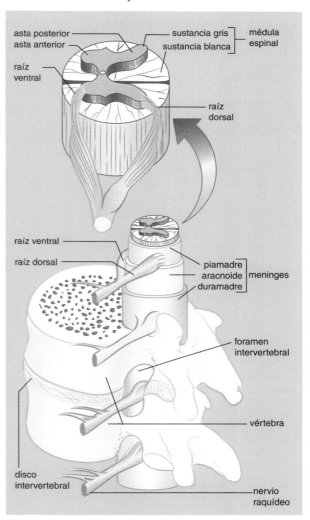

Sección transversal de la médula espinal. En el asta anterior de la sustancia gris se encuentran los cuerpos celulares que dan origen a las fibras motoras de los nervios raquídeos. El asta posterior contiene cuerpos celulares desde donde se proyectan fibras al encéfalo. Estas transportan los impulsos que vienen de las fibras sensitivas provenientes de los nervios raquídeos. Las interneuronas de la sustancia gris conectan los impulsos intramedulares. La sustancia blanca contiene tractos de fibras ascendentes, que llevan al encéfalo los impulsos sensoriales, y descendentes, que traen desde este los impulsos motores. Las fibras nerviosas emergen de la médula espinal a través de forámenes intervertebrales y forman una raíz dorsal (que contiene fibras de neuronas sensitivas) y una raíz ventral (que contiene fibras de neuronas motoras); ambas se combinan para formar los nervios raquídeos.

Megara Ciudad portuaria (pob., 1991: aglomeración urbana, 20.403 hab.) de Grecia. Situada en el golfo de Egina al oeste de Atenas, fue la capital de la antigua Megaris. Siendo una potencia marítima, en el s. VII AC estableció colonias en Sicilia, Calcedonia, Bizancio, Bitinia y Crimea. Durante la guerra del PELOPONESO (431–404 AC) fue subyugada por Atenas y conducida a la ruina financiera. Recuperó parte de su prosperidad en el s. IV DC, pero en 1500 fue despoblada por los venecianos. Es la ciudad natal de Euclides, fundador de la escuela filosófica de MEGARA.

Megara, escuela de Escuela filosófica fundada en Grecia a comienzos del s. IV AC por Euclides de Megara (m. circa 380 AC). Los megáricos se destacaron más por sus críticas contra ARISTÓTELES y su influencia en la lógica estoica (ver ESTOICISMO) que por sus doctrinas. Eubúlides de Mileto, uno de los sucesores de Euclides, criticó la doctrina aristotélica de las categorías, el movimiento y la potencialidad. Otros integrantes de la escuela fueron Diodoro Crono (c. siglo IV AC) y Estilpón (c. 380–300 AC); este último fue maestro de ZENÓN DE CITIO y de Menedemo (¿339?– c. 265 AC). La escuela se disolvió a comienzos del s. III AC.

Meghalaya Estado (pob., est. 2001: 2.306.069 hab.) del nordeste de India. De 22.429 km² (8.660 mi²) de superficie, limita con los estados de BANGLADESH y ASSAM. SHILLONG, la capital, es uno de sus escasos centros urbanos. El pueblo tribal de las tierras altas de Meghalaya tiene sus orígenes en el período preario de India. En el s. XIX la zona estuvo nominalmente bajo dominio británico, después fue incluida en Assam y en 1972 se le dio rango de estado. Pese a sus vastos recursos minerales, la economía se basa en la agricultura.

Meghna, río Río de Bangladesh. Está formado por el río SURMA. Discurre hacia el sur y al sudeste de DHAKA, uniéndose con el Padma, que nace de los ríos GANGES y BRAHMAPUTRA. Después de un curso de unos 264 km (164 mi), desagua a través de cuatro bocas en el golfo de BENGALA. Profundo y rápido, es navegable, aunque con frecuencia peligroso, durante todo el año. En primavera, la marea sube por el río en una ola única de 6 m (20 pies) de altura.

Megiddó o **Meggido** Ciudad de la antigua Palestina. Ocupaba una posición estratégica en el cruce de rutas militares y comerciales; famosa también como campo de batalla y se cree que corresponde al ARMAGEDÓN bíblico. El asentamiento original data de principios del IV milenio AC. Fue capturada por el faraón TUTMOSIS III c. 1468 AC. Más tarde pasó a poder de los israelitas; el rey SALOMÓN la reconstruyó como base militar. En 1918, el general británico EDMUND ALLENBY derrotó a las fuerzas otomanas en las cercanías de Megiddó.

Mehmet II *llamado* **Mehmet el Conquistador** (30 mar. 1432, Adrianópolis, Tracia, Imperio otomano–3 may. 1481, cerca de Constantinopla). Sultán otomano (1444–46, 1451–81). Su padre, Murat II, abdicó en su favor cuando tenía 12 años de edad, pero reclamó el trono dos años más tarde como consecuencia de una cruzada cristiana. Mehmet recuperó el trono tras la muerte de su padre (1451) y empezó a planificar la conquista de Constantinopla (ESTAMBUL), su hazaña de mayor renombre. Capturó la ciudad en 1453 y emprendió la tarea de volverla a su anterior nivel de grandeza. En los siguientes 25 años conquistó grandes porciones de los Balcanes. Durante su reinado se compilaron en un solo código el derecho penal y el derecho civil, se formó una biblioteca de obras latinas y griegas y se construyeron ocho escuelas.

Mehmet Alí o **Muhammad Alí** (1769, Cavalla, Macedonia, Imperio otomano–2 ago. 1849, Alejandría, Egipto). Virrey de Egipto (1805–48) en representación del Imperio OTOMANO y fundador de la dinastía que gobernó Egipto hasta 1953. Reorganizó a la sociedad egipcia después de la ocupación napoleónica, y acabó con los últimos vestigios de los mamelucos (ver

Mehmet Alí, litografía.
GENTILEZA DEL DIRECTORIO DEL MUSEO BRITÁNICO;
FOTOGRAFÍA, J.R. FREEMAN & CO. LTD.

dinastía de los MAMELUCOS), limitó a los artesanos y mercaderes locales y aplastó las rebeliones campesinas. Nacionalizó gran parte de las tierras, introdujo el cultivo de productos comerciales e intentó desarrollar una industria moderna, pero la falta de trabajadores calificados, los efectos nocivos de la tributación excesiva y el descontento generalizado con el reclutamiento del campesinado socavaron sus esfuerzos. Logró asegurar para su familia el derecho hereditario a gobernar Egipto y Sudán (1841), lo que abrió el camino para independizarse ulteriormente de la dominación otomana. Ver también 'ABBĀS HILMI I.

Mei Juecheng (19 may. 1681, Xuancheng, provincia de Anhui, China–20 nov. 1763, China). Funcionario de la corte, matemático y astrónomo chino. Aprendió matemática de su abuelo MEI WENDING. En 1713 se incorporó al Mengyangzhai (oficina imperial creada para sintetizar el conocimiento científico occidental y chino) como uno de los principales editores del *Lüli yuanyuan* [Fuente de las armonías matemáticas y astronomía] (c. 1723). Una obra de autoría exclusivamente china, el *Lüli yuanyuan* readjudicó a estudiosos chinos el crédito de muchos descubrimientos que compendios chino-jesuitas más antiguos habían atribuido a europeos. El estudio del álgebra occidental le permitió a Mei descifrar tratados de matemática chinos de las dinastías Song (920–1279) y Yuan (1206–1368), cuyos métodos se habían perdido; esto lo condujo a exponer una teoría sobre el origen chino del conocimiento occidental. Aunque actualmente considerados muy exagerados, sus puntos de vista ayudaron a reavivar el interés en la matemática tradicional china y Mei siguió siendo muy influyente por décadas.

Mei Wending (1633, Xuancheng, provincia de Anhui, China–1721, China). Escritor chino de astronomía y matemática, cuyo trabajo representa una asociación del conocimiento chino con el occidental. En su estudio comparativo *Lixue yiwen* [Investigación sobre astronomía matemática] (c. 1701), Mei trató de situar apropiadamente el nuevo conocimiento europeo dentro del marco histórico del conocimiento chino. En el *Jihe bubian* [Complementos de geometría] calculó con métodos tradicionales chinos los volúmenes y dimensiones relativos de poliedros regulares y semirregulares. Mei ayudó a rehabilitar la matemática tradicional china. Una colección exhaustiva de sus obras, *Lisuan quanshu*, fue publicada en 1723.

Meidias, pintor de (floreció c. 420–400 AC, Grecia). Pintor griego de jarrones, conocido por su teatral estilo "florido". Una gran hidria (vasija de agua) con escenas del rapto de las hijas de Leucipo y de Heracles, en el jardín de las Hespérides, que actualmente se encuentra en el Museo Británico, es representativa de su obra.

Meiji, constitución Constitución de Japón vigente desde 1890 hasta 1947. Después de la restauración MEIJI (1868), los líderes del país concibieron una constitución que definiera a Japón como una nación eficiente y moderna, merecedora del respeto de Occidente, pero que conservara sus propias tradiciones. En el documento resultante se estableció un parlamento bicameral (la DIETA), con una cámara baja elegida por los ciudadanos, además de un primer ministro y un gabinete nombrados por el emperador. A este último se le otorgó el control supremo del ejército y la marina. Un consejo privado integrado por los líderes Meiji (ver GENRO), creado antes de la constitución, asesoraba al emperador y ejercía realmente el poder. Para votar había restricciones, que reducían el electorado a cerca del 5% de la población adulta masculina, las que se fueron perdiendo durante los siguientes 25 años hasta alcanzar el sufragio universal para los hombres. En la década de 1920 los partidos políticos aprovecharon al máximo el poder limitado con que contaban, pero en la década de 1930 las fuerzas armadas ejercieron el control sin violar la constitución. Después de la segunda guerra mundial, la constitución Meiji fue reemplazada por una carta fundamental aprobada por EE.UU. (donde se establecía que "el poder soberano reside en el pueblo"). Ver también ITŌ HIROBUMI.

Meiji, emperador *orig.* **Mutsuhito** (3 nov. 1852, Kioto, Japón–30 jul. 1912, Tokio). Emperador de Japón (1867–1912). Durante su reinado se derrocó al sogunado de los Tokugawa, Japón se convirtió en una potencia mundial y el trono imperial pasó al primer plano del escenario político, después de haberse visto eclipsado durante siglos por el poder del sogún. Creía en la necesidad de modernizar Japón de acuerdo con las pautas occidentales. Bajo su mandato fueron abolidos los feudos (*han*) y la vieja estructura de clases, se introdujo un nuevo sistema escolar y se promulgó la constitución MEIJI. También durante este período, Japón anexó Taiwán tras la guerra CHINO-JAPONESA (1894–95) y Corea (1910), y derrotó a Rusia en la guerra RUSO-JAPONESA (1904–05). Ver también era MEIJI; restauración MEIJI; período de los TOKUGAWA.

Meiji, era (1868–1912). Período de la historia japonesa que comienza con el ascenso al trono del emperador MEIJI y finaliza con su muerte. Fue una época de rápida modernización y occidentalización. Los dominios feudales fueron abolidos y reemplazados por prefecturas, y se eliminaron los privilegios especiales de los DAIMIO y SAMURÁIS. No todos los samuráis aprobaron estos cambios y hubo numerosas rebeliones, en especial la de SAIGŌ TAKAMORI. A fin de asegurar el poder del gobierno central, se creó un ejército nacional y se decretó el servicio militar universal. Se estableció un nuevo impuesto agrícola para financiar al nuevo gobierno y se introdujo una moneda decimal. El gobierno apoyó la industria textil, implementó el ferrocarril, líneas navieras y una fundición de hierro en su empeño por fomentar el desarrollo económico. También se reformó el sistema educacional y se crearon escuelas básicas mixtas obligatorias. En 1912 se habían cumplido ampliamente los objetivos del movimiento de reformas, denominado la restauración MEIJI: se modificaron los tratados desiguales con las potencias occidentales, el país se desarrolló en términos económicos y su poder militar se ganó el respeto de Occidente. Ver también constitución MEIJI; PROCLAMA IMPERIAL DE LOS CINCO ARTÍCULOS.

Meiji, restauración Derrocamiento del sogunado de los Tokugawa (ver período de los TOKUGAWA) en Japón y restauración del gobierno imperial directo (a través del emperador

Promulgación de la nueva constitución japonesa por el emperador Meiji.

MEIJI) en 1868. En el s. XIX, Rusia, Inglaterra y EE.UU. desafiaron la política aislacionista del sogunado, lo que hizo conscientes a los líderes feudales japoneses de la vulnerabilidad de Japón frente a la superioridad militar de Occidente. Tras la visita del comodoro MATTHEW C. PERRY, el país se vio forzado a suscribir una serie de tratados desiguales que, tal como había ocurrido en China, otorgaron privilegios especiales a las naciones occidentales. En respuesta, un grupo de jóvenes SAMURÁIS pertenecientes a feudos tradicionalmente hostiles al régimen de los Tokugawa, se levantaron en armas contra el gobierno. En enero de 1868 proclamaron la restitución del emperador en el poder, y en mayo de 1869 se rindieron las últimas fuerzas de los Tokugawa. Los revolucionaros hicieron que el emperador emitiera la PROCLAMA IMPERIAL DE LOS CINCO ARTÍCULOS, en la cual expresaba su voluntad de suprimir las antiguas restricciones de clase del sistema feudal y de buscar los conocimientos que permitieran transformar a Japón en "un país rico con fuerzas armadas poderosas." La restauración anunció la era MEIJI, una época de rápida modernización y occidentalización. Ver también CHŌSHŪ; II NAOSUKE; ŌKUBO TOSHIMICHI; SAIGŌ TAKAMORI; SATSUMA; TOSA.

Meillet, Antoine (11 nov. 1866, Moulins, Francia–21 sep. 1936, Châteaumeillant). Lingüista francés. Argumentó que cualquier esfuerzo por explicar el cambio lingüístico debe reconocer que la lengua es un fenómeno social. En su *Introducción al estudio comparativo de las lenguas indoeuropeas* (1903) explicó las relaciones de las lenguas INDOEUROPEAS entre sí y con respecto a su lengua madre. Meillet señaló que las lenguas que se desarrollan más lejos de un centro de origen común se ven menos afectadas por cambios en el punto de origen y tienen más probabilidades de conservar características arcaicas. Elaboró gramáticas muy eruditas del ARMENIO clásico y el iranio antiguo, e hizo notables aportes a los estudios eslavos.

Meinhof, Carl (23 jul. 1857, Barzwitz, cerca de Schlawe, Pomerania, Prusia–10 feb. 1944, Greifswald, Alemania). Investigador alemán, autoridad en lenguas africanas. Especialista en las lenguas BANTÚES; también estudió las lenguas KHOISAN y otras familias de lenguas africanas. Fue uno de los primeros en abordar el análisis de las lenguas africanas en términos de la FONÉTICA y la MORFOLOGÍA. Entre sus libros se cuentan *Bosquejo de la fonética de las lenguas bantúes* (1899) y *Gramática comparada de la lengua bantú* (1906).

Meinong, Alexius, Ritter (caballero) von Handschuchsheim (17 jul. 1853, Lemberg, Galitzia, Imperio austríaco–27 nov. 1920, Graz, Austria). Filósofo y psicólogo austríaco. Ejerció la docencia en la Universidad de Graz desde 1889 hasta su muerte. Al igual que su profesor FRANZ BRENTANO, Meinong consideraba que la INTENCIONALIDAD o el estar orientados hacia la acción, era el rasgo fundamental de los estados mentales. Postulaba que los objetos de pensamiento tienen cierto carácter o naturaleza (*Sosein*; traducido a veces como "subsistencia") que es distinto del ser o existencia (*Sein*) del cual pueden carecer; así, por ejemplo, la montaña de oro o el cuadrado redondo "subsisten" como objetos de pensamiento, aunque no existen en el mundo de la experiencia sensible. Las ideas de Meinong influyeron durante un breve período en BERTRAND RUSSELL. Entre sus principales escritos figuran *Sobre posibilidad y probabilidad* (1915) y *Sobre la presentación emocional* (1917).

meiosis División de una célula productora de gametos en la cual el NÚCLEO se divide dos veces, dando como resultado cuatro células sexuales (gametos u óvulos y espermios), cada una con la mitad del número de CROMOSOMAS de la célula original. La meiosis es característica de los organismos que se reproducen sexualmente y tienen un juego diploide de cromosomas nucleares (ver PLOIDÍA). Antes de la meiosis, los cromosomas se replican y forman hebras hermanas que permanecen unidas (cromátidas). La meiosis se inicia cuando los cromosomas homólogos paternos y maternos se alinean a lo largo del ecuador de la célula. Los cromosomas intercambian material genético mediante el proceso de entrecruzamiento (ver GRUPO DE LIGAMIENTO), en el cual las hebras de las cromátidas de los pares homólogos se enmarañan e intercambian segmentos para producir cromátidas que contienen material genético de ambos progenitores. A continuación, los pares se separan y son traccionados a los extremos opuestos de la célula, que entonces se dimidia para formar dos células hijas, cada una con un juego haploide (la mitad del número habitual) de cromosomas de doble hebra. En el segundo ciclo de la división meiótica, se separan los cromosomas de doble hebra de cada una de las células hijas, resultando así cuatro gametos haploides. Cuando dos gametos se unen durante la fecundación, cada uno aporta su juego haploide de cromosomas al nuevo individuo, restaurándose el número diploide. Ver también MITOSIS.

Meir, Golda *orig.* **Goldie Mabovitch** *post.* **Goldie Myerson** (3 may. 1898, Kíev, Imperio ruso–8 dic. 1978, Jerusalén). Estadista israelí de origen ucraniano, cuarta primera ministra de Israel (1969–74). Su familia emigró a Milwaukee, Wis., EE.UU., en 1906, donde llegó a ser dirigente del Partido Sionista del Trabajo de Milwaukee. En 1921 emigró junto a su esposo a Palestina, donde se convirtió en una enérgica negociadora con las autoridades británicas durante la segunda guerra

Golda Meir.
DENNIS BRACK—BLACK STAR/EB INC.

mundial (1939–45). Firmó la declaración de independencia de Israel en 1948, integró el Knéset (parlamento, 1949–74) y ocupó el cargo de ministra del trabajo (1949–56) y de asuntos exteriores (1956–66). Como primera ministra, buscó soluciones diplomáticas para disminuir las tensiones en la región. El hecho de que su gobierno no previera un ataque árabe durante la guerra de Yom Kippur en 1973 (ver guerras ÁRABE-ISRAELÍES), la llevó a renunciar seis meses más tarde.

Meissen, porcelana de PORCELANA de pasta dura o auténtica de origen alemán, producida en la fábrica de Meissen, cerca de Dresde, en Sajonia (actual Alemania), desde 1710 y hasta el presente. Fue la primera porcelana auténtica fabricada con éxito en Europa, y dominó el estilo de la porcelana europea hasta c. 1756. El apogeo de la fábrica de Meissen ocurrió después de 1731, con el modelado de JOHANN JOACHIM KÄNDLER. El diseño tipo Cebolla Azul de Meissen, introducido c. 1739, fue profusamente imitado. La marca de la porcelana de Meissen es un dibujo de espadas azules cruzadas.

Pájaro de porcelana de Meissen, c. 1750; Museo Victoria y Alberto, Londres.
GENTILEZA DEL MUSEO VICTORIA Y ALBERTO, LONDRES; FOTOGRAFÍA, EB INC.

Meissonier, Juste-Aurèle (1693/95, Turín, Saboya–31 jul. 1750, París, Francia). Orfebre, diseñador, arquitecto, escultor y pintor francés. En 1726 fue nombrado orfebre y ebanista de LUIS XV, convirtiéndose en el creador del influyente estilo ROCOCÓ. Su obra, muy ingeniosa, incluía fantásticas grutas, diseños animados de metalistería, cajas de rapé, cajas para relojes, empuñaduras de espadas y soperas. Sus bosquejos para decoración de interiores, mobiliario y diseños de orfebrería se hicieron ampliamente conocidos a través de grabados, pero sólo algunos de sus planos arquitectónicos se ejecutaron.

Meistersinger (alemán: "maestro cantor"). Nombre dado a ciertos músicos y poetas alemanes, pertenecientes principalmente a la clase de los artesanos y los comerciantes, entre los s. XIV y XVI. Estos gremios de aficionados se esparcieron por Alemania hasta que en la mayoría de las ciudades hubo al menos uno. Su principal actividad era la realización de concursos mensuales de canto. Debido a sus propósitos educativos en pro de la moral y de las creencias religiosas, se convirtieron en un medio de propagación del mensaje protestante durante la REFORMA, aunque se considera que su música no es tan notable. El Meistersinger más famoso, Hans Sachs (n. 1494–m. 1576), dedicó su arte exclusivamente a la causa luterana después de 1530.

Meitner, Lise (7 nov. 1878, Viena, Austria–27 oct. 1968, Cambridge, Cambridgeshire, Inglaterra). Física alemana. Trabajó en el Instituto Kaiser Wilhelm de Berlín (1912–38), y enseñó además en la Universidad de Berlín (1926–38). En un laboratorio que instaló con OTTO HAHN, aislaron el isótopo radiactivo protactinio 231. En la década de 1930, con Hahn y Fritz Strassmann (n. 1902–m. 1980), investigó los productos resultantes del bombardeo del uranio con neutrones. Dejó Alemania en 1938 para trasladarse a Suecia. Después de que Hahn y Strassmann demostraran que el bario aparece en el uranio bombardeado con neutrones, ella y su sobrino Otto Frisch (n. 1904–m. 1979) explicaron las características físicas de esta división, y en 1939 propusieron el término *fisión* para este proceso. En 1966 compartió el Premio Enrico Fermi con Hahn y Strassmann. Al elemento 109 se le dio el nombre meitnerio en su honor.

mejillón Cualquiera de las muchas especies de BIVALVO de la familia Mytilidae, de distribución marina mundial, o de la superfamilia Unionacea, de agua dulce, llamados náyades, distribuidos principalmente en EE.UU. y Asia sudoriental. Los mejillones marinos son normalmente cuneiformes o piriformes y miden 5–15 cm (2–6 pulg.) de largo. Pueden ser lisos o estriados y a menudo son vellosos. Las conchas de muchas especies son de color azul oscuro o marrón verdoso por fuera y nacarado por dentro. Se adhieren a objetos sólidos o entre sí, formando a menudo aglomeraciones tupidas. Algunos horadan túneles en el fango o en la madera blanda. Son alimento para aves y estrellas de mar; algunas especies se cultivan comercialmente para la alimentación humana.

mejillón cebra Cualquiera de dos especies de MEJILLONES minúsculos (género *Dreissena*) que son importantes plagas de agua dulce. Proliferan con rapidez y se

Mejillón marino (Mytilus edulis)
© ENCYCLOPÆDIA BRITANNICA, INC

adhieren en miríadas prácticamente a cualquier superficie. Estos mejillones voraces desbaratan las cadenas alimentarias al exterminar el FITOPLANCTON, y su acumulación masiva en válvulas y caños de aducción de agua, contrafuertes de puentes y otras estructuras, puede causar pérdidas económicas importantes. El primer ataque conocido fue en Europa, a comienzos del s. XIX y fueron llevados (probablemente en los lastres de agua de los barcos) a Norteamérica c. 1986; su invasión en todos los Grandes Lagos ha tenido efectos devastadores en las poblaciones nativas de mejillones y peces.

mejorana Hierba perenne (*Majorana hortensis*) de la familia de las Labiadas (ver MENTA), o sus hojas frescas o secas y sus espigas florales. Originaria del Mediterráneo y Asia occidental, la mejorana se cultiva como planta anual en lugares donde las temperaturas invernales matan la planta. Se utiliza para condimentar muchos alimentos. Diversas hierbas o plantas aparradas aromáticas de los géneros *Origanum* (ver ORÉGANO) y *Majorana* de la familia de las Labiadas también se denominan mejorana.

Mekilta Comentario hebreo del Libro del ÉXODO. Uno de los comentarios exegéticos conocidos como *midrašim* de la HALAKÁ (legales), la *Mekhilta* está compuesta de tres tipos de materia concernientes al Libro del Éxodo: exégesis de ciertos pasajes, ensayos propositivos y argumentativos sobre principios teológicos, y artículos temáticos sobre la TORÁ escrita y oral. Fue creada por una escuela talmúdica fundada por ISHMAEL BEN ELISHA c. 300 DC y conocida como la casa de Ishmael. El nombre *Mekilta* (hebreo: "regla") se refiere a su uso como regla o norma de conducta. Ver también MIDRAS; TALMUD.

Mekong, río *chino* **Lancang Jiang** *o* **Lan-Ts'ang Chiang** Río más largo del sudeste de Asia. Nace en el Tíbet oriental, China, y fluye hacia el sur a través de las tierras altas de la provincia de Yunnan. Luego forma parte del límite entre MYANMAR (Birmania) y LAOS, y entre Laos y TAILANDIA. Recorre Laos y Camboya antes de entrar en el mar de CHINA meridional a través de un delta situado al sur de la Ciudad HO CHI MINH, VIETNAM, después de un curso de 4.350 km (2.700 mi). Las ciudades de VIENTIANE y PHNOM PENH están situadas en sus riberas. A orillas de su curso inferior vive cerca de un tercio de la población combinada de Camboya, Laos, Tailandia y Vietnam. En 1957, la ONU comenzó el proyecto de desarrollo del Mekong, un esfuerzo internacional de contención del río con fines productivos (generación hidroeléctrica y riego).

Melanchthon, Philipp *orig.* **Philipp Schwartzerd** (15 feb. 1497, Bretten, Palatinado–19 abr. 1560, probablemente Wittenberg, Sajonia). Reformador protestante alemán. Su educación en Alemania estuvo muy influida por la enseñanza humanista, y fue nombrado profesor de la cátedra de griego en Wittenberg en 1518. Amigo y defensor de MARTÍN LUTERO, fue autor de *Loci communes* (1521), el primer

Philipp Melanchthon, grabado de Alberto Durero, 1526.
GENTILEZA DEL STAATLICHE MUSEEN KUPERSTICHKABINETT, BERLÍN, ALEMANIA

tratado sistemático de los fundamentos de la REFORMA y del credo protestante, conocido como la confesión de AUGSBURGO (1530). También reorganizó íntegramente el sistema educacional de Alemania, fundando y reformando varias de sus universidades. En sus últimos años causó polémica por la buena disposición de llegar a acuerdos con los católicos en asuntos teológicos.

Melanesia Grupo insular del océano Pacífico sur. El conjunto, una subdivisión de OCEANÍA, situado al nordeste de Australia y al sur del ecuador, abarca NUEVA GUINEA, las islas del ALMIRANTAZGO, los archipiélagos de BISMARCK y LOUISIADE, las islas SALOMÓN, las islas Santa Cruz, NUEVA CALEDONIA y las islas de la Lealtad, VANUATU, FIJI, la isla NORFOLK, y muchas más. En la región hay dos poblaciones y culturas distintas. Los papúes, que han habitado la región durante 40.000 años, quienes concibieron uno de los sistemas agrícolas más antiguos y desarrollaron las lenguas PAPÚES. Por otra parte, pueblos marinos de lengua AUSTRONESIA y tradición cultural proveniente del Sudeste asiático se instalaron en la región hace unos 3.500 años.

Melanie Reizes ver Melanie KLEIN

melanina Cualquiera de varios compuestos orgánicos que son PIGMENTOS biológicos oscuros que dan coloración (con tonalidades de amarillo a marrón) a la piel, pelo, plumas, escamas, ojos y algunos tejidos internos, particularmente la *substantia nigra* en el cerebro. En los seres humanos, las mela-

ninas ayudan a proteger la piel contra los efectos nocivos de la RADIACIÓN ULTRAVIOLETA, pero el MELANOMA puede surgir a partir de células que producen melanina. La cantidad presente en la piel depende de factores genéticos y ambientales. La melanina se produce a partir del AMINOÁCIDO TIROSINA; los albinos carecen de la ENZIMA que cataliza esa reacción (ver ALBINISMO).

melanismo industrial Oscurecimiento de la piel, las plumas o el pelaje de una población de animales que vive en una región industrial donde el medio está oscurecido con hollín. La melanización de una población aumenta la probabilidad de que sus integrantes sobrevivan y se reproduzcan porque les brinda protección en la forma de camuflaje. Sucede en el curso de muchas generaciones como resultado de la SELECCIÓN NATURAL de animales más claros, que son más notorios para los predadores.

melanoma Tumor maligno, de color oscuro, de las células cutáneas que producen melanina, pigmento protector que oscurece la piel. Los melanomas tienden a producir metástasis (ver CÁNCER) y se asocian con la tasa de mortalidad más elevada de todos los cánceres cutáneos. La extirpación del melanoma junto con un collar de la piel sana circundante, es curativa si se realiza precozmente. Una causa frecuente de melanoma es el daño cutáneo por exposición a la luz solar. Es muy raro en las personas de piel oscura.

melatonina HORMONA secretada por la glándula PINEAL de la mayoría de los vertebrados. Al parecer es importante en la regulación de los ciclos del sueño; se produce en mayor cantidad durante la noche, y sujetos de prueba inyectados con ella se tornan somnolientos. La melatonina puede estar implicada en el TRASTORNO AFECTIVO ESTACIONAL. En los mamíferos, con excepción de los humanos, la melatonina actuaría como señal para la reproducción y apareamiento en sazón.

Melba, Dame Nellie *orig.* **Helen Porter Mitchell** (19 may. 1861, Richmond, cerca de Melbourne, Australia–23 feb. 1931, Sydney). Soprano australiana. Después de estudiar con Mathilde Marchesi (n. 1821–m. 1913) en París, debutó en Bruselas con la ópera *Rigoletto* (1887), y en los siguientes seis años cantó en todos los principales teatros del *bel canto* del mundo. Una de las más famosas sopranos de coloratura de los años previos a la primera guerra mundial, después de 1902 cantó principalmente en el Covent Garden. Poseía una técnica muy rica y una bella voz, y su repertorio estaba concentrado en un número reducido de óperas italianas y francesas. Dos platos fueron bautizados en su honor: la tostada Melba y el durazno Melba.

Melbourne Ciudad (pob., est. 1999: 3.417.200 hab.), capital de VICTORIA, sudeste de Australia. Situada en la cabecera de la bahía de Port Phillip y en la desembocadura del río Yarra, la región fue descubierta por europeos en 1802 e incorporada en la colonia de Nueva Gales del Sur. En 1835, un grupo de colonos provenientes de Tasmania establecieron en el lugar el primer asentamiento europeo, al que en 1837 se le dio su nombre actual en honor del primer ministro británico, Lord WILLIAM LAMB MELBOURNE. Designada capital de Victoria en 1851, creció rápidamente con la fiebre del oro de principios de la década de 1850. Fue la primera capital de la mancomunidad australiana (1901–27), hasta que CANBERRA se convirtió en la nueva capital. La segunda ciudad más grande después

Rascacielos de Melbourne y el río Yarra, Australia.
DAVID JOHNSON

de SYDNEY, es un centro industrial, comercial y financiero y sede de varias universidades, entre ellas la Universidad de MELBOURNE.

Melbourne (de Kilmore), William Lamb, 2° vizconde

(15 mar. 1779, Londres, Inglaterra–24 nov. 1848, Brocket, cerca de Hatfield, Hertfordshire). Primer ministro británico (1834, 1835–41). Abogado, ingresó a la Cámara de los Comunes en 1806 y a la Cámara de los Lores en 1829. Aunque era WHIG, participó en gobiernos TORIES como primer secretario para Irlanda (1827–28) y defendió los derechos políticos de los católicos. Fue secretario (ministro) del interior (1830–34) en el gobierno whig del conde GREY, apoyando de mala gana la ley de REFORMA DE 1832. Como primer ministro (1834), obtuvo el apoyo de whigs y tories moderados y se opuso a nuevas reformas parlamentarias y a los intentos de derogar las leyes del GRANO. En su segunda administración (1835–41), se convirtió en el principal y muy apreciado consejero político de la joven reina VICTORIA. Su firme postura en política exterior impidió la guerra con Francia por Siria (1840). Su esposa, Lady Caroline Lamb (n. 1785–m. 1828), fue una novelista menor, famosa por su aventura amorosa con Lord BYRON en 1812–13.

Melbourne, Universidad de

Universidad pública con sede en Melbourne, Australia. Fue fundada en 1853 como un *college* (colegio universitario) de artes liberales y en las décadas posteriores se fueron sumando escuelas o facultades de agronomía, arquitectura, comercio, odontología, educación, ingeniería, derecho, medicina, música y medicina veterinaria. Durante el s. XX continuó su expansión y se agregaron programas en ciencia nuclear, investigaciones en economía aplicada y estudios del Sudeste asiático y Asia meridional.

Melchior, Lauritz (Lebrecht Hommel)

(20 mar. 1890, Copenhague, Dinamarca–18 mar. 1973, Santa Mónica, Cal., EE.UU.). Tenor estadounidense de origen danés. Debutó como barítono en 1913, pero gracias a estudios posteriores extendió su rango vocal hacia un registro más alto, por lo que en 1918 debutó como tenor en el papel de Tannhäuser. Con una formación adicional se preparó para hacer presentaciones en Bayreuth, donde actuó en 1924–31. Realizó conciertos regulares (a menudo junto a KIRSTEN FLAGSTAD) en el Covent Garden (hasta 1939) y en el Metropolitan Opera (1926–50) y grabó múltiples registros. Fue el tenor wagneriano preeminente de su tiempo.

Melfi, constituciones de o Liber Augustalis

(1231). Código legal redactado por el emperador FEDERICO II para el reino de Sicilia. Basadas en el código canónico y romano, las constituciones centralizaron la administración real, establecieron una mayor eficiencia en los tribunales y racionalizaron los procedimientos civil y penal en pro de la justicia.

Meliáceas

Familia de plantas (orden Sapindales), compuesta de 575 especies agrupadas en 51 géneros de árboles, y (rara vez) arbustos, nativos de regiones tropicales y subtropicales. Los árboles de los géneros *Swietenia* y *Entandrophragma*, comúnmente denominados caoba, y del género *Cedrela* (especialmente el cedro acajú, *C. odorata*) son árboles maderables de importancia comercial. El árbol de la China (*Melia azedarach*), también llamado árbol del paraíso y cinamomo, es un árbol ornamental asiático de flores lilas fragantes y frutos redondos, amarillos, atractivos pero venenosos, a menudo cultivado en zonas tropicales y subtropicales. La mayoría de los miembros de esta familia tienen hojas grandes, compuestas y racimos florales ramificados. Unos pocos dan frutos comestibles.

Méliès, Georges

(8 dic. 1861, París, Francia–21 ene. 1938, París). Director de cine francés. Ejerció como prestidigitador profesional y fue propietario y director del Théâtre Robert-Houdin de París. En 1895 presenció las primeras películas de AUGUSTE Y LOUIS LUMIÈRE. Fue el primero en realizar filmes que narraran historias de ficción, y en sus experimentos fílmicos promovió trucos básicos de filmación, como la cámara lenta, el fundido y la doble exposición. Desde 1899 hasta 1912 realizó más de 400 películas, fantasiosas producciones que combinaron el ilusionismo, la parodia y la pantomima, entre las que se destaca *El viaje a la luna* (1902). También filmó recreaciones de eventos noticiosos, antecedente que costituiría el inicio del noticiario. En 1913 debió vender su estudio de cine, al verse superado por el desarrollo comercial de la industria fílmica.

Georges Méliès.
RENÉ DAZY–J.P. ZIOLO

Melilla

Enclave español autónomo (pob., 2001: 66.411 hab.) en África del norte. La ciudad tiene 12 km² (5 mi²) de superficie y es una plaza militar y puerto marítimo. Está ubicada en la costa septentrional de Marruecos y fue colonizada sucesivamente por fenicios, griegos y romanos. Siendo un poblado bereber, cayó en manos de España en 1497 y permaneció bajo dominio español pese a una larga historia de ataques y asedios. A comienzos del s. XX, España modernizó las instalaciones portuarias y la convirtió en centro administrativo del Marruecos español. Fue la primera ciudad española en levantarse contra el gobierno del Frente Popular en 1936, contribuyendo así a precipitar la guerra civil ESPAÑOLA. España la mantuvo cuando Marruecos se independizó en 1956.

melisa ver TORONJIL

Mellon, Andrew W(illiam)

(24 mar. 1855, Pittsburgh, Pa., EE.UU.–26 ago. 1937, Southampton, N.Y.). Financista estadounidense. Se incorporó a la empresa bancaria de su padre en 1874 y durante las tres décadas siguientes construyó un imperio financiero mediante el aporte de capital a corporaciones de la industria del aluminio, del acero y del petróleo, entre otras. Colaboró en la fundación de las empresas Aluminum Co. of America (ALCOA) y GULF OIL CORP. Además se unió a Henry Clay Frick para fundar las empresas Union Steel Co. y Union Trust Co. A principios de la década de 1920 era uno de los hombres más ricos de EE.UU. Como Secretario del Departamento del Tesoro (1921–32), convenció al congreso de reducir los impuestos para incentivar la expansión económica. Fue elogiado por el auge económico de la década de 1920, pero criticado durante la GRAN DEPRESIÓN. En 1932 renunció a su cargo para desempeñarse como embajador en Inglaterra. Fue un destacado coleccionista de arte y filántropo. Donó una extensa colección de arte y millones de dólares para crear la Galería Nacional de Arte de WASHINGTON.

melocotonero o duraznero

Árbol frutal pequeño a mediano (*Prunus persica*) de la familia de las Rosáceas (ver ROSA), cultivado en todas las regiones templadas más cálidas de ambos hemisferios, cuyo fruto se llama melocotón o durazno. Probablemente es originario de China y se difundió hacia occidente. Los melocotoneros no toleran el frío muy intenso, pero requieren del frío invernal para inducir el crecimiento en primavera. Las hojas verde brillante, largas y puntiagudas, son lanceoladas. Las flores, rosadas o blancas, se dan individuales o arracimadas. La parte exterior del fruto es carnosa, jugosa y comestible; su interior se denomina carozo o cuesco. En las variedades de carozo suelto, el cuesco se separa fácilmente de la pulpa madura; en las variedades de carozo fijo, la pulpa se adhiere firmemente al cuesco. Se han desarrollado miles de variedades. La piel del melocotón es aterciopelada o vellosa; los melocotones de piel suave son las NECTARINAS. Los melocotones se consumen ampliamente como fruta fresca y al horno, en postres. Los melocotones en conserva son un producto esencial en muchas regiones. Las plantas emparentadas son el ALMENDRO, el CIRUELO y el CEREZO.

melodía Sucesión rítmica de notas individuales organizadas como un todo estético. A menudo la melodía corresponde a la línea o voz más alta en una composición musical. Las melodías pueden sugerir su propia ARMONÍA o CONTRAPUNTO. La melodía, tan fundamental como el RITMO Y METRO (y más aún que la armonía), es común a todas las culturas musicales.

melodrama Drama sentimental que se caracteriza por presentar situaciones insólitas, personajes dependientes del desarrollo de la trama y una artificiosa teatralidad. En general, se construye sobre un argumento inverosímil, cuyos estereotipados protagonistas son el héroe aristocrático, la eternamente sufriente heroína y el villano despiadado, y que culmina con el triunfo de la virtud sobre el mal. Durante el s. XIX el melodrama fue popular en Europa y EE.UU., donde se destacaron dramaturgos como Guilbert de Pixérécourt y DION BOUCICAULT. Era frecuente que presentaran situaciones espectaculares como naufragios, batallas, incendios, terremotos y carreras de caballos. A comienzos del s. XX, el melodrama pasó de moda como forma teatral, pero permaneció como un género popular en el cine mudo. Hoy en día, aún se puede apreciar en estilos cinematográficos como el cine de acción.

melón Cualquiera de siete grupos de *Cucumis melo*, una enredadera rastrera cultivada por su fruto comestible, dulce y de fragancia almizclada. Miembros de la familia de las CUCURBITÁCEAS, muy diversa desde el punto de vista hortícola, los melones son plantas anuales sensibles a las heladas, originarios de Asia central, pero producidos ampliamente en muchas variedades cultivadas en las regiones cálidas de todo el mundo. Tienen tallos tendidos, blandos y vellosos, hojas grandes, redondas a lobuladas, flores amarillas y pepitas planas grandes. Los frutos de las numerosas variedades cultivadas difieren enormemente en tamaño, forma, textura superficial, color de la pulpa, sabor y peso. Algunos ejemplos son el cantalupo, el melón escrito y el melón casaba. Entre las plantas parecidas a los melones genuinos están la SANDÍA, la sandía de la China, el PAPAYO y el pepino dulce (*Solanum muricatum*).

Melocotonero (*Prunus persica*) y su fruto.
© ENCYCLOPÆDIA BRITANNICA, INC.

Melón (*Cucumis melo*).
© ENCYCLOPÆDIA BRITANNICA, INC.

Melquisedec Rey cananeo y sacerdote venerado por ABRAHAM. En el Libro del Génesis, Abraham rescata a su sobrino secuestrado, LOT, de los mesopotamios y al regreso de la batalla se encuentra con Melquisedec, rey de Salem (probablemente otro nombre de Jerusalén), quien le da pan y vino y lo bendice en el nombre del "Dios Altísimo". La epístola a los Hebreos de san PABLO lo trata como alguien que prefigura la venida de Cristo.

Melville, Herman *orig.* **Herman Melvill** (1 ago. 1819, Nueva York, N.Y., EE.UU.–28 sep. 1891, Nueva York). Escritor estadounidense. Hijo de una familia acaudalada neoyorquina que sufrió grandes pérdidas económicas, Melville recibió escasa educación formal y en 1839 comenzó un período de viajes por los mares. En 1841 se embarcó en una ballenera rumbo a los mares del sur; al año siguiente desertó del barco en las islas Marquesas. Sus aventuras en la Polinesia fueron la base de sus primeras novelas de éxito, *Typee* (1846) y *Omoo* (1847). Luego de publicar la fantasía alegórica *Mardi* (1849), que resultó un fracaso, rápidamente escribió *Redburn* (1849) y *La guerrera blanca* (1850), sobre la dura vida de los marineros. *Moby Dick* (1851), su obra maestra, es un intenso relato ballenero, y a la vez una descripción simbólica de los problemas y posibilidades de la democracia estadounidense; no fue aclamada ni premiada al momento de su publicación. Cada vez más recluido y desesperanzado, escribió *Pierre o las ambigüedades* (1852) en el género de las novelas para "señoras" de casa, si bien lo que terminó escribiendo fue más bien una parodia de ese género popular, *Israel Potter* (1855), *El timador* (1857) y cuentos para revistas, entre ellos "Bartleby el escribiente" (1853) y "Benito Cereno" (1855). Después de 1857 escribió poesía. En 1866 obtuvo un puesto como inspector de aduanas, lo que finalmente le significó un sueldo estable. Retomó la narración para escribir su última obra, la novela *Billy Budd*, la cual no se publicó hasta 1924. Ignorado durante gran parte de su carrera, Melville sería reconocido por la crítica del s. XX como uno de los más grandes escritores estadounidenses.

Melville, isla Isla del mar de Timor, frente a las costas del TERRITORIO DEL NORTE en Australia. Tiene 130 km (80 mi) de largo y 88 km (55 mi) de ancho, una superficie total de 5.800 km² (2.240 mi²). Fue avistada por navegantes holandeses en 1644; en 1824 los británicos construyeron Fort Dundas. La isla Melville, que los aborígenes conocen como Yermalner, es una de las pocas regiones de Australia aún ocupadas por un grupo étnico originario, los tiwi; en 1978 el gobierno australiano traspasó la administración de la isla al Consejo territorial tiwi.

membrana En biología, capa delgada que forma el límite exterior de una célula viva o de un compartimiento intracelular. La cubierta externa es la membrana plasmática y las estructuras intracelulares limitadas por membranas se llaman organelas. Las membranas biológicas tienen una doble función: separación de los procesos metabólicos vitales pero incompatibles que se llevan a cabo en los orgánulos; y el paso de nutrientes, desechos y productos metabólicos entre los organelos y entre la célula y el medio externo. Las membranas constan principalmente de una doble capa de LÍPIDOS en los cuales están empotradas grandes proteínas, muchas de las cuales transportan IONES y moléculas hidrosolubles a través de la membrana. Ver también CITOPLASMA; EUCARIONTE.

membrana, estructura de Estructura con una superficie delgada y flexible (membrana) que soporta cargas fundamentalmente de tracción. Existen dos tipos principales: estructuras de CARPA y estructuras NEUMÁTICAS. Un ejemplo lo constituye el aeropuerto internacional de Denver, EE.UU. (1995), con un techo blanco de membrana tensado desde mástiles de acero.

membrana hialina, enfermedad de la ver SÍNDROME DE INSUFICIENCIA RESPIRATORIA

membrillo Cualquiera de los arbustos o arbolillos frutales que conforman el género *Cydonia*, de la familia de las Rosáceas (ver ROSA). El membrillo común (*C. oblonga*) es originario de Irán, Turquía y tal vez de Grecia y Crimea. El fruto crudo, amarillo dorado, tiene un aroma fragante, intenso, y un sabor astringente; al cocerlo, adquiere un color rosado y constituye una excelente conserva de fruta. El membrillo japonés (especie *Chaenomeles*) es un arbusto ornamental cultivado ampliamente por sus flores, que aparecen en los tallos ramosos antes de que las hojas se abran completamente, a fines de invierno e inicios de primavera.

Membrillo (*Cydonia oblonga*): fruto y flor.
© ENCYCLOPÆDIA BRITANNICA, INC.

Memel, disputa de Disputa originada tras la primera guerra mundial acerca de la soberanía del antiguo territorio prusiano alemán de Memel. Ubicada en el mar Báltico, al norte del río Memel, la región estaba habitada principalmente por lituanos. En 1919 en la conferencia de paz de PARÍS, el recién formado estado de Lituania solicitó la anexión del área. Una comisión recomendó la formación de un Estado libre, pero los habitantes lituanos de la región tomaron posesión del gobierno en 1923. Las protestas de las potencias aliadas culminaron en la firma del estatuto Memel para establecer el territorio de Memel como una región autónoma dentro de Lituania.

Memling, Hans *o* **Hans Memlinc** (c. 1433, Seligenstadt, cerca de Aschaffenburg–11 ago. 1494, Brujas). Pintor flamenco. En 1465 se estableció en Brujas y montó un gran taller que resultó muy exitoso, convirtiéndolo en uno de los ciudadanos más adinerados de la ciudad. Aunque de alguna manera su arte derivó de las obras de los pintores flamencos contemporáneos, (JAN VAN EYCK, DIRCK BOUTS, HUGO VAN DER GOES y, sobre todo, ROGIER VAN DER WEYDEN), Memling posee gran encanto y un carácter distintivo. Sus pinturas religiosas y retratos de mecenas adinerados (p. ej., *Tommaso Portinari y su esposa*, c. 1468) fueron y siguen siendo sus obras más afamadas.

Memnón En la mitología GRIEGA, rey de los etíopes. Hijo de Titono (de la casa real troyana) y Eos (Aurora), luchó valientemente en favor de su tío PRÍAMO contra los griegos, y fue muerto por AQUILES. Conmovido por las lágrimas de Eos, ZEUS le concedió la inmortalidad. Sus compañeros, convertidos en aves, iban cada año a luchar y lamentarse sobre su tumba. En Egipto su nombre se relacionó con las colosales estatuas de piedra de AMENOFIS III cerca de TEBAS; se creía que los sonidos semejantes al arpa que emitían esas estatuas (cuando eran tocadas por los rayos del sol naciente) eran la voz de Memnón respondiendo el saludo de su madre, Eos.

"Virgen y Martin van Nieuwenhove", díptico (tablero izquierdo), óleo sobre panel de Hans Memling, 1487; Museo Memling, Brujas, Bélgica.
GENTILEZA DEL MUSEO MEMLING, BRUJAS, BÉLGICA; FOTOGRAFÍA, © A.C.L., BRUSELAS

memoria Poder o proceso de recordar o reproducir lo aprendido o experimentado. Las investigaciones indican que la capacidad de retener información es bastante uniforme entre individuos normales; lo que difiere es, en primer lugar, el grado en que las personas aprenden o toman algo en cuenta, y luego, el tipo y cantidad de detalles retenidos. La ATENCIÓN, MOTIVACIÓN y especialmente ASOCIACIÓN facilitan este proceso. Por lo general se recuerdan mejor las imágenes visuales que otros datos sensoriales. Las personas con memoria prodigiosa, es decir, con memoria "fotográfica" o "eidética" a menudo se apoyan fuertemente en asociaciones visuales, entre ellas la mnemónica. Muchos psicólogos distinguen entre memoria a corto y a largo plazo. La primera (que según varias estimaciones dura entre 10 segundos y 3 minutos) está menos sujeta a interferencia y distorsión que la segunda. La memoria a largo plazo se divide a veces en episódica (centrada en sucesos) y semántica (centrada en conocimientos). Se han propuesto diversos modelos de memoria, desde la idea prevaleciente en la Ilustración de impresiones hechas sobre el tejido cerebral (tesis reformulada en el s. XX bajo el concepto de "moléculas de memoria" o "engramas" codificados), a la "caja negra" de B.F. SKINNER, hasta ideas más recientes relativas al PROCESAMIENTO DE INFORMACIÓN o la formación de grupos neuronales. Entre los trastornos de la memoria o trastornos que la afectan, figuran el mal de ALZHEIMER, AMNESIA, enfermedad de KORSAKOFF, trastorno por ESTRÉS POSTRAUMÁTICO y demencia senil. Ver también HIPNOSIS.

memoria En COMPUTADORAS DIGITALES, dispositivo físico que se emplea para almacenar información como datos o programas sobre una base temporal o permanente. La mayoría de los sistemas de computadoras digitales poseen dos tipos de memorias: la principal y una o más unidades de almacenamiento auxiliar. En la mayoría de los casos, la memoria principal es una RAM de alta velocidad. Las unidades de almacenamiento auxiliar comprenden los DISCOS DUROS, DISQUETES y unidades de cinta magnética. Además de las memorias principal y auxiliar, otras formas de memoria son la ROM y los medios de almacenamiento óptico, como VIDEODISCOS y DISCOS COMPACTOS (ver CD-ROM).

Memorial Day *o* **Decoration Day** Feriado estadounidense. Se inició (1868) en recuerdo de los soldados muertos en la guerra de SECESIÓN, pero más adelante se extendió a todos los estadounidenses muertos en guerra. La mayoría de los estados se atienen a la práctica federal de declarar feriado el último lunes de mayo, pero algunos conservan el día original, 30 de mayo. La ceremonia oficial consiste en colocar una corona de flores en la Tumba de los desconocidos, en el cementerio nacional de Arlington. En los cementerios locales se colocan banderas, insignias y flores sobre las tumbas de los veteranos de guerra.

memorias Historia o registro escrito, sobre la base de la observación y experiencia personal. Muy cercana a la AUTOBIOGRAFÍA, las memorias difieren de ese género principalmente en el grado de énfasis dado a los acontecimientos externos. A diferencia de los escritores de autobiografías, cuya principal preocupación son ellos mismos como asunto de interés, los escritores de memorias por lo general han observado de cerca o participado en acontecimientos históricos y su principal objetivo es describir o interpretar dichos acontecimientos.

Memphis Ciudad (pob., 2000: 650.100 hab.) en el sudoeste del estado de Tennessee, EE.UU. Ubicada a orillas del Mississippi en el límite entre los estados de Arkansas, Mississippi y Tennessee, fue fundada en 1819 en el lugar que ocupó una aldea CHICKASAW y un fuerte estadounidense. Se constituyó como ciudad en 1849. Al inicio de la guerra de SECESIÓN era un centro militar de la Confederación que fue capturado por las fuerzas de la Unión en 1862. En la década de 1870, la fiebre amarilla cobró la vida de 8.000 personas, lo que trajo consigo el empobrecimiento de la ciudad. Se constituyó nuevamente en 1893 y en 1900 era la ciudad más grande del estado. Entre sus lugares de interés figuran Graceland, la mansión de ELVIS PRESLEY, y la calle Beale, a la que W.C. HANDY dio fama como el lugar donde nació el blues. Es sede de diversas instituciones educacionales, entre ellas la Universidad de Memphis.

mena Porción de un filón que contiene MINERALES útiles en proporción elevada y que pueden ser extraídos mediante procesos físicos, químicos o térmicos. Aunque se conocen más de 3.500 especies de minerales, sólo alrededor de 100 son considerados minerales de mena. Originalmente el término se aplicó sólo a minerales metálicos, de preferencia ferrosos (ver ELEMENTO NATIVO), pero ahora se amplía incluso a sustancias no metálicas como AZUFRE, fluoruro de calcio (FLUORITA) y sulfato de bario (BARITINA). La mena está siempre mezclada con rocas y minerales no deseados, conocidos colectivamente como ganga: mena y ganga se explotan en conjunto y luego se separan. Posteriormente se extrae de la mena el elemento buscado. El metal puede ser refinado aún más (purificado) o aleado con otros metales. La rentabilidad de una mena depende de la importancia económica del mineral extraído.

ménades y bacantes Comparsa femenina que acompañaba a DIONISO, dios griego del vino. La palabra ménade proviene del griego y significa "loca" o "demente". Durante los ritos orgiásticos de Dioniso, las ménades deambulaban enloquecidas por los montes y bosques desarrollando danzas frenéticas y extáticas; se creía que estaban poseídas por el dios. Mientras estaban bajo la influencia de la divinidad, se suponía que poseían una fortaleza extraordinaria; se decía que podían destrozar animales o personas y reducirlas a pedazos (el destino fatal de ORFEO). Como las ménades, las bacantes debían su nombre a Baco, deidad romana equivalente a Dioniso. Asimismo, a las bacantes se les atribuía semejantes conductas y poderes.

Menai, estrecho de Canal del mar de IRLANDA que separa la isla de ANGLESEY del norte de Gales. Tiene una extensión de 24 km (15 mi) y un ancho que varía de 180 m (600 pies) a 3 km (2 mi). Dos famosos puentes cruzan el estrecho: el puente colgante de THOMAS TELFORD, de 1827, y el puente ferroviario tubular de ROBERT STEPHENSON, de 1849.

Menandro (c. 342–c. 292 AC). Dramaturgo ateniense. Exhibió su primera obra en 321 AC, y en 316 fue premiado en un festival por *Dyscolus* ("El misántropo"), cuyo texto es la única obra completa que se conserva. Al finalizar su carrera había escrito más de 100 obras y obtenido ocho triunfos en los festivales dramáticos de Atenas. Considerado por los críticos antiguos como el más importante poeta de la COMEDIA NUEVA griega, sobresalió por develar personajes como padres severos, jóvenes amantes y esclavos conspiradores. Sus obras, adaptadas por los romanos PLAUTO y TERENCIO, influenciaron el posterior desarrollo de la comedia renacentista.

menchevique Miembro del ala no leninista del PARTIDO OBRERO SOCIALDEMÓCRATA RUSO. El grupo surgió en 1903 cuando L. MÁRTOV propuso la formación de un partido de masas según el modelo europeo occidental, en oposición al plan de VLADÍMIR LENIN de restringir el partido a los revolucionarios profesionales. Cuando los seguidores de Lenin obtuvieron la mayoría en el comité central del partido, adoptaron el nombre de BOLCHEVIQUES ("los de mayoría"); Mártov y su grupo se convirtieron en mencheviques ("los de minoría"). Desempeñaron un papel activo en la REVOLUCIÓN RUSA DE 1905 y en el SOVIET de San Petersburgo, pero se dividieron debido a la primera guerra mundial y luego a causa de la REVOLUCIÓN RUSA DE 1917. Intentaron formar un partido de oposición legal, pero en 1922 fueron reprimidos en forma permanente.

Mencio *chino* **Mengzi** *o* **Meng-tzu** *orig.* **Meng K'o** (c. 372–c. 289 AC). Filósofo chino. El libro MENCIO contiene una serie de afirmaciones sobre la bondad innata del hombre, cuestión acaloradamente debatida por los seguidores de CONFUCIO, incluso hasta tiempos modernos. El que los cuatro principios (*si duan*) –los sentimientos de conmiseración, vergüenza, cortesía, y del bien y el mal– fuesen todos connaturales en los seres humanos, era para Mencio una verdad evidente por sí misma; estos cuatro principios, si se cultivan

apropiadamente, se convertirán en las cuatro virtudes cardinales de *ren* (benevolencia), rectitud, decoro y sabiduría. Mencio desarrolló y enriqueció el CONFUCIANISMO, hecho que le valió el título de "segundo sabio".

Mencio, detalle, tinta y color sobre seda; Museo del Palacio Nacional, Taipei.
GENTILEZA DEL MUSEO DEL PALACIO NACIONAL, TAIPEI, TAIWÁN, REPÚBLICA DE CHINA

Mencio *o* **Mengzi** *o* **Meng-tzu** Texto confuciano de origen chino relativo al gobierno, escrito por MENCIO. El libro afirma que el bienestar de la gente común está antes que cualquier otra consideración. Cuando un gobernante ya no practica la benevolencia ni la justicia, el mandato del cielo (su derecho a gobernar) se revoca y debe ser removido. *Mencio* no se convirtió en un clásico sino hasta el s. XII, cuando fue publicado en los CUATRO LIBROS por ZHU XI, junto con DAXUE, ZHONG YONG y LUNYU (*Analectas*). Ver también CONFUCIANISMO.

Mencken, H(enry) L(ouis) (12 sep. 1880, Baltimore, Md., EE.UU.–29 ene. 1956, Baltimore). Polemista, periodista humorístico y crítico estadounidense. Trabajó gran parte de su vida en la planta del *Baltimore Sun*. Junto a George Jean Nathan (n. 1882–m. 1958), fue editor de *The Smart Set* (1914–23) y fundó y dirigió *American Mercury* (1924–33), ambas importantes revistas literarias. Probablemente el crítico literario estadounidense más influyente durante la década de 1920, a menudo recurrió a la crítica para burlarse de las debilidades sociales y culturales de su país. *Prejudices* [Prejuicios] (1919–27) reúne varias de sus reseñas y ensayos. En *The American Language* (1919; suplementos 1945, 1948) recogió las expresiones y modismos estadounidenses; al momento de su muerte, era quizá el mayor conocedor del inglés norteamericano.

Mendel, Gregor (Johann) (22 jul. 1822, Heinzendorf, Austria–6 ene. 1884, Brünn, Austria-Hungría). Botánico y religioso austríaco. Se ordenó monje agustino en 1843 y después estudió en la Universidad de Viena. En 1856, mientras trabajaba en el jardín del monasterio, comenzó los experimentos que lo llevaron a formular los principios básicos de la herencia. Cruzó variedades de guisantes de jardín que habían mantenido diferencias constantes en cuanto a caracteres alternativos únicos, como altura elevada o diminuta, color de las flores y forma de las vainas. Postuló que los caracteres alternativos visibles de las plantas, en las variedades constantes y en su descendencia, ocurrían debido a la presencia de unidades de herencia elementales pareadas, ahora conocidas como genes. Lo novedoso de la interpretación que hizo Mendel de sus resultados fue reconocer que los genes siguen leyes estadísticas simples. Su sistema demostró ser de aplicación general y constituye uno de los principios básicos de la biología. Alcanzó la fama sólo después de su muerte, mediante los trabajos de CARL ERICH CORRENS, ERICH TSCHERMAK VON SEYSENEGG y HUGO DE VRIES, quienes independientemente obtuvieron resultados similares y descubrieron que, tanto los resultados experimentales como la teoría general, habían sido ya publicados 34 años antes.

Mendele Mojer Sefarim *orig.* **Sholem Yankev Abramovitz** (yidish: "Mendele, el vendedor de libros") (20 nov. 1835, Kopyl, cerca de Minsk, Rusia–8 dic. 1917, Odessa). Autor ruso. Vivió gran parte de su vida en Ucrania, se hizo rabino y fue director de una escuela tradicional (Talmud) en Odessa. Sus relatos, escritos con un humor animado y en clave sutilmente satírica, son de un valor inestimable para el estudio de la vida de los judíos en la Europa del este, en una época en que su estructura tradicional estaba desapareciendo. Su gran obra es *The Travels and Adventures of Benjamin the Third* [Los viajes y aventuras de Benjamín tercero] (1875), un panorama de la vida judía en Rusia. Se lo considera el fundador, tanto del yidish moderno como también de la literatura narrativa hebrea moderna, y el creador del yidish literario moderno.

Mendeléiev, Dmitri (Ivánovich) (8 feb. 1834, Tobolsk, Siberia, Rusia–2 feb. 1907, San Petersburgo). Químico ruso. Profesor en la Universidad de San Petersburgo (1867–90), posteriormente se desempeñó como director del Departamento de pesos y medidas de su país. Hizo una contribución fundamental a la química al establecer en 1869 el principio de periodicidad de los ELEMENTOS QUÍMICOS. En su primera TABLA PERIÓDICA dispuso los elementos en orden ascendente de PESO ATÓMICO y los agrupó por similitud de propiedades. La teoría de Mendeléiev le permitió predecir la existencia y pesos atómicos de varios elementos no descubiertos hasta años más tarde.

Mendelsohn, Erich (21 mar. 1887, Allenstein, Alemania–15 sep. 1953, San Francisco, Cal., EE.UU.). Arquitecto alemán. Mientras estudiaba arquitectura en Munich recibió la influencia de artistas expresionistas del grupo BLAUE REITER. La torre del observatorio Einstein en Potsdam (1919–21), una estructura muy escultural, refleja su temprana inquietud por la ciencia ficción. En la década de 1920 diseñó numerosas estructuras imaginativas, como los almacenes Shocken, en Stuttgart (1927), y Chemnitz (1928), notables por la profusa utilizacion del vidrio en composiciones marcadamente horizontales. En 1933 huyó de los nazis y finalmente se estableció en EE.UU.; entre sus obras en ese país figura el hospital Maimonides en San Francisco (1946).

Mendelssohn (-Bartholdy), (Jakob Ludwig) Felix (3 feb. 1809, Hamburgo–4 nov. 1847, Leipzig). Compositor alemán. Nieto del filósofo MOSES MENDELSSOHN, se crió en una familia judía acomodada convertida al protestantismo. Comenzó a componer a la edad de 11 años y a los 16 escribió su primera obra maestra, el *Octeto de cuerdas en mi bemol mayor* (1825), seguido de la obertura *Sueño de una noche de verano* (1826). En 1829 dirigió la primera interpretación en 100 años de la *Pasión según san Mateo* de JOHANN SEBASTIAN BACH, lo que contribuyó enormemente al resurgimiento de este músico. En 1830 escribió la primera de una serie de elegantes piezas para piano, *Romanzas sin palabras*. Sus sinfonías *Reformación* (1832) e *Italiana* (1833) proceden de este período. Observó los modelos y prácticas del clasicismo y al mismo tiempo fue precursor de aspectos clave del romanticismo, movimiento que exaltaba las emociones y la imaginación por encima de las formas y las tradiciones rígidas. Después de trabajar como director musical de la ciudad católica de Düsseldorf (1833–35), ocupó un puesto similar en la protestante Leipzig. Allí formó la Gewandhaus Orchestra, lo que hizo de Leipzig la ca-

Felix Mendelssohn.
FOTOBANCO

pital musical de Alemania. En su última década compuso grandes obras como la *Sinfonía escocesa* (1842), el concierto para violín (1844) y el oratorio *Elías* (1846). Su querida hermana, Fanny Mendelssohn Hensel (n. 1805–m. 1847), quien desde niña había sido considerada su equivalente en cuanto a talento musical, no se animó a componer hasta su matrimonio con el pintor Wilhelm Hensel (n. 1794–m. 1861) y con el tiempo escribió más de 500 obras. Su muerte fue un golpe severo para Mendelssohn; al mismo tiempo, los años de trabajo excesivo lo abatieron y precipitaron su deceso, ocurrido seis meses después que el de su hermana.

Mendelssohn, Moses *orig.* **Moses ben Menachem** (26 sep. 1729, Dessau, Anhalt–4 ene. 1786, Berlín, Prusia). Erudito y filósofo judeoalemán. Hijo de un escribiente empobrecido, comenzó su carrera como tutor pero finalmente ganó fama por sus escritos filosóficos, los cuales influirían en los trascendentalistas estadounidenses del s. XIX. Combinó el judaísmo con el racionalismo de la Ilustración, transformándose en una de las principales figuras del HASKALA, que contribuyó a que los judíos se integraran a la corriente principal de la cultura europea. Sus obras comprenden *Fedón* (1767), una defensa de la inmortalidad del alma, y *Jerusalén* (1783), sobre la relación entre religión y Estado. Su amigo GOTTHOLD LESSING se basó en Mendelssohn para crear el protagonista de su celebrado drama *Nathan el sabio*. Fue abuelo del compositor FELIX MENDELSSOHN.

Mendenhall, glaciar Masa de hielo de 19 km (12 mi) de largo por 2,4 km (1,5 mi) de ancho y más de 30 m (100 pies) de altura. Se extiende desde la mitad sur del enorme campo de hielo Juneau, que se encuentra en la sierra Boundary, en el sudeste del estado de Alaska, EE.UU. Es un vestigio de la pequeña edad de hielo (1500–1750) y retrocede 27 m (90 pies) al año. El lago Mendenhall, contiguo al glaciar, comenzó a formarse cerca de 1900 y en la actualidad tiene 2,5 km (1,5 mi) de largo por 1,6 km (1 mi) de ancho.

Menderes, Adnan (1899, Aydın, Imperio otomano–17 sep. 1961, Iİmralı, Turquía). Primer ministro turco (1950–60). Hijo de un aristócrata, ingresó al parlamento como militante del Partido Republicano del Pueblo de MUSTAFÁ KEMAL ATATÜRK (1930). En 1945 cofundó el primer partido de oposición, Partido Demócrata, y fue elegido primer ministro en las elecciones de 1950, 1954 y 1957. Entre sus políticas destacaron los intentos por estrechar lazos con los estados musulmanes, el fomento de la empresa privada y la supresión de las restricciones al culto religioso. Intolerante a las críticas, estableció la censura de prensa. Por poner en tela de juicio los ideales de Atatürk, se ganó la enemistad del ejército y fue derrocado (1960) y ejecutado.

Menderes, río *ant.* **río Meandro** Nombre de dos ríos de Turquía. El primero (turco: Büyük Menderes) recorre el sudoeste del país. Desemboca en el mar EGEO después de un recorrido de 584 km (363 mi). Su nombre antiguo, Meandro (de ahí el vocablo *meandro*), deriva de su sinuoso curso inferior. El segundo (turco: Küçük Menderes) se conocía en la antigüedad con el nombre de Escamandro; nace en el noroeste de Turquía y fluye hacia el oeste a lo largo de 97 km (60 mi) a través de la llanura de la antigua TROYA, para desembocar en los DARDANELOS.

Mendès-France, Pierre (11 ene. 1907, París, Francia–18 oct. 1982, París). Político y primer ministro francés (1954–55). Nacido en el seno de una familia judía, se tituló de abogado y fue miembro de la Cámara de Diputados (1932–40). En la segunda guerra mundial fue encarcelado por el gobierno de VICHY, pero escapó a Londres, donde se unió a la fuerza aérea de la Francia Libre y ocupó cargos en el área de finanzas del gobierno provisional de CHARLES DE GAULLE. Como legislador en la Francia de posguerra (1946–58), criticó las políticas económicas del gobierno y las guerras en Indochina y África del norte. En 1954 se convirtió en primer ministro; puso fin a la participación de Francia en Indochina y también ayudó a lograr la autonomía de Túnez. Sus propuestas sobre reformas económicas provocaron su derrota en 1955. Intentó sin éxito convertir el PARTIDO RADICAL-SOCIALISTA en el eje de la izquierda no comunista y se opuso a la presidencia de De Gaulle.

Menelao En la mitología GRIEGA, rey de ESPARTA e hijo menor de ATREO. Cuando su esposa, HELENA, fue raptada por PARIS, pidió a los otros reyes griegos que se unieran a él en una expedición contra Troya, iniciándose así la guerra de TROYA. Sirvió bajo las órdenes de su hermano AGAMENÓN. Al final de la guerra recobró a Helena y la llevó de regreso a Esparta, en lugar de matarla como se lo había propuesto. Debido a que olvidó aplacar a los dioses de la derrotada Troya, soportó un duro viaje de retorno y perdió varias de sus naves.

Menelik II *orig.* **Sahle Miriam** (17 ago. 1844, Ankober, Shewa, Etiopía–12 dic. 1913, Addis Abeba). Rey del estado semiindependiente de Soa (1865–89) y emperador de Etiopía (1889–1913). Fue capturado y encarcelado durante diez años después de que su padre, el rey Malakot de Soa, fue derrocado por TEODORO II; escapó en 1865 y regresó a Soa para asumir el título de *negus* (rey). A la muerte del emperador Juan IV (r. 1872–89) ascendió al trono etíope, y adoptó el nombre de Menelik en honor a Menelik I, legendario hijo de Salomón y la reina de Saba. Cuando Italia intentó hacer de Etiopía un protectorado, Menelik derrotó rotundamente a las tropas italianas en la batalla de ADUA (1896). En años posteriores expandió el imperio, inició modernos programas educacionales y construyó la infraestructura del país.

Menelik II, detalle de una pintura al óleo de Paul Buffet, 1897; Palacio de Luxemburgo, París.
J.E. BULLOZ

Menem, Carlos Saúl (n. 2 jul. 1930, Anillaco, Argentina). Presidente de Argentina (1989–99). Hijo de inmigrantes sirios, se convirtió al catolicismo y se unió al movimiento PERONISTA en 1956. Sostenía los típicos puntos de vista peronistas, en favor del nacionalismo, la expansión del gobierno, fuertes aumentos salariales y rebajas de impuestos a las empresas. Sin embargo, cuando asumió, la inflación había aumentado a un 28.000% y la Argentina estuvo en crisis; por consiguiente, abandonó la ortodoxia de su partido en pro de una política fiscal conservadora, logrando así estabilizar la economía. Figura ampulosa, contó con gran popularidad a pesar de su controvertido perdón a los condenados por violación de los derechos humanos relacionados con el período de gobierno militar. En 2001 fue puesto bajo arresto domiciliario después de haber sido acusado de tráfico ilegal de armas, pero finalmente fue liberado en 2002.

Menéndez de Avilés, Pedro (15 feb. 1519, Avilés, España–17 sep. 1574, Santander). Conquistador español. A los 14 años de edad huyó de su hogar para embarcarse e iniciar su carrera como marino; llegó a ser capitán de la flota de Indias (1554–63). Fue enviado a Florida a establecer una colonia y eliminar la posible amenaza a las posesiones de España en Norteamérica que representaba un asentamiento francés en el río St. Johns. En 1565 tomó posesión de la bahía de San Agustín, donde construyó un fuerte. Atacó la colonia francesa de Fort Caroline

y masacró a todos sus habitantes, a los que tildó de herejes. Luego exploró la costa del Atlántico y construyó una línea de fuertes, con lo que el control de España sobre Florida quedó firmemente establecido.

Menéndez Pidal, Ramón (13 mar. 1869, La Coruña, España–14 nov. 1968, Madrid). Erudito de la lengua española. Su trabajo acerca de los orígenes del ESPAÑOL y sus ediciones críticas de textos literarios generaron un resurgimiento del estudio de la poesía y las crónicas españolas medievales. Entre sus obras se cuentan el *Manual de gramática histórica española* (1904), *La España del Cid* (1929), y dirigió la *Historia de España* (1947). Fue en dos ocasiones presidente de la Real Academia Española de la Lengua.

Menfis Capital del antiguo Egipto durante el Imperio Antiguo (c. 2575–c. 2130 AC). Ubicada en la ribera occidental del NILO, al sur de la ciudad actual de EL CAIRO, fue fundada c. 2925 AC por Menes y durante la III dinastía era ya una comunidad floreciente. A pesar de la rivalidad con Heracleópolis y TEBAS, no perdió importancia, en particular en relación con la adoración de PTAH. A partir del s. VIII AC, cayó sucesivamente ante las fuerzas de Nubia, Asiria, Persia y Macedonia (al mando de ALEJANDRO MAGNO). Su importancia como centro religioso fue socavada por el surgimiento del cristianismo y luego del Islam. Abandonada después de la conquista musulmana de Egipto en 640 DC, entre sus ruinas destacan el gran templo de Ptah, palacios reales y una extensa necrópolis. En las cercanías se hallan las pirámides de SAQQARA y de GIZA.

Mengele, Josef (16 mar. 1911, Günzburg, Alemania–7 feb. 1979, ensenada da Bertioga, cerca de São Paulo, Brasil). Médico nazi alemán. Influido por la ideología racial de ALFRED ROSENBERG, en 1934 se unió al equipo de investigación del recién fundado Instituto de biología hereditaria e higiene racial de la Universidad de Francfort. Fervoroso nazi, participó en la segunda guerra mundial como oficial médico en las SS. En 1943 fue nombrado médico jefe en AUSCHWITZ-Birkenau, donde seleccionó para el trabajo o el exterminio a los judíos que ingresaban al campo, por lo que llegó a ser conocido como el "Ángel de la Muerte"; también condujo experimentos médicos con reclusos en estudios raciales pseudocientíficos. Después de la guerra escapó a Sudamérica, donde murió en 1979 bajo el nombre de Wolfgang Gerhard, nazi de quien se hizo amigo en Brasil y cuya identidad asumió.

Mengistu, Hailé Mariam (n. 1937, provincia de Kefa, Etiopía). Oficial de ejército y jefe de Estado etíope (1974–91). Encabezó un grupo de soldados rebeldes que derrocó a HAILÉ SELASSIÉ (1974). Después de asesinar a sus rivales, se convirtió en el hombre fuerte reconocido del nuevo régimen. En 1978 aplastó una gran rebelión en Eritrea y, con ayuda soviética y cubana, una invasión somalí en la región de OGADEN. En la década de 1980 enfrentó nuevas rebeliones en Eritrea y Tigré, además de devastadoras sequías y hambrunas que pusieron en primer plano el fracaso de sus políticas agrícolas. Con el retiro del apoyo soviético en 1991, se debilitó su poder y huyó a Zimbabwe.

Mengs, Anton Raphael (22 mar. 1728, Aussig, Bohemia–29 jun. 1779, Roma, Estados Pontificios). Pintor alemán. Después de estudiar en Dresde y Roma, en 1745 se hizo pintor de la corte sajona en Dresde. De regreso a Roma, a fines de la década de 1740 y nuevamente a comienzos de la década siguiente, desarrolló gran afición por la antigüedad clásica. Su fresco *El parnaso* (1760–61), que se encuentra en la villa Albani, contribuyó a establecer el predominio de la pintura neoclásica (Ver CLASICISMO Y NEOCLACISISMO). También trabajó largo tiempo para la corte española en Madrid. En vida fue considerado el pintor europeo más importante de su época, aunque desde entonces ha declinado su reputación.

Mengzi ver MENCIO

menhir Tipo de monumento megalítico prehistórico (ver MEGALITO). Los menhires eran simples piedras verticales, algunas veces de gran tamaño; existen principalmente en Europa occidental. A menudo se disponían formando grandes círculos, semicírculos o elipses. Muchos fueron construidos en el Reino Unido; los más conocidos son STONEHENGE y Avebury, en Wiltshire. Los menhires también se colocaban en filas paralelas, llamadas alineamientos; los más famosos son los de Carnac en el noroeste de Francia, con 2.935 menhires. Probablemente eran usados para procesiones rituales.

Menindee, lagos Serie de embalses del oeste de NUEVA GALES DEL SUR, Australia. Ubicados cerca del poblado de Menindee, forman parte del plan de conservación del río Darling. Los lagos se alimentan de esteros que los conectan con el río DARLING. La capacidad total del plan de almacenamiento de los lagos Menindee es de 2.470 millones de m³ (3.430 millones de yd³). Menindee es un vocablo aborigen que significa "yema de huevo".

meninges Tres membranas fibrosas que rodean el ENCÉFALO y la MÉDULA ESPINAL para proteger el sistema NERVIOSO central. La piamadre, una membrana muy fina, se adhiere a la superficie del encéfalo y la médula espinal. El espacio subaracnoideo, que contiene el LÍQUIDO CEFALORRAQUÍDEO, separa la piamadre de una segunda membrana, la aracnoides. Alrededor del encéfalo existen filamentos finos que conectan a estas dos membranas, que se consideran impermeables a los líquidos. La tercera membrana, la duramadre, es fuerte, gruesa y densa. Esta envuelve a la aracnoides, reviste el interior del cráneo donde rodea y sostiene a los grandes vasos venosos que drenan la sangre del encéfalo. Hay numerosos septos que la dividen y sostienen diferentes partes del encéfalo. En la médula, la duramadre y la aracnoides están separadas por el espacio subdural; la aracnoides y la piamadre están separadas por el espacio subaracnoideo. El espacio extradural (entre la duramadre y las paredes del canal vertebral) es donde se aplica la anestesia epidural (ver ANESTESIOLOGÍA).

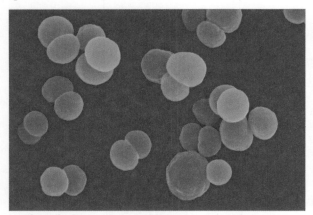

Microfotografía de *Neisseria meningitidis*, bacteria que causa la meningitis.
DR. DENNIS KUNKEL/VISUALS UNLIMITED/GETTYI MAGES

meningitis INFLAMACIÓN de las MENINGES. Las bacterias (como MENINGOCOCO, entre otras), a menudo a partir de infecciones en otros lugares, producen las formas más peligrosas. Los síntomas se desarrollan rápidamente: vómitos, luego dolor de cabeza intenso y en seguida rigidez del cuello. Los niños más pequeños pueden tener convulsiones. El paciente puede morir en pocas horas. El líquido cefalorraquídeo purulento puede bloquear el espacio subaracnoideo cerebral y espinal, causando HIDROCEFALIA con riesgo vital. El diagnóstico (mediante punción lumbar) y el tratamiento (con antibióticos) realizados oportunamente pueden evitar el daño cerebral y la muerte. La meningitis viral tiene habitualmente un curso breve y no requiere tratamiento.

meningococo *Neisseria meningitidis*, bacteria que causa la MENINGITIS meningocócica en seres humanos, los únicos huéspedes naturales en que es patógena. Los meningococos son esféricos, con frecuencia dispuestos en pares, y fuertemente gram negativos (ver tinción de GRAM). Ingresan por las vías nasales y pueden ser inocuos (hasta un 30% de la población puede albergarlos entre epidemias) o ingresar al torrente sanguíneo y producir los síntomas de la meningitis.

Menninger, familia Médicos estadounidenses y pioneros en tratamiento psiquiátrico. Charles Frederick Menninger (n. 1862– m. 1953) nació en Tell City, Ind., y en 1889 comenzó a ejercer la medicina en Topeka, Kan. Luego de visitar la clínica de la familia MAYO, en 1908, se convenció de los méritos del ejercicio grupal de la profesión. Su hijo Karl (n. 1893–m. 1990) nació en Topeka y se especializó en psiquiatría en Boston. En 1919 los dos fundaron la Clínica de Diagnóstico Menninger para el ejercicio de la medicina general y la psiquiatría. Con William (n. 1899–m. 1966), hijo menor de Charles, fundaron el Sanatorio y Hospital Psicopático Menninger (1925). Su postulado que a los enfermos mentales hay que tratarlos y no sólo internarlos atrajo la atención de otros científicos, y juntos avanzaron notablemente en el reconocimiento de la psiquiatría como ciencia legítima. En 1931 el sanatorio se convirtió en la primera institución de capacitación para enfermeras especializadas en atención psiquiátrica, y en 1933 inició un programa de residencia en neuropsiquiatría para médicos. En 1941 crearon la Fundación Menninger y la Escuela de Psiquiatría Menninger, en Topeka, cuatro años más tarde.

Menno Simonsz o **Menno Simons** (1496, Witmarsum, Frisia–31 ene. 1561, cerca de Lübeck, Holstein). Líder ANABAPTISTA neerlandés. Nació en el seno de una familia campesina, fue ordenado sacerdote católico, pero poniendo en duda la

Menno Simonsz, grabado de Christopher van Sichem.
GENTILEZA DE LA MENNONITE LIBRARY AND ARCHIVES, NORTH NEWTON, KANSAS, EE.UU.

doctrina de la TRANSUSTANCIACIÓN, cayó bajo la influencia del LUTERANISMO y abandonó el catolicismo en 1536. Convencido de que el bautismo cuando infante era un error y que sólo las personas de fe madura eran candidatas a pertenecer a la Iglesia, se convirtió en líder del ala pacífica del movimiento anabaptista en 1537. Declarado hereje, estuvo en constante peligro de ser arrestado por el resto de su vida, pero continuó organizando grupos anabaptistas. Escribió y publicó varias obras teológicas, y sus seguidores fundaron la iglesia MENONITA.

Meno, río alemán **Main** Río de Alemania central. Nace al norte de Baviera y fluye hacia el oeste, pasando por FRANCFORT DEL MENO antes de confluir con el RIN. Tiene una extensión de 524 km (326 mi). Forma parte del canal Meno-Danubio, que une los ríos Rin y DANUBIO para crear una vía fluvial de 3.500 km (2.200 mi) de largo desde el mar del Norte hasta el mar Negro.

menominee Pueblo indígena norteamericano que vive mayoritariamente en el nordeste de Wisconsin, EE.UU., en una pequeña porción de su territorio original a lo largo del río Menominee, en la actual frontera entre Wisconsin y Michigan. Su nombre deriva de una palabra ojibwa que significa "persona del arroz silvestre". Su lengua integra la familia de las lenguas ALGONQUINAS. Al momento del primer contacto con europeos, vivían en aldeas con casas de forma cupular. Para obtener alimento, recolectaban plantas silvestres, pescaban y cazaban. Originalmente organizados en CLANES, su estructura social cambió cuando, como resultado del comercio de pieles, se dispersaron en BANDAS móviles. En 1852, el gobierno de EE.UU. trasladó a la mayor parte de la tribu a una reserva en Wisconsin. Hubo alzamientos esporádicos hasta comienzos del s. XX. En las décadas de 1960–70 resurgió su oposición política. Existen unos 8.000 miembros de menominee inscritos.

menonita *o* **mennonita** Miembro de una Iglesia protestante que recibe su nombre de MENNO SIMONSZ. Su origen se remonta a los Hermanos Suizos (establecidos en 1525), disidentes que rechazaban el bautismo en los niños y recalcaban la separación de la Iglesia y el Estado. La persecución los dispersó por Europa; al comienzo hallaron libertad política en los Países Bajos y en el norte de Polonia, y desde allí se mudaron a Ucrania y Rusia. Emigraron a EE.UU. en 1663. Muchos menonitas rusos emigraron al Medio Oeste de EE.UU. y a Canadá en la década de 1870, cuando dejaron de estar eximidos del servicio militar ruso. En la actualidad se encuentran en muchas partes del mundo, en especial en América del Norte y del Sur. Su doctrina enfatiza la autoridad de las Escrituras, el ejemplo de la Iglesia primitiva y el bautismo como una confesión de fe. Valoran la simplicidad de la vida y muchos se niegan a prestar juramento o a servir en las fuerzas armadas. En sus diversos grupos hay algunos que tienen una observancia estricta, como los AMISH y los HUTTERITA, y otros más moderados como la Iglesia menonita.

menopausia Cese definitivo de las MENSTRUACIONES que pone fin a la FECUNDIDAD femenina. Suele iniciarse entre los 45 y 55 años de edad. La declinación gradual de la función de los OVARIOS disminuye la producción de ESTRÓGENOS. La ovulación se vuelve irregular y cesa progresivamente. La duración de los ciclos y los períodos mensuales puede variar; el flujo puede aumentar o disminuir. Los ajustes del sistema ENDOCRINO a la disminución de los estrógenos causan bochornos, a menudo nocturnos, con sensación de calor, rubor y sudoración; otros síntomas, como irritabilidad y cefalea, pueden tener más bien relación con el envejecimiento. La extirpación o destrucción terapéutica de los ovarios produce una menopausia artificial, con efectos semejantes pero más súbitos. Por lo general, los cambios de equilibrio de las HORMONAS no causan alteraciones físicas o mentales. Sin embargo, se pierde el efecto protector de los estrógenos contra la OSTEOPOROSIS y la ATEROESCLEROSIS, y aumenta el riesgo de fracturas y de CARDIOPATÍA CORONARIA.

menorá Candelabro de varios brazos usado por los judíos en la fiesta del HANUKÁ. Sostiene nueve velas (o tiene nueve receptáculos para el aceite). Ocho de las velas representan los ocho días del Hanuká (una es encendida el primer día, la segunda el segundo día y así sucesivamente). La novena vela, o luz *shammash* ("sirviente"), usualmente colocada en el centro y que se eleva sobre las otras, se usa para encender las restantes. La menorá es una imitación del candelabro dorado de siete brazos del TABERNÁCULO, que representaba los siete días de la creación. También es un antiguo símbolo de la identidad judía y el símbolo oficial del actual Estado de Israel.

Menotti, Gian Carlo (n. 7 jul. 1911, Cadegliano, Italia). Compositor, libretista y director escénico estadounidense de origen italiano. Escribió una ópera a la edad de diez años y pasó su primera adolescencia asimilando profundamente el repertorio en la Scala. ARTURO TOSCANINI le recomendó que estudiara en el Instituto Curtis, donde conoció a SAMUEL BARBER, quien a la postre se convertiría en su compañero de toda la vida. En 1939 produjo la ópera para radio *Old*

Soldados romanos transportando la menorá desde el Templo de Jerusalén, 70 DC; detalle de un relieve del Arco de Tito, Roma, 81 DC.
ALINARI—ART RESOURCE

Maid and the Thief; *The Island God* (1942), encargo infructuoso para el Metropolitan Opera. *La médium* (1946) fue un éxito en Broadway y *El cónsul* (1950, Premio Pulitzer) también tuvo igual acogida. A la popular ópera *Amahl and the Night Visitors* (1951), compuesta para televisión, le siguió *The Saint of Bleecker Street* (1955, Premio Pulitzer). En 1958 fundó el Festival de los Dos Mundos en Spoleto, Italia, que tuvo gran éxito, y en 1977 fundó un festival homólogo en Charleston, S.C., EE.UU.

Ménshikov, Alexandr (Danílovich) (16 nov. 1673, Moscú, Rusia–23 nov. 1729, Berezovo, Siberia, Imperio ruso). Militar y alto funcionario ruso. En 1686 se convirtió en ordenanza de PEDRO I y poco después en favorito del zar. Llevó a sus tropas a varias victorias en la segunda guerra del NORTE, incluida la batalla de POLTAVA, tras la cual recibió el título de mariscal de campo (1709). Como alto funcionario, a partir de 1714, fue criticado por prácticas corruptas a medida que acumulaba poder y riqueza. Tras la muerte de Pedro en 1725, logró que su aliada CATALINA I fuese proclamada emperatriz, y se convirtió en el gobernante de facto de Rusia. Tras la muerte de la emperatriz en 1727, concertó el matrimonio de su hija con el joven zar PEDRO II, pero sus enemigos lograron que Pedro se volviera en su contra y forzaron su exilio a Siberia.

menstruación Descarga periódica por la VAGINA de sangre, secreciones y del revestimiento mucoso desprendido del ÚTERO (endometrio). El endometrio se prepara para recibir el ÓVULO fecundado, engrosándose y produciendo secreciones. Si el óvulo liberado por el OVARIO no es fecundado, el endometrio se desprende y es expulsado por contracciones del útero. La primera menstruación (menarquia) sobreviene después de otros cambios de la PUBERTAD, generalmente entre los 11–13 años de edad, desencadenada aparentemente al rebasar cierto umbral de peso. Los sangramientos pueden ser irregulares o abundantes al principio. En las mujeres adultas, los períodos menstruales comienzan con un intervalo promedio de 28 días y duran unos cinco días; es normal alguna variación entre las mujeres y en una misma mujer. Las contracciones uterinas se sienten como espasmos. El volumen de sangre que se pierde habitualmente es menor de 50 ml (1,7 oz). Las menstruaciones terminan con la MENOPAUSIA. Los trastornos menstruales son dismenorrea (menstruación dolorosa) y AMENORREA (ausencia de sangramiento), sangramientos abundantes o escasos y SANGRAMIENTO UTERINO (metrorragia). Ver también SÍNDROME PREMENSTRUAL.

ménsula Bloque o ladrillo adosado parcialmente en un muro, con un extremo que sobresale de un plano vertical. El peso de la mampostería que está encima contrapesa esta VIGA VOLADIZA y evita que el bloque se desprenda del muro. Por lo general, las ménsulas se presentan en varias hileras, con cada bloque o ladrillo sobresaliendo del que se encuentra debajo, lo que semeja un conjunto de gradas invertidas. Las ménsulas pueden ser continuas, como en los arcos falsos, o pueden ser interrumpidas, como en un ALMENAJE medieval. Las ménsulas continuas fueron muy utilizadas antes del desarrollo de los verdaderos ARCOS y BÓVEDAS.

menta En botánica, cualquier hierba de fragancia intensa del género *Mentha*, compuesto por unas 25 especies de hierbas perennes, y ciertos géneros afines de la familia Lamiaceae o Labiatae (Labiadas), que contienen unas 3.500 especies de angiospermas pertenecientes a cerca de 160 géneros. Esta planta herbácea se cultiva mucho por su sabor, fragancia y propiedades medicinales. Las mentas genuinas tienen tallos robustos y hojas aromáticas opuestas. Las florecillas, generalmente color púrpura claro, rosado o blanco, están dispuestas en ramilletes, formando verticilos separados o aglomerados en una espiga terminal. Todas las especies de *Mentha* contienen un aceite volátil en puntos resinosos de hojas y tallos. Este género comprende las especies: hierbabuena (yerbabuena), MENTA PIPERITA, MENTA VERDE, MEJORANA, ROMERO y TOMILLO; otros miembros de esta familia son LAVANDA, HISOPO y NÉBEDA.

menta piperita Hierba perenne intensamente aromática (*Mentha piperita*), de la familia de las Labiadas (ver MENTA), fuente de un saborizante muy utilizado. Originaria de Europa y Asia, se ha naturalizado en Norteamérica y en otras partes del Nuevo Mundo. Las hojas pecioladas, suaves, verde oscuro, y los ramilletes oblongos, romos, de flores lavanda rosadas se secan para usarlos como agente saborizante. El aceite de menta piperita se utiliza para sazonar confites, goma de mascar, pastas dentífricas y medicamentos. Este aceite también contiene MENTOL, usado por mucho tiempo en medicina como bálsamo sedante.

menta verde Hierba aromática (*Mentha spicata*) de la familia de las Labiadas, variedad de MENTA de jardín común, muy usada con fines culinarios. Tiene espigas laxas, ahusadas, de flores lilas rojizas, semejantes a las flores de la menta piperita, y hojas claramente aserradas que se utilizan frescas o secas para sazonar muchos alimentos. El aroma y sabor de la menta verde son similares a los de la menta piperita, pero menos intensos. Originaria de Europa y Asia, la menta verde se ha aclimatado en América.

Menta piperita
(*Mentha piperita*)

Menta verde
(*Mentha spicata*)

Especies de menta.
© ENCYCLOPÆDIA BRITANNICA, INC

mente, filosofía de la Rama de la filosofía que estudia la naturaleza de la mente y sus diversas manifestaciones, como la intencionalidad, sensación y percepción sensorial, sentimientos y emociones, rasgos de carácter y personalidad, inconsciente, voluntad, pensamiento, memoria, imaginación y creencias. Se diferencia de los estudios empíricos sobre la mente (p. ej., psicología, biología, fisiología, sociología y antropología) por el método, que enfatiza en el análisis y el esclarecimiento de los conceptos. Ver también CIENCIA COGNITIVA.

mente-cuerpo, el problema Problema metafísico referido a la relación existente entre mente y cuerpo. En la época moderna, el problema se plantea a partir del pensamiento de RENÉ DESCARTES, autor de la formulación clásica de DUALISMO. El INTERACCIONISMO de Descartes encontró numerosos críticos, incluso en su propio tiempo. THOMAS HOBBES negó la existencia de la sustancia mental. Pierre Gassendi (n. 1592–m. 1655), conocido entre otras cosas por la correspondencia que mantuvo con Descartes, también propugnó cierto tipo de MATERIALISMO. BARUCH SPINOZA postuló una sustancia única de la cual lo mental y lo material son atributos; su teoría es conocida como paralelismo psicofísico. Entre las tesis más recientes figuran la teoría del DOBLE ASPECTO, la teoría de la IDENTIDAD, el materialismo eliminativo (que niega la realidad de las consabidas categorías de estado mental postuladas por la llamada PSICOLOGÍA DEL SENTIDO COMÚN) y las teorías de SUPERVENIENCIA.

mentes, el problema de las otras En EPISTEMOLOGÍA, el problema reside en entender cómo es posible que un individuo conozca algo acerca de la cualidad de la experiencia interna de otro individuo, o que siquiera pueda saber que los demás tienen experiencias internas. Según un ejemplo habitual, dado que la sensación de dolor de cada cual es una sensación íntima, no se podría en verdad saber que lo que el otro describe como dolor es realmente, desde un punto de vista cualitativo, lo mismo que uno describe como dolor. Aunque puedan percibirse las manifestaciones físicas del otro, parecería que sólo el otro puede conocer el contenido de su propia mente. La justificación tradicional de la creencia en las otras mentes, i. e., el razonamiento basado en la analogía, fue expuesta por JOHN STUART MILL en una fórmula ya clásica: puesto que mi cuerpo y mi comportamiento externo son visiblemente similares al cuerpo y el comportamiento de los demás, tengo motivos para creer, por analogía, que los otros experimentan sentimientos parecidos a los míos y no son meros autómatas. A mediados del s. XX, los seguidores de LUDWIG WITTGENSTEIN sometieron a duras críticas el argumento de la analogía. JEAN-PAUL SARTRE, en *El ser y la nada* (1943), abordó el problema de las otras mentes desde la perspectiva del EXISTENCIALISMO.

mentiroso, paradoja del Paradoja derivada de la afirmación atribuida al profeta cretense Epiménides (s. VI AC) conforme a la cual todos los cretenses son mentirosos. Si se entiende que la afirmación de Epiménides implica que todas las afirmaciones de los cretenses son falsas, entonces hay que concluir que, como Epiménides es cretense, su afirmación es falsa (i.e., no todos los cretenses son mentirosos). La paradoja aparece en su forma más simple cuando se considera el enunciado "Este enunciado es falso". Si es verdadero, entonces es falso, y si es falso, entonces es verdadero. El examen de PARADOJAS semánticas de este tipo llevó a los lógicos a distinguir entre objeto-lenguaje y metalenguaje, y a concluir que ningún lenguaje puede contener consistentemente una teoría semántica completa de sus propios enunciados.

mentol Compuesto orgánico cristalino de la familia ISOPRENOIDE. Tiene un olor y sabor a menta fuerte y refrescante. Se obtiene del aceite de la MENTA japonesa o se fabrica en forma sintética; se utiliza en cigarros, cosméticos, fricciones pectorales, pastillas para la tos, pastas dentífricas y saborizantes. De sus dos isómeros ópticos (ver ACTIVIDAD ÓPTICA; ISOMERISMO), sólo el L-mentol tiene el efecto refrescante conveniente.

Menuhin, Yehudi, Lord Menuhin de Stoke d'Abernon (22 abr. 1916, Nueva York, N.Y., EE.UU.–12 mar. 1999, Berlín, Alemania). Violinista y director de orquesta británico de ancestro ruso y nacido en EE.UU. Criado en San Francisco, debutó a la edad de siete años. En 1927 estudió con George Enescu (n. 1881–m. 1955) en París; volvió el mismo año a Nueva York para ofrecer conciertos, donde obtuvo una enorme ovación y continuó asombrando al público por todo el mundo con su profundidad y habilidad tan precoces. A partir de 1959 vivió en Londres, pero no se hizo ciudadano británico hasta 1985. Dirigió el festival de Bath (1958–68) y el de Gstaad (Suiza) a contar de 1956. En 1958 fundó su propia orquesta de cámara. Era acompañado a menudo por su hermana pianista, Hephzibah (n. 1920–m. 1981) y también hizo grabaciones con el sitarista RAVI SHANKAR.

Menzies, Sir Robert (Gordon) (20 dic. 1894, Jeparit, Victoria, Australia–16 may. 1978, Melbourne). Estadista y primer ministro australiano (1939–41, 1949–66). Abogado de éxito, fue fiscal general de Australia (1934–39). Líder del Partido Australia Unida y primer ministro (1939–41). Organizó el Partido Liberal en 1944 y se convirtió de nuevo en primer ministro en 1949. En la década de 1950 fomentó el crecimiento industrial en Australia y la inmigración desde Europa. Fortaleció los lazos militares con EE.UU. y fomentó el pacto ANZUS y el ingreso de Australia en la ORGANIZACIÓN DEL TRATADO DEL SUDESTE ASIÁTICO. Se retiró en 1966, tras ejercer como ministro el período más largo en la historia australiana.

Mequínez *árabe* **Miknāz** Ciudad (pob., 1994: 459.958 hab.) del centro-norte de Marruecos. Fue una de las cuatro ciudades imperiales de Marruecos, fundada en el s. X por una tribu bereber. En sus inicios constituía un grupo de aldeas entre huertos de olivos. En 1673 se convirtió en capital de Marruecos bajo el gobierno de Maulāy Ismā'īl, quien construyó palacios y mezquitas que le valieron a Mequínez el apodo de

Puerta flanqueada por torres en la ciudad amurallada, Mequínez, Marruecos.
RICHARD ABELES

"la Versalles de Marruecos". Después de la muerte del gobernante, la ciudad decayó, y en 1911 fue ocupada por los franceses. En la actualidad es un centro comercial para productos agrícolas, finos bordados y alfombras.

mercadeo ver MERCADOTECNIA

mercado Medio a través del cual compradores y vendedores se ponen en contacto e intercambian bienes y servicios. El término aludía originalmente a un lugar donde se compraban y vendían productos. Hoy, sin embargo, un mercado puede ser cualquier entorno, por muy abstracto o de gran alcance que sea, donde compradores y vendedores realizan sus transacciones. Por ejemplo, las BOLSAS DE PRODUCTOS de Londres y Nueva York son mercados internacionales en que los operadores se comunican por vía telefónica o electrónica y también directamente. Los mercados no sólo transan productos tangibles como grano y ganado, sino también instrumentos financieros, como VALORES y MONEDAS. La ECONOMÍA CLÁSICA desarrolló la teoría de la competencia perfecta, en que imaginaba que los mercados libres eran lugares donde numerosos compradores y vendedores se comunicaban y transaban los productos transferibles fácilmente. Los precios en esos mercados se determinaban únicamente sobre la base de la OFERTA Y DEMANDA. A contar de la década de 1930, los economistas se han centrado con mayor frecuencia en la teoría de la competencia imperfecta, en que la oferta y la demanda no son los únicos factores que influyen en las operaciones del mercado. En la competencia imperfecta, el número de compradores o vendedores es limitado, los productos competidores se diferencian (por su diseño, calidad, marca, etc.) y diversos obstáculos impiden el ingreso de nuevos productores al mercado.

mercado abierto, operación de Cualquier compraventa de VALORES y efectos comerciales del Estado realizada por el BANCO CENTRAL en un esfuerzo por regular la OFERTA MONETARIA y las condiciones de crédito. Las operaciones de mercado abierto también se pueden emplear para estabilizar los precios de los valores del Estado. Cuando el banco central compra valores en el mercado abierto, aumenta las reservas de los BANCOS COMERCIALES, lo que les permite ampliar sus préstamos e inversiones; aumenta también el precio de los valores del Estado –lo que equivale a reducir las tasas de interés de los bancos– y disminuye las tasas de interés en general, lo que incentiva la inversión. Si el banco central vende valores, los efectos son inversos. Las operaciones de mercado abierto se realizan habitualmente con valores a corto plazo del Estado, como las LETRAS DEL TESORO A CORTO PLAZO en EE.UU.

mercado alcista En transacciones de valores y productos, mercado en ascenso. Un alcista es un inversionista que espera que los precios aumenten y, a partir de este supuesto, compra un VALOR o producto con la esperanza de revenderlo y obtener

una utilidad. El mercado con tendencia al alza es aquel en que se espera que los precios aumenten. Ver también MERCADO BAJISTA.

mercado bajista En transacciones de valores y productos, mercado en declinación. Un bajista es un inversionista que espera que los precios disminuyan y, a partir de este supuesto, vende un VALOR o producto tomado en préstamo con la esperanza de recomprarlo a un precio menor. Esta transacción especulativa se denomina venta en descubierto. Ver también MERCADO ALCISTA.

mercado de dinero ver MERCADO MONETARIO

mercado de valores ver BOLSA DE COMERCIO

mercado extrabursátil Transacciones de ACCIONES y BONOS realizadas fuera de las BOLSAS DE COMERCIO. Estas transacciones se realizan con mayor frecuencia en EE.UU., donde existen normas estrictas para registrar acciones en las bolsas. En el mercado extrabursátil, la escala de comisiones por la compraventa de VALORES no es fija y los corredores de valores derivan sus ganancias del recargo que experimenta el precio de venta con respecto al precio de compra. Muchas emisiones de los bonos y acciones preferentes como los bonos fiscales de EE.UU., están registrados en la Bolsa de Valores de NUEVA YORK (NYSE), pero se transan principalmente en el mercado extrabursátil. Otros valores del gobierno estadounidense y los bonos de los estados y municipios se transan exclusivamente en el mercado extrabursátil. Los inversionistas institucionales, como los FONDOS MUTUOS, a menudo realizan sus transacciones en este mercado, porque obtienen descuentos por volumen que las bolsas no pueden ofrecerles. La regulación del mercado extrabursátil de EE.UU. está a cargo de la National Association of Securities Dealers (Asociación nacional de corredores de valores) creada por el congreso en 1939 para establecer normas de conducta y proteger de abusos a sus miembros e inversionistas. Ver también NASDAQ.

mercado, investigación de Estudio sobre las necesidades de mercados específicos, la aceptabilidad de productos y los métodos de desarrollo y explotación de nuevos mercados. Para la investigación de mercado se utilizan diversas estrategias, p. ej., se pueden proyectar a futuro las ventas ya efectuadas, se pueden realizar encuestas sobre las actitudes de los consumidores y sus preferencias por determinados productos, o se pueden introducir experimentalmente productos nuevos o modificados en las áreas del mercado que serán objeto del estudio. La investigación de mercado formal se inició en la década de 1920 en Alemania y en la década de 1930 en Francia y Suecia. Después de la segunda guerra mundial, las empresas estadounidenses se pusieron a la vanguardia en el uso y perfeccionamiento de las técnicas de investigación de mercado, las que se extendieron a Japón y gran parte de Europa occidental.

mercado monetario *o* **mercado de dinero** Conjunto de instituciones, convenciones y prácticas cuyo objetivo es facilitar el otorgamiento y la obtención de préstamos de dinero a corto plazo. Por lo tanto, el mercado monetario es distinto al mercado de capitales que se ocupa de los CRÉDITOS de mediano y largo plazo. Las operaciones que se realizan en el mercado monetario no sólo contemplan pagarés, sino también activos que pueden convertirse rápidamente en dinero a corto plazo, como VALORES y LETRAS DE CAMBIO fiscales de corto plazo. Aunque los detalles y los mecanismos del mercado monetario varían enormemente de un país y otro, en todos los casos su función básica es permitir que efectúen préstamos quienes cuentan con un superávit de fondos a corto plazo, y que tomen dichos préstamos quienes necesitan un crédito a corto plazo. Esta función es ejecutada a través de intermediarios que prestan sus servicios a título oneroso. En la mayoría de los países, el gobierno desempeña un papel fundamental en el mercado monetario, dado que actúa como prestamista y prestatario y a menudo utiliza su posición para influir en la OFERTA MONETARIA y en las tasas de INTERÉS de acuerdo con su política MONETARIA. Los instrumentos financieros del mercado monetario estadounidense contemplan desde letras de cambio y valores del Estado hasta fondos de las CÁMARAS DE COMPENSACIÓN y certificados de DEPÓSITO. Además, el Sistema de la RESERVA FEDERAL otorga considerables créditos de corto plazo directamente al sistema bancario. El mercado monetario internacional facilita la obtención y el otorgamiento de préstamos y el canje de monedas entre países.

mercado negro Transacciones comerciales que contravienen reglamentaciones públicas, como las leyes de racionamiento, las leyes que prohíben la venta de ciertos productos y los tipos de cambio oficial de monedas. El mercado negro es común en tiempos de guerra, cuando frecuentemente existe un estricto racionamiento de productos y servicios escasos (ver RACIONAMIENTO). Las transacciones de divisas en el mercado negro prosperan en países donde la moneda extranjera convertible es escasa y se controlan rigurosamente las divisas.

mercadotecnia *o* **mercadeo** *o* **marketing** Actividades que dirigen el flujo de bienes y servicios de los productores a los consumidores. En economías industriales avanzadas, las consideraciones de la mercadotecnia desempeñan una importante función en la determinación de las políticas empresariales. Originalmente, los departamentos de marketing de las empresas se preocupaban de aumentar las ventas mediante PUBLICIDAD y otras técnicas de promoción, pero en la actualidad se centran en materias como políticas crediticias (ver CRÉDITO), desarrollo de productos, asistencia al consumidor, distribución y comunicaciones corporativas. Los ejecutivos de marketing pueden buscar canales de distribución para vender los productos de la empresa, como las tiendas minoristas, el mercadeo por CORREO DIRECTO y el comercio MAYORISTA. También pueden realizar estudios psicológicos y demográficos de un mercado potencial, experimentar con distintas estrategias de mercadotecnia y realizar entrevistas informales al público que se espera atender. La mercadotecnia se utiliza para aumentar las ventas de un producto existente y para introducir nuevos productos. Ver también COMERCIALIZACIÓN.

mercantilismo Teoría y política económica que influyó en Europa entre los s. XVI y XVIII. Preconizaba la regulación gubernamental de la economía de una nación a fin de incrementar su poder a expensas de las naciones rivales. Aunque la teoría existía con anterioridad, el término no se acuñó sino hasta el s. XVIII y fue difundido por ADAM SMITH en su libro *La riqueza de las naciones* (1776). El énfasis del mercantilismo en la importancia de las reservas de oro y plata como signo de riqueza y poder de una nación llevó al diseño de políticas destinadas a obtener metales preciosos mediante operaciones comerciales que garantizaban una balanza comercial "favorable" (ver BALANZA COMERCIAL), es decir, con más exportaciones que importaciones, en especial si una nación no poseía minas ni acceso a ellas. En el caso de una balanza comercial favorable, los pagos por los bienes y servicios debían realizarse con oro o plata. Las posesiones coloniales debían servir como mercados para las exportaciones y como proveedoras de materias primas a la madre patria, lo que creó conflictos entre los poderes coloniales europeos y sus colonias, en particular, fomentó el resentimiento con los británicos en las colonias de América del Norte y contribuyó a que se gestara la guerra de independencia de EE.UU. El mercantilismo favorecía una población numerosa para disponer de mano de obra, soldados y compradores de bienes. La frugalidad y el AHORRO se consideraban virtudes, dado que permitían crear CAPITAL. El mercantilismo dio lugar a un entorno favorable para el desarrollo inicial del CAPITALISMO, aunque posteriormente fue severamente criticado, en especial por los defensores del LAISSEZ-FAIRE, quienes argumentaban que todo comercio era beneficioso y que los controles gubernamentales estrictos eran contraproducentes.

Mercator, Gerardus *orig.* **Gerard Kremer** (5 mar. 1512, Rupelmonde, Flandes–2 dic. 1594, Duisburg, ducado de Cleve). Cartógrafo flamenco. En 1532 obtuvo el grado de magíster en la Universidad de Lovaina (Bélgica), donde se estableció. A los 24 años de edad era un hábil grabador, calígrafo y fabricante de instrumentos científicos. Junto con sus colegas hizo de Lovaina un centro cartográfico, donde se elaboraron mapas, globos terráqueos y esferas celestes e instrumentos astronómicos. Fue nombrado cosmógrafo de la corte del duque Wilhelm de Cleve en 1564, y en 1569 perfeccionó la que llegó a ser conocida como la proyección Mercator, en la cual los paralelos y meridianos son presentados como líneas rectas espaciadas para producir en cualquier punto una relación exacta entre latitud y longitud. Esto permitió a los marinos establecer cursos sobre largas distancias, proyectando líneas rectas sin tener que ajustar de manera continua las lecturas de la brújula. Mientras los meridianos son líneas verticales paralelas espaciadas de manera uniforme, las de latitud son más separadas a medida que se alejan del ecuador; en los mapamundi, esta proyección agranda enormemente las superficies distantes del ecuador.

mercenario Soldado profesional contratado a sueldo que combate por cualquier estado o nación sin consideraciones en cuanto a principios políticos. Desde los más tempranos días de la actividad bélica organizada, los gobiernos han suplementado sus fuerzas armadas con mercenarios. Después de la guerra de los Cien Años (1337–1453), soldados suizos fueron puestos a contrata a través de toda Europa por sus propios gobiernos cantonales, y se ganaron una alta reputación. Los gobernantes del estado alemán de Hesse también cedían a contrata a sus soldados, y tropas hessianas combatieron por los británicos en la guerra de independencia de los ESTADOS UNIDOS DE AMÉRICA. Desde fines del s. XVIII la mayoría de los mercenarios han sido soldados de fortuna individuales.

Mercer, Johnny *orig.* **John Herndon Mercer** (18 nov. 1909, Savannah, Ga., EE.UU.–25 jun. 1976, Bel Air, Cal.). Compositor de canciones estadounidense. Después de mudarse a Nueva York a fines de la década de 1920, comenzó como letrista mientras trabajaba como actor. Más tarde se integró a la orquesta de PAUL WHITEMAN en calidad de cantante y maestro de ceremonias. En 1939 formó parte del programa radial *Camel Caravan* de BENNY GOODMAN. En 1942, Mercer fue uno de los fundadores de la Capitol Records. En Broadway colaboró con HAROLD ARLEN en *St. Louis Woman* (1946) y *Saratoga* (1959) y también escribió los textos para *Siete novias para siete hermanos* (1954), *Li'l Abner* (1956) y *Foxy* (1964). Sus canciones por filmes obtuvieron cuatro premios de la Academia. Trabajó juntamente con compositores como HOAGY CARMICHAEL, HENRY MANCINI, JEROME KERN y JIMMY VAN HEUSEN; se le atribuyen más de 1.000 textos de canciones, entre ellas "Ac-cent-tchu-ate the Positive", "One for My Baby", "Autumn Leaves" y "Moon River".

mercerización Tratamiento químico aplicado a fibras o telas de ALGODÓN para dotarlas de tolerancia permanente a la aplicación de tinturas y otros acabados químicos. El método, patentado en 1850 por el impresor de calicó, el inglés John Mercer, también mejora la resistencia a la tracción (ver TENSIÓN DE RUPTURA) de los paños de algodón y les da mayores propiedades de absorción. Los productos de algodón de calidad superior son normalmente mercerizados. El tratamiento consiste en impregnar el hilo o fibra en una solución de HIDRÓXIDO de sodio y luego tratarlo con agua o ácido para neutralizar el exceso de hidróxido de sodio.

Merchant, Ismail ver James (Francis) IVORY

Mercia Antiguo reino del centro de Inglaterra. Era uno de los reinos de la heptarquía anglosajona y comprendía las zonas fronterizas que corresponden actualmente a STAFFORDSHIRE, DERBYSHIRE, NOTTINGHAMSHIRE, el norte de WEST MIDLANDS y

WARWICKSHIRE. OFFA, que gobernó entre 757 y 796, creó un solo estado desde el río Humber hasta el canal de la Mancha. Tras su muerte, Mercia entró en decadencia, eclipsado por WESSEX. En 877, los daneses dividieron Mercia en las partes danesa e inglesa. Una vez reconquistadas las tierras danesas a comienzos del s. X, pasó a manos de Wessex.

mercurio *o* **azogue** ELEMENTO QUÍMICO metálico, de símbolo químico Hg y número atómico 80. El mercurio es el único METAL elemental que es líquido a temperaturas ordinarias, con un punto de congelación de –39 °C (–38 °F) y un punto de ebullición de 356,9 °C (674 °F). Es blanco plateado, denso, tóxico (ver INTOXICACIÓN POR MERCURIO) y un buen conductor de la electricidad. El mercurio ocasionalmente se encuentra libre en la naturaleza, pero por lo general se presenta como mineral rojo de sulfuro, CINABRIO (HgS). Tiene muchos usos en AMALGAMAS dentales e industriales,

como CATALIZADOR, en aparatos e instrumentos eléctricos y de medición (p. ej., termómetros), como CÁTODO en celdas electrolíticas, en lámparas de vapor de mercurio y como refrigerante y absorbente de neutrones en centrales nucleares. Muchos compuestos de mercurio, en los cuales tiene VALENCIA 1 ó 2, son pigmentos, pesticidas y medicamentos. Es un contaminante peligroso porque se concentra en los tejidos animales en cantidades crecientes al subir por la cadena alimentaria.

Mercurio, con sombrero alado y caduceo, estatua clásica; Galería de los Uffizi, Florencia, Italia.
ALINARI/ART RESOURCE, NUEVA YORK

Mercurio En la mitología ROMANA, mensajero de los dioses y también dios de los mercaderes, comúnmente identificado con el dios griego HERMES. En 495 AC se le dedicó un templo en la colina romana del Aventino. Hijo de la diosa Maya, ambos eran honrados en una fiesta el 15 de mayo. A veces es representado llevando un monedero, símbolo de su relación con los negocios. Generalmente se le otorgan los atributos de Hermes, y se lo representa vistiendo sandalias aladas o un gorro alado, además de portar un CADUCEO.

Mercurio PLANETA del sistema SOLAR más cercano al Sol. Su distancia promedio a este es de unos 58 millones de km (36 millones de mi), pero su órbita extremadamente elíptica lo acerca y lo aleja del Sol en 12 millones de km (7,5 millones de mi). Es el segundo planeta más pequeño (después de Plutón), con un diámetro de cerca de 4.880 km (3.030 mi) y una masa que representa la decimoctava parte de la Tierra. Con el período más corto de traslación alrededor del Sol (sólo 88 días terrestres) y la velocidad orbital promedio más alta (48 km/s o 30 mi/s) de todos los planetas, fue bautizado en honor al dios mensajero romano. Su período de rotación es muy largo, completando una revolución respecto a las estrellas cada 59 días terrestres, mientras que su día solar (desde un amanecer al siguiente) es de 176 días terrestres, debido a la lentitud del giro sobre sí mismo y la rapidez de su traslación en torno al Sol. Su superficie está llena de cráteres y la característica más impresionante es quizás la cuenca Caloris de 1.300 km (800 mi), formada por el impacto de un enorme METEORITO. Mercurio tiene también empinados acantilados que se extienden por cientos de kilómetros. El descubrimiento de un campo magnético sugiere que tiene un gran núcleo de hierro, lo cual explicaría su alta densidad, casi tanto como la de la Tierra. Su atmósfera es casi inexistente; su gravedad super-

ficial, casi un tercio de la terrestre, es capaz de mantener sólo una capa muy tenue de gases. Las temperaturas en su superficie cambian en forma dramática, variando desde más de 425 °C (800 °F) en la zona iluminada por el Sol, hasta unos –180 °C (–290 °F) en su cara de noche.

Mercurio, El Periódico chileno de circulación nacional, conocido como "El Decano" de la prensa escrita, con sede en Santiago. Surgió inicialmente como una extensión de *El Mercurio* de Valparaíso –el periódico más antiguo de Hispanoamérica (1827) que se publica actualmente– y fue fundado por Agustín Edwards MacClure en 1900. Encabeza el CONGLOMERADO periodístico El Mercurio S.A.P., poseedor de 20 periódicos y revistas, entre los que se cuentan *Las Últimas Noticias*, el vespertino *La Segunda* y una red de diarios regionales. La empresa periodística de carácter familiar es actualmente presidida por Agustín Edwards Eastman y además integra el consorcio GRUPO DE DIARIOS AMÉRICA.

mercurio, intoxicación por ver INTOXICACIÓN POR MERCURIO

Mercury, programa Primera serie de vuelos espaciales tripulados estadounidense (1961–63), inaugurado cerca de tres semanas después de que YURI GAGARIN se transformara en el primer hombre en ir al espacio. En mayo de 1961, ALAN SHEPARD piloteó la primera cápsula espacial Mercury, Libertad 7, en un vuelo suborbital de 15 minutos y 486 km (302 mi) de recorrido, que alcanzó una altura máxima de 186 km (116 mi). El primer vuelo orbital tripulado de EE.UU. fue el de la nave Amistad 7, tripulada por JOHN GLENN, JR., completando tres órbitas en febrero de 1962. El último vuelo de una nave Mercury, Fe 7, lanzado en mayo de 1963, fue el más largo: completó 22 órbitas en 34 horas.

Meredith, George (12 feb. 1828, Portsmouth, Hampshire, Inglaterra–18 may. 1909, Box Hill, Surrey). Novelista y poeta inglés. Si bien había iniciado formalmente una carrera de abogado a la edad de 18 años, se dedicó en cambio a escribir poemas, artículos y a hacer traducciones. Debido a los magros ingresos que estos le reportaban, optó por escribir en prosa. La novela *La prueba de Richard Feverel* (1859) posee las características de sus mejores obras: rica en alusiones, metáforas, prosa lírica, diálogos ingeniosos y penetración psicológica. La obra no lo hizo rico, por lo que se vio forzado a empezar a leer manuscritos para un editor. En su tiempo libre escribió la comedia *Evan Harrington* (1860) y el poemario *El amor moderno* (1862). Finalmente se granjeó la aclamación de la crítica y los lectores

por sus novelas *El egoísta* (1879) y *Diana la de Crossways* (1885). Sus obras se destacan por el uso del monólogo interior y la caracterización de la mujer en un plano de igualdad con el hombre.

merengue Danza en parejas originaria de República Dominicana o Haití, que se baila en toda América Latina. Inicialmente fue una danza folclórica, que luego se convirtió en un baile de salón ejecutado con paso paticojo, descansando el peso siempre sobre el mismo pie. Entre sus variantes se cuentan el jaleo y el juangomero. La música del merengue dominicano se popularizó ampliamente a fines del s. XX.

George Meredith, detalle de una pintura al óleo de G.F. Watts, 1893; National Portrait Gallery, Londres.
GENTILEZA DE LA NATIONAL PORTRAIT GALLERY, LONDRES

mereología Rama de la LÓGICA, fundada por STANISŁAW LEŚNIEWSKI, que estudia expresiones de clases y las relaciones entre las partes y el todo. Rechaza la jerarquía de los conjuntos que surge en la teoría de CONJUNTOS por efecto de la relación "miembro de", y propone en cambio una relación entre parte y todo. La mereología ha atraído a filósofos de la lógica y la matemática de inspiración nominalista (ver UNIVERSAL), a aquellos que sospechan que la teoría de conjunto es intrínsecamente platónica, y a aquellos que, en otro aspecto, miran con suspicacia las complejas entidades postuladas por la teoría de conjuntos y los complicados supuestos que exige.

merey *o* **castaña de cajú** Semilla comestible o NUEZ de *Anacardium occidentale*, arbusto o árbol tropical siempreverde de la familia de las Anacardiáceas (ver ZUMAQUE), originario de regiones tropicales de Sudamérica. Aunque su importancia principal son las nueces, el árbol también produce madera que se usa para embalajes marítimos, botes y como carbón vegetal, asimismo, se extrae una GOMA similar a la arábiga. Emparentada con la HIEDRA VENENOSA y el ZUMAQUE VENENOSO, debe manejarse con cuidado. La nuez con dos cáscaras tiene la forma de un frijol grande y grueso. Un aceite marrón ubicado entre ambas cáscaras puede ampollar la piel humana y se usa como lubricante, insecticida y en la manufactura de plásticos. La nuez tiene un sabor robusto y característico.

Mergenthaler, Ottmar (11 may. 1854, Hachtel, Württemberg–28 oct. 1899, Baltimore, Md., EE.UU.). Inventor estadounidense de origen alemán. Emigró a EE.UU. en 1872. Mientras trabajaba en un taller mecánico de Baltimore comenzó a experimentar con moldes tipográficos, y en 1884 patentó la máquina de composición llamada LINOTIPIA. La reducción de costo resultante de acelerar el proceso de composición llevó a una explosiva expansión de todo tipo de publicaciones.

Mergui, archipiélago Archipiélago formado por más de 200 islas en el mar de Andamán, frente a la costa del sudeste de Myanmar. La mayor de las islas es Mali, ubicada en el extremo septentrional del archipiélago. Otras islas importantes son Kadan, Thayawthadangyi, Daung, Sakanthit, Bentinck, Letsokaw, Kanmaw, Lanbi y Zadetkyi. Montañosas y cubiertas de selvas, las islas están habitadas principalmente por el pueblo selung.

Mérida *antig.* **Emerita Augusta** Ciudad (pob., 2001: 50.271 hab.) y capital de la comunidad autónoma de EXTREMADURA, en el oeste de España. Situada en la ribera norte del río Guadiana, fue fundada por los romanos en 25 AC. Sirvió como capital de la provincia de Lusitania y se convirtió en una de las ciudades más importantes de Iberia. Ocupada en 713 DC por los moros, Alfonso IX de León la recuperó en 1228 y la entregó en señorío a la Orden de Santiago. Es conocida por sus ruinas romanas, como puentes, acueductos y un anfiteatro. La economía de la ciudad moderna se basa en el comercio agrícola y el turismo.

Mérida Ciudad (pob., 2000: 660.884 hab.) y capital del estado de YUCATÁN, en el sudeste de México. Ubicada cerca del extremo noroccidental de la península de YUCATÁN, al sur del puerto Progreso, que está en el golfo de México. Fundada en 1542, en el lugar de la antigua ciudad MAYA de Tiho, posee numerosos edificios coloniales y una catedral que data del s. XVI. Allí se encuentran la Universidad de Yucatán y el Instituto Técnico Regional de Mérida. La ciudad sirve de enlace para viajes turísticos hacia las ruinas mayas de las ciudades cercanas, entre ellas, CHICHÉN ITZÁ, Dzibilchaltún, UXMAL y Kabáh.

Merín, laguna *o* **laguna Merim** *portugués* **lagoa Mirim** Laguna de agua salada del nordeste de Uruguay y del sudeste de Brasil. Alcanza los 190 km (118 mi) de largo y 48 km (30 mi) en su punto más ancho, con una superficie de 3.994 km² (1.542 mi²). Una franja arenosa de unos 17–59 km (10–35 mi) de ancho y constituida por terrenos anegadizos y lagunas litorales lo separa del océano Atlántico. Es navegable por embarcaciones de pequeño calado.

Mérimée, Prosper (28 sep. 1803, París, Francia–23 sep. 1870, Cannes). Cuentista y dramaturgo francés. De joven fue alumno de idiomas y literatura y escribió su primera obra de teatro, *Cromwell* (1922), a los 19 años de edad. Sus pasio-

nes eran el misticismo, la historia y lo inusual. Sus relatos, la mayoría historias de misterio, estaban inspirados sobre todo en fuentes españolas y rusas, particularmente de ALEXANDRER PUSHKIN; entre sus obras destacan *Mateo Falcone* (1829), la colección *Mosaïque* (1833) y las novelas cortas *Colomba* (1840) y *Carmen* (1845), en la cual GEORGES BIZET basó su ópera. También escribió sobre historia y arqueología, ficción histórica y crítica literaria y mantuvo un epistolario, que se publicó póstumamente. Fue elegido senador en 1853.

Merino Raza de OVEJA de mediano tamaño, originaria de España, que ha llegado a ser muy apreciada por su lana en todo el mundo. Tiene cara y patas blancas, y un vellón fino de

Raza de oveja Merino.
© JAMES MARSHALL

rizos apretados. Conocida ya en el s. XII, pudo haber sido una importación morisca. Está adaptada a climas semiáridos y al pastoreo nómada, y ha servido de base para muchas razas y variedades de oveja.

meristema *o* **meristemo** En plantas, zona de células capaces de dividirse y crecer. Los meristemas se clasifican por su ubicación como apicales o primarias (en los extremos de raíces y brotes), laterales o secundarias (en el CAMBIUM vascular y el cambium suberoso), o intercaladas (en los entrenudos, regiones del tallo entre los puntos de inserción de las hojas, y en la base foliar, especialmente en ciertas monocotiledóneas, p. ej., las hierbas). Los meristemas apicales dan origen al cuerpo vegetal primario. Los meristemas laterales aumentan el perímetro del tallo. Los tejidos dañados pueden convertir otras células en un nuevo meristema para cicatrizar incisiones.

Merkel, Angela (n. 17 jul. 1954, Hamburgo, Alemania Occidental). Política alemana y primera ministra (desde 2005).

Angela Merkel, 2005.
FOTOBANCO

Criada en Alemania Oriental, obtuvo un doctorado en física en la Universidad de Leipzig (1978) y más tarde se estableció en Berlín Oriental, donde trabajó en el campo de la física cuántica. En 1990, poco antes de la reunificación alemana, militó en la Unión Demócrata Cristiana (CDU). Fue elegida diputada al Bundestag (cámara baja del parlamento) a fines de ese año; se desempeñó bajo el amparo político del canciller Helmut Kohl, quien la nombró en diversos cargos ministeriales. En 1999, un escándalo financiero afectó a la CDU y Merkel concitó la atención por su crítica a la gestión de Kohl. Al año siguiente fue elegida presidenta del partido. En 2005, la CDU y su partido hermanado, la Unión Social Cristiana (CSU), ganaron las elecciones, pero fracasaron en alcanzar la mayoría. Tras un acuerdo, se le otorgó a Merkel la titularidad de la cancillería de un gobierno de coalición. Juró el 22 nov. 2005, transformándose en la primera mujer en ocupar dicho cargo.

merlán Especie (*Merlangius merlangus*) de pez marino, comestible y común de la familia Gadidae (ver BACALAO), que habita en aguas europeas y abunda sobre todo en el mar del Norte. Se alimenta de invertebrados y peces pequeños. Tiene tres aletas dorsales y dos anales; el barbillón mandibular (tentáculo sensorial carnoso y delgado), si llega a estar presente, es muy pequeño.

Los merlanes no alcanzan los 70 cm (30 pulg.) de largo. Son plateados, con un manchón negro característico cerca de la base de las aletas pectorales. Ver también CORÉGONO BLANCO.

Merleau-Ponty, Maurice (14 mar. 1908, Rochefort, Francia–4 may. 1961, París). Filósofo francés. En 1945 fundó, junto con JEAN-PAUL SARTRE y SIMONE DE BEAUVOIR, la revista *Les Temps Modernes*. A partir de 1949 enseñó en la Sorbona. Fue el principal exponente de la FENOMENOLOGÍA en Francia. Aunque influenciado en gran medida por EDMUND HUSSERL, rechazó la teoría husserliana acerca del conocimiento de los otros, y basó su doctrina más bien en el comportamiento y la percepción corporales. Defendió el comunismo soviético, pero se desilusionó de él después de la guerra de Corea.

Merlín Sabio y mago en las leyendas del rey ARTURO. En la *Historia Regum Britannaie* [Historia de los reyes de Bretaña] de GEOFFREY DE MONMOUTH, Merlín era consejero del rey Arturo, con poderes mágicos que recuerdan su origen céltico. Posteriores narraciones lo hicieron un profeta del GRIAL y le atribuyeron la idea de la Mesa Redonda. En *La muerte de Arturo* de sir THOMAS MALORY, Merlín llevó a Arturo al trono y fue su consejero durante todo su reinado. Su caída fue atribuida al amor obsesivo por una hechicera, quien lo encerró después de aprender de él las artes de la magia.

merluza Cualquiera de varios peces marinos grandes (género *Merluccius*) emparentados con el BACALAO. La merluza es de cuerpo alargado y con dientes grandes y afilados, dos aletas dorsales (una de ellas muescada) y una aleta caudal también muescada. Son peces carnívoros veloces y su carne es comestible. Se distribuyen por todo el Atlántico, el Pacífico oriental y a lo largo de Nueva Zelanda.

Merluza plateada o de Boston (*Merluccius bilinearis*).
© ENCYCLOPÆDIA BRITANNICA, INC.

Merman, Ethel *orig.* **Ethel Agnes Zimmerman** (16 ene. 1909, Astoria, N.Y., EE.UU.–15 feb. 1984, Nueva York, N.Y.). Cantante y actriz estadounidense. Nunca tomó lecciones de canto, y trabajó como secretaria antes de su primera labor profesional como cantante en 1929. Realizó su debut en los escenarios con *Girl Crazy* (1930) de George e Ira Gershwin (ver GEORGE GERSHWIN; IRA GERSHWIN). Su estilo brillante y exuberante, así como su voz potente la convirtieron en una de las intérpretes favoritas de IRVING BERLIN, COLE PORTER y otros. A mediados de la década de 1930, Merman hizo su primera aparición en Hollywood y más tarde se convirtió en la estrella de su propio programa radial. Entre sus múltiples éxitos en Broadway se cuentan *Anything Goes* (1934), *Red, Hot and Blue* (1936), *Annie Get Your Gun* (1946), *Call Me Madam* (1950) y *Gypsy* (1959).

mermelada ver JALEA Y MERMELADA

mero Cualquiera de numerosos peces (familia Serranidae) de distribución amplia en mares cálidos, en especial los miembros de los géneros *Epinephelus* y *Mycteroperca*. Se caracterizan por la boca grande y el cuerpo comprimido. Algunas especies sobrepasan 1 ó 2 m (unos 6 pies) de largo y los 225 kg (500 lb) de peso. Suelen ser verde opaco o marrón; algunas especies pueden cambiar el patrón de coloración y los individuos bentónicos pueden ser mucho más rojizos que los de aguas costeras. Pez comestible de carne muy apreciada, unas pocas especies con-

Mero (*Epinephelus nigritus*).
© ENCYCLOPÆDIA BRITANNICA, INC.

tienen una sustancia tóxica en la carne que puede causar intoxicación al consumirla. Se los pesca por deporte con caña o arpón. Ver también GRAN MERO; SERRÁNIDO.

Meroë Ciudad del antiguo reino de KUSH, en el nordeste de África. Estaba situada en la ribera oriental del NILO, al norte de la actual Kabūshiya, Sudán; c. de 750 AC fue el centro administrativo meridional del reino de Kush. Después del saqueo de Napata (c. 590) se convirtió en la capital del reino. Abarcaba la región comprendida entre los ríos Nilo y Atbara, donde se desarrolló la lengua meroética. Sobrevivió a una invasión romana, pero en el s. IV DC cayó ante los ejércitos aksumitas. Las ruinas de sus templos y palacios aún existen cerca de Kabūshiya.

merovingia, dinastía (476–750). Dinastía de los francos. Es considerada la primera casa real de Francia. Debe su nombre a Meroveo (floreció c. 450), cuyo hijo Childerico I (m. ¿482?) gobernó una tribu de FRANCOS salios desde su capital en Tournai. Su hijo, CLODOVEO I, unificó casi la totalidad de la Galia a fines del s. V, con la excepción de Borgoña y la actual Provenza. A su muerte, el reino se dividió entre sus hijos, pero en 558 se unificó bajo el dominio de su último hijo sobreviviente, CLOTARIO I. La tendencia a dividir y luego reunificar el reino continuó durante generaciones. Después del reinado de DAGOBERTO I (623–639), la autoridad de los reyes merovingios declinó y el poder efectivo gradualmente pasó a manos de los mayordomos de palacio. En 751 el último rey merovingio, Childerico III, fue depuesto por PIPINO EL BREVE, primer rey de la dinastía CAROLINGIA. Ver también BRUNILDA; CHILDEBERTO II; CHILPERICO I; FREDEGUNDA; SIGEBERTO I.

merovingio, arte Artes visuales producidas durante la dinastía MEROVINGIA de los s. V–VIII DC. Consistía principalmente en trabajos de metalistería de pequeño formato, de los que se han conservado muy pocos, además de diversos manuscritos importantes. El estilo combina el romano clásico con las tradiciones germanas y galas, influencias que favorecieron la abstracción y el diseño geométrico. Rara vez se abordaba la figura humana, ya que a los artistas les interesaba especialmente el diseño de superficie. El arte merovingio, aunque modesto, ejerció influencia duradera, incluso después del fin de la dinastía.

Merrick, David *orig.* **David Margulois** (27 nov. 1912, St. Louis, Mo., EE.UU.–25 abr. 2000, Londres, Inglaterra). Productor de teatro estadounidense. En 1949 abandonó el ejercicio de la abogacía, y se estableció como productor en Nueva York. A su primera obra independiente, *Clutterbuck* (1949), continuaron más de 85 producciones en Broadway durante los siguientes 40 años, entre las que se cuentan *Mirando hacia atrás con ira* (1957), *El animador* (1958), *Gipsy* (1959), *Oliver!* (1963), *Hello, Dolly!* (1964), y *42nd Street* (1980). Muchas de sus producciones fueron éxitos de taquilla y crítica, y se le conoce por su hábil uso de la publicidad.

Merrick, Joseph (Arpy) ver HOMBRE ELEFANTE

Merrimack, río Río en el nordeste de EE.UU. Nace en las White Mountains en el centro del estado de New Hampshire. Discurre al sur internándose en Massachusetts, para luego desviar hacia el nordeste y desembocar en el océano Atlántico tras un curso total de 177 km (110 mi). Entre las principales ciudades situadas a lo largo del río se cuentan CONCORD, MANCHESTER y Nashua, N.H., como también LOWELL, Lawrence y Haverhill, Mass. En el s. XIX las aguas del Merrimack suministraron energía a plantas textiles.

Mersey, río Río en el norte de TASMANIA, Australia. Alimentado por los ríos Dasher y Fisher, fluye a lo largo de 146 km (91 mi), primero en dirección norte, luego al este y nuevamente al norte, para entrar en un estuario en Latrobe y desembocar en el estrecho de BASS, en Devonport. La corriente ha horadado una garganta de hasta 600 m (2.000 pies) de profundidad; sus aguas se emplean para generación hidroeléctrica en la zona.

Mersey, río Río en el noroeste de Inglaterra. Fluye en dirección oeste atravesando por los suburbios del sur de MANCHESTER y confluye con el Irwell y el canal de Manchester. El curso del Mersey está modificado por este canal hasta Warrington, donde varía según las mareas. En Runcorn confluye con el Weaver y forma el estuario del Mersey, donde se encuentra el puerto de LIVERPOOL. Desemboca en el mar de Irlanda tras un recorrido de 110 km (70 mi).

Merseyside Condado metropolitano (pob., 2001: 1.362.034 hab.) en el noroeste de Inglaterra. Situado en el estuario del río Mersey, comprende cinco áreas metropolitanas: Knowsley, St. Helens, Sefton, Wirral y la ciudad de LIVERPOOL. Las zonas ubicadas al norte del Mersey, incluido Liverpool, forman parte del condado histórico de Lancashire, mientras que las tierras desde el municipio de Wirral hacia el sur pertenecen al condado histórico de Cheshire. En 1986, el condado perdió las facultades administrativas que sustentaba desde 1974, y en la actualidad es un condado geográfico y tradicional sin poderes administrativos. Durante el s. XVII, muchos de los barcos que zarpaban desde Liverpool, su puerto principal, estaban involucrados en el tráfico de esclavos de las Antillas. En el s. XIX, la zona se benefició de las importaciones de algodón desde EE.UU. Los habitantes de Merseyside tienen un dialecto propio, "scouse", que les proporciona un fuerte sentido de identidad con la región. Fue bombardeada intensamente durante la segunda guerra mundial. Es famosa por sus contribuciones a la cultura popular, desde The BEATLES hasta sus equipos de fútbol y sus destacadas canchas de golf.

Merton, Robert K(ing) *orig.* **Meyer R. Schkolnick** (4 jul. 1910, Filadelfia, Pa., EE.UU.–23 feb. 2003, Nueva York, N.Y.). Sociólogo estadounidense. Después de obtener un Ph.D. en la Universidad de Harvard en 1936, siguió como docente y también en la Universidad de Tulane antes de trasladarse a la Universidad de Columbia, donde fue profesor entre 1941 y 1979. Sus diversos objetos de estudio incluyeron la conducta desviada, la sociología de la ciencia y los medios de comunicación de masas. Aplicó en general un enfoque funcionalista para el estudio de la sociedad. En 1994 recibió la Medalla nacional de ciencias. Entre sus obras destacan *Mass Persuasion* [Persuasión de masas] (1946), *Teoría y estructuras sociales* (1949), *A hombros de gigantes* (1965) y *La sociología de la ciencia* (1973). Ver también BUROCRACIA; FUNCIONALISMO.

Merton, Thomas *post.* **Father M. Louis** (31 ene. 1915, Prades, Francia–10 dic. 1968, Bangkok, Tailandia). Monje y escritor católico estadounidense. Educado en Inglaterra, Francia y EE.UU., impartió clases de inglés en la Universidad de Columbia antes de ingresar a la comunidad monástica trapense de Getsemaní en Kentucky. En 1949 fue ordenado sacerdote. Sus primeras obras, sobre temas espirituales, incluyen antologías de poemas, su autobiografía *La montaña de siete círculos* (1948), la cual le trajo fama internacional e inspiró a muchos lectores a adoptar la vida monástica, y *Las aguas de Siloé* (1949), una historia de los trapenses. En la década de 1960 sus escritos se centraron primordialmente en la crítica social, la filosofía oriental y el misticismo. Se electrocutó accidentalmente en una convención monástica en Tailandia.

Merv *actualmente* **Marí** Antigua ciudad de Asia central. Estaba situada en las cercanías del actual pueblo de Marí, en Turkmenistán; en antiguos textos persas se la menciona con el nombre de Mouru y en inscripciones cuneiformes, como Margu. Fue la sede de una satrapía (provincia) de la dinastía persa aqueménida. Reconstruida bajo dominio árabe en el s. VII DC, fue un gran centro de erudición islámica y sirvió de base para la penetración musulmana en Asia central. Durante el reinado de los califas de la dinastía ABASÍ alcanzó su apogeo bajo el sultán SELYÚCIDA Sanjar (r. 1118–59). Destruida por los MONGOLES en 1221, fue reconstruida en el s. XVII. El Imperio ruso la ocupó en 1884.

Mervin Mills, William ver Billy MILLS

mesa Terreno elevado y llano de formación rocosa aislada, común en la región de la meseta del Colorado, EE.UU., y que tiene una o más de sus laderas escarpadas; un CERRO TESTIGO es similar, pero más pequeño. Ambos se forman por erosión; durante el proceso de denudación, o de corte y arrastre, las áreas rocosas más duras de una meseta actúan como tapas planas protectoras respecto a las porciones del terreno subyacente situado entre lugares, como valles fluviales, donde la erosión es especialmente activa. Esto resulta en un cerro en forma de mesa o colina-fortaleza.

mesa Mueble usado en Occidente desde el s. VII AC a lo menos, que consiste en una plancha plana de piedra, metal, madera o vidrio apoyada sobre caballetes, pies o un pilar. Aunque las mesas se usaban en el antiguo Egipto, Asiria y Grecia, fue durante la Edad Media, con la creciente formalidad de la vida durante el feudalismo, que las mesas adquirieron un significado social. Las mesas con pies adheridos aparecieron en el s. XV. El tablero extensible se inventó en el s. XVI, haciendo posible duplicar el largo de la mesa. En el s. XVIII, el creciente contacto con Oriente condujo a una progresiva especialización en el diseño de mesas.

Mesa Ciudad (pob., 2000: 396.375 hab.) en el centro-sur del estado de Arizona, EE.UU. Ubicada cerca de PHOENIX, fue colonizada en 1878 por los MORMONES, quienes usaron los antiguos canales de los indios hohokam para regadío (ver cultura HOHOKAM). Se constituyó como pueblo en 1883 y como ciudad en 1930. El proyecto de recuperación del río SALT permitió a la comunidad plantar frutales y otros cultivos. Después de la segunda guerra mundial, la ciudad creció rápidamente gracias a la industrialización. Es sede del Mesa Community College y del Mesa Southwest Museum.

Mesa Verde, parque nacional Parque nacional en el sudoeste del estado de Colorado, EE.UU. Se estableció en 1906 para conservar los *cliff-dwellings*, viviendas aborígenes prehistóricas construidas en riscos. Ocupa una zona de meseta de 21.078 ha (52.085 acres) y contiene cientos de ruinas de las aldeas PUEBLO que datan de la antigüedad. La más sorprendente de estas ruinas corresponde a viviendas de varios pisos construidas en las paredes escarpadas. Cliff Palace, la mayor de estas construcciones, fue descubierta en 1909 y contiene cientos de habitaciones, entre las que se incluyen *kivas*, cámaras ceremoniales circulares de los indios PUEBLO.

Viviendas prehistóricas en riscos, parque nacional Mesa Verde, Colorado, EE.UU.
RICHARD PRICE/TAXI /GETTY IMAGES

mescalina ALUCINÓGENO, principio activo de las inflorescencias del cacto PEYOTE. Es un ALCALOIDE relacionado con la EPINEFRINA y norepinefrina que se aisló por primera vez en 1896. La mescalina es a menudo extraída del peyote y purificada, pero también puede ser sintetizada. Cuando se ingiere como droga, sus efectos alucinógenos comienzan en dos o tres horas y pueden durar más de 12 horas; las alucinaciones varían mucho de un individuo a otro, y en cada ocasión, pero son generalmente más visuales que auditivas. Los efectos colaterales comprenden náusea y vómito.

Meselson, Matthew Stanley (n. 24 may. 1930, Denver, Col., EE.UU.). Biólogo molecular estadounidense. Obtuvo un Ph.D. en el Instituto Tecnológico de California; desde 1964 enseñó en la Universidad de Harvard. Junto con FRANKLIN STAHL realizó investigaciones que demostraron que durante la división celular, el ADN se separa en sus dos hebras constituyentes y cada una de ellas adquiere como pareja una nueva hebra recién sintetizada, antes de pasar a una de las células hijas.

Mesenia Antigua ciudad del PELOPONESO sudoriental, en Grecia. Estaba situada al norte de la actual ciudad del mismo nombre. Fundada c. 369 AC como sede de la nueva capital de Mesenia, junto con MEGALÓPOLIS, MANTINEA y ARGOS, constituía una barrera estratégica contra ESPARTA. Fue sitiada en numerosas ocasiones por macedonios y espartanos, pero cayó ante FILIPO II de Macedonia en 338 AC. Se desconoce su historia después del s. II AC.

Mesenia, golfo de Golfo del mar Jónico en la costa del PELOPONESO sudoriental, Grecia. En su lado occidental se encuentra el puerto de Koróni, colonizado originalmente por los habitantes de Argos después de la primera guerra mesenia (c. 735 –715 AC), y ocupado nuevamente durante la Edad Media por refugiados provenientes desde el norte. En 1828, durante la guerra de independencia GRIEGA, los franceses desembarcaron en el golfo de Mesenia para expulsar a los turcos del Peloponeso.

Centro ceremonial maya, civilización mesoamericana del período clásico; c. 650–890 DC, Xunantunich, Belice.
© DOUG WAUGH/PETER ARNOLD, INC.

meseta Extensa área de tierra elevada y plana, usualmente rodeada por laderas empinadas y a veces encerrada por montañas. Las mesetas son extensas, y junto con las cuencas cubren cerca del 45% de la superficie de la Tierra. Los criterios esenciales para definir una meseta son relieve relativamente plano y cierta altitud. El relieve de las mesetas se distingue de las MONTAÑAS, aunque su origen geomorfológico puede ser similar. Las mesetas, debido a su altitud, a menudo crean su propio clima local; la topografía de las mesetas y sus alrededores producen con frecuencia condiciones áridas y semiáridas.

meseta oceánica *o* **meseta submarina** Gran elevación submarina que se alza bruscamente al menos 200 m (660 pies) sobre el suelo marino circundante y que posee una cima extensa, relativamente plana o levemente inclinada. La mayoría de las mesetas son interrupciones escalonadas de los TALUDES CONTINENTALES. Algunas, sin embargo, aparecen mucho más allá de los márgenes continentales. Estas se encuentran solas, muy por encima del suelo marino circundante, y se cree que son fragmentos de continentes que fueron aislados durante la DERIVA CONTINENTAL y la EXPANSIÓN DEL FONDO MARINO.

mesetas, indio de las Miembro de alguno de los diversos pueblos indígenas de América del Norte que habitaban las altas mesetas, ubicadas entre las montañas Rocosas por el este y la cordillera de las Cascadas por el oeste. La cultura de las mesetas no fue estable. Hacia 1200–1300 DC ya estaban en la fase "clásica", caracterizada por las aldeas permanentes de invierno con viviendas semienterradas junto a los ríos más grandes y por campamentos de verano con viviendas cónicas cubiertas con esteras en los herbazales. Durante los siglos siguientes, esta región sufrió la influencia de elementos culturales de la altamente especializada cultura de la costa noroccidental. Parte de esta difusión se debió posiblemente a un grupo chinook, los wishram, que emigraron desde el litoral hacia la cordillera de las Cascadas. Durante el s. XVIII recibieron influencias procedentes del este. Para ese entonces, los SHOSHONES habían adquirido caballos, los que proporcionaban a sus vecinos más cercanos de las llanuras y de las mesetas. Con la incorporación del caballo se introdujeron también otros elementos de la cultura de las llanuras, como vestimenta con cuentas, penachos y tipis. En este grupo se encontraban los coeur d'Alene, FLATHEAD, KLAMATH, kutenais, MODOCS, NEZ PERCÉS, spokan, thompson y salish.

Meshed ver MASHHAD

Mesia Provincia del Imperio romano en el sudeste de Europa. La región, que limita con el río DANUBIO y el mar NEGRO, fue conquistada por Roma (30–28 AC) y se convirtió en una provincia romana en 15 DC. Durante las guerras dacias (85–89 DC) se dividió en dos provincias: Mesia superior y Mesia inferior. Pese a las invasiones bárbaras, continuó perteneciendo al Imperio romano de Oriente hasta el s. VII, cuando fue ocupada por eslavos y búlgaros.

Mesías En el JUDAÍSMO, el esperado rey del linaje de DAVID quien liberará a los judíos de la servidumbre extranjera y restablecerá la edad dorada de Israel. El término utilizado en el NUEVO TESTAMENTO griego para designar al Mesías, *christos*, fue aplicado a JESÚS, quien es aceptado por los cristianos como el redentor prometido. El Mesías también figura en varias otras religiones y culturas; los musulmanes CHIITAS, por ejemplo, esperan a un restaurador de la fe conocido como el MAHDI, y MAITREYA es una figura redentora del budismo.

Mesmer, Franz Anton (23 may. 1734, Iznang, Suabia– 5 mar. 1815, Meersburg). Médico alemán. Después de estudiar medicina en la Universidad de Viena, desarrolló la teoría del "magnetismo animal" (mesmerismo), que postulaba que un fluido invisible del cuerpo actuaba de acuerdo a las leyes del magnetismo y que las enfermedades eran causadas por obstáculos a la libre circulación de ese fluido. Según Mesmer, la armonía podía restablecerse mediante la inducción de "crisis" (estados de trance que suelen terminar en delirio o convulsiones). En la década de 1770 hizo espectaculares demostraciones de su capacidad para "mesmerizar" a sus pacientes usando objetos magnetizados. Acusado de fraude por los médicos vieneses, abandonó Austria y se estableció en París (1778), donde también lo atacó la institucionalidad médica. Aunque sus teorías cayeron con el tiempo en el descrédito, puede ser considerado precursor del uso moderno de la HIPNOSIS, debido a su capacidad de inducir estados de trance en sus pacientes.

mesoamericanas, civilizaciones Complejo de culturas aborígenes que se desarrollaron en parte de México y América Central antes de la conquista española en el s. XVI. Las civilizaciones de Mesoamérica y las ANDINAS de América del Sur eran equivalentes en el Nuevo Mundo a las antiguas civilizaciones de Egipto, Mesopotamia y China. El hombre ha estado presente en Mesoamérica desde 21.000 AC. Cuando el clima se tornó más cálido, luego del término del período glacial c. 7000 AC, comenzó la transición desde la caza y recolección a la agricultura, la que concluyó c. 1500 AC. La primera de las grandes civilizaciones fue la de los OLMECAS, que data de c. 1150 AC. El período medio formativo (900–300 AC) se caracterizó por el desarrollo de las culturas de la región y del surgimiento del pueblo ZAPOTECA. Entre las civilizaciones del período formativo tardío y el período clásico (que se extendieron c. 900 DC) se encuentran la civilización MAYA y la cultura localizada en TEOTIHUACÁN; entre las sociedades posteriores están la de los TOLTECAS y AZTECAS. Ver también CHICHÉN ITZÁ; MIXTECA; MONTE ALBÁN; NAHUA; NÁHUATL; TENOCHTITLÁN; TIKAL.

mesoamericanas, religiones Religiones de las culturas precolombinas de México y Centroamérica, entre ellas, la OLMECA, MAYA, TOLTECA y AZTECA. Todas las religiones de Mesoamérica eran politeístas. Los dioses debían ser constantemente aplacados con ofrendas y sacrificios. Las religiones también compartían la creencia en un universo de varios niveles que había pasado por cinco creaciones y cuatro destrucciones al momento de la conquista española. Las religiones mesoamericanas realzaban con fuerza los cuerpos celestes, en particular el Sol, la Luna y Venus, y la observación de sus movimientos por sacerdotes-astrónomos era extraordinariamente detallada y precisa. Los aztecas se relacionaron con lo sobrenatural a través de un complejo calendario de ceremonias que contemplaba canciones, danzas, automortificación y sacrificios humanos llevados a cabo por una clase sacerdotal, en la creencia de que el bienestar del universo dependía de la ofrenda de sangre y corazón como alimento para el Sol. De igual modo, la religión maya demandaba sacrificios humanos, aunque en menor escala. La información acerca de los cálculos astronómicos, la adivinación y el ritual de los sacerdotes mayas ha sido obtenida de los códices MAYAS. Ver también civilizaciones MESOAMERICANAS.

mesoatlántica, dorsal Cordillera submarina situada en el fondo del océano Atlántico, en la parte media de la cuenca oceánica. Es una larga cadena de montañas de unos 16.000 km (10.000 mi) de longitud, que corre en dirección norte-sur, desde el océano Ártico hasta el extremo sur de África. En ocasiones estas montañas alcanzan el nivel del mar, formando islas o grupos de islas, como Ascensión, SANTA ELENA y Tristán da Cunha.

mesolítico, período o **edad de piedra media** Antigua etapa tecnológica y cultural (c. 8000–2700 AC) entre los períodos PALEOLÍTICO y NEOLÍTICO, en el noroeste de Europa. Los cazadores mesolíticos, gracias al uso de un conjunto de instrumentos de sílex tallados y pulidos, junto con utensilios de hueso, astas y madera, lograron mayor eficiencia que sus antecesores y pudieron aprovechar una mayor variedad de fuentes de alimento animal y vegetal. Los agricultores neolíticos que migraron a estas regiones absorbieron probablemente a una parte importante de la población nativa de cazadores y pescadores mesolíticos. No hay una etapa equivalente al mesolítico fuera de Europa y el término ya no se utiliza para dar cuenta de una hipotética secuencia de EVOLUCIÓN SOCIOCULTURAL mundial.

mesón Cualquier miembro de una familia de PARTÍCULAS SUBATÓMICAS compuestas de un QUARK y un antiquark (ver ANTIMATERIA). Los mesones son sensibles a la FUERZA NUCLEAR FUERTE, tienen un ESPÍN que es un entero y su MASA varía ampliamente. Aunque inestables, muchos mesones duran unas pocas mil millonésimas de segundo, suficiente para ser observados en detectores de partículas. Se producen fácilmente en colisiones de partículas subatómicas de alta energía (p. ej., en RAYOS CÓSMICOS).

Mesopotamia Región situada entre los ríos TIGRIS y ÉUFRATES en el Medio Oriente, que constituye la mayor parte del actual Irak. La ubicación y fertilidad de la región dieron origen a asentamientos desde c. 10.000 AC, gracias a lo cual fue cuna de algunas de las civilizaciones más antiguas del mundo y lugar de nacimiento de la escritura. Fue habitada primero por los sumerios, seguidos por los acadios y más tarde por los babilonios. Diversos pueblos dominaron sucesivamente la región hasta el ascenso de la dinastía persa aqueménida en el s. VI AC. Los aqueménidas fueron derrocados por Alejandro Magno a comienzos del s. IV AC, y Mesopotamia estuvo dominada por la dinastía SELÉUCIDA desde c. 312 AC hasta mediados del s. II AC, fecha en que pasó a formar parte del Imperio parto. En el s. VII DC, la región fue conquistada por los árabes musulmanes. La importancia de la zona declinó después de la invasión mongola (1258). El Imperio otomano dominó la mayor parte de la región a partir del s. XVI. La zona se convirtió en mandato británico en 1920, y al año siguiente se fundó en ella Irak.

mesopotámicas, religiones Prácticas y creencias religiosas de sumerios y acadios, y posteriormente de sus sucesores, babilonios y asirios, quienes poblaron la antigua MESOPOTAMIA. Las deidades de SUMER eran asociadas frecuentemente con aspectos de la naturaleza, como la fertilidad de los campos y del ganado. Los dioses de ASIRIA y la región de BABILONIA, más que desplazar a los de Sumer y ACAD, fueron asimilados en forma gradual al sistema anterior. Entre los dioses mesopotámicos más importantes, de los muchos que existieron, se encontraban ANU, dios del cielo; Enki, dios del agua, y Enlil, dios de la tierra. A menudo las deidades estaban asociadas a ciudades particulares. También se adoraban deidades astrales como SHAMASH y SIN. Los pueblos mesopotámicos tenían astrólogos experimentados que estudiaban el movimiento de los cuerpos celestes. Los sacerdotes también determinaban la voluntad de los dioses mediante la observación de augurios, en especial por la lectura de las entrañas de animales sacrificados. El rey era el sumo sacerdote y presidía la fiesta de año nuevo que se efectuaba en primavera, cuando se renovaba la monarquía y se celebraba el triunfo de la deidad sobre los poderes del caos.

mesozoico Segunda de las tres eras geológicas de la Tierra y el intervalo durante el cual las masas continentales, tal como se conocen hoy, fueron separadas de los supercontinentes LAURASIA y GONDWANA por la DERIVA CONTINENTAL. El mesozoico abarcó c. 248–c. 65 millones de años e incluye el TRIÁSICO, JURÁSICO y CRETÁCICO. En esta era tuvo lugar la evolución y diversificación de la flora y fauna, muy diferentes de aquellas que se habían desarrollado antes, durante el PALEOZOICO, o que se desarrollarían más tarde durante el CENOZOICO.

Mesrob, san o **san Mesrop Mashtots** (c. 360, Hatsik, Armenia–17 feb. 440; festividad armenia: 19 de febrero). Lingüista y teólogo armenio. Experto en lenguas clásicas, se convirtió en monje c. 395 y con el tiempo fundó varios monasterios y difundió el Evangelio en zonas remotas de Armenia. Sistematizó o creó el alfabeto armenio y promovió la primera traducción de la Biblia a ese idioma (c. 410). También escribió comentarios sobre la Biblia, tradujo otras obras teológicas y contribuyó a establecer la edad de oro de la literatura cristiana armenia. Ver también ARMENIO.

Messerschmitt 109 (Me 109) AVIÓN CAZA de la Alemania nazi. Diseñado originalmente en 1934 por WILLY MESSERSCHMITT en la Bayerische Flugzeugwerke (BFW), también se conoció como el Bf 109. Modificado después de participar en la guerra civil española, se transformó en el avión caza número uno de Alemania durante la mayor parte de la segunda guerra mundial. El modelo usado en la batalla de INGLATERRA era un monoplano de una plaza y un motor con velocidad máxima de 570 km/h (350 mi/h) y un techo de 10.500 m (35.000 pies). Era más rápido en picada que el SPITFIRE británico, pero estaba limitado en alcance por su poca capacidad para combustible. Ya en 1944 los cazas aliados mejorados, como el P-51, lo habían superado.

Messerschmitt, Willy (26 jun. 1898, Francfort del Meno, Imperio alemán–17 sep. 1978, Munich, Alemania Occidental). Diseñador de aviones alemán. Desde 1926 fue diseñador e ingeniero jefe de la Bayerische Flugzeugwerke, en Augsburgo, Alemania, la cual se convirtió en 1938 en Messerschmitt AG. En 1939 su primer avión militar, el MESSERSCHMITT 109 (Me 109), estableció un récord de velocidad de 775 km/h (481 mi/h). Durante la segunda guerra mundial su fábrica produjo 35.000 unidades para la fuerza aérea alemana, así como el bombardero Me 110, avión propulsado por cohete Me 163, y el Me 262, primer avión de combate de reacción. Bajo la prohibición de posguerra de fabricar aviones, su empresa se dedicó a construir casas prefabricadas y fabricar máquinas de coser hasta 1958.

Messiaen, Olivier (-Eugène-Prosper-Charles) (10 dic. 1908, Aviñón, Francia–27 abril 1992, Clichy, cerca de París). Compositor francés. A los 11 años de edad ingresó al conservatorio de París, donde obtuvo los cinco primeros premios. En 1931 se convirtió en el organista principal de la iglesia de la Sainte-Trinité, función que desempeñaría durante 40 años. Compuso su *Cuarteto para el fin de los tiempos* en un campo de concentración alemán. Después de la guerra, fue profesor en el conservatorio (1947–78), donde tuvo como estudiantes, entre otros, a PIERRE BOULEZ, KARLHEINZ STOCKHAUSEN y IANNIS XENAKIS. Su principal fuente de inspiración fue su fe católica devota y casi mística. Su amor por la naturaleza se hace palpable en muchas de sus obras inspiradas en el canto de las aves. También

Olivier Messiaen.

fue influenciado en el aspecto rítmico por su estudio de la música de la India y exploró sistemáticamente materiales armónicos no tonales. Entre sus principales obras destacan *Vingt regards sur l'enfant Jésus* (1944) y *Catálogo de pájaros* (1958) para piano, *La Nativité du Seigneur* (1935) para órgano, la *Turangalîla-Symphonie* (1948), *Et expecto resurrectionem mortuorum* (1964) y la ópera *Saint François d'Assise* (1983).

Messier, catálogo de Lista con unos 109 cúmulos de ESTRELLAS, NEBULOSAS y GALAXIAS compilada por el astrónomo francés Charles Messier (n. 1730–m. 1817), quien descubrió muchos de esos objetos celestes. Aunque todavía es una guía valiosa para los astrónomos aficionados, fue superado por el Nuevo catálogo general (New General Catalog, NGC). Aún hoy se siguen utilizando los números de referencia de ambos catálogos, NGC y M (p. ej., NGC5128, M31).

Messina *antig.* **Zankle** Ciudad (pob., est. 2001: 236.621 hab.) en el nordeste de SICILIA, Italia. Fundada por los griegos en el s. VIII AC, fue destruida por los cartagineses en 397 AC. Los romanos conquistaron la ciudad reconstruida en 264 AC, desencadenando así la primera guerra PÚNICA. Después de la guerra se convirtió en una ciudad libre aliada con Roma. Más tarde la conquistaron sucesivamente godos, bizantinos, árabes, normandos, españoles y, finalmente (en 1860), los italianos. Sufrió intensos bombardeos durante la segunda guerra mundial, pero fue reconstruida. Actualmente es un importante puerto italiano. Entre sus sitios de interés se cuentan la catedral y la universidad (fundada en 1548).

Messina, Antonello da (c. 1430, Messina, Sicilia–c. 19 feb. 1479, Messina). Pintor italiano. Se formó en Nápoles, en ese entonces un centro de arte cosmopolita, donde estudió a los artistas flamencos, particularmente a JAN VAN EYCK. Basándose en estas experiencias, al regresar a Venecia introdujo la pintura al óleo y las técnicas pictóricas flamencas al arte veneciano de mediados del s. XV. Sus obras más importantes fueron retablos y retratos. En Venecia realizó el retablo de san Cassiano, del cual se conservan tres fragmentos. Se pusieron de moda sus retratos de tres cuartos de busto, que combinaban el detalle flamenco con la grandeza italiana. La costumbre de Antonello, de construir la forma con el color más que con la línea y la sombra, tuvo gran influencia sobre el desarrollo de la pintura veneciana. Ver también escuela VENECIANA.

"Retrato de un hombre", pintura sobre panel de Antonello da Messina, c. 1472; National Gallery, Londres.
GENTILEZA DEL DIRECTORIO DE LA NATIONAL GALLERY, LONDRES

Messina, estrecho de *antig.* **Siculum Fretum** Canal que separa el sur de Italia del nordeste de Sicilia. Mide de 4 a 19 km (2,5 a 12 mi) de ancho. En la ribera de SICILIA, frente a Reggio di Calabria, se encuentra la ciudad de MESSINA. El estrecho cuenta con un servicio de ferry entre Messina y la península Itálica.

mester de clerecía Tendencia poética castellana del s. XIII y principios del XIV, que se conoce por su erudición y carácter escrito, a diferencia del carácter popular y oral del MESTER DE JUGLARÍA. El mester de clerecía debe su nombre al hecho de haber sido desarrollado principalmente por clérigos (término que, en la Edad Media, incluía tanto a eclesiásticos como a personas cultivadas en general). Su forma métrica más común es la cuaderna vía. El mester de clerecía se caracteriza por la regularidad métrica, los temas eruditos y variados, el carácter narrativo y la intención didáctica. Muchas de las obras de esta escuela se basan directamente en fuentes latinas. Entre sus representantes más destacados se cuentan GONZALO DE BERCEO y JUAN RUIZ.

mester de juglaría Literalmente, ministerio u oficio de los JUGLARES castellanos, que se desarrolló entre los s. XI y XIV. De esta tendencia surgieron numerosos poemas épicos narrativos extensos, como el CANTAR DE MÍO CID, y otros más breves de tipo narrativo o lírico: los romances. Estos fueron reunidos más adelante en el ROMANCERO. Los poemas extensos de los juglares se distinguieron por su carácter popular, su irregularidad métrica (a base de tiradas, series de diferentes números de versos, diversos en su medida y con rima no codificada) y su transmisión oral a través de espectáculos artísticos.

mestizo Cualquier persona nacida de padre y madre de raza diferente. En Hispanoamérica, el término denota a una persona que combina ascendencia amerindia y europea. En algunos países, como Ecuador, esto ha acarreado connotaciones culturales y sociales: a un indio con sangre pura que ha adoptado la forma de vestir y las costumbres europeas se lo denomina mestizo (o *cholo*). En México, su significado ha variado tanto que ha sido abandonado en los informes de censos. En Filipinas se refiere a una persona que es mezcla de ancestro extranjero (p. ej., chino) con nativo.

metabolismo Suma de todas las REACCIONES QUÍMICAS que tienen lugar en cada CÉLULA de un organismo vivo, que suministra energía a los procesos biológicos y sintetiza materia celular nueva. El término metabolismo intermediario se refiere a la inmensa red de reacciones químicas interconectadas por las cuales todos los constituyentes de la célula, muchos de los cuales rara vez se encuentran en el exterior, son creados y destruidos. Las reacciones anabólicas utilizan energía para construir MOLÉCULAS complejas a partir de compuestos orgánicos más simples (p. ej., PROTEÍNAS a partir de AMINOÁCIDOS, CARBOHIDRATOS a partir de AZÚCARES, GRASAS a partir de ácidos GRASOS y GLICEROL); las reacciones catabólicas descomponen moléculas complejas en otras más simples, liberando energía química. Para la mayor parte de los organismos, la energía proviene en último término del Sol, ya sea que la obtengan por FOTOSÍNTESIS y la almacenen en compuestos orgánicos o consumiendo organismos que la reciben de ella. En algunas BACTERIAS que se desarrollan en ambientes especiales, como las CHIMENEAS SUBMARINAS, la energía proviene en cambio de reacciones químicas. La energía es transferida dentro de la célula y del organismo a través del compuesto orgánico llamado ATP; las reacciones anabólicas consumen energía, y las reacciones catabólicas la generan. Cada reacción química celular es mediada por una ENZIMA específica. El proceso que descompone una sustancia a menudo no es una reversión del proceso que la forma; es otro proceso que utiliza una enzima diferente. Ver también DIGESTIÓN; FERMENTACIÓN; GLICÓLISIS; ciclo de KREBS.

metabolista, escuela Movimiento arquitectónico japonés de la década de 1960. TANGE KENZO lo inició con su diseño para el proyecto de la bahía de Boston (1959), EE.UU., el cual incluía dos gigantescos marcos en A de los que colgaban "estanterías" para viviendas y otros edificios. Guiados por Tange, ISOZAKI ARATA, Kikutake Kiyonori (n. 1928) y Kurokawa Kisho (n. 1934), los metabolistas se centraron en crear estructuras que combinaran un conjunto de imágenes de alta tecnología, BRUTALISMO y megaestructuras (complejos multifuncionales prácticamente autosuficientes). Los manifiestos metabolistas que se expusieron en la Conferencia de diseño mundial de 1960 allanaron el camino para proyectos posteriores, como el Arcosanti de PAOLO SOLERI. La promoción de estructuras que perseguían economías en el uso del terreno, como plataformas artificiales sobre las ciudades, revolucionó el pensamiento arquitectónico.

Metacom o **Metacomet** o **Rey Felipe** (1638, Massachusetts–12 ago. 1676, Rhode Island). Cacique indio wampanoag (cabeza de una confederación de tribus algonquinas). Su padre, MASSASOIT, negoció la paz con los primeros colonizadores de Nueva Inglaterra en 1621. Lleno de rencor por las posteriores humillaciones padecidas por él y su pueblo a manos de los blancos, en junio de 1675 condujo a una confederación de guerreros de las tribus wampanoag, narragansett, ABENAKI, nipmuck y MOHAWK al enfrentamiento. Conocida como la guerra del Rey Felipe, el conflicto que siguió constituyó la guerra india más brutal en la historia de Nueva Inglaterra. Luego de considerables pérdidas en vidas y propiedades por ambos lados, la confederación comenzó a desintegrarse, y la comida a escasear. Metacom regresó a su hogar ancestral, donde fue traicionado y asesinado en 1676 por un informante indígena aliado con los colonizadores. Fue decapitado y descuartizado; en Plymouth, su cabeza fue exhibida en una estaca durante 25 años.

metadona Compuesto orgánico, potente droga NARCÓTICA sintética, la forma más efectiva de tratamiento para la adicción a la HEROÍNA y a otros estupefacientes (ver DROGADICCIÓN). Desde la década de 1960 ha sido extensamente usada en EE.UU. en programas contra la heroinomanía. A pesar de ser también adictiva, es más fácil dejarla que la heroína. No causa efectos eufóricos ni lleva a desarrollar tolerancia, por lo que no requiere dosis crecientes. Una persona que ingiere una dosis diaria de mantenimiento no experimenta ni síntomas de privación ni apremio a causa de la heroína en cualquier intento para comenzar de nuevo, así la dependencia psicológica de la heroína puede romperse.

metafísica Rama de la filosofía que estudia la estructura y la constitución últimas de la realidad, i.e., de lo que es real en cuanto real. El término, que significa literalmente "lo que está más allá de la física", se empleó originalmente para referirse al tratado que había escrito ARISTÓTELES sobre lo que llamaba "filosofía primera". A lo largo de la historia de la filosofía occidental, la metafísica ha sido entendida de diversos modos: como una investigación acerca de qué categorías básicas de cosas existen (p. ej., lo mental y lo físico); como el estudio de la realidad, en cuanto opuesta a la apariencia; como el estudio del mundo en su conjunto, y como una teoría de los primeros principios. Algunos de los problemas básicos de la historia de la metafísica son el problema de los UNIVERSALES, i.e., el problema de la naturaleza de los universales y de su relación con los llamados particulares; la existencia de Dios; el problema MENTE-CUERPO, y el problema de la naturaleza de los objetos materiales o externos. Entre las principales corrientes de la teoría metafísica figuran el PLATONISMO, aristotelismo, TOMISMO, CARTESIANISMO (ver también DUALISMO), IDEALISMO, REALISMO y MATERIALISMO.

metafísica, pintura *italiano* **pittura metafisica** Estilo pictórico que floreció c. 1910–20, en las obras de los pintores italianos GIORGIO DE CHIRICO y Carlo Carrà (n. 1881–m. 1966). El movimiento comenzó con De Chirico, cuyas obras oníricas, con nítidos contrastes de luz y sombra, con frecuencia se caracterizaban por presentar una atmósfera vagamente amenazante y misteriosa. En 1917, De Chirico, su hermano menor Alberto Savinio y Carrà fundaron formalmente la escuela y sus principios. Su imaginería figurativa, a la vez que enigmática e incongruente, produce efectos inquietantes, y ejerció una poderosa influencia en el SURREALISMO de la década de 1920.

"El gran metafísico", óleo sobre tela de Giorgio de Chirico, 1917; Museo de Arte Moderno de Nueva York.
MUSEO DE ARTE MODERNO DE NUEVA YORK, PHILIP L. GOODWIN COLLECTION

metafísica, poesía Poesía altamente intelectualizada, propia de la Inglaterra del s. XVII. Menos preocupada en expresar sentimientos que en analizarlos, la poesía metafísica se caracteriza por sus conceptos audaces e ingeniosos (p. ej., metáforas que a veces expresan paralelos forzados entre ideas o cosas aparentemente disímiles), por un pensamiento complejo y agudo, por el uso frecuente de la paradoja, y por la dramática franqueza de la expresión, cuyo ritmo deriva del lenguaje hablado. JOHN DONNE fue el más destacado de los poetas metafísicos; también sobresalen GEORGE HERBERT, HENRY VAUGHAN, ANDREW MARVELL y ABRAHAM COWLEY.

metáfora FIGURA RETÓRICA en la cual una palabra o frase que denota un tipo de objeto o acción es usada en lugar de otra para sugerir una semejanza o analogía entre ellas (p. ej., "el barco ara los mares" o "una lluvia de juramentos"). Una metáfora es una comparación implícita (p. ej., "frente de mármol"), a diferencia de la comparación explícita propia de un SÍMIL ("frente blanca como el mármol"). La metáfora es de uso común en todos los niveles del lenguaje y es fundamental en la poesía. En ella sirve varias funciones que abarcan desde la mera constatación de un parecido hasta la conformación de un concepto central y una imagen que estructura el decir del poeta.

metal Cualquiera de una clase de sustancias que poseen en alguna medida las siguientes propiedades: buena conducción del calor y la electricidad, maleabilidad, ductilidad, alta reflectividad de la luz y capacidad para formar IONES positivos en solución e HIDRÓXIDOS en lugar de ÁCIDOS cuando sus ÓXIDOS entran en contacto con el agua. Alrededor del 75% de todos los ELEMENTOS QUÍMICOS son metales; por lo general, estos son sólidos cristalinos (ver CRISTAL) medianamente duros y resistentes, con alta reactividad química que con facilidad forman ALEACIONES entre sí. Las propiedades metálicas aumentan desde los elementos más livianos a los más pesados en cada grupo vertical de la TABLA PERIÓDICA, y de derecha a izquierda en cada fila. Los metales más abundantes son aluminio, hierro, calcio, sodio, potasio y magnesio. La inmensa mayoría se encuentran en MENAS y no libres. La cohesividad de los metales en una estructura cristalina es atribuida al ENLACE metálico: los ÁTOMOS están muy apiñados, con todos sus ELECTRONES más periféricos, muy móviles, compartidos en la totalidad de la estructura. Los metales están sujetos a las siguientes clasificaciones (no mutuamente excluyentes, y en general, sin una definición estricta): METALES ALCALINOS, METALES ALCALINOTÉRREOS, elementos de TRANSICIÓN, metales nobles (preciosos), metales de platino, metales lantánidos (metales de TIERRAS RARAS), metales ACTÍNIDOS, metales livianos y metales pesados. Muchos juegan roles esenciales en la NUTRICIÓN o en otras funciones bioquímicas, a menudo en cantidades ínfimas, y muchos son tóxicos como elementos y compuestos (ver INTOXICACIÓN POR MERCURIO; INTOXICACIÓN POR PLOMO).

metal alcalino Cualquiera de los seis ELEMENTOS QUÍMICOS del grupo IA de la TABLA PERIÓDICA (LITIO, SODIO, POTASIO, rubidio, CESIO y francio). Forman ÁLCALIS cuando se combinan con otros elementos. Debido a que sus ÁTOMOS tienen un solo ELECTRÓN en la capa más periférica, son químicamente muy reactivos (reaccionan rápido e incluso violentamente, con el agua), forman numerosos compuestos y no se encuentran nunca libres en la naturaleza.

metal alcalinotérreo Cualquiera de los seis ELEMENTOS QUÍMICOS del grupo IIA de la TABLA PERIÓDICA (BERILIO, MAGNESIO, CALCIO, ESTRONCIO, BARIO y RADIO). Su nombre se remonta a la ALQUIMIA medieval. Sus ÁTOMOS tienen dos ELECTRONES en la capa más periférica, de modo que reaccionan fácilmente formando numerosos compuestos, y no se encuentran nunca libres en la naturaleza.

metálicos, instrumentos Instrumentos musicales de viento, fabricados anteriormente con bronce y hoy en día de otro metal, en los cuales la vibración de los labios del intérprete contra una boquilla en forma de copa o embudo causa la vibración inicial de una columna de aire. Son considerados instrumentos metálicos: TROMPETA, TROMBÓN, CORNO, TUBA, EUFONIO, SOUSAFÓN, CORNETA, FISCORNO y CLARÍN, así como los instrumentos históricos oficleide, corneta renacentista y serpentón, aunque los dos últimos eran de madera. El saxofón, a pesar de estar hecho de bronce, es un instrumento de LENGÜETA, y se clasifica dentro de los instrumentos de VIENTO-MADERA.

metalismo Política monetaria del MERCANTILISMO. Preconizaba la regulación nacional de las operaciones en moneda extranjera y metales preciosos, a fin de mantener una balanza favorable en el país de origen. El metalismo se asocia principalmente a la España de los s. XVI–XVII, en que se creía que su prosperidad y poderío militar se debían al oro y plata de sus colonias en el Nuevo Mundo. Esta visión dio origen a la teoría de que una BALANZA COMERCIAL favorable incrementaría la provisión de metales preciosos de una nación. La abundante riqueza de España llevó al país a comprar bienes y servicios en el exterior sin proteger la industria nacional, razón por la cual esta experimentó un deterioro económico.

metalistería Objetos utilitarios y decorativos fabricados de diversos metales. La técnica más antigua es el martillado. Después de c. 2500 AC también se usó la COLADA, que consiste en verter metal fundido en un molde hasta enfriarse. Se emplean varias técnicas decorativas. El ORO y la PLATA se han trabajado desde tiempos remotos y sus objetos tuvieron tanta demanda en el s. XII, que los orfebres y plateros organizaron gremios. En la América precolombina se fabricaron objetos de oro y plata de alta calidad. El COBRE se trabajó en el antiguo Egipto y se usó ampliamente para utensilios domésticos en Europa durante los s. XVII–XVIII. Tanto el BRONCE como el LATÓN fueron muy usados en la antigua Grecia. En la Edad Media se fabricaron platos y jarras de PELTRE, material que perduró hasta ser reemplazado en el s. XVIII por la LOZA y la PORCELANA, que eran de menor valor. Desde el s. XVI, el HIERRO FORJADO ha sido utilizado para bisagras, rejas y balaustradas decorativas, en tanto que el PLOMO, para cubiertas de techo.

metalógica Estudio de la sintaxis y la semántica de los lenguajes formales y los sistemas FORMALES. Tiene relación con el tratamiento formal de las lenguas naturales (p. ej., inglés, ruso), aunque sin incluirlo. La metalógica ha dado origen a un gran caudal de investigaciones de naturaleza matemática sobre teoría de CONJUNTOS axiomática, teoría de los modelos, y teoría de la recursión (en que se estudian funciones que son calculables en un número finito de pasos).

metalografía Estudio de la estructura de METALES y ALEACIONES, en especial mediante técnicas de microscopia y difracción de RAYOS X. La observación microscópica de SUPERFICIES y FRACTURAS metálicas puede revelar valiosa información sobre la constitución cristalina, química y mecánica del material. En los microscopios electrónicos se concentra sobre la muestra un haz de electrones en lugar de un haz de luz. El desarrollo de los microscopios electrónicos por transmisión ha hecho posible examinar detalles internos de láminas de metal muy delgadas. Para estudiar fenómenos relacionados con las agrupaciones de los átomos entre sí se usan técnicas de difracción de rayos X. Ver también ciencia de los MATERIALES; HENRY C. SORBY.

metalurgia Arte y ciencia de la extracción de un METAL de su MENA y la modificación de los metales para utilizarlos. La metalurgia normalmente alude a métodos industriales más que de laboratorio. También se ocupa de las propiedades químicas, físicas y atómicas de los metales, de sus estructuras y de los principios que rigen sus ALEACIONES. Los metales se extraen del mineral bruto en dos fases, el tratamiento de MINERALES y los procesos metalúrgicos. En el tratamiento de minerales, el mineral bruto se disgrega para aislar los elementos metálicos deseados de la parte no deseada (la ganga). En los procesos metalúrgicos, los minerales resultantes de la fase anterior se reducen a metales, los que luego son aleados y preparados para su uso. Ver también ALTO HORNO; FUNDICIÓN DE MINERAL; PULVIMETALURGIA.

metamorfismo Cambios mineralógicos y estructurales en rocas sólidas causados por condiciones físicas diferentes de aquellas bajo las cuales las rocas se formaron en su origen. A menudo se excluyen los cambios producidos por condiciones superficiales, como compactación. Los agentes más importantes del metamorfismo son la temperatura (150°–1.200 °C o 300°–2.200 °F), presión (desde 10 hasta muchos cientos de kilobares o 150.000 a varios millones de lb por pulg^2.) y otras tensiones. El metamorfismo dinámico resulta de la deformación mecánica con poca variación de temperatura en el largo plazo. El metamorfismo de contacto resulta de aumentos de temperatura con tensiones diferenciales menores; es altamente localizado y puede ocurrir con relativa rapidez. El metamorfismo regional resulta del aumento generalizado, casi siempre correlacionado, de temperatura y presión sobre una gran área y por largo tiempo, como en los procesos de formación de montañas. Ver también ROCA METAMÓRFICA.

metamorfosis En biología, cualquier cambio ontogenético notable de la forma o estructura de un animal, acompañado por modificaciones fisiológicas, bioquímicas y conductuales. Los ejemplos más conocidos ocurren en los insectos, que pueden mostrar metamorfosis completa o incompleta (ver NINFA). La metamorfosis completa de las mariposas, polillas y algunos otros insectos comprende cuatro estadios: huevo (ver ÓVULO), LARVA (ORUGA), CRESÁLIDA (crisálida o capullo) y adulto. El cambio de RENACUAJO a rana es un ejemplo de metamorfosis en los anfibios; algunos equinodermos, crustáceos, moluscos y tunicados también experimentan metamorfosis.

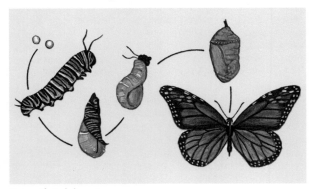

Metamorfosis de la mariposa.
© ENCYCLOPÆDIA BRITANNICA, INC.

metanal ver FORMALDEHÍDO

metano o **grisú** o **gas de los pantanos** Compuesto orgánico de fórmula química CH_4, GAS incoloro e inodoro, se encuentra en el GAS NATURAL (llamado grisú en las minas de carbón) y proviene de la descomposición bacteriana de la vegetación en ausencia de oxígeno (como en el rumen del ganado vacuno y de otros RUMIANTES, y en el intestino de los TERMES). Constituye el miembro más simple de los HIDROCARBUROS de PARAFINA; se quema fácilmente formando DIÓXIDO DE CARBONO y AGUA si se suministra suficiente OXÍGENO para completar la combustión; si el oxígeno es insuficiente forma MONÓXIDO DE CARBONO Las mezclas del 5–14% de metano en el aire son explosivas y han causado muchos desastres mineros. La fuente principal de metano es el gas natural, pero también puede producirse a partir de carbón. El uso del metano, combustible abundante, económico y limpio, está ampliamente difundido en hogares, establecimientos comerciales y fábricas; como medida de seguridad, se mezcla con cantidades ínfimas de odorante para permitir su detección. También es materia prima para muchos materiales industriales, como fertilizantes, explosivos, cloroformo, tetracloruro de carbono y negro de carbón, y constituye la fuente principal del METANOL.

metanol o **alcohol metílico** o **alcohol de madera** El más simple de los ALCOHOLES, de fórmula química CH_3OH. Antiguamente se producía por destilación destructiva de la madera, pero por lo general hoy es elaborado a partir del METANO del gas natural. Material industrial importante, sus derivados son utilizados en grandes cantidades para un vasto número de compuestos, entre ellos, muchos colorantes sintéticos, resinas, drogas y perfumes. Además es empleado como anticongelante en automóviles, combustible para cohetes y como solvente. Inflamable y explosivo, por ser un carburante de combustión limpia puede sustituir (al menos en parte) a la GASOLINA. También es utilizado para la DESNATURALIZACIÓN del ETANOL. Al ser ingerido en forma líquida o inhalado en vapor, el metanol puede resultar muy tóxico, causar ceguera, o a la larga, la muerte.

metasecuoya Árbol conífero deciduo (*Metasequoia glyptostroboides*), que constituye la única especie viviente del género *Metasequoia*, de la familia Taxodiaceae, originario de valles remotos de China central. Sus hojas y ramillas se disponen opuestas desde diversos puntos a lo largo del tronco. Las hojas pinnadas, verde brillante, se tornan pardo rojizo en otoño. Aunque los fósiles de *Metasequoia* son abundantes, se pensaba que el árbol era una especie extinta hasta que se encontraron especímenes vivos en la década de 1940. Se sabe que sólo unos cuantos miles han sobrevivido en China central. Desde que se descubrieron estos rodales, se han plantado semillas y esquejes de esta especie en todo el mundo.

metasomático, reemplazo Proceso de solución y sedimentación simultáneos en el que un mineral reemplaza a otro. Método mediante el cual se petrifica la madera (la sílice reemplaza a las fibras de madera), los minerales forman seudomorfos (minerales nuevos que preservan la forma externa característica del que fue reemplazado) o un agrupamiento de minerales toma el lugar de un tipo de roca anterior. Los minerales de reemplazo pueden a su vez ser reemplazados, y se han establecido sucesiones definidas de minerales. Los depósitos de reemplazo pueden ser yacimientos minerales de alto valor.

Metastasio, Pietro orig. **Antonio Domenico Bonaventura Trapassi** (3 ene. 1698, Roma–12 abr. 1782, Viena). Poeta italiano y libretista de ópera. Su padre adoptivo le cambió el nombre y legó al joven el suficiente dinero para embarcarse en una carrera como poeta. Su primer libreto, *Didone abbandonata* (1724), fue un suceso que poco después se hizo conocido en toda Italia. Al anterior siguieron libretos importantes como *Enzio* (1728) y *Semiramide* (1729). Fue invitado a Viena por CARLOS VI en calidad de poeta de la corte. Sus 27 libretos en tres actos se representaron en más de 800 óperas entre el s. XVIII y principios del s. XIX por compositores como ANTONIO VIVALDI, GEORG HÄNDEL, CHRISTOPH GLUCK, JOSEPH HAYDN, WOLFGANG AMADEUS MOZART y LUIGI CHERUBINI.

Metaxás, Ioánnis (12 abr. 1871, Ítaca, Grecia–29 ene. 1941, Atenas). General y primer ministro griego (1936–41). Ascendió en el ejército griego hasta convertirse en jefe de estado mayor (1913–17). Monárquico ferviente, abandonó Grecia cuando el rey CONSTANTINO I fue depuesto en 1917, pero regresó en 1920. Después de la caída de la monarquía en 1923, encabezó un partido ultramonárquico de oposición hasta que se restableció la monarquía en 1935. Nombrado primer ministro en 1936, estableció una dictadura con la autoridad real. Suprimió la oposición política, realizó algunas reformas económicas y sociales beneficiosas y llevó a un país unido a la alianza occidental en la segunda guerra mundial.

meteco (griego, *metoikos*). Residente extranjero, incluidos los esclavos liberados, en la antigua Grecia. Aunque los metecos eran libres, carecían de los beneficios plenos de la ciudadanía. Por un impuesto reducido, disfrutaban de la protección legal y de la mayoría de las obligaciones de un ciudadano, entre ellos, el aporte a los fondos públicos, el financiamiento de las fiestas y el servicio militar, pero no podían casarse con alguien que fuera ciudadano ni poseer tierras. Existían en la mayoría de los estados, con la excepción de Esparta. En Atenas representaban un tercio de la población libre.

metempsícosis ver REENCARNACIÓN

meteorítica Estudio de la química y mineralogía de muestras de METEORITO que han sido recogidas en la Tierra y de METEOROS en su paso a través de la atmósfera terrestre. Estos estudios proveen información acerca de la edad de los meteoritos, condiciones bajo las cuales se formaron, de dónde vienen y la historia geológica de sus cuerpos de origen, incluyendo cometas, asteroides, Marte y la Luna. Este campo de estudio es especialmente importante para entender la historia temprana y la evolución del sistema SOLAR.

meteorito Cualquier partícula interplanetaria o fragmento de materia rocosa o metálica (meteoroide) que sobrevive al impacto con la atmósfera y alcanza la superficie terrestre o de otro planeta. En la Tierra, su velocidad de entrada –por lo menos 11 km/s (7 mi/s)– produce suficiente calor por ROZAMIENTO con el aire para vaporizar parte o todo el meteoroide y ponerlo incandescente, generando un trazo de luz (METEORO) que cruza el cielo. Aunque un gran número de meteoroides ingresan a la atmósfera terrestre cada año, sólo unos cuantos cientos alcanzan a chocar con su superficie.

meteorización Desintegración física y descomposición química de materiales sólidos en la superficie terrestre o en su cercanía. Los cambios son causados por procesos físicos, químicos y biológicos inducidos o modificados por agentes atmosféricos como el viento, el agua y el clima. La meteorización, a diferencia de la EROSIÓN, no involucra transporte de material. Sin embargo, una definición más amplia de erosión incluye la meteorización como componente. Se distingue también del METAMORFISMO, que a menudo ocurre en las profundidades de la corteza a temperaturas y presiones mucho mayores.

meteoro o **estrella fugaz** Trazo de luz en el cielo que se produce cuando una partícula o pequeño fragmento de materia rocosa o metálica ingresa en la ATMÓSFERA terrestre y es vaporizado por el ROZAMIENTO. El término a veces se aplica al objeto en sí, el que en rigor se denomina meteoroide. La mayoría de los meteoroides, viajando a cinco o más veces la velocidad del sonido, se queman en la atmósfera superior; pero algunos sobreviven a la caída y alcanzan la superficie como un cuerpo sólido (METEORITO). Ver también LLUVIA METEÓRICA.

meteorología Estudio científico de los fenómenos atmosféricos, particularmente de la TROPOSFERA y ESTRATOSFERA inferior. Comprende el estudio sistemático del clima y sus causas y provee las bases para el PRONÓSTICO METEOROLÓGICO. Ver también CLIMATOLOGÍA.

meteorológica, alteración ver ALTERACIÓN METEOROLÓGICA

metionina AMINOÁCIDO esencial que contiene AZUFRE, presente en muchas PROTEÍNAS comunes, en particular en la ALBÚMINA del huevo. Se utiliza en productos farmacéuticos, en alimentos enriquecidos, como suplemento nutritivo y aditivo forrajero.

métis En la historia canadiense, persona que comparte ancestros indios y franceses o escoceses. Los primeros métis fueron los descendientes de mujeres indias y comerciantes europeos de pieles en la zona del río Rojo, que actualmente corresponde al sur de Manitoba. Se llaman a sí mismos "la gente olvidada". Su lenguaje, el michif, es una lengua comercial, mezcla de francés y del idioma de la tribu cree. Sólo un porcentaje reducido de personas pueden hablar michif, si bien se realizan esfuerzos por preservarlo. Por más de medio siglo cultivaron una forma de vida distintiva y llegaron a considerarse una nación. Su cultura, particularmente vestimenta, trabajos artísticos, música y danza, puede caracterizarse como excepcional y llena de color. Resistieron la invasión canadiense del noroeste en 1869, establecieron un gobierno provisional bajo el liderazgo de LOUIS RIEL y en 1870 negociaron su unión con Canadá, lo que concluyó con el establecimiento de la provincia de Manitoba. El número estimado de métis en el oeste de Canadá varía entre 100.000 y cerca de 800.000 personas.

Metodio, santo ver santos CIRILO y Metodio

metodismo Movimiento religioso protestante originado por JOHN WESLEY en la Inglaterra del s. XVIII. Wesley, un sacerdote anglicano, experimentó en 1738 una revelación en la cual sintió la seguridad de su salvación personal, y pronto comenzó a predicar al aire libre. El metodismo partió como un movimiento para revitalizar la Iglesia de Inglaterra y formalmente no rompió con ella hasta 1795. El sistema organizado metodista de gobierno eclesiástico combinó una fuerte autoridad central con una organización local efectiva y la utilización de predicadores laicos. Especialmente exitoso entre la clase trabajadora de zonas industriales, el movimiento se expandió

con rapidez en el s. XIX. La Iglesia metodista episcopal fue fundada en EE.UU. en 1784 y las cabalgatas metodistas ganaron muchos seguidores en la frontera. Desde entonces, los misioneros británicos y estadounidenses han difundido el metodismo por todo el mundo. Su doctrina enfatiza el poder del Espíritu Santo, la necesidad de una relación personal con Dios, la simplicidad del culto y la preocupación por los desamparados.

método axiomático En LÓGICA, procedimiento mediante el cual una ciencia en su totalidad o un sistema de teoremas es deducido lógicamente, de acuerdo con reglas determinadas, a partir de ciertos enunciados básicos (AXIOMAS), que a su vez se construyen a partir de un pequeño número de términos postulados como primitivos. Estos términos pueden ser definidos en forma arbitraria o concebidos conforme a un modelo que parezca ofrecer alguna justificación intuitiva con respecto a la verdad de aquellos. Los sistemas axiomáticos más antiguos son la SILOGÍSTICA de Aristóteles y la GEOMETRÍA EUCLIDIANA. A comienzos del s. XX, BERTRAND RUSSELL y ALFRED NORTH WHITEHEAD trataron de formalizar la matemática en su conjunto de un modo axiomático. Algunos autores han sometido incluso las ciencias empíricas a este método, como J.H. Woodger en *The Axiomatic Method in Biology* [El método axiomático en biología] (1937) y Clark Hull en *Principios del comportamiento* (1943).

método científico Técnica matemática y experimental aplicada en las ciencias naturales. Muchas ciencias empíricas, en especial las ciencias sociales, utilizan instrumentos matemáticos provenientes de la teoría de las PROBABILIDADES y la ESTADÍSTICA, en conjunto con disciplinas derivadas de estas últimas, como la teoría de la DECISIÓN, la teoría de JUEGOS, la teoría de la utilidad y la INVESTIGACIÓN DE OPERACIONES. La filosofía de las ciencias se ha ocupado de diversos problemas metodológicos de orden general, entre ellos la naturaleza de la EXPLICACIÓN científica y la justificación de la INDUCCIÓN. Ver también métodos de MILL.

método de los mínimos cuadrados ver método de los MÍNIMOS CUADRADOS

metralla ver OBÚS DE FRAGMENTACIÓN

métrico, sistema Sistema decimal internacional de pesos y medidas, basado en el METRO (m) para la longitud, y en el kilogramo (kg) para la masa, adoptado originalmente en Francia en 1795. Todas las demás unidades métricas emanaron del metro, como el gramo (g) para el peso (1 cc de agua a su máxima densidad) y el litro (l) para medir capacidad (un milésimo de metro cúbico). En el s. XX, el sistema métrico se convirtió en la base del SISTEMA INTERNACIONAL DE UNIDADES, usado oficialmente en casi todo el mundo.

metro Medida de un verso. Se determina en función de diferentes principios según la lengua en cuestión. En algunas de ellas, es, junto con la distribución de los acentos, un elemento condicionante del ritmo del verso. El verso cuantitativo, que es el metro propio de la poesía griega y latina clásica, mide la duración del tiempo requerido para pronunciar sílabas, independientemente de su acentuación; la combinación de sílabas cortas y largas forma las unidades rítmicas básicas. El verso silábico es más común en idiomas que no tienen una acentuación fuerte, como el español, francés o japonés; se basa en un número fijo de sílabas dentro de un verso. El verso acentuado es común en idiomas cuya acentuación es fuerte, como en las lenguas germánicas; se cuentan sólo las sílabas fuertemente acentuadas. El verso silábico acentuado en inglés combina el conteo de sílabas y de acentos. El metro inglés de mayor uso es el pentámetro yámbico, un verso de diez sílabas o cinco pies yámbicos; cada pie consiste de una sílaba átona seguida de una sílaba acentuada. En el verso en lengua española se cuentan todas las sílabas prosódicas como base del metro, pero además se aplican la sinalefa (fusión, en una sola sílaba, de la vocal con que termina una palabra y la vocal con que comienza la siguiente), la diéresis (separación en sílabas distintas de dos vocales que forman un diptongo natural) y la ley del acento final (se cuenta una sílaba después del último acento del verso, de manera que los metros más usados en la lírica de lengua española, el octosílabo y el endecasílabo, tienen su último acento en la séptima y décima sílaba, respectivamente). El VERSO LIBRE no sigue patrones métricos regulares. Ver también PROSODIA.

metro Unidad básica de longitud del sistema MÉTRICO y del SISTEMA INTERNACIONAL DE UNIDADES. En 1983, la Conferencia General de Pesos y Medidas decidió aceptar para la velocidad de la luz el valor de 299.792.458 metros por segundo, de manera que el metro ahora se define como la distancia recorrida por la luz en el vacío en 1/299.792.458 segundos. Un metro es igual a 39,37 pulg. aprox. en el sistema consuetudinario estadounidense.

metro ver TREN SUBTERRÁNEO

Metro-Goldwyn-Mayer, Inc. ver MGM

metrología Ciencia de la MEDICIÓN. La medición de una cantidad significa establecer la razón entre ella y otra cantidad fija del mismo tipo, conocida como la unidad de ese tipo de cantidad. Una unidad es una idea abstracta, definida ya sea respecto de un patrón elegido al azar o de un fenómeno natural. Por ejemplo, el METRO, patrón de longitud del sistema MÉTRICO, se definía antes (1889–1960) por la separación entre dos líneas grabadas sobre una barra metálica especial, pero hoy se define como la distancia recorrida por la luz en el vacío en 1/299.792.458 seg. Ver también SISTEMA INTERNACIONAL DE UNIDADES.

Metropolitan Opera Principal teatro de ópera en EE.UU., con sede en Nueva York. Fundado por un grupo de millonarios que no lograban conseguir palcos en la Academia de Música, se inauguró en 1883. Este recinto perduró más allá de su frívolo origen, convirtién-

Porte des Allemands (Puerta de los alemanes), Metz, Francia.
P. SALOU–SHOSTAL

dose en el equivalente estadounidense de la SCALA de Milán y atrayendo además, como ningún otro teatro de ópera en el mundo, a cantantes de gran calidad. En un principio se ubicó en la esquina de Broadway y la calle 39, pero en 1966 se trasladó a un nuevo edificio en el LINCOLN CENTER FOR THE PERFORMING ARTS.

Metropolitano de Arte de Nueva York, Museo inglés **Metropolitan Museum of Art** Colección de arte más completa de EE.UU. y una de las principales del mundo. Con sede en Nueva York, se constituyó en 1870. El actual edificio del Central Park en la Quinta Avenida se abrió al público en 1880. El museo se construyó con aportes de hombres de negocios; hoy pertenece a la ciudad, sin embargo, se mantiene principalmente con donaciones privadas. Sus extraordinarias colecciones de arte egipcio, mesopotámico, griego, romano, europeo, precolombino, estadounidense y de Asia oriental y Medio Oriente abarcan, además, pinturas, esculturas y artes gráficas, arquitectura, vitrales, cerámicas, textiles, metalistería, mobiliario, armas y armaduras e instrumentos musicales. También cuenta con un Instituto del vestido y la biblioteca Thomas J. Watson, una de las colecciones de referencia sobre arte y arqueología más grandes del mundo. La mayor parte de la co-

lección medieval se alberga en el museo de los Claustros, en el parque Fort Tyron de Manhattan. Su edificio (1938) tiene incorporados fragmentos de monasterios e iglesias medievales.

Metsys, Quentin (c. 1465/66, Lovaina, Brabante–1530, Amberes). Artista flamenco. Según la tradición, Metsys (cuyo nombre también se escribía Massys o Matsys) se formó como herrero, pero estudió pintura después de enamorarse de la hija de un artista. En 1491 se incorporó al gremio de los artistas de Amberes. Sus pinturas más destacadas son dos grandes trípticos, *Retablo de santa Ana* (1507–09) y *Entierro de Cristo* (1508–11). Ambos expresan poderosos sentimientos religiosos y precisión en el detalle. Pintó muchos retratos notables, como uno de ERASMO DE ROTTERDAM. Fue el primer pintor importante de la escuela pictórica de Amberes, y el primer artista flamenco que realizó una verdadera síntesis de las tradiciones del norte de Europa y del RENACIMIENTO italiano.

Metternich (-Winneburg-Beilstein), Klemens (Wenzel Nepomuk Lothar), príncipe de (15 may. 1773, Coblenza, arzobispado de Trier–11 jun. 1859, Viena, Austria). Estadista austríaco. Sirvió en el servicio diplomático como ministro de Austria en Sajonia (1801–03), Berlín (1803–05) y París (1806–09). En 1809, Francisco I de Austria (ver emperador FRANCISCO II) lo nombró ministro de asuntos exteriores, cargo que conservaría hasta 1848. Ayudó a gestionar el matrimonio de NAPOLEÓN I con la hija de Francisco, MARÍA LUISA. Mediante una hábil diplomacia y engaño, mantuvo a Austria neutral en la guerra entre Francia y Rusia (1812) y aseguró su posición de poder antes de aliarse finalmente con Prusia y Rusia (1813). En agradecimiento por sus logros diplomáticos, el emperador lo nombró príncipe hereditario. Como organizador del Congreso de VIENA (1814–15), fue en gran parte responsable de la política de EQUILIBRIO DE PODER en Europa para asegurar la estabilidad de los gobiernos europeos. Después de 1815 continuó oponiéndose firmemente a las ideas liberales y a los movimientos revolucionarios. Fue obligado a renunciar por las REVOLUCIONES de 1848. Es recordado por el papel cumplido en la restauración de Austria como importante potencia europea.

Metz Ciudad (pob., est. 1999: 123.776 hab.) del nordeste de Francia. Su nombre proviene de *Mediomatrici*, tribu gala que la convirtió en su capital. Fortificada por los romanos, en el s. IV DC llegó a ser un obispado. En el s. V pasó a dominio de los francos y en 843 se convirtió en la capital de LORENA. Prosperó como ciudad libre durante el SACRO IMPERIO ROMANO. Capturada por los franceses en 1552, fue cedida oficialmente a Francia en 1648. En 1871 cayó en manos de los alemanes, pero fue devuelta a Francia después de la primera guerra mundial. Es la cuna de PAUL VERLAINE.

Mexicali Ciudad (pob., est. 2000: 550.000 hab.), capital del estado de BAJA CALIFORNIA, noroeste de México. Se encuentra en el valle del Mexicali, una extensión del IMPERIAL VALLEY de EE.UU., en la zona del nordeste de Baja California. Está situada en el límite entre México y EE.UU. frente a Calexico, Cal. Su nombre, formado por las primeras dos sílabas de México y California, fue escogido como gesto de amistad entre ambos países. Su economía se basa principalmente en el turismo, así como en la elaboración y distribución de algodón, frutas, verduras y cereales. Es sede de la Universidad Autónoma de Baja California.

mexicano-estadounidense, guerra (1846–48). Guerra librada entre EE.UU. y México. Surgió de una disputa fronteriza cuando EE.UU. anexó Texas a su territorio en 1845; México declaró que el límite sur de Texas era el río Nueces y EE.UU. declaró que era el río Bravo (o Grande del Norte). Una misión secreta de JOHN SLIDELL, quien fue a negociar la disputa y compra de Nuevo México y California hasta por US$ 30 millones, abortó cuando México se negó a recibirlo. En respuesta a este desaire, el pdte. JAMES POLK envió tropas al mando de ZACHARY TAYLOR a ocupar el territorio en disputa entre los dos ríos. En abril de 1846 soldados mexicanos cruzaron el río Bravo y atacaron a los soldados de Taylor. En mayo, el congreso aprobó una declaración de guerra. Con orden de invadir México, Taylor capturó Monterrey y, en febrero de 1847, derrotó a una numerosa fuerza mexicana al mando de ANTONIO SANTA ANNA, en la batalla de BUENA VISTA. Polk entonces ordenó al gral. WINFIELD SCOTT que trasladara su ejército por mar hasta Veracruz, capturara la ciudad y marchara tierra adentro hasta la ciudad de México. Scott siguió el plan, encontró resistencia en CERRO GORDO y CONTRERAS, y entró en la ciudad de México en septiembre. En virtud del tratado de GUADALUPE HIDALGO, México cedió a EE.UU. casi todo el actual Nuevo México, Utah, Nevada, Arizona, California, Texas y Colorado a cambio de US$ 15.000.000 y de que EE.UU. asumiera todas las demandas de ciudadanos estadounidenses contra México. Las bajas estadounidenses sumaron unas 13.000 muertes, todas ellas, salvo 1.700, a causa de enfermedades. La guerra, que convirtió a Taylor en héroe nacional, reabrió el asunto de la prolongación de la esclavitud, que se suponía resuelto con el compromiso de MISSOURI.

MÉXICO

▶ **Superficie:** 1.964.375 km²
(758.449 mi²)

▶ **Población:** 107.029.000 hab.
(est. 2005)

▶ **Capital:** Ciudad de MÉXICO

▶ **Moneda:** peso mexicano

México *ofic.* **Estados Unidos Mexicanos** País del sur de América del Norte. El río BRAVO constituye su frontera nororiental con EE.UU. Cerca del 60% de los habitantes del país son MESTIZOS, 33% indígenas y el resto de ascendencia europea. Idiomas: español (oficial); se hablan más de 50 lenguas indígenas. Religión: catolicismo. México tiene dos grandes penínsulas: la de YUCATÁN al sudeste y la de BAJA CALIFORNIA al noroeste. La elevada meseta mexicana constituye el corazón del país y está rodeada de cadenas montañosas: la SIERRA MADRE occidental y oriental y la cordillera Neovolcánica. En esta última se halla el punto más alto del país, el volcán CITLALTÉPETL (Orizaba), de 5.610 m (18.406 pies). México tiene una economía mixta basada en la agricultura y la producción y extracción de petróleo y gas natural. Cerca del 12% del suelo es cultivable; entre sus principales cultivos figuran maíz, trigo, arroz, frijol, café, algodón, frutas y hortalizas. México es el mayor productor de plata, bismuto y celestita del mundo. Tiene grandes reservas de petróleo y gas natural. Entre los productos manufacturados destacan los alimentos procesados, productos químicos, vehículos de transporte y maquinaria eléctrica. Es una república bicameral; el jefe de Estado y de Gobierno es el presidente. Habitada desde hace más de 20.000 años, la región fue cuna de grandes civilizaciones durante 100–900 DC, como los OLMECAS, TOLTECAS, MAYAS y AZTECAS. En 1521, el explorador español HERNÁN CORTÉS conquistó el Imperio azteca y fundó la Ciudad de México en el lugar donde se asentaba la capital azteca, TENOCHTITLÁN. Francisco de Montejo conquistó los restos de la

Presidentes de México desde 1917

Presidente	Período	Presidente	Período
Venustiano Carranza*	1917-20	Adolfo Ruiz Cortines	1952-58
Adolfo de la Huerta	1920	Adolfo López Mateos	1958-64
Álvaro Obregón	1920-24	Gustavo Díaz Ordaz	1964-70
Plutarco Elías Calles	1924-28	Luis Echeverría Álvarez	1970-76
Emilio Portes Gil	1928-30	José López Portillo	1976-82
Pascual Ortiz Rubio	1930-32	Miguel de la Madrid Hurtado	1982-88
Abelardo L. Rodríguez	1932-34	Carlos Salinas de Gortari	1988-94
Lázaro Cárdenas del Río	1934-40	Ernesto Zedillo Ponce de León	1994-2000
Manuel Ávila Camacho	1940-46	Vicente Fox Quesada	2000-
Miguel Alemán Valdés	1946-52		

*Elegido presidente antes de 1914.

civilización maya en 1526, y México pasó a formar parte del virreinato de NUEVA ESPAÑA. En 1821, grupos rebeldes lograron la independencia de España, y en 1823 un nuevo congreso proclamó la república. En 1845, EE.UU. votó la anexión de TEXAS, lo cual dio inicio a la guerra MEXICANO-ESTADOUNIDENSE. Con el tratado de GUADALUPE HIDALGO, de 1848, México cedió a EE.UU. un extenso territorio, hoy correspondiente a la región occidental y sudoccidental estadounidense. El país fue escenario de varias rebeliones y guerras civiles a fines del s. XIX y comienzos del s. XX (ver REVOLUCIÓN MEXICANA). Durante la segunda guerra mundial (1939–45), México declaró la guerra a las POTENCIAS DEL EJE, y en la posguerra fue uno de los países fundadores de las NACIONES UNIDAS (1945) y de la OEA (1948). En 1993 ratificó el TLC. La elección de Vicente Fox como presidente (2000) terminó con 71 años de predominio del PARTIDO REVOLUCIONARIO INSTITUCIONAL.

México Estado (pob., 2000: 13.096.686 hab.) del centro de México. Con una superficie de 21.335 km² (8.245 mi²), su capital es TOLUCA. Rodea casi completamente el Distrito Federal y la Ciudad de MÉXICO. Contiene numerosas ruinas prehispánicas, entre ellas, Tenayuca, Malinalco y TEOTIHUACÁN. Su altura media excede los 3.000 m (10.000 pies), lo que condiciona un clima fresco. Es el estado mexicano con mayor densidad de población; su economía está basada en la agricultura y manufactura.

México, Ciudad de o **México, D.F.** Ciudad (pob., 2000: ciudad, 8.605.239 hab.; área metrop., 18.327.000 hab.), capital de México. Situada a una altura de 2.240 m (7.350 pies), está oficialmente circunscrita al Distrito Federal, con una superficie de 1.477 km² (571 mi²). Una de las ciudades más grandes del mundo, con una de las áreas metropolitanas de mayor crecimiento, genera cerca del 33% de la producción industrial del país. Está asentada en el lecho de un antiguo lago, donde se levantaba TENOCHTITLÁN, la capital AZTECA, que en 1521 conquistó el español HERNÁN CORTÉS. Fue la sede del virreinato de NUEVA ESPAÑA durante todo el período colonial. Capturada por revolucionarios mexicanos al mando del gral. AGUSTÍN DE ITURBIDE en 1821, fue

Vista de la catedral metropolitana, edificación histórica que integra el Zócalo, antiguo centro de Ciudad de México.
ARCHIVO EDIT. SANTIAGO

tomada por fuerzas de EE.UU. en 1847, durante la guerra MEXI-CANO-ESTADOUNIDENSE, y luego por fuerzas francesas (1863–67) al mando de MAXIMILIANO. Experimentó un gran desarrollo durante la presidencia de PORFIRIO DÍAZ (1877–80, 1884–1911). En 1985 fue asolada por un fuerte terremoto que dejó 9.500 muertos. El antiguo centro de la ciudad, el Zócalo, cuenta con numerosos edificios históricos, entre los que destacan la catedral metropolitana (edificada sobre las ruinas de un templo azteca) y el Palacio Nacional (construido sobre las ruinas del palacio de MOCTEZUMA II). Otro sitio muy concurrido es la basílica de Nuestra Señora de Guadalupe, donde se venera a la virgen, proclamada Patrona de la América hispana en 1910. Entre sus instituciones de educación superior figuran la Universidad Nacional Autónoma de México (fundada en 1551), el Colegio de México y la Universidad Iberoamericana.

México, golfo de Golfo en la costa sudoriental de América del Norte, comunicado con el océano Atlántico por los estrechos de Florida y con el mar Caribe por el canal de Yucatán. Ocupa una superficie de 1.550.000 km² (600.000 mi²) y limita con EE.UU., México y Cuba. En la cuenca mexicana alcanza una profundidad máxima de 5.203 m (17.070 pies). La corriente del GOLFO ingresa a él desde el mar Caribe y luego sale hacia el Atlántico. Los ríos MISSISSIPPI y Grande del Norte (ver río BRAVO) son los principales cursos fluviales que desembocan en el golfo. Sus puertos más importantes son VERACRUZ en México, y Galveston, NUEVA ORLEANS, Pensacola y TAMPA en EE.UU.

México, Universidad Nacional Autónoma de Universidad mexicana financiada por el gobierno, con sede en Ciudad de México y fundada en 1551. El edificio original, que databa de 1584, fue demolido en 1910, y en 1954 la universidad fue trasladada a un nuevo campus. Entre 1553 y 1867 estuvo controlada por la Iglesia católica. Con posterioridad a ese año, el gobierno estableció escuelas profesionales independientes de derecho, medicina, ingeniería y arquitectura. En 1929 le fue otorgada la autonomía administrativa. Ofrece una gran variedad de programas en las principales disciplinas académicas y profesionales.

Meyer, Adolf (13 sep. 1866, Niederweningen, Suiza–17 mar. 1950, Baltimore, Md., EE.UU.). Psiquiatra estadounidense de origen suizo. Emigró a EE.UU. en 1892 y enseñó principalmente en la Universidad Johns Hopkins (1910–41). Desarrolló un concepto sobre la conducta humana –ergasiología o psicobiología– que buscaba integrar los estudios psicológicos y biológicos. Meyer profundizó en las historias clínicas precisas; sugería que los sentimientos sexuales de la niñez tenían un rol en los problemas mentales, años antes de que las teorías de SIGMUND FREUD tuviesen amplia aceptación, y determinó que las enfermedades mentales eran esencialmente el resultado de disfunciones de personalidad más que de patología cerebral. Se percató de la importancia del medio social en los trastornos mentales, y su esposa entrevistaba a las familias de los pacientes, en lo que se considera la primera asistencia social psiquiátrica

Meyerbeer, Giacomo orig. **Jakob Liebmann Meyer Beer** (5 sep. 1791, Tasdorf, cerca de Berlín, Alemania–2 may. 1864, París, Francia). Compositor alemán. Hermano del astrónomo Wilhelm Beer y del dramaturgo Michael Beer, logró un éxito precoz como pianista. Después de estudiar composición vocal en Italia, sus óperas italianas fueron bien recibidas. Alrededor de 1825 se estableció en París, donde se abocó a trabajar, con libreto de EUGÈNE SCRIBE, en lo que sería *Roberto el Diablo* (1831), uno de los mayores logros de la ópera desde su estreno. Otras tres "grand óperas" posteriores se convirtieron también en parte del repertorio internacional: *Los hugonotes* (1836), *El profeta* (1849) y *La africana* (1864). La crítica negativa, teñida por los celos y el antisemitismo de RICHARD WAGNER hacia Meyerbeer, al que consideró un "desertor" de la música

alemana, condujo a la omisión de su música por muchos años; sin embargo, este ejerció una influencia incuestionable tanto sobre GIUSEPPE VERDI como sobre el propio Wagner.

Meyerhof, Otto (12 abr. 1884, Hannover, Alemania–6 oct. 1951, Filadelfia, Pa., EE.UU.). Bioquímico alemán. Su estudio sobre la glicólisis sigue siendo un aporte esencial para comprender la acción muscular, pese a que después fue necesario revisarlo. En 1922 compartió el Premio Nobel con Archibald V. Hill (n. 1886–m. 1977) por sus investigaciones sobre el metabolismo muscular. Su publicación principal fue *La dinámica química de la materia viva* (1924).

Meyerhold, Vsiévolod (Cemílievich) (9 feb. 1874, Penza, Rusia–2 feb. 1940, Moscú). Productor y director teatral ruso. En 1898 fue actor del Teatro del Arte de MOSCÚ, donde concibió sus teorías vanguardistas sobre el teatro simbolista. Posteriormente, se opuso al teatro naturalista de KONSTANTÍN STANISLAVSKI, postura que lo llevó a dirigir obras de forma no realista con una disposición espacial novedosa que se denominó la biomecánica. A partir de 1908, se instaló en San Petersburgo donde dirigió obras inspiradas en la COMMEDIA DELL'ARTE y el teatro asiático. Se destacó en la dirección de obras como *El estupendo cornudo* (1920) y por su controvertida producción de *La dama de espadas* (1935). Sin embargo, los críticos soviéticos desaprobaron debido a su individualidad artística y a su oposición al REALISMO SOCIALISTA. En 1939 fue arrestado, encarcelado, y probablemente ejecutado.

mezclilla o **tela vaquera** Tipo de SARGA (*serge* en francés) durable tejida a lo largo con una urdimbre de color (por lo general azul) y cruzada por hebras blancas, algunas veces tejida en franjas de color. La mezclilla es comúnmente de ALGODÓN puro, aunque a veces consiste en una mezcla de algodón y fibra sintética. Décadas de uso en la industria del vestuario, en especial en la fabricación de overoles y pantalones para trabajo pesado, probaron la durabilidad de la mezclilla, cualidad que, junto con su comodidad, hicieron del pantalón de mezclilla (vaqueros) una prenda informal extremadamente popular a finales del s. XX.

mezquita En el mundo islámico, lugar público de oración. La *masjid jāmi‘*, o "mezquita congregacional", es el centro de culto de la comunidad y el lugar de los servicios de oración de los viernes. Aunque la mezquita –originalmente un simple terreno sagrado– ha tenido influencia de los estilos arquitectónicos locales, el edificio se ha mantenido como un espacio abierto, por lo general techado y en ocasiones con un alminar adyacente. No se permiten estatuas ni imágenes como decoración. El predicador (*khaṭīb*) usa el *minbar*, asiento en la parte superior de las gradas ubicado a la derecha del MIHRAB, como púlpito. En ocasiones, también hay un *maqṣūra*, caja o biombo de madera utilizado en sus comienzos para proteger de posibles asesinos a un gobernante cuando estaba orando. El alminar, que en un principio era cualquier lugar elevado pero que hoy es una torre, es usado por el muecín (pregonero) para llamar a la oración cinco veces al día. Durante la oración, los musulmanes se orientan hacia el muro *quibla*, que está dirigido hacia la KA'BA en La Meca. En las sociedades islámicas, la mezquita ha sido tradicionalmente el centro de la vida social, política y educacional.

mezquita del Profeta Lugar de culto construido en el sitio donde estuvo la residencia de MAHOMA en MEDINA, considerado uno de los tres lugares más sagrados del ISLAM. Originalmente fue una simple estructura de ladrillos que rodeaba un patio cerrado donde la gente se reunía para escuchar a Mahoma. Más tarde, el Profeta mandó construir galerías techadas para proteger a los visitantes y en 628 se agregó un púlpito para que Mahoma estuviera a cierta altura sobre la multitud. En 706, el califa AL-WALĪD I demolió la construcción original y levantó en el lugar una MEZQUITA, donde se encuentra el sepulcro de Mahoma. Esta sirvió de modelo para la arquitectura islámica posterior.

mezquite Cualquiera de los arbustos o árboles espinosos, de raíz profunda, que conforman el género *Prosopis* de la familia de las Mimosáceas (ver LEGUMINOSA). Los mezquites forman matorrales extensos en áreas desde América del Sur hasta el sudoeste de EE.UU. Existen

Mezquite (*Prosopis juliflora*).
© ENCYCLOPÆDIA BRITANNICA, INC.

dos tipos de mezquites: uno de árboles altos (15 m [50 pies]), el otro, bajo y de gran extensión, llamado mezquite rastrero. Las raíces hidrófilas alcanzan una profundidad de 20 m (70 pies). Los tallos dan hojas vellosas, compuestas, verde olivo a blanco, y luego AMENTOS de flores tupidos, color crema, que dan origen a racimos de frijoles largos, angostos, amarillo pálido. En las zonas más cálidas de EE.UU., los mezquites se consideran plagas y se erradican. El ganado se come los frijoles, que contienen una pulpa dulce. La madera, antiguamente usada en traviesas de ferrocarril, ahora sólo tiene valor para mobiliario y baratijas inusuales, y como leña aromática.

mezzo-tinto (del italiano *mezza tinta*, "media tinta"). Grabado ejecutado en una superficie de placa metálica con innumerables agujeros pequeños que contienen la tinta. Cuando se imprime el grabado, la tinta produce grandes áreas de tonalidades con degradaciones suaves y sutiles. Se suelen introducir líneas grabadas o talladas para dar mayor definición al diseño. La técnica del *mezzo-tinto* fue inventada en Holanda por el alemán Ludwig von Siegen en el s. XVII, pero de ahí en adelante se practicó principalmente en Inglaterra. Su adaptabilidad para realizar impresiones en color la hizo ideal para la reproducción de pinturas. Después de la invención de la fotografía, se hizo poco común. En años recientes, la técnica fue retomada especialmente por grabadores estadounidenses y japoneses.

mfecane (zulú: "aplastamiento"). Serie de guerras ZULÚES y de otros pueblos NGONI y de migraciones forzadas a comienzos del s. XIX, que cambiaron la configuración demográfica, social y política de África central y meridional. El proceso se desencadenó con el surgimiento del reino militar de los zulúes, encabezado por CHAKA, y se desarrolló en el contexto de una situación de sequía, inestabilidad social y competencia comercial. Los grupos étnicos se enfrentaron entre sí en un radio cada vez más extenso, lo que generó grandes masas de refugiados y de reinos nuevos constituidos por los pueblos basuto, gaza, NDEBELÉ y SWAZI.

MGM *sigla de* **Metro-Goldwyn-Mayer, Inc.** Corporación y estudio cinematográfico estadounidense. Se formó cuando el distribuidor cinematográfico Marcus Loew, propietario de la Metro Pictures desde 1920, realizó una fusión con la Goldwyn Production Company en 1924, y con la Louis B. Mayer Pictures en 1925. LOUIS B. MAYER fue el presidente del estudio por 25 años, asistido por su director general de producción IRVING THALBERG. MGM tuvo su apogeo durante las décadas de 1930–40, cuando se contrató a la mayoría de las grandes estrellas de Hollywood. El estudio produjo éxitos como *Gran Hotel* (1932), *Historias de Filadelfia* (1940), *Luz que agoniza* (1944), *Ben-Hur* (1959), *Doctor Zhivago* (1965) y *2001: La odisea del espacio* (1968). Sus espléndidos musicales como *El mago de Oz* (1939), *Un día en Nueva York* (1949), *Un americano en París* (1951), *Cantando bajo la lluvia* (1952) y *Gigi* (1958) obtuvieron grandes elogios. En la década de 1950, la

MGM comenzó a decaer y en la década de 1970 liquidó gran parte de sus bienes. Diversificó sus negocios a las áreas de hotelería y casinos, y posteriormente se fusionó con la UNITED ARTISTS CORP., cuyo resultado fue la MGM/UA Entertainment. En 1986, TED TURNER la adquirió y revendió sus divisiones de producción y distribución. Tras varias transferencias entre diversos propietarios, fue adquirida en 1992 por la Crédit Lyonnais, que restableció el nombre MGM, Inc. Más tarde fue vendida a Tracinda Corp.

MI5 *sigla de* **Military Intelligence (Unit 5)** Servicio de seguridad británico. Organizado primeramente en 1909 para contrarrestar el espionaje alemán, en 1931 asumió mayores responsabilidades para evaluar las amenazas a la seguridad nacional, como la subversión comunista y, posteriormente, el fascismo. En la actualidad, la ley del servicio de seguridad (1989) constituye su base estatutaria. Como organismo de inteligencia de seguridad interior británica, su propósito es proteger al país de amenazas, como el terrorismo, espionaje y subversión. Desde la aprobación de la ley del servicio de seguridad (1996), su papel se ha ampliado para incluir el apoyo a organismos encargados de hacer cumplir la ley en el campo del crimen organizado.

miami Pueblo indígena de Norteamérica que vive mayoritariamente en Oklahoma e Indiana, EE.UU. Se llaman a sí mismos twitwee (twatwa), que para ellos representaba el canto de la grulla. El nombre miami es una derivación de su nombre ojibwa, oumami, que significa "gente de la península". Originalmente residían en extensos territorios a través de Illinois, el norte de Indiana y Ohio. El idioma miami pertenece a las lenguas ALGONQUINAS. Aunque el maíz constituía el alimento básico de su dieta, también cazaban bisontes. Cada aldea estaba formada por moradas cubiertas de esteras y por una amplia residencia donde se realizaban consejos y ceremonias. Una sociedad médica secreta conducía ritos destinados a garantizar el bienestar de la tribu. En el s. XIX cedieron la mayor parte de sus tierras a EE.UU. Mientras una banda permaneció en Indiana, el resto se trasladó a una reserva en Oklahoma. En el censo estadounidense de 2000 unas 3.800 personas declararon tener ascendencia exclusivamente miami. Ver también LITTLE TURTLE.

Miami Ciudad (pob., 2000: 362.470 hab.) en el sudeste del estado de Florida, EE.UU. Ubicada junto a la bahía de BISCAYNE, en la desembocadura del río Miami, es la ciudad más meridional de EE.UU. continental y tiene una playa de 11 km (7 mi) de largo. En 1567 se fundó una misión española cerca de este lugar, aunque el asentamiento permanente comenzó recién en 1835, cuando las fuerzas estadounidenses construyeron el fuerte Dallas para expulsar a los indios

Vista de Miami desde Key Biscayne, famosa por sus playas y comercio.
STOCKXPERT

SEMINOLA hacia el oeste. La llegada del ferrocarril en 1896 fomentó el desarrollo y Miami se constituyó como ciudad ese mismo año. En varias ocasiones se ha visto afectada por huracanes, entre los que cabe mencionar los de 1926 y 1935. Desde 1959 han llegado casi 300.000 refugiados cubanos (ver CUBA), quienes establecieron el barrio "la Pequeña Habana" dentro de la ciudad. Importante centro vacacional y lugar preferido de los jubilados, su puerto recibe la mayor cantidad de pasajeros de cruceros del mundo. Es también centro de la banca y entre sus instituciones educacionales se cuentan la Universidad de MIAMI y la Universidad Internacional de Florida.

Miami Beach Ciudad (pob., 2000: 87.933 hab.) en el sudeste del estado de Florida, EE.UU. Ubicada en una isla separada de MIAMI por la bahía de BISCAYNE, hasta 1912 fue un manglar. John S. Collins y Carl F. Fisher fueron los precursores del desarrollo inmobiliario y construyeron un puente que la uniera al continente; la zona fue dragada para formar una isla que tiene una superficie de 19 km² (7,4 mi²), con una playa de 13 km (8 mi) de extensión. La ciudad, constituida en 1915, es en la actualidad un centro turístico de lujo y de convenciones. Se comunica con Miami por varias carreteras elevadas y es famosa por su arquitectura ART DÉCO.

Miami, Universidad de Universidad privada fundada en 1925 con sede en Coral Gables, Florida, EE.UU. Sus 14 escuelas y *colleges* (colegios universitarios) ofrecen amplios programas de pregrado, posgrado y profesionales, como las escuelas de medicina, derecho, arquitectura, y ciencia marina y atmosférica. Dentro de sus instalaciones de investigación se cuentan los centros e institutos para el estudio del envejecimiento, la visión, los estudios internacionales, y la evolución molecular y celular.

miao ver HMONG

miao-yao, lenguas ver lenguas HMONG-MIEN

miastenia grave Enfermedad AUTOINMUNE crónica que produce debilidad de los MÚSCULOS. La respuesta de las células musculares a la ACETILCOLINA es bloqueada por autoanticuerpos. El uso reiterado, debilita los músculos, pero recuperan la fuerza con el reposo. El patrón es variable, pero habitualmente se afectan primero los músculos de los movimientos oculares, expresión de la cara, masticación, deglución y respiración, luego los del cuello, tronco y extremidades. Los casos severos impiden respirar. Las drogas anticolinesterasa estimulan la transmisión de los impulsos nerviosos y los corticoesteroides pueden ser útiles. La extirpación del TIMO ha mejorado casos graves. Puede haber remisiones por varios años.

mica Cualquier miembro de un grupo de aluminosilicatos (ver mineral de SILICATO) hidratados de potasio que presentan una estructura bidimensional, en hojas muy delgadas o capas. Una variedad muy abundante de mica es la MOSCOVITA; otras comunes son la BIOTITA y la flogopita. Las micas tienen diversos usos industriales. Las variedades que contienen poco hierro se usan en artefactos como aisladores térmicos o eléctricos, y en dispositivos para circuitos eléctricos, como condensadores. La mica pulverizada se emplea en la manufactura de papel mural, papel para techumbres y pintura. La mica molida también sirve como lubricante, absorbente y material de empaque.

mica negra ver BIOTITA

micción Proceso de evacuar la ORINA desde la vejiga (ver sistema URINARIO). Es controlada por centros nerviosos de la médula espinal, del tronco encefálico y de la corteza cerebral a través de músculos involuntarios y voluntarios. La necesidad de evacuar se siente cuando la vejiga contiene 100–150 ml (3,5–5 oz) de orina y se hace incómoda cuando estos volúmenes son de 350–400 ml (14–15 oz). El músculo detrusor se contrae y el esfínter (constrictor muscular) de la uretra se relaja para vaciar la vejiga. Normalmente se desocupa por completo, pero los cálculos vesicales o los trastornos PROSTÁTICOS pueden bloquear la salida. La pérdida del control miccional (INCONTINENCIA) obedece a un tono muscular deficiente (especialmente en mujeres mayores) o a ciertos trastornos del sistema nervioso.

micelio Masa de filamentos tubulares, ramificados (hifas), de los HONGOS que penetra el suelo, la madera y demás materia orgánica. El micelio forma el TALO (cuerpo indiferenciado) de un hongo típico. La masa puede ser microscópica o estar desarrollada en estructuras visibles, como en SETAS, BEJINES O TRUFAS. El micelio produce ESPORAS directamente o mediante cuerpos fructíferos especiales.

Micenas Ciudad prehistórica del nordeste del PELOPONESO, Grecia. Capital legendaria de AGAMENÓN, era una ciudadela de roca natural. Floreció durante la EDAD DEL BRONCE, período en que sentó las bases de la civilización micénica (ver MICÉNICO). Alcanzó una época de esplendor en el Egeo c. 1400 AC y decayó c. 1100 AC después de la invasión doria (ver DORIO) desde el norte. Las excavaciones en Micenas datan de 1840, pero los descubrimientos más famosos fueron los de HEINRICH SCHLIEMANN c. 1876. Entre sus ruinas se cuentan la Puerta de los leones, la acrópolis, el granero y varias tumbas reales subterráneas abandonadas y en forma de panal (ver TOLOS).

micénico Miembro de un grupo de pueblos guerreros indoeuropeos que llegaron a Grecia desde el norte c. 1900 AC y que establecieron una cultura de la EDAD DEL BRONCE en el continente y las islas próximas. Esta dependía de la cultura minoica de los cretenses (ver MINOICO), quienes los dominaron políticamente durante un tiempo. Se liberaron del control minoico c. 1400 y dominaron en el Egeo hasta que fueron derrotados por la siguiente oleada de invasores c. 1150. MICENAS se mantuvo como una ciudad-estado en el período de predominio griego, pero en el s. II estaba en ruinas. Las leyendas y mitos micénicos perduraron por transmisión oral hasta etapas posteriores de la civilización griega y conforman la base de los poemas épicos homéricos y de la tragedia griega. Se cree que su lengua era la forma más antigua del griego.

Máscara de Agamenón en oro, Micenas.
FOTOBANCO

Michelangelo Buonarroti ver MIGUEL ÁNGEL

Jules Michelet, detalle de una pintura al óleo de Thomas Couture; Museo Carnavalet, París.
GIRAUDON—ART RESOURCE

Michelet, Jules (21 ago. 1798, París, Francia–9 feb. 1874, Hèyres). Historiador nacionalista francés. Impartió clases de historia y filosofía antes de ser nombrado director de la sección histórica de los Archivos nacionales en 1831. Durante el tiempo que permaneció allí, contó con todos los recursos necesarios para escribir la gran obra de su vida, los 17 volúmenes de la *Historia de Francia* (1833–67). Su método, un intento de resucitar el pasado invirtiendo su propia personalidad en la narración, dio como resultado una síntesis histórica de gran poder dramático; sin embargo, los 11 volúmenes que aparecieron entre 1855 y 1867 están lastrados por su odio hacia sacerdotes y reyes, su consideración precipitada y sesgada de los documentos y su manía por la interpretación simbólica. Su otra obra de importancia es la animada y apasionada *Historia de la Revolución francesa*, 7 vol. (1847–53). Posteriormente escribió una serie de libros líricos sobre la naturaleza, en los que se aprecia el espléndido estilo de su prosa.

Michelin *p. ext.* **Compagnie Générale des Etablissements Michelin** Empresa francesa líder en la fabricación de neumáticos y otros productos de caucho. Fue fundada en 1888 por los hermanos André (n. 1853–m. 1931) y Édouard Michelin (n. 1859–m. 1940), con el objeto de fabricar neumáticos para bicicletas y carruajes de tracción animal. La empresa introdujo los neumáticos para automóviles en la década de 1890 y pronto se transformó en una de las principales empresas europeas del rubro. Michelin inauguró su primera planta extranjera en 1906 en Turín y desde entonces ha expandido su producción a diversos países. En 1951, la empresa se reorganizó como una SOCIEDAD DE CARTERA. También publica una famosa serie de guías de viaje y mapas carreteros. Sus oficinas centrales se encuentran en Clermont-Ferrand.

Michelson, A(lbert) A(braham) (19 dic. 1852, Strelno, Prusia–9 may. 1931, Pasadena, Cal., EE.UU.). Físico estadounidense de origen prusiano. Su familia emigró a EE.UU. en 1854. Estudió en la Academia naval de EE.UU. y en Europa, y más tarde enseñó principalmente en la Universidad de Chicago (1892–1931), donde dirigió el departamento de física. Inventó el interferómetro (ver INTERFEROMETRÍA), con el que utilizó luz para hacer mediciones extremadamente precisas. Es recordado más que nada por el experimento de MICHELSON-MORLEY, realizado con Edward W. Morley (n. 1838–m. 1923); estableció que la velocidad de la luz es una constante fundamental. Usando un interferómetro más refinado, midió el diámetro de la estrella Betelgeuse, primera vez que se determinaba el tamaño de una estrella con tal precisión. Primer científico estadounidense en recibir el Premio Nobel en 1907.

Michelson-Morley, experimento de Intento de detectar la VELOCIDAD de la Tierra con respecto al éter, un medio hipotético en el espacio que, según se suponía, era el portador de las ondas de luz. Fue realizado por primera vez en Berlín en 1881 por A.A. MICHELSON y perfeccionado en EE.UU. en 1887 por Michelson y Edward W. Morley (n. 1838–m. 1923). El procedimiento supuso que si la velocidad de la luz fuese constante con respecto al éter, se podría detectar el movimiento de la Tierra comparando la velocidad de la luz en la dirección del movimiento de la Tierra y la velocidad de la luz en dirección perpendicular a la anterior. No se encontró ninguna diferencia y el resultado invalidó la teoría del éter. Como resultado, ALBERT EINSTEIN propuso en 1905 que la velocidad de la luz es una constante universal.

Michigan Estado (pob., 2000: 9.938.444 hab.) en el centro-oeste de EE.UU. Rodeado casi por completo por los GRANDES LAGOS, se divide en dos grandes segmentos: las penínsulas Superior e Inferior. La península Inferior limita al sur con los estados de Indiana y Ohio; la península Superior limita al oeste con el estado de Wisconsin. Michigan, con los Grandes Lagos incluidos, ocupa una superficie de 250.466 km² (96.705 mi²); su capital es LANSING. La región occidental de la península Superior abarca tierras altas y escarpadas, ricas en minerales, mientras el resto del estado consiste en tierras bajas y llanuras onduladas. Originalmente, la zona fue habitada por indígenas de lengua ALGONQUINA. Los franceses llegaron en el s. XVII y fundaron SAULT SAINTE MARIE en 1668 y DETROIT en 1701; su actividad principal era el comercio de pieles. Los ingleses obtuvieron el control de Michigan en 1763, después de la guerra FRANCESA E INDIA, y lo cedieron en 1783 a EE.UU.

Playa en el litoral sur del lago Michigan en el Indiana Dunes State Park, EE.UU.
© CATHY MELLOAN/EB INC.

En 1787 se incorporó a los TERRITORIOS DEL NOROESTE y en 1800 al Territorio de Indiana. El Territorio de Michigan se organizó en la península Inferior en 1805. Aunque se rindió ante los británicos en la guerra ANGLO-ESTADOUNIDENSE, el dominio de EE.UU. se restableció en 1813 con la victoria de OLIVER HAZARD PERRY en la batalla del lago Erie. El congreso dirimió una disputa limítrofe con Ohio, conocida como la guerra de Toledo, después de lo cual Michigan obtuvo como compensación la península Superior y la categoría de estado. En 1837 se convirtió en el 26° estado de la nación. Durante la guerra de SECESIÓN contribuyó de manera importante a la causa de la Unión. En el s. XX su economía se vio dominada por la industria automovilística.

Michigan, lago Tercer lago más grande de los cinco GRANDES LAGOS y el único que se encuentra por completo en territorio estadounidense. Limita con los estados de Michigan, Wisconsin, Illinois e Indiana y por el norte se comunica con el lago HURÓN a través del estrecho de MACKINAC. Mide 517 km (321 mi) de largo, tiene una anchura de hasta 190 km (118 mi) y alcanza una profundidad máxima de 281 m (923 pies); ocupa una superficie de 57.757 km² (22.300 mi²). El primer europeo en descubrirlo fue el explorador francés JEAN NICOLET en 1634; el explorador LA SALLE llegó con el primer barco de vela en 1679. Actualmente atrae la navegación internacional como parte de la ruta marítima Grandes Lagos-San Lorenzo. El nombre debe su origen a la palabra algonquina *michigami* o *misschiganin*, que significa "lago grande".

Michigan, Universidad de Universidad del estado de Michigan, EE.UU., cuya sede principal se encuentra en Ann Arbor; cuenta además con campus en Flint y Dearborn. Se originó en 1817 como una escuela preparatoria en Detroit, y en 1837 se trasladó a Ann Arbor. Actualmente es una de las universidades de investigación más avanzadas del país; comprende un *college* (colegio universitario) de literatura, ciencias y artes, además de numerosas escuelas de posgrado y profesionales. Sus instalaciones especiales incluyen un reactor nuclear, un complejo hospitalario, un laboratorio de ingeniería aeroespacial, el Great Lakes research centre, y la biblioteca Gerald R. Ford Presidential Library.

Michigan, Universidad del estado de Universidad pública estadounidense con sede en East Lansing. Constituida en 1855, se transformó en el prototipo de los *colleges* (colegios universitarios), creados al amparo del estatuto LAND-GRANT COLLEGE (1862), que regía las concesiones de terrenos para universidades públicas. Ofrece programas de pregrado, posgrado y profesionales. Las instalaciones del campus incluyen un laboratorio de investigación vegetal, el National Superconducting Cyclotron Laboratory (Laboratorio nacional de ciclotrón superconductor), y centros de estudios internacionales, desarrollo económico y toxicología ambiental.

Michizane ver SUGAWARA MICHIZANE

Michoacán Estado (pob., 2000: 3.985.667 hab.) del sudoeste de México. Tiene una superficie de 59.928 km² (23.138 mi²) y su capital es MORELIA. A orillas del océano Pacífico, se eleva desde una angosta llanura costera hasta la SIERRA MADRE. Entre sus ciudades importantes figuran Morelia, Uruapán, Zamora y Pátzcuaro. En la década de 1530, el dominico Vasco de Quiroga fundó entre los indios tarascos, en los alrededores del lago Pátzcuaro, la primera misión permanente. El estado se encuentra en una zona de gran actividad volcánica; el monte Jorullo se formó en 1759 como resultado de una erupción, y el cerro PARÍCUTÍN nació de otra que duró casi una década (1943–52). En Michoacán se produce una gran variedad de productos forestales y cultivos tropicales.

Mickey Mouse Famoso personaje de los dibujos animados de WALT DISNEY. Debutó en la primera animación sonora, *Willy, el barco de vapor* (1928). Disney concibió a Mickey Mouse como un ratón antropomórfico y además le proporcionó su voz aguda; habitualmente fue dibujado por Ub Iwerks, principal caricaturista del estudio. Conocido por su sobredimensionada cabeza, sus orejas negras y redondas, fue la estrella de más de cien cortometrajes de dibujos animados. En la década de 1950, *El club de Mickey* fue uno de los programas más populares de la televisión infantil estadounidense. El singular gorro negro con orejas de ratón que usaban las estrellas del programa se convirtió en uno de los artículos de mayor alcance comercial en la historia del mercadeo.

Mickey Mouse y Minnie, populares personajes de Walt Disney.
FOTOBANCO

Mickiewicz, Adam (Bernard) (24 dic. 1798, Zaosye, cerca de Nowogródek, Bielorrusia, Imperio ruso–25 nov 1855, Constantinopla, Turquía). Poeta polaco. Durante toda su vida fue un prócer de la libertad nacional polaca y uno de los poetas más grandes de Polonia; fue deportado a Rusia en 1823 debido a sus actividades revolucionarias. Su obra *Poezje* [Poesía], 2 vol. (1822–23), fue la primera gran obra romántica polaca; contenía dos partes de *Los antepasados*, un ciclo compuesto de folclore y patriotismo místico. Mickiewicz dejó Rusia en 1829 y finalmente se instaló en París. Allí escribió *El libro de la nación y de los peregrinos polacos* (1832), una interpretación en prosa de la historia de los polacos, y su obra maestra, la epopeya poética *Pan Tadeusz* (1834), la cual describe la vida de la pequeña nobleza polaca a comienzos del s. XIX.

micmac *o* **mi'kmaq** Pueblo indígena de Norteamérica que vive en Quebec, Nueva Escocia, Terranova, Nueva Brunswick y la isla Príncipe Eduardo, Canadá; también en Aroostook, Maine y cerca de Boston, Mass., EE.UU. Conforman la mayor de las tribus indígenas de las Provincias Marítimas del este de Canadá Oriental. Aunque en crónicas tempranas los describen como fieros y belicosos, se encuentran entre los primeros indios que aceptaron las enseñanzas de los jesuitas y se mezclaron con los colonos de Nueva Francia. Formaron una confederación de varios CLANES. En invierno cazaban caribúes, alces y animales pequeños; en verano pescaban, recolectaban mariscos y cazaban focas. Eran expertos piragüistas. En los

s. XVII–XVIII se aliaron con los franceses contra los ingleses. La población total de micmac en EE.UU. y Canadá es, probablemente, de unas 20.000 personas.

micobacteria Cualquiera de las BACTERIAS baciliformes que constituyen el género *Mycobacterium*. Las dos especies más importantes causan TUBERCULOSIS y LEPRA en los seres humanos; otra especie causa tuberculosis en bovinos y en seres humanos. Algunas micobacterias viven en materias orgánicas en descomposición; otras son parásitos. La mayoría se encuentra en el suelo y el agua, en formas de vida autónoma o en tejidos enfermos de animales. Existen diversos antibióticos que han tenido relativo éxito contra las infecciones por micobacterias.

micología Estudio de los HONGOS, incluidas las SETAS (champiñones) y LEVADURAS. Muchos hongos son útiles en la medicina y la industria. La investigación micológica ha llevado al desarrollo de antibióticos como la PENICILINA, ESTREPTOMICINA y TETRACICLINA. La micología tiene también aplicaciones importantes en las industrias lechera, vitivinícola y panificadora, como también en la producción de colorantes y tintas. La micología médica es el estudio de los hongos patógenos en seres humanos.

Micón *o* **Mikón** (floreció s. V AC, Grecia). Pintor y escultor griego. Contemporáneo y discípulo de POLIGNOTO, se unió a este en el desarrollo del tratamiento del espacio y la perspectiva en la pintura griega. Micón es conocido por la pintura mural expuesta en la *stoa pecile* (pórtico pintado), en el ágora de Atenas, y por las pinturas que se encuentran en el Theseum, también en Atenas. Sus innovaciones en la elaboración espacial contribuyeron al declive de la pintura griega de vasijas.

micoplasma Cualquiera de las BACTERIAS que conforman el género *Mycoplasma*. Figuran entre los organismos bacterianos más pequeños. La célula varía de una forma esférica o piniforme a la de un delgado filamento ramificado. Las especies de *Mycoplasma* son gram-negativas (ver tinción de GRAM) y anaeróbicas. Estos microorganismos coloniales que carecen de paredes celulares son parásitos de las articulaciones y de las membranas mucosas que recubren las vías respiratorias, genitales o digestivas de animales rumiantes, carnívoros y roedores, y de seres humanos. Los subproductos tóxicos excretados por estas bacterias se acumulan causando daño en los tejidos del huésped. Una especie causa una neumonía generalizada, pero raras veces letal en seres humanos.

micorriza Asociación simbiótica entre los filamentos tubulares ramificados (hifas) de un HONGO y la RAÍZ de plantas superiores. Generalmente, dicha asociación mejora la nutrición tanto del hospedero como del simbionte fúngico. El establecimiento y crecimiento de ciertas plantas (p. ej., cítricos, orquídeas y pinos) depende de las micorrizas; otras plantas sobreviven pero no florecen sin los simbiontes fúngicos.

micosis ver enfermedades por HONGOS

micotoxina TOXINA producida por un HONGO. Hay numerosas y variadas micotoxinas que pueden causar alucinaciones, inflamación de la piel, daño hepático, hemorragias, abortos, convulsiones, trastornos neurológicos y/o muerte en animales o seres humanos. Las micotoxinas más conocidas son la AFLATOXINA, la toxina del CORNEZUELO del centeno y la de los agentes de ENVENENAMIENTO POR HONGOS.

microbiología Estudio científico de los microorganismos, un grupo diverso de formas simples de vida que abarca a los PROTOZOOS, ALGAS, MOHOS, BACTERIAS y VIRUS. La microbiología se ocupa de la estructura, función y clasificación de estos organismos, y de las formas de controlar y aprovechar su actividad. Sus fundamentos fueron establecidos a fines del s. XIX, con la labor de LOUIS PASTEUR y ROBERT KOCH. Desde entonces se han identificado muchos microorganismos patógenos y desarrollado medios para controlar sus efectos nocivos. Además, se han descubierto maneras de canalizar la actividad de varios microorganismos en beneficio de la medicina, industria y agricultura. Los mohos, por ejemplo, producen ANTIBIÓTICOS, principalmente la PENICILINA. Ver también BACTERIOLOGÍA; INGENIERÍA GENÉTICA.

microchip ver CIRCUITO INTEGRADO

microcircuito ver CIRCUITO INTEGRADO

microcirugía *o* **micromanipulación** Técnica quirúrgica para operar en estructuras minúsculas con finísimos instrumentos de precisión especializados, sirviéndose de microscopios, dotados de cámaras que proyectan la intervención en una pantalla. La microcirugía permite operaciones que antes eran imposibles, como cirugía en los huesos delicados del oído medio e interno, reimplantación de extremidades o dedos seccionados, reparaciones de la retina y extirpación de tumores en íntima relación con estructuras vitales.

microclima Condición climática en un área comprendida dentro del ámbito inmediato al suelo, cubierta por un manto de vegetación y que representa una modificación local del clima general de la zona. Los microclimas son afectados por factores como temperatura, humedad, viento y turbulencia, rocío, heladas, balance de calor, evaporación, naturaleza del suelo y de la vegetación, topografía local, latitud, elevación y estación del año. Las condiciones meteorológicas y el clima son a veces influenciados por condiciones microclimáticas, especialmente por variaciones en características de la superficie.

microclina FELDESPATO común, una forma del aluminosilicato de potasio ($KAlSi_3O_8$) que se encuentra en muchos tipos de roca. La microclina verde es llamada amazonita y puede ser usada como gema. Es un elemento terminal en la serie de los feldespatos alcalinos. Ver también ORTOCLASA.

micrococo Cualquiera de las BACTERIAS esféricas que constituyen el género *Micrococcus*. Ampliamente diseminados en la naturaleza, estos COCOS gram positivos (ver tinción de GRAM) no suelen considerarse patógenos. Son habitantes normales del cuerpo humano e incluso pueden ser esenciales para mantener el equilibrio entre los diferentes microorganismos de la piel. Algunas especies se encuentran en el polvo del aire, el suelo, las aguas marinas y en la piel de los vertebrados. Otras se hallan en la leche y pueden descomponerla.

microcomputadora COMPUTADORAS DIGITALES pequeñas cuya CPU está contenida en un solo chip SEMICONDUCTOR integrado. La integración en gran escala ha incrementado en forma progresiva el número de TRANSISTORES que se pueden colocar en un chip, con lo que la capacidad de procesamiento de las microcomputadoras ha crecido inmensamente. La COMPUTADORA PERSONAL es el ejemplo más común; los sistemas de microcomputadoras de alto rendimiento son muy usados en negocios, ingeniería y en máquinas "inteligentes" en la industria. Ver también CIRCUITO INTEGRADO; MICROPROCESADOR.

microeconomía Estudio del comportamiento económico del consumidor, de las empresas e industrias en forma individual y de la distribución de la producción y del ingreso total entre ellos. La microeconomía considera a los individuos como proveedores de TIERRA, MANO DE OBRA y CAPITAL, y como consumidores finales del producto terminado. Asimismo analiza las empresas como proveedoras de productos y como consumidoras de mano de obra y capital. La microeconomía persigue analizar el MERCADO u otros mecanismos que establezcan precios relativos entre bienes y servicios y asignen los recursos de la sociedad entre sus numerosos usos posibles. Ver también MACROECONOMÍA.

microelectromecánico, sistema *inglés* **microelectromechanical system (MEMS)** Dispositivos en miniatura formados mediante la combinación de piezas mecánicas y circuitos electrónicos, por lo general en un chip semiconductor, con dimensiones desde decenas hasta unas pocas centenas de micrómetros (millonésimas de metro). Algunas aplicaciones comunes de los MEMS comprenden sensores, accionadores y unidades de control de procesos.

micrófono Dispositivo capaz de convertir ondas sonoras en energía eléctrica, que tiene características de onda en esencia similares a aquellas del sonido. Con un diseño adecuado, a un micrófono se le pueden dar características direccionales de manera que recoja sonidos principalmente desde una sola dirección, desde dos direcciones, o con mayor o menor uniformidad desde todas las direcciones. Además de su uso en transmisores telefónicos, los micrófonos son ampliamente utilizados en audífonos, sistemas de grabación de sonido (de preferencia en grabadores de cinta magnética y digital), dictáfonos y en sistemas de amplificación sonora.

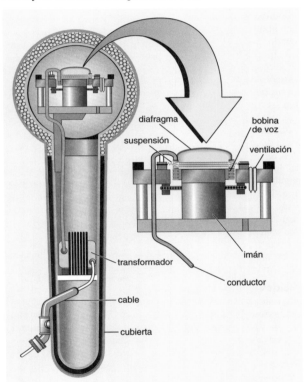

diafragma

bobina de voz

suspensión

ventilación

transformador

imán

conductor

cable

cubierta

En un micrófono de bobina móvil, el sonido hace vibrar el diafragma; la bobina de voz de hilo, unida al diafragma, se mueve entonces a través de un campo magnético, generando una corriente. En el otro extremo del circuito ocurre el proceso inverso a fin de reproducir el sonido mediante un altavoz.

© 2006 MERRIAM-WEBSTER INC.

micromanipulación ver MICROCIRUGÍA

micrómetro Instrumento para realizar mediciones lineales con gran precisión de diámetros, espesores y longitudes de cuerpos sólidos. Consiste en un marco en forma de C con un palpador movible regulado por un tornillo. La exactitud de las mediciones depende de la graduación del conjunto tornillo-tuerca, lo que permite una precisión de hasta la centésima de milímetro.

Micronesia Grupo de islas del océano Pacífico occidental. Es una subdivisión de OCEANÍA que abarca KIRIBATI, GUAM, NAURU, las islas MARIANAS DEL NORTE, los Estados Federados de MICRONESIA, las islas MARSHALL y PALAU. Situada en su mayor parte al norte del ecuador, Micronesia incluye las islas más occidentales del Pacífico.

MICRONESIA, ESTADOS FEDERADOS DE

▸ **Superficie:** 701 km²
(271 mi²)

▸ **Población:** 113.000 hab.
(est. 2005)

▸ **Capital:** PALIKIR

▸ **Moneda:** dólar estadounidense

Micronesia, Estados Federados de República en el océano Pacífico occidental. La componen cuatro islas, en que cada una constituye un Estado: Yap, Chuuk (Truk), Pohnpei (Ponape), la mayor de ellas, y Kosrae, todas en las CAROLINAS orientales. Los pueblos de los Estados Federados son micronesios. Idiomas: malayo-polinésicos, inglés. Religiones: cristianismo (predominante). Las islas y atolones se extienden cerca de 2.800 km (1.750 mi) en dirección este-oeste y alrededor de 965 km (600 mi) en dirección norte-sur. Las subvenciones del gobierno de EE.UU. son su principal fuente de ingresos, así como la agricultura y la pesca de subsistencia constituyen los puntales de su actividad económica. La república unicameral tiene una asociación libre con EE.UU. Su jefe de Estado y de Gobierno es el presidente. Es probable que las islas hayan sido habitadas originalmente por pueblos provenientes de la Melanesia oriental hace unos 3.500 años. Colonizadas por España en el s. XVII, cayeron bajo dominio japonés después de la primera guerra mundial. Fueron capturadas por fuerzas estadounidenses durante la segunda guerra mundial y, en 1947, pasaron a formar parte del Fideicomiso de las Islas del Pacífico, administrado por EE.UU. Las islas se transformaron en una federación autónoma en 1979. En 1982, los Estados Federados firmaron un pacto de libre asociación con EE.UU., que es responsable de la defensa de Micronesia.

microonda Parte del ESPECTRO ELECTROMAGNÉTICO que se sitúa entre las ONDAS DE RADIO y la RADIACIÓN INFRARROJA. Las microondas tienen longitudes de onda que oscilan entre 30 cm y 1 mm, lo que corresponde a frecuencias de 1 gigahertz (10^9 Hz) a 1 terahertz (10^{12} Hz). Constituyen la principal onda portadora de la radiodifusión y de las transmisiones de televisión, teléfono y datos entre estaciones terrestres y entre estas y los satélites. Los haces de RADAR son pulsos cortos de microondas que se utilizan para localizar buques y aviones, rastrear sistemas meteorológicos y determinar las velocidades de objetos en movimiento. Las microondas son absorbidas por el agua y la grasa de los alimentos y así producen calor desde su interior (ver HORNO DE MICROONDAS). Materiales como vidrio y cerámica no absorben las microondas, y los metales las reflejan. Ver también MÁSER.

microprocesador Dispositivo electrónico miniaturizado que contiene la circuitería aritmética, lógica y de control necesaria para funcionar como la CPU de una COMPUTADORA DIGITAL. Los microprocesadores son CIRCUITOS INTEGRADOS que pueden interpretar y ejecutar instrucciones de programas, así como también resolver operaciones aritméticas. Su desarrollo a fines de la década de 1970 permitió a los ingenieros en informática construir MICROCOMPUTADORAS. El perfeccionamiento de los microprocesadores dio como resultado terminales "inteligentes", como los cajeros automáticos de los bancos y los dispositivos de puntos de ventas, como también el control automático de diversa instrumentación industrial, equipos hospitalarios, hornos microondas programables y juegos electrónicos. Muchos automóviles cuentan con sistemas de encendido y combustible controlados por microprocesadores.

microprogramación Proceso de escritura del microcódigo para un MICROPROCESADOR. El microcódigo es un código de bajo nivel que define cómo debe funcionar un microprocesador cuando ejecuta instrucciones en LENGUAJE DE MÁQUINA. Habitualmente, una instrucción del lenguaje de máquina se traduce en varias instrucciones de microcódigo. En algunas computadoras, el microcódigo se almacena en una ROM y no puede ser modificado; en otras más grandes, se almacena en una EPROM y, por tanto, puede ser reemplazado por versiones más actualizadas.

microscopia electrónica Técnica que permite el examen de muestras extremadamente diminutas para ser vistas con un MICROSCOPIO de luz. Los haces de electrones tienen longitudes de onda mucho menores que la luz visible y, por lo tanto, un poder de resolución superior. Para hacerlas más observables, las muestras pueden ser recubiertas con átomos de metal. Debido que los electrones no pueden viajar muy lejos en el aire, el haz electrónico y la muestra deben mantenerse en el vacío. Hay dos tipos diferentes de instrumentos en uso. En el microscopio electrónico de barrido, un haz de ELECTRONES en movimiento es barrido a través de la muestra; los electrones dispersos por el objeto son enfocados por "lentes" magnéticos para producir una imagen de la superficie del objeto, parecida a una imagen en una pantalla de televisión. Las imágenes aparecen tridimensionales; pueden ser de organismos pequeños o sus partes, de moléculas, como el ADN, o incluso de átomos individuales grandes (p. ej., uranio, torio). En el microscopio electrónico de transmisión, el haz electrónico atraviesa una muestra muy delgada, cuidadosamente preparada, y se enfoca en una pantalla o una placa fotográfica para visualizar la estructura interna de células y tejidos.

microscopio Instrumento óptico que produce imágenes ampliadas de objetos muy pequeños a una escala conveniente para su examen y análisis. La imagen se produce por diversos medios, ya sea por proyección directa, procesamiento electrónico o una combinación de ambos. El microscopio más común es el óptico, o microscopio de luz, en el cual se usan LENTES para formar la imagen. Otros tipos de microscopios usan la naturaleza ondulatoria de varios procesos físicos, siendo el más importante el microscopio electrónico (ver MICROSCOPIA ELECTRÓNICA), que usa un haz de ELECTRONES para formar la imagen. Los microscopios rudimentarios existen desde mediados del s. XV, pero no fue hasta 1674 cuando A. VAN LEEUWENHOEK creó un microscopio suficientemente poderoso como para detectar elementos tan pequeños como los protozoos.

Microsoft Corp. Empresa de informática estadounidense, líder en el desarrollo de sistemas y aplicaciones de *software* para computadoras personales. La Microsoft, con oficinas centrales en Redmond, Wash., también fabrica *hardware* y publica libros y títulos multimedia. Fue fundada en 1975 por BILL GATES y Paul G. Allen (n. 1954), quienes adaptaron el lenguaje BASIC para usarlo en COMPUTADORAS PERSONALES (PC). Entregaron bajo licencia varias versiones de este lenguaje a diversas empresas, desarrollaron otros lenguajes de programación, y en 1981 lanzaron el sistema operativo MS-DOS para las computadoras personales IBM. La posterior adopción de MS-DOS por la mayoría de los demás fabricantes de computadoras personales generó enormes ganancias a la empresa, que se transformó en sociedad anónima abierta en 1986. En 1983 creó la primera versión de Microsoft Word, su popular programa de procesamiento de textos, y en 1985 desarrolló Microsoft Windows, una INTERFAZ GRÁFICA DE USUARIO (GUI) para computadoras con MS-DOS. En 2001, la Microsoft lanzó Xbox, una consola de videojuegos que rápidamente logró el segundo lugar en el mercado de este rubro, en el que se transaron operaciones por US$ 10 mil millones. En 2002, la Microsoft lanzó Xbox Live, una red de juegos en BANDA ANCHA para sus consolas.

microtúbulo Estructura tubular rodeada por una membrana, que se encuentra en el interior de las células animales y vegetales. De longitud variable, tienen varias funciones. Sirven para configurar muchas células y son uno de los principales componentes de los cilios y flagelos, participan en la formación del huso durante la división celular (MITOSIS), y facilitan el desplazamiento de las vesículas desde los cuerpos de las células nerviosas hacia los extremos de sus prolongaciones largas (axones), y viceversa.

Midas En la mitología grecorromana, rey de FRIGIA. Capturó al sátiro Sileno, pero como lo trató amablemente, en recompensa DIONISO le concedió un deseo. Midas pidió que todo lo que tocara se convirtiera en oro; pero después de que su hija se transformara en oro cuando lo abrazó, solicitó ser liberado de su deseo. En otra leyenda, fue invitado a arbitrar un certamen musical entre APOLO y el sátiro Marsias. Cuando falló en contra de Apolo, este lo castigó haciéndole crecer orejas de burro. Ver también SÁTIRO Y SILENO.

MIDAS ver sistema de alarma de defensa con MISILES

Middlesbrough Ciudad (pob., 2001: 134.487 hab.) del condado geográfico de Yorkshire Septentrional, en el condado histórico de Yorkshire, Inglaterra. Situada en la ribera sur del río TEES, surgió en 1830 tras la llegada del ferrocarril hasta el lugar donde se instaló el nuevo puerto para la exportación de carbón. Más tarde, el descubrimiento de mineral de hierro en las cercanías contribuyó a impulsar su desarrollo.

Middle West ver MEDIO OESTE

Middlesex Condado histórico del sudeste de Inglaterra, próximo al río TÁMESIS. Los primeros poblados datan de 500 AC. En el s. I AC llegaron tribus foráneas y luego los romanos, quienes establecieron puestos de avanzada a lo largo del río. A principios del s. V DC, fue colonizado por los SAJONES. Situado entre los pueblos sajones orientales y occidentales, obtuvo su nombre (que significa, "sajones del centro") en 704 DC. Middlesex, se convirtió en condado administrativo en 1888. Algunas zonas de este antiguo condado pasaron a formar parte del Gran Londres en 1965.

Middleton, Thomas (¿abr.? 1580, Londres, Inglaterra–4 jul. 1627, Newington Butts, Surrey). Dramaturgo británico. Middleton estudió en la Universidad de Oxford y en 1600 ya había publicado tres libros de poesía. Se instruyó en escribir obras dramáticas al colaborar con JOHN WEBSTER y con otros autores en obras para el empresario teatral y productor PHILIP HENSLOWE. Las tragedias *Cuidado con las mujeres* (c. 1621) y *El trueque* (1622, con William Rowley) se consideran sus obras maestras. Entre sus comedias, que retratan una sociedad encandilada por el dinero, se cuentan *La temporada otoñal* (c. 1605), *Un truco para atrapar viejos* (1608), *A Mad World, My Masters* (1608), *Una casta doncella de Cheap-side* (c. 1613) y *Una partida de ajedrez* (1625).

Midgley, Thomas, Jr. (18 may. 1889, Beaver Falls, Pa., EE.UU.–2 nov. 1944, Worthington, Ohio). Ingeniero y químico estadounidense. Luego de estudiar en la Universidad Cornell, trabajó como investigador industrial y administrador. En 1921 descubrió la efectividad del tetraetilo de plomo como aditivo antidetonante para la GASOLINA. También descubrió el diclorodifluorometano, un refrigerante vendido comercialmente como Freón-12 (ver FREÓN), el cual, junto con otros compuestos similares, se usó de manera masiva como refrigerante y más tarde como impulsor para aerosoles. Investigó ampliamente las gomas tanto naturales como sintéticas y descubrió uno de los primeros CATALIZADORES para realizar el *cracking* (división de moléculas) de HIDROCARBUROS.

Midhat Bajá (oct. 1822, Constantinopla, Imperio otomano–8 may. 1883, Al-Ṭā'if, península Arábiga). Funcionario civil y gran visir del Imperio OTOMANO. Como gobernador de Niš y Bagdad, se ganó el respeto del sultán Abdülaziz por sus exitosas reformas, y lo nombró gran visir en 1872, cargo que ejerció sólo por tres meses. En 1876 ayudó a deponer a Abdülaziz, quien fue sucedido por Murat V, el que fue, a su vez, reemplazado por Abdülhamid II. Aunque ocupó una vez más el puesto de gran visir, Midhat Bajá fue destituido al cabo de seis meses. Más tarde lo desterraron, para luego retornar y ser nombrado gobernador de Esmirna. Tiempo después fue arrestado y condenado por la muerte de Abdülaziz. La sentencia de muerte se le conmutó por el exilio permanente. Ver también TANZIMAT.

MIDI *sigla de* **Musical Instrument Digital Interface** (Interfaz digital para instrumentos musicales). PROTOCOLO para la transmisión de datos musicales entre componentes digitales, como los SINTETIZADORES y las tarjetas de sonido de las computadoras. La MIDI utiliza la transmisión en serie asíncrona de 8 bits con una tasa de datos de 31,25 kilobytes por segundo. Los datos transmitidos no representan directamente sonidos musicales, pero especifican varios aspectos (tono, volumen, puntos de inicio y fin en el tiempo). Los datos son entonces aplicados a formas de ondas almacenadas digitalmente en un chip de computadora para crear un sonido específico.

midras En el JUDAÍSMO, gran colección de escritos que examinan la BIBLIA hebrea a la luz de la tradición oral. La actividad midrásica alcanzó su máximo desarrollo en el s. II DC con las escuelas de ISHMAEL BEN ELISHA y AKIBA BEN JOSEPH. Los *midrašim* se dividen en dos grupos: la HALAKÁ, que esclarecían los asuntos legales, y la HAGGADA, escritos no legales con la simple intención de ilustrar. Son citados extensamente en el TALMUD.

Midway, batalla de (3–6 jun. 1942). Importante combate aeronaval de la segunda GUERRA MUNDIAL, entre EE.UU. y Japón. Las fuerzas navales japonesas al mando de YAMAMOTO Isoroku procuraron tomar las islas Midway con un ataque a la flota estadounidense del Pacífico, inferior en número. Los servicios de inteligencia estadounidenses habían descifrado la clave naval japonesa y EE.UU. se preparó para el asalto con la movilización de unos 115 aviones basados en tierra y tres portaaviones. El 3 de junio sus bombarderos comenzaron a atacar a los portaaviones japoneses. Japón no logró equiparar el poderío aéreo estadounidense y, tras fuertes pérdidas, abandonó el intento de desembarcar en Midway. Con esta batalla las fuerzas navales de Japón y EE.UU. en el Pacífico quedaron casi a la par y marcó el punto crítico de la guerra entre los dos países.

Midway, islas *ant.* **islas Brooks** Dependencia estadounidense en el Pacífico central. Midway está formado por dos islas de coral, Eastern y Sand, con una superficie territorial conjunta de 5 km² (2 mi²); no hay población permanente. Reclamadas para EE.UU. en 1859 por el capitán N.C. Brooks, fueron anexadas formalmente en 1867. Debido a su ubicación, a más de 2.100 km (1.300 mi) al noroeste de HONOLULU, tuvieron importancia estratégica para las fuerzas estadounidenses durante la segunda guerra mundial, y en 1941 la marina de EE.UU. estableció allí una base aérea y naval. La batalla de MIDWAY (1942) ocurrió en aguas cercanas. Midway también sirvió como base aérea comercial, pero el aeropuerto se clausuró en 1993.

miel Alimento líquido viscoso, dulce, de color dorado, producido por los sacos de miel de diversas especies de abejas a partir del néctar de las flores. La miel ha jugado un rol importante en la nutrición humana desde la antigüedad; hasta hace 250 años era casi el único agente edulcorante. La miel es producida a menudo

Panal de miel: celdillas hexagonales de cera de abeja.
STOCKXPERT

comercialmente a partir de TRÉBOL (*Trifolium*) o de meliloto (*Melilotus*) por la ABEJA COMÚN local. El néctar es madurado para convertirse en miel mediante la inversión de la mayor parte de su SACAROSA en azúcares levulosa (FRUCTOSA) y dextrosa (GLUCOSA) y por la remoción del exceso de humedad. La miel es almacenada en la colmena o nido de un panal, que es un conjunto de celdillas hexagonales de CERA DE ABEJA y propóleos (resina de una planta). La miel es usada en invierno como alimento para larvas de abeja y otros miembros de la colonia. La miel extraída para el consumo humano es usualmente calentada para destruir levaduras causantes de fermentación, y luego es colada. Ver también APICULTURA.

miel de maíz ver SIROPE

Mielga (*Squalus acanthias*)
© ENCYCLOPÆDIA BRITANNICA, INC.

mielga Cualquiera de varias especies de TIBURONES pequeños. El tiburón pequeño espinudo (*Squalus acanthias*, familia Squalidae) tiene un aguijón delante de cada una de sus dos aletas dorsales. Abunda en las costas del Atlántico y del Pacífico norte. Es gris con manchas blancas, mide cerca de 60–120 cm (2–4 pies) de largo, y a menudo se lo encuentra en grupos. Se alimenta de peces e invertebrados, y generalmente roba la carnada y daña las redes de pesca. Proporciona aceite de hígado, o bien se muele como fuente de abono. Otras especies conocidas son las mielgas manchadas (familia Scyliorhinidae), que se venden como alimento, y el gatuso o gatuzo (*Mustelus canis*, familia Triakidae), uno de los tiburones más comunes en la costa atlántica de EE.UU. Ver también ALCARAZ.

mieolide, tejido ver MÉDULA ÓSEA

miércoles de Ceniza ver CUARESMA

Mies van der Rohe, Ludwig *orig.* **Maria Ludwig Michael Mies** (27 mar. 1886, Aquisgrán, Alemania–17 ago. 1969, Chicago, Ill., EE.UU.). Arquitecto y diseñador estadounidense de origen alemán. Aprendió albañilería de su padre y más tarde trabajó en la oficina de PETER BEHRENS. Su primer gran trabajo fue el pabellón alemán para la Exposición Internacional de Barcelona, España, en 1929. Consistía en una plataforma de mármol travertino, con columnas de acero cromado, y espacios definidos por planos de extravagantes ónix, mármol y vidrio esmerilado. La *silla Barcelona*, de acero y cuero, que diseñó para el pabellón, se convirtió en un clásico del s. XX. Fue director de la BAUHAUS en 1930–33, primero en Dessau y luego, durante sus meses finales, en Berlín. Después de trasladarse a EE.UU. en 1937, asumió la dirección de la Escuela de arquitectura del Armour Institute

Edificios de Lake Shore Drive, Chicago, de Mies van der Rohe.
EZRA STOLLER © ESTO

de Chicago (hoy Instituto de Tecnología de Illinois), donde diseñó el nuevo campus de la escuela (1939–41). El estilo INTERNACIONAL, con Mies como líder indiscutido, alcanzó la cima durante los siguientes 20 años. Otros de sus proyectos son los edificios de Lake Shore Drive de Chicago (1949–51), y el edificio SEAGRAM (1956–58, con Philip Johnson) en Nueva York. Estos edificios, esqueletos de acero envueltos en muros-cortina de vidrio, ejemplifican la máxima "menos es más" de Mies. Entre sus últimos traba-

jos figura la nueva Galería Nacional de Berlín (1963–68). La influencia ejercida por Mies durante el s. XX se manifiesta en todo el mundo en edificios de oficinas de acero y vidrio.

Miescher, Johann Friedrich (13 ago. 1844, Basilea, Suiza–26 ago. 1895, Davos). Biólogo suizo. En 1869 descubrió una sustancia que contiene fósforo y nitrógeno en el núcleo de los glóbulos blancos presentes en el pus. La sustancia, primero denominada nucleína, porque parecía venir del núcleo celular, se conoció después como ácido nucleico cuando Miescher la separó en una proteína y un componente ácido. Fue también uno de los primeros investigadores en proponer que la concentración de dióxido de carbono (y no la de oxígeno) en la sangre es la que regula la respiración pulmonar.

Mieszko I (c. 930–25 may. 992). Duque de Polonia (¿963?–992). Adhirió al cristianismo de Roma (966) para evitar que los germánicos forzaran la conversión e incorporación de Polonia al Sacro Imperio romano. Extendió Polonia hacia el sur hasta Galitzia y al norte hasta el mar Báltico.

Mifune Toshirō (1 abr. 1920, Tsingtao, provincia de Shantung, China–24 dic. 1997, Mitaka, cerca de Tokio, Japón). Actor de cine japonés. Después de servir en el ejército japonés durante la segunda guerra mundial, debutó en el cine en *La edad nueva de los locos* (1947). Su siguiente rol cinematográfico fue con *El ángel borracho* (1948), y se consagró internacionalmente con *Rashomon* (1950). Actuó en más de 100 películas y fue reconocido en el mundo por sus poderosos y llamativos retratos de samuráis en los filmes de AKIRA KUROSAWA, entre los que se cuentan *Los siete samuráis* (1954), *La fortaleza escondida* (1958), *El mercenario* (1961) y *Sanjuro* (1962); entre otros largometrajes cabe destacar su interpretación del legendario samurái Miyamoto Musashi en tres oportunidades, además de otras películas como *Trono de sangre* (1957), *La fortaleza escondida* (1957), *Barbarroja* (1965) y *La batalla de Midway* (1976).

MiG Cualquier miembro de la familia de AVIONES CAZA producida por una empresa de diseño fundada en 1939 por Artem Mikoyan y Mijaíl Gurevich. Los primeros MiG, construidos durante la segunda guerra mundial, eran propulsados a hélice. El MiG-15, que tuvo su vuelo inaugural en 1947, estaba entre los mejores de los primeros cazas de reacción; tuvo extensa participación en combate durante la guerra de Corea. El MiG-21, un interceptor liviano monomotor, introducido en 1955, se convirtió en el principal caza de Vietnam del Norte y fue fabricado para más de 40 países. Entre los jets más modernos está el MiG-29, monoplaza bimotor de combate aéreo y ataque a tierra.

MiG *ofic.* **ANPK** *llamado* **A.I. Mikoyana** *ant.* **OKB-155** Empresa rusa de diseño aeronáutico, principal fabricante de aviones caza de reacción del país. La empresa se inició en 1939 como un departamento de otra agencia de diseño soviética, que estaba a cargo de Artem Mikoyan y su asistente, Mijaíl Gurevich. Tres años más tarde pasó a ser la agencia independiente OKB-155. Su primer diseño fue un avión interceptor monomotor (con vuelo inaugural en 1940) y que finalmente fue denominado MiG-1 ("MiG" es un acrónimo de "Mikoyan" y "Gurevich"). Después de la segunda guerra mundial, la empresa fabricó el primer reactor caza soviético, el MiG-9 (1946), y prosiguió con la fabricación de algunos de los aviones de alta velocidad más importantes de la U.R.S.S. (ver MiG [avión caza]). Los últimos aviones caza importantes diseñados bajo la dirección de Mikoyan (m. 1970) fueron el MiG-23 con ala de geometría variable (entró en servicio en 1972) y el MiG-25 (introducido en 1970 y capaz de alcanzar velocidades cercanas a 3 Mach). Luego, la empresa produjo varios diseños nuevos, como el MiG-29 y el MiG-31 (ambos con vuelo inaugural en la década de 1970). Hacia fines de la década de 1980, su razón social formal pasó a ser ANPK imeni A.I. Mikoyana. En la década de 1990, después de la desintegración de la Unión Soviética, MiG se fusionó con varias empresas importantes, lo que dio origen a VPK MAPO, un gigantesco complejo aeroespacial de propiedad del Estado. MiG se diversificó moderadamente hacia el mercado de los aviones de pasajeros y continuó desarrollando diseños avanzados de aviones caza, como el caza multifuncional de quinta generación 1.42 (1.44I) (con vuelo inaugural en el 2000).

migmatita Roca compuesta de un material huésped metamórfico que está incrustado con vetas de granito; el nombre significa roca mezclada. Probablemente muchas migmatitas son resultado de la fusión parcial de la roca huésped del proceso metamórfico; algunos componentes de la roca se funden y se unen para producir las vetas de granito. Las migmatitas también se pueden formar en la cercanía de grandes intrusiones de granito cuando parte del magma es inyectado en ROCAS METAMÓRFICAS vecinas.

migración humana Cambio permanente de residencia de una persona o grupo, lo que excluye los traslados propios del NOMADISMO y de los TEMPOREROS MIGRATORIOS. Las migraciones pueden clasificarse en nacionales e internacionales y en voluntarias y forzadas. Por lo general, la migración voluntaria tiene por objeto la búsqueda de mejores condiciones de vida; por el contrario, entre las migraciones forzadas se cuentan las expulsiones causadas por conflictos bélicos y el traslado de esclavos o prisioneros. Los primeros seres humanos migraron desde África hacia casi todos los continentes, salvo la Antártida, en un lapso de 50.000 años aprox. Otras migraciones masivas fueron el traslado forzoso de 20 millones de personas como esclavos desde África hasta América del Norte en los s. XVI–XIX y la gran migración atlántica de 37 millones de personas desde Europa hacia América del Norte entre 1820 y 1980. Las migraciones forzadas relacionadas con la guerra y el movimiento de refugiados siguen siendo masivas, como también las migraciones voluntarias desde las naciones en desarrollo hacia los países industrializados. Las migraciones internas suelen producirse desde las zonas rurales hacia los centros urbanos.

migraña *o* **jaqueca** CEFALEA vascular recurrente, habitualmente de un lado de la cabeza. El dolor intenso y palpitante va acompañado a veces de náusea y vómitos. Algunos pacientes migrañosos tienen síntomas premonitorios (aura) antes de la cefalea, como trastornos visuales, debilidad, parestesia o mareo. Se pueden prevenir los ataques si se evita el estímulo que los

"La creación del hombre", detalle del fresco de Miguel Ángel en la bóveda de la capilla Sixtina; Museos y Galerías del Vaticano. FOTOBANCO

desencadena (p. ej., un alimento o una bebida en particular). Los medicamentos (para abortarlos) se deben tomar en cuanto comienzan los síntomas, o diariamente (para prevenirlos o reducir su intensidad) en el caso de pacientes con ataques muy frecuentes.

Miguel I (n. 25 oct. 1921, Sinaia, Rumania). Rey de Rumania. Después de que su padre, el futuro rey CAROL II, fue excluido de la sucesión real (1926), Miguel fue proclamado rey bajo una regencia de tres miembros. Carol reclamó el trono en 1930 y su hijo fue reducido al papel de príncipe heredero. Con la abdicación de Carol en 1940, Miguel nuevamente se convirtió en rey, pero fue de hecho un prisionero del dictador militar ION ANTONESCU. En 1944 ayudó a encabezar el golpe que derrocó el régimen militar y cortó las relaciones de Rumania con las potencias del Eje. Se opuso fuertemente al posterior ascenso al poder de los comunistas, pero fue obligado a abdicar en 1947. Marchó al exilio en Suiza y se convirtió en ejecutivo de una firma estadounidense de corretaje. En 1997 recuperó su ciudadanía rumana; posteriormente visitó el país e intentó recuperar las propiedades que le fueron confiscadas.

Miguel III *o* **Miguel Románov** *ruso* **Mijaíl Fiódorovich Románov** (22 jul. 1596–23 jul. 1645, Moscú). Zar de Rusia (1613–45) y fundador de la dinastía ROMÁNOV. Joven noble

elegido zar tras la caótica época de CRISIS; permitió que los familiares de su madre dirigieran el gobierno al comienzo de su reinado. Estos restablecieron el orden en Rusia y firmaron la paz con Suecia (1617) y Polonia (1618). En 1619 su padre, liberado del cautiverio en Polonia, regresó a Rusia y se convirtió en cogobernante. Su progenitor controló el gobierno, incrementó los contactos con Europa occidental y fortaleció la autoridad central y la servidumbre. Tras la muerte de su padre en 1633, la familia matrilineal de Miguel gobernó nuevamente.

Miguel VIII Paleólogo (1224 ó 1225–11 dic. 1282, Tracia). Emperador de Nicea (1259–61) y de Constantinopla (1261–82), fundador de la dinastía Paleólogo. Nombrado regente del hijo de Teodoro II (1258), de seis años de edad, se apoderó del trono y dejó ciego al heredero legítimo. Recuperó Constantinopla de manos de los latinos (1261) y se alió con el papa contra sus rivales; en 1274 reunificó por poco tiempo las Iglesias romana y griega (ver concilios de LYON). En 1281 el nuevo papa, Martín IV, lo excomulgó y declaró que la campaña planificada por Carlos de Anjou contra Bizancio era una santa cruzada contra los griegos cismáticos. Las VÍSPERAS SICILIANAS impidieron la expedición de Carlos y salvaron así a Bizancio de ser ocupada por los latinos por segunda vez.

Miguel Ángel *o* **Michelangelo Buonarroti** (6 mar. 1475, Caprese, República de Florencia–18 feb. 1564, Roma, Estados Pontificios). Escultor, pintor, arquitecto y poeta italiano. Ingresó al taller de DOMENICO GHIRLANDAIO en Florencia antes de comenzar la primera de varias esculturas para LORENZO DE MÉDICIS. Después de la muerte de este en 1492, se dirigió a Bolonia y luego a Roma. En esta ciudad, realizó su *Baco* (1496–97) que consolidó su fama e hizo que se le encargara la *Pietà* (hoy en la basílica de SAN PEDRO), obra maestra de los primeros años, en la que demostró su singular habilidad para extraer dos figuras diferentes de un bloque de mármol. Su *David* (1501–04), encargado para la catedral de Florencia, sigue siendo considerado el mejor ejemplo del ideal renacentista de la humanidad perfecta. En forma paralela realizó varias madonas para mecenas privados y su única pintura de caballete universalmente aceptada, *La sagrada familia* (conocida como el *Doni tondo*). Atraído por ambiciosos proyectos escultóricos, que no siempre terminaba, aceptó con renuencia pintar la bóveda de la capilla SIXTINA (1508–12). Las primeras escenas, que representan la historia de Noé, son relativamente estables y de pequeña escala, pero su confianza fue creciendo a medida que avanzaba el trabajo, y las últimas escenas revelan audacia y complejidad. Las figuras para las tumbas en la capilla Médicis de Florencia (1519–33) que diseñó, se encuentran entre sus creaciones más logradas. Dedicó sus últimos 30 años principalmente a pintar el fresco *El Juicio Final*, que se encuentra en la capilla Sixtina, a escribir poesía (dejó más de 300 sonetos y madrigales) y a la arquitectura. Se le encargó terminar la basílica de San Pedro, iniciada en 1506 y que al año 1514 presentaba poco avance. Aunque no estuvo realmente terminada al momento de la muerte de Miguel Ángel, su exterior le debe más a él que a ningún otro arquitecto. Es considerado uno de los artistas más notables de todos los tiempos.

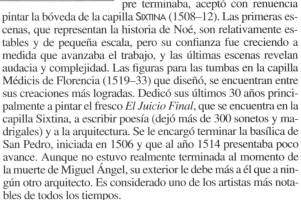

Miguel En la BIBLIA y el CORÁN, uno de los arcángeles. Jefe de las huestes celestiales, fue invocado por los primeros ejércitos cristianos que luchaban contra los paganos. En la tradición cristiana se cree que escolta el alma ante la presencia de Dios al momento de la muerte. En el arte se lo representa como un guerrero, con espada en mano, triunfando sobre un dragón. Su festividad se celebra el 29 de septiembre. Ver también MĪKĀʾĪL.

miḥrāb Nicho semicircular de oración en el *quibla* (muro que mira hacia La Meca) de una MEZQUITA, reservado para el imán (*imām*). El *miḥrāb* se originó en el reinado del califa omeya al-Walīd I (705–715), cuando se construyeron las famosas mezquitas en Medina, Jerusalén y Damasco. Es una adaptación de los nichos de oración comunes en los monasterios coptos. Por lo general, los *miḥrāb* están profusamente decorados.

mijo Cualquiera de diversas HIERBAS (familia Poaceae o Gramineae) que producen semillas pequeñas, comestibles, usadas como cultivos forrajeros y CEREALES alimentarios. La altura de estas especies oscila entre 0,3 y 1,3 m (1 a 4 pies). Salvo el mijo perlado (*Pennisetum glaucum* o *P. americanum*), las semillas no salen de la cáscara después de la trilla. Cultivado en China desde al menos el tercer milenio AC, actualmente el mijo es un alimento básico en gran parte de Asia, Rusia y el oeste de África. Tiene un alto contenido de carbohidratos; su sabor es un tanto fuerte y no puede usarse para elaborar pan leudo, sino fundamentalmente panes sin levadura y como gacha. También se prepara y consume en forma similar al arroz. En EE.UU. y Europa occidental se usa principalmente en pastizales o para producir HENO.

Mīkā'īl En el ISLAM, el equivalente del arcángel MIGUEL bíblico. Es mencionado sólo una vez en el CORÁN, pero, de acuerdo con la leyenda, él y JIBRAIL fueron los primeros ángeles en obedecer la orden de Dios de venerar a ADÁN Y EVA. A ambos se les atribuye la purificación del corazón de MAHOMA antes de su ascensión al cielo (ver MIR'ĀJ). Se dice que Mīkā'īl habría quedado tan impactado ante la visión del infierno cuando este fue creado que nunca volvió a reír. También se cree que habría ayudado a los musulmanes a ganar sus primeras victorias militares de importancia en Arabia en 624.

Mikołajczyk, Stanisław (18 jul. 1901, Holsterhausen, cerca de Gelsenkirchen, Alemania–13 dic. 1966, Washington, D.C., EE.UU.). Estadista polaco. Cofundó el Partido Campesino, del cual fue líder (1931–39). Después de la invasión alemana de Polonia (1939), huyó a Londres, en donde participó en el gobierno polaco en el exilio como primer ministro (1943–44). Regresó en 1945 y se convirtió en el segundo vice-primer ministro en el gobierno provisional dominado por los comunistas. Intentó establecer un gobierno democrático, pero la persecución al Partido Campesino no comunista lo obligó a huir en 1947 a Gran Bretaña y luego a EE.UU.

Mikón ver MICÓN

Mikoyán, Anastas (Ivánovich) (25 nov. 1895, Sanaín, Armenia–21 oct. 1978, Moscú, Rusia, U.R.S.S.). Estadista soviético. Después de unirse a los bolcheviques en 1915, se convirtió en jefe del partido en el Cáucaso. Su apoyo a STALIN le otorgó un cargo en el Comité central comunista (1923). Fue comisario de comercio a partir de 1926, miembro del Politburó desde 1935 y viceprimer ministro (1946–64), a cargo del comercio del país. Apoyó el ascenso al poder de NIKITA JRUSCHOV y se convirtió en su estrecho asesor y en primer vice-primer ministro de la Unión Soviética. Fue presidente del Presidium del soviet supremo (1964–65).

mil y una noches, Las *o* **Entretención de noches árabes** *árabe* **Alf laylah wa laylah** Colección de historias orientales de fecha y autor desconocidos. La historia central, probablemente de origen indio, en la cual el plan del vengativo rey Shahryar de desposar y ejecutar a una nueva esposa todos los días se ve frustrado por la ingeniosa Scheherazade; los relatos con los cuales Scheherazade seduce a Shahryar, prorrogando y finalmente evitando su ejecución, provienen de India, Irán, Irak, Egipto, Turquía y posiblemente Grecia. Hoy en día se piensa que esta colección es una obra de varia autoría, transmitida originalmente en forma oral y gestada a lo largo de varios siglos. La primera versión publicada fue una traducción europea del s. XVIII; la versión de Sir RICHARD BURTON, *Book of the Thousand Nights and a Night* (1885–88) se transformó en la traducción al inglés más conocida.

milagro Acontecimiento extraordinario atribuido a un poder sobrenatural. La creencia en los milagros existe en todas las culturas y en casi todas las religiones. Los UPANISAD afirman que la experiencia de la introspección y la transformación religiosa es el único "milagro" digno de considerar, pero el HINDUISMO popular atribuye poderes milagrosos a los yoguis ascéticos. En el CONFUCIANISMO tienen poca cabida. Sin embargo, el TAOÍSMO se fusionó con la religión tradicional china y produjo una gran cantidad. Aunque Gautama BUDA menospreció sus propios poderes milagrosos como desprovistos de significación espiritual, relatos acerca de su nacimiento y vida milagrosos fueron incorporados más tarde en su leyenda y en la de santos budistas posteriores. Todas las escrituras hebreas los dan por sentado y eran bastante comunes en el mundo grecorromano. El NUEVO TESTAMENTO registra curaciones milagrosas y otras maravillas realizadas por JESÚS. Los milagros también dan fe de la santidad de los santos cristianos. MAHOMA renunció a ellos por principio (el CORÁN fue el gran milagro), pero su vida fue revestida posteriormente con pormenores milagrosos. La religión popular musulmana, en particular bajo la influencia del SUFISMO, abunda en milagros y santos que obran maravillas.

milagros Tipo de teatro vernáculo de la Edad Media que representaba hechos reales o ficticios de la vida, los milagros, o el martirio de un santo. El género surgió del DRAMA LITÚRGICO de los s. X–XI, que tenía como fin realzar las festividades del calendario eclesiástico. En el s. XIII, las representaciones se separaron de los oficios religiosos y comenzaron a presentarse en festividades públicas con la participación de gremios de diversos oficios y otros actores aficionados. La mayoría de los milagros versaban sobre la Virgen María o san NICOLÁS, pues tenían cultos vigentes durante la Edad Media. En España se rechazó la denominación de milagro para este género dramático, y se optó preferentemente por la voz de misterio. Ver también MISTERIOS; MORALIDADES.

Milán *italiano* **Milano** Capital (pob., est. 2001: 1.182.693 hab.) de la región de LOMBARDÍA, en el norte de Italia. Los celtas colonizaron esta zona c. 600 AC. Conocida como Mediolanum, fue conquistada por los romanos en 222 AC. Saqueada en 452 DC por ATILA y destruida en 539 por los godos, cayó en poder de CARLOMAGNO en 774. El poder de Milán aumentó en el s. XI, pero fue destruida por el SACRO IMPERIO ROMANO en 1162. Tras su reconstrucción en 1167, formó parte de la Liga LOMBARDA y obtuvo su independencia en 1183. En 1450, FRANCESCO SFORZA fundó en esta ciudad una nueva dinastía. Después de 1499 gobernaron alternadamente los franceses y la familia Sforza hasta 1535, fecha en que pasó a manos de los HABSBURGO. NAPOLEÓN I asumió en 1796 y en 1805 se convirtió en la capital del Reino de Italia. Se integró a la Italia unificada en 1860. Milán sufrió graves daños durante la segunda guerra mundial, pero fue reconstruida. Es el centro económico, financiero e industrial más importante y desarrollado de Italia, destacando el rubro textil y de la alta costura, además de la fabricación de productos electrónicos. Entre sus sitios de interés histórico se cuentan *Il Duomo*, la tercera catedral gótica más grande de Europa; el palacio de Brera (1651); el monasterio de Santa Maria della Gracia del s. XV donde se encuentra *La última cena* de LEONARDO DA VINCI y el teatro de la SCALA.

Milán, decreto de (17 dic. 1807). Política económica instaurada durante las guerras NAPOLEÓNICAS. Fue parte del sistema CONTINENTAL invocado por Napoleón para bloquear el comercio con los británicos. Extendió el bloqueo de los puertos continentales a los de las naves neutrales que comerciaban con Gran Bretaña, afectando también el transporte marítimo de EE.UU.

Milán, Universidad de Universidad pública de Italia, creada en 1923 bajo la reforma universitaria de ese país. Fue inaugurada al año siguiente con cuatro facultades: derecho, artes y filosofía, medicina y ciencias físicas, matemáticas y naturales. En la década de 1930 se incorporaron la Scuole Superiori de Medicina Veterinaria (fundada en 1792) y los Estudios Rurales (fundado en 1871), completando así seis facultades. En la década de 1960 comenzó una fuerte expansión del número de facultades y de licenciaturas impartidas, especialmente en la Ciudad Universitaria de Milán. En la actualidad es una institución integral de enseñanza superior e investigación que cuenta con nueve facultades que ofrecen diversos programas, tanto de licenciatura como de posgrado. Tiene cinco sedes: Milán, Crema, Lodi, S. Donato y Segrate.

Milano (*Elanoides forficatus*).
© ENCYCLOPÆDIA BRITANNICA, INC.

milano Cualquiera de numerosas AVES DE PRESA de contextura ligera, cabeza pequeña, cara parcialmente desnuda, pico corto, y tanto alas como cola largas y estrechas. Se distribuyen por todo el mundo en las regiones cálidas. Algunos viven de insectos, otros son principalmente carroñeros, pero también devoran roedores y reptiles, y unos pocos comen sólo caracoles. Al volar, aletean con lentitud para después planear con las alas en ángulo hacia atrás. Pertenecen a tres subfamilias de la familia Accipitridae: Milvinae (milanos genuinos y caracoleros), Elaninae (como el milano blanco, una de las pocas aves RAPACES norteamericanas cuyo número aumenta) y Perninae (como el milano tijereta del Nuevo Mundo). Ver también GAVILÁN.

Milcíades el Joven (c. 554, Atenas–probablemente 489 AC, Atenas). General ateniense. Fue enviado por HIPIAS a fortalecer el control ateniense de las rutas marítimas del mar Negro y se convirtió en un pequeño tirano en la zona. Combatió a los escitas junto a DARÍO I en 513 y apoyó a los persas hasta la revuelta de los JONIOS (499–494). Cuando esta fracasó, huyó a Atenas y condujo la flota ateniense a la victoria en la batalla de MARATÓN (490). Al año siguiente fue llevado a juicio y multado por una expedición fallida que pretendía castigar Paros por colaborar con Persia; poco después fue encarcelado por no pagar la deuda, murió debido a una herida gangrenosa.

mildiú Masa conspicua de hifas filiformes (ver MICELIO) y estructuras fructíferas producidas por diversos HONGOS (división Mycota). El mildiú crece en telas, fibras, productos de cuero y plantas, cuyas sustancias son usadas como alimento para su crecimiento y reproducción. El mildiú del lúpulo y el polvoroso son enfermedades de las plantas que afectan a cientos de especies.

milenarismo Creencia en la profecía cristiana del milenio (Apocalipsis 20), los mil años en que Cristo reinará sobre la Tierra, o todo movimiento religioso que prevé una edad venidera de paz y prosperidad. Existen dos expresiones de esta creencia. El premilenarismo sostiene que la segunda venida de Cristo ocurrirá antes del milenio e iniciará la batalla final entre el bien y el mal, que será seguida por el establecimiento del reino de mil años sobre la Tierra o en el cielo. Los posmilenaristas sostienen que Jesús regresará tras la creación de un reino milenario de paz y justicia, que prepara el camino para la segunda venida. A lo largo de la era cristiana, períodos de cambio o crisis social han favorecido su resurgimiento. La leyenda del último emperador y los escritos de JOAQUÍN DE FIORE son ejemplos importantes de milenarismo medieval, y durante la Reforma, los ANABAPTISTAS, los hermanos bohemios y otros grupos sostuvieron estas creencias. En la actualidad se asocia especialmente con confesiones protestantes como los ADVEN-

TISTAS, los TESTIGOS DE JEHOVÁ y los mormones (ver MORMÓN). En un sentido más amplio, muchas tradiciones no cristianas se entienden como milenaristas, entre ellas el BUDISMO DE LA TIERRA PURA y la religión de la danza de los espíritus.

milenio Período de mil años. El calendario GREGORIANO, puesto en vigor en 1582 y adoptado luego por la mayoría de los países, no incluye el año 0 en la transición de AC (años antes de Cristo) a DC (años a partir de su nacimiento). Así, el primer milenio se define como el período entre los años 1–1000 y el segundo milenio entre los años 1001–2000. Si bien numerosas celebraciones marcaron el comienzo del año 2000, el s. XXI y el tercer milenio DC se iniciaron el 1 de enero de 2001.

Mileto Antigua ciudad griega del oeste de ANATOLIA. Antes de 500 AC era la ciudad griega más grande de Anatolia. Destacada como potencia comercial y colonial, era también conocida por sus figuras intelectuales, como TALES, ANAXIMANDRO, ANAXÍMENES y Hecateo. Gobernada por tiranos griegos, más tarde quedó bajo control de LIDIA y la dinastía persa aqueménida. Cerca de 499 AC, Mileto lideró el alzamiento jónico que desencadenó las guerras MÉDICAS; los persas la destruyeron en 494 AC. Cuando los griegos derrotaron a los persas, se unió a la Liga de DELOS. En 334 AC cayó en poder de ALEJANDRO MAGNO, pero mantuvo su importancia comercial. En el s. VI DC sus dos puertos se habían obstruido con légamo, y finalmente Mileto fue abandonada. Sus restos, situados cerca de la desembocadura del río MENDERES, son hoy un yacimiento arqueológico.

Milford Sound Fiordo en el mar de TASMANIA, en la costa sudoccidental de la isla del Sur, Nueva Zelanda. De unos 3 km (2 mi) de ancho, se interna 19 km (12mi) en la isla. En la década de 1820 fue bautizada por un cazador de ballenas debido a su parecido con Milford Haven, en Gales. Es el fiordo más septentrional del parque nacional de FIORDLAND; en él se encuentra el pueblo de Milford Sound, uno de los pocos lugares permanentemente habitados de la región.

Milford Sound en el parque nacional de Fiordland, Nueva Zelanda.
PETER HENDRIE/PHOTOGRAPHER'S CHOICE/GETTY IMAGES

Milhaud, Darius (4 sep. 1892, Aix-en-Provence, Francia–22 jun. 1974, Ginebra, Suiza). Compositor francés. Estudió en el conservatorio de París y después en la Schola Cantorum con VINCENT D'INDY. Se hizo conocido como miembro de Les SIX, agrupación de jóvenes compositores franceses. Su música se caracteriza por la politonalidad (el uso simultáneo de diferentes tonalidades), como en *Saudades do Brazil* (1921) y sus composiciones, aunque disonantes, conservan una cualidad lírica. Es perceptible la influencia del jazz en su obra más conocida, el ballet *La creación del mundo* (1923). En la década de 1920 escribió numerosos ballets, óperas y música para cine, y culminó con la "grand opéra" *Cristóbal Colón* (1928). Milhaud estuvo vinculado largo tiempo con el Festival de música de Aspen, EE.UU., que ayudó a fundar en 1949.

miliaria Trastorno inflamatorio de la PIEL, que afecta a múltiples poros sudorales. El bloqueo de los poros hace que el sudor se filtre hacia las distintas capas de la piel y produzca diferentes reacciones inflamatorias. El tipo más común o sudamina resulta de la infiltración de la epidermis. Se presenta como ampollas del tamaño de una cabeza de alfiler o barros, en el tronco y las extremidades, que producen picazón o ardor. Afecta principalmente a los niños, en climas tropicales. Ver también GLÁNDULA SUDORÍPARA; TRANSPIRACIÓN.

milicia Organización militar de ciudadanos con instrucción limitada, disponible para servir en emergencias, a menudo para defensa local. En muchos países la milicia es de origen muy antiguo. Los anglosajones requerían que todo hombre libre y físicamente apto sirviera en ella. En las colonias americanas era la única defensa contra indios hostiles cuando las fuerzas regulares británicas no estaban disponibles. En la guerra de independencia de los ESTADOS UNIDOS DE AMÉRICA, la milicia, llamada los *Minutemen* (hombres de un minuto), proveyó el grueso de las fuerzas estadounidenses. Las milicias jugaron un papel similar en la guerra ANGLO-ESTADOUNIDENSE de 1812 y en la guerra de SECESIÓN. En EE.UU., las milicias voluntarias controladas por los estados se transformaron en la guardia nacional. Las unidades de milicia británicas aparecieron en el s. XVI para la defensa del territorio nacional y respondían ante el sheriff del condado o el lord teniente; fueron absorbidas por el ejército regular en el s. XX. Hoy, diversas organizaciones paramilitares, desde supremacistas blancos en EE.UU. hasta revolucionarios en los países del mundo en desarrollo, usan el término milicia para acentuar su origen populista.

Miliukov, Pavel (Nikoláievich) (27 ene. 1859, Moscú, Rusia–3 mar. 1943, Aix-les-Bains, Francia). Historiador y político ruso. Enseñó historia en la Universidad de Moscú hasta 1895 y escribió la alabada obra *Esbozos de la cultura rusa* (3 vol., 1896–1903). Fue un liberal que admiró los valores políticos de los países democráticos; en 1905 cofundó el PARTIDO DEMÓCRATA CONSTITUCIONAL, de tendencia progresista, y lo dirigió en la Duma (1907–17). En 1917 ayudó a formar el gobierno provisional bajo el príncipe GUEORGUI LVOV y fue ministro de asuntos exteriores por un breve período. Intentó formar una coalición moderada contra los bolcheviques, pero fue obligado a abandonar Rusia y se radicó finalmente en París.

Milken, Michael R. (n. 4 jul. 1946, Encino, Cal., EE.UU.). Financista y empresario estadounidense. Estudió en la Wharton School, Universidad de Pensilvania. En 1969 empezó a trabajar en la empresa que se convertiría en la institución bancaria de inversiones Drexel Burnham Lambert, Inc. En 1971 fue nombrado jefe del departamento de transacciones de bonos. Persuadió a muchos de sus clientes para que invirtieran en BONOS BASURA, emitidos por empresas nuevas o con problemas financieros. El capital que obtuvo sirvió para financiar una nueva clase de "corsarios corporativos" que en la década de 1980 realizaron numerosas fusiones, adquisiciones agresivas y compras con fondos tomados en préstamo. A fines de la década, el mercado de los bonos basura tenía un valor de US$ 150 mil millones y Drexel se había convertido en una institución financiera líder. En 1986, su cliente Ivan Boesky, condenado por abuso de INFORMACIÓN PRIVILEGIADA, implicó a Milken y a la firma en sus negocios. Drexel fue acusada de fraude bursátil y se le impuso una fuerte multa, tras lo cual se declaró en quiebra en 1990, cuando se derrumbó el mercado de los bonos basura. Milken se declaró culpable de fraude bursátil ese mismo año; se le impuso una pena privativa de libertad de diez años y una multa de US$ 600 millones. Fue liberado después de 22 meses y posteriormente volvió a hacer fortuna.

Mill, James (6 abr. 1773, Northwater Bridge, Forfarshire, Escocia–23 jun. 1836, Londres, Inglaterra). Economista, historiador y filósofo escocés. Después de estudiar en la Universidad de Edimburgo y trabajar como profesor, se trasladó a Londres en 1802, donde conoció a JEREMY BENTHAM y se convirtió en un importante divulgador del UTILITARISMO. Escribió para varias publicaciones, entre ellas, *Edinburgh Review* (1808–13) y contribuyó con artículos sobre educación y gobierno a la *Enciclopædia Britannica*. Ayudó a fundar la Universidad de Londres en 1825. Tras terminar su *Historia de la India británica* (3 vol., 1817), fue nombrado primero funcionario (1819) y más tarde jefe de la oficina de inspección de la Casa de la India en Londres (1830). Sus críticas a la administración británica provocaron cambios en el gobierno de la India. Sus *Principios de economía política* (1821) resumieron los puntos de vista de DAVID RICARDO, y su *Análisis de los fenómenos del espíritu humano* (1829) asociaron la psicología con el utilitarismo, doctrina continuada por su hijo, JOHN STUART MILL. Es considerado el fundador del radicalismo filosófico.

Mill, John Stuart (20 may. 1806, Londres, Inglaterra–8 may. 1873, Aviñón, Francia). Filósofo y economista británico, máximo exponente del UTILITARISMO. Fue educado exclusiva y exhaustivamente por su padre, JAMES MILL. A los ocho años de edad había leído en el original griego las *Fábulas* de Esopo, la *Anábasis* de Jenofonte y las obras completas de Heródoto. También comenzó a estudiar la geometría euclidiana y a los 12 años inició un estudio a fondo de la lógica escolástica. En 1823, él y JEREMY BENTHAM fundaron la Sociedad Utilitaria, aunque después Mill modificó en gran medida el utilitarismo que le habían legado su padre y Bentham, para responder a las críticas que se habían formulado contra esta doctrina. En 1826, Mill y Bentham fundaron la Universidad de Londres (hoy University College). De 1828 a 1856 trabajó como inspector asistente en la Casa de la India en Londres, donde estuvo a cargo desde 1836 de las relaciones entre la Compañía de las Indias Orientales y los principados indios. En la década de 1840 publicó sus grandes obras sistemáticas de lógica y economía política, principalmente *Sistema de la lógica* (2 vol., 1843) y *Principios de economía política* (2 vol., 1848). De 1856 a 1858 fue jefe de la oficina de inspección de la Compañía, período en que escribió una defensa de la labor desempeñada por esta en India, cuando algunos sectores propusieron que sus poderes fueran transferidos. En 1859 publicó *Sobre la libertad*, incisiva defensa de la libertad individual. Su obra *Utilitarismo* (1863) constituyó un intento, cuidadosamente razonado, de responder a las objeciones levantadas contra su teoría ética y consignar las interpretaciones erróneas que se habían hecho de ella; Mill insistió en dejar en claro que la "utilidad" no excluía los placeres de la imaginación y la gratificación nacida de las más altas emociones, y que su sistema daba cabida a las reglas de conducta establecidas. En 1869 publicó *Sobre la esclavitud de las mujeres* (escrito en 1861), defensa teórica clásica del derecho a voto femenino. Sobresaliente publicista en la era de las reformas del s. XIX, Mill continúa siendo objeto de perdurable interés como lógico y como teórico de la ética. Ver también métodos de MILL.

Mill, métodos de Cinco métodos de razonamiento experimental definidos por JOHN STUART MILL en el libro *Sistema de la lógica* (1843). Supóngase que se pretende determinar qué factores intervienen como causas de un efecto específico E, bajo un conjunto específico de circunstancias. El método del acuerdo nos insta a buscar factores que estén presentes en todos los casos en que se produzca E. El método de la diferencia nos insta a buscar un factor que esté presente en un caso en que se produzca E y ausente en un caso, similar en otros respectos, en que no se produzca E. El método conjunto del acuerdo y la diferencia combina los dos métodos anteriores. El método de los residuos entra en juego cuando una parte de E es explicable por referencia a factores conocidos, y nos insta a atribuir el "residuo" a las restantes circunstancias en las cuales se produce E. El método de la variación concomitante se emplea cuando E puede estar presente en diversos grados; si identificamos un factor F, como la temperatura, cuyas variaciones están positiva o negativamente correlacionadas con variaciones de E (p. ej., variaciones de tamaño), podemos entonces inferir que F está causalmente relacionado con E.

milla Una de las varias unidades de longitud, como la milla terrestre de 5.280 pies (1,61 km). El término viene del latín *mille passus*, o "mil pasos", equivalente a 5.000 pies romanos o 1,475 km (4.840 pies ingleses). La milla náutica es una unidad de longitud marina que corresponde a la distancia media entre dos puntos de la superficie terrestre que tienen la misma longitud y cuya latitud difiere de un minuto de arco, o por definición internacional, 1.852 m (6.076,12 pies o 1,1508 millas terrestres).

La milla náutica aún se usa universalmente tanto en el transporte marítimo como aéreo. Un nudo es una milla náutica por hora. Ver también SISTEMA INTERNACIONAL DE UNIDADES; sistema MÉTRICO.

"Pomona", ilustración de Sir John Everett Millais.
FOTOBANCO

Millais, Sir John Everett (8 jun. 1829, Southampton, Hampshire, Inglaterra–13 ago. 1896, Londres). Pintor e ilustrador británico. En 1848 se hizo miembro fundador del PRERRAFAELISMO, grupo fundado en oposición a la pintura académica contemporánea. Su período de mayor auge fue en la década de 1850, con *El regreso de la paloma al arca* (1851) y con uno de sus más grandes éxitos públicos, *Joven ciega* (1856), una proeza de sentimiento victoriano y destreza técnica. Fue famoso como retratista y también como ilustrador de libros, en especial para las novelas de ANTHONY TROLLOPE.

Milland, Ray *orig.* **Reginald Truscott-Jones** (3 ene. 1907, Neath, Glamorganshire, Gales–10 mar. 1986, Torrance, Cal., EE.UU.). Actor estadounidense de origen galés. Debutó en el cine en 1929 y se mudó a Hollywood en 1930. Protagonizó personajes románticos y afables en numerosas películas de las décadas de 1930–40; sin embargo, fue aclamado por su interpretación de un escritor alcohólico en *Días sin huellas* (1945, premio de la Academia). También interpretó roles dramáticos en *El reloj asesino* (1948), *Something to Live For* (1952) y *Crimen perfecto* (1954). En la etapa final de su carrera, con frecuencia interpretó roles menores. Durante la década de 1950 y principios de la siguiente, incursionó en la dirección, con varias películas a su haber.

Millay, Edna St. Vincent (22 feb. 1892, Rockland, Maine, EE.UU.–19 oct. 1950, Austerlitz, N.Y.). Poeta y dramaturga estadounidense. En su obra predominan las imágenes de la costa y de la campiña de Maine. En la década de 1920, mientras vivía en Greenwich Village, llegó a personificar la rebelión y la impetuosidad románticas de la juventud. Entre sus obras destacan *Renacimiento y otros poemas* (1917), *Unas cuantas cosas sobre los carobs* (1920), *El tejedor de arpas* (1923, Premio Pulitzer), *The Buck in the Snow* [El macho en la nieve] (1928), en la que introdujo un tono más sombrío, la secuencia de sonetos *Entrevista fatal* (1931) y *Wine from These Grapes* [Vino de estas uvas] (1934).

Mille, Agnes (George) de ver Agnes (George) DE MILLE

millefleurs (francés: "mil flores"). TAPIZ que se caracteriza por un fondo con numerosas florecillas. La mayoría de los *millefleurs* presentan escenas seculares o alegorías. Se piensa que fueron fabricados por primera vez en el distrito del Loira en la Francia de mediados del s. XV. A medida que se popularizaron, fueron fabricados en muchas partes de Francia y en los Países Bajos hasta fines del s. XVI.

Miller, (Alton) Glenn (1 mar. 1904, Clarinda, Iowa, EE.UU.–16 dic. 1944, en el mar). Trombonista estadounidense y director de una de las orquestas de baile más populares de la era del SWING. Miller formó su banda en 1937. Su sello musical fue la ejecución precisa de arreglos en los que destacaba un clarinete como líder de la sección de saxofones. En 1942, disolvió su orquesta para enrolarse y asumir la dirección de una banda militar en el frente de batalla. Viajaba en avión de Londres a París cuando el aeroplano desapareció sobre el canal de la Mancha y nunca fue encontrado. Sus grabaciones de temas como "Moonlight Serenade", "Chattanooga Choo-Choo", "In the Mood" y "String of Pearls" son clásicos de la época.

Miller, Arthur (17 oct. 1915, New York, N.Y., EE.UU.–10 feb. 2005, Roxbury, Conn.). Dramaturgo estadounidense. Comenzó a escribir teatro en sus años de estudiante en la Universidad de Michigan. Su primera obra importante fue *Todos eran mis hijos* (1947), y a continuación escribió su obra más famosa, *La muerte de un viajante* (1949, Premio Pulitzer), drama que retrata a un hombre destruido por creer en falsos valores, que son en gran medida los valores de su propia sociedad. Fue reconocido por combinar la conciencia social con una inquisitiva búsqueda de la interioridad de sus personajes. Miller escribió

Arthur Miller, fotografía de Inge Morath.
MAGNUM

numerosas otras obras como *Las brujas de Salem* (1953), en la que utilizó como argumento los juicios por brujería realizados en Salem para denunciar las persecuciones del macarthismo; *Panorama desde el puente* (1955); *Después de la caída* (1964) y *El último yanqui* (1992). También escribió cuentos, ensayos y el guión de la película *Vidas rebeldes* (1961), que fue protagonizada por su segunda esposa, MARILYN MONROE.

Miller, George A(rmitage) (n. 2 feb. 1920, Charleston, W.Va., EE.UU.). Psicólogo estadounidense. Ejerció la docencia en las universidades de Harvard, Rockefeller y Princeton. Es conocido por su trabajo en psicología cognitiva, particularmente en comunicación y psicolingüística. En *Plans and the Structure of Behavior* [Planes y estructura de la conducta] (con Eugene Galanter y Karl Pribram, 1960), examinó cómo se acumula y organiza el conocimiento en una "imagen" práctica o plan. Sus otros trabajos, entre ellos *Lenguaje y comunicación* (1951) y *The Science of Words* [La ciencia de las palabras] (1991), se centran en la psicología del lenguaje y la comunicación. Recibió la Medalla nacional de ciencias en 1991.

Miller, Henry (Valentine) (26 dic. 1891, Nueva York, N.Y., EE.UU.–7 jun. 1980, Pacific Palisades, Cal.). Escritor estadounidense. Miller escribió sobre su infancia en Brooklyn, N.Y., en la obra *Primavera negra* (1936). Las novelas *Trópico de Cáncer* (1934), un monólogo sobre su vida de expatriado

Henry Miller.
CAMERA PRESS

venido a menos en París, y *Trópico de Capricornio* (1939), inspirada en su estancia previa en Nueva York, se prohibieron en EE.UU. y Gran Bretaña hasta la década de 1960, por considerarse obscenas. La *Pesadilla del aire acondicionado* (1945) es la crónica de un viaje por EE.UU. en que hace una crítica de su país. Miller, eterno bohemio, se radicó en la costa de California, donde se convirtió en el centro de una colonia de admiradores y donde escribió su trilogía *La crucifixión rosada*, compuesta por *Sexus*, *Plexus* y *Nexus* (EE.UU. edición, 1965).

Miller, Jonathan (Wolfe) (n. 21 jul. 1934, Londres, Inglaterra). Director, escritor y actor británico. Después de titularse de médico en la Universidad de Cambridge, debutó como actor profesional en el Festival de Edimburgo con la exitosa revista satírica *Beyond the fringe* (1960). Como director de teatro llamó la atención por sus controvertidas puestas en escena de obras clásicas. Sus innovadoras producciones de ópera, como *Eugenio Onegin* de PIOTR CHAIKOVSKI para la English

National Opera, entre otras, han sido elogiadas internacionalmente. Escribió las series médicas de televisión para la BBC *The body in question* (1977) y *Status of mind* (1982).

Miller, Neal E(lgar) (3 ago. 1909, Milwaukee, Wis., EE.UU.–23 mar. 2002, Hamden, Conn.). Psicólogo estadounidense. Obtuvo un Ph.D. en la Universidad de Yale y permaneció en el Instituto de relaciones humanas de ese plantel experimentando sobre el aprendizaje. En *Social Learning and Imitation* [Aprendizaje social e imitación] (1941) y *Personality and psychotherapy* [Personalidad y psicoterapia] (1950) expuso, junto con John Dollard, una teoría de la motivación basada en la satisfacción de impulsos psicosociales en que se combinaban elementos de teorías previas acerca del refuerzo de la conducta y el aprendizaje. Miller afirmaba que los patrones de conducta se producían mediante la modificación de impulsos de origen biológico o social por condicionamiento y refuerzo. Ejerció la docencia en la Universidad Rockefeller (1966–81).

Millerand, Alexandre (10 feb. 1859, París, Francia–7 abr. 1943, Versalles). Político francés. Fue editor de periódicos socialistas (1883–98) y miembro de la Cámara de Diputados entre 1885 y 1920. Llevó a cabo reformas mientras fue ministro de comercio (1899–1901), de obras públicas (1909–10) y de guerra (1912–15) en diversos gobiernos. Asumió como primer ministro en 1920, y, como líder de una coalición moderada, fue elegido presidente de Francia (1920–24). Tras abogar por una reforma de la constitución para fortalecer el poder presidencial, fue obligado a renunciar por el CARTEL DES GAUCHES (Asociación de grupos de izquierda). Estuvo en el Senado entre 1927 y 1940.

millet Término turco alusivo a una comunidad religiosa autónoma en tiempos del Imperio OTOMANO (c. 1300–1923). Cada *millet* era responsable ante el gobierno central de obligaciones como los impuestos y la seguridad interna, y también se hacía cargo de las funciones sociales y administrativas que estaban fuera del ámbito del Estado. A partir de 1856, una serie de reformas legales seculares conocidas como TANZIMAT ("reorganización") desgastó gran parte de su autonomía administrativa.

Millet, Jean-François (4 oct. 1814, Gruchy, Francia–20 ene. 1875, Barbizon). Pintor francés. Nacido en el seno de una familia de campesinos, estudió con un pintor en París; sin embargo, cuando una de sus dos presentaciones al Salón fue rechazada (1840), regresó a Cherburgo, donde en un comienzo pintó en su gran mayoría retratos. Su primer éxito llegó con *La lechería* (1844), y en 1848, otra escena campesina, *El garbillador*, fue exhibida en el Salón. En 1849 se estableció en la localidad de Barbizon. Debido a que continuó pintando escenas campesinas que destacaban los esfuerzos de la vida rural, fue acusado de socialista, aunque sus metas no eran políticas. Su obra *El ángelus* (1859) se convirtió en una de las pinturas más populares del s. XIX. Al final de su vida estuvo vinculado a la escuela de BARBIZON.

Millikan, experimento de la gota de aceite de Primer método usado para medir en forma directa la CARGA ELÉCTRICA de un solo ELECTRÓN, realizado originalmente por ROBERT MILLIKAN en 1909. Usó un microscopio para medir la tasa o velocidad de descenso de diminutas gotas de aceite soltadas desde la tapa de una caja. Deteniendo el descenso de las gotas provistas de carga eléctrica propia, mediante el ajuste preciso de la diferencia de voltaje entre la tapa y fondo metálicos de la caja, descubrió que las cargas eléctricas de las gotas eran todas múltiplos enteros de un valor mínimo, que es *la carga eléctrica elemental* en sí misma, y por lo tanto, que *la carga eléctrica* existe en unidades básicas naturales.

Millikan, Robert (Andrews) (22 mar. 1868, Morrison, Ill., EE.UU.–19 dic. 1953, San Marino, Cal.). Físico estadounidense. Doctorado en la Universidad de Columbia, enseñó física en la Universidad de Chicago (1896–1921) y en el Instituto Tecnológico de California (desde 1921). Para medir la carga eléctrica, ideó el experimento de la gota de aceite de MILLIKAN. Verificó la ecuación fotoeléctrica de ALBERT EINSTEIN y obtuvo un valor preciso para la constante de Planck. En 1923 fue galardonado con el Premio Nobel.

Mills, C(harles) Wright (28 ago. 1916, Waco, Texas, EE.UU.–20 mar. 1962, Nyack, N.Y.). Sociólogo estadounidense. Después de estudiar en la Universidad de Texas (B.A., M.A., 1939) y en la de Wisconsin (Ph.D., 1941), se incorporó al cuerpo docente de la Universidad de Columbia, donde después de entrar en contacto con las teorías de MAX WEBER se interesó en las cuestiones relativas al papel de los intelectuales en la vida moderna y contribuyó al desarrollo de una sociología crítica en EE.UU. y en el exterior. A su juicio, los cientistas sociales debían abandonar el "empirismo abstracto" y transformarse en activistas del cambio social. Su análisis radical del poder económico y la sociedad estadounidenses se publicó en *Las clases medias en Norteamérica* (1951) y *La élite del poder* (1956); otras de sus obras son *Las causas de la tercera guerra mundial* (1958) y *La imaginación sociológica* (1959). Fue una figura pública pintoresca, que usaba chaqueta de cuero negra y manejaba una motocicleta. Falleció a los 45 años de edad a causa de una enfermedad cardíaca.

Milne, A(lan) A(lexander) (18 ene. 1882, Londres, Inglaterra–31 ene. 1956, Hartfield, Sussex). Escritor inglés. En 1906 se unió al comité de redacción *Punch*; escribió una serie de comedias livianas y la memorable

novela policial *El misterio de la casa roja* (1922). Durante este período escribió poemas para su hijo Christopher Robin, los que reunía en las colecciones *Cuando éramos muy jóvenes* (1924) y *Ahora somos seis* (1927), que se convirtieron en entrañables clásicos. Sus relatos sobre las aventuras de Christopher Robin y los animales de juguete Pooh, Piglet, Kanga, Roo, Tigre, Conejo, Búho y Eeyore forman parte de las obras inmensamente populares de *Winnie-the-Pooh* (1926) y *El rincón de Pooh* (1928).

A.A. Milne, dibujo a pluma y tinta de P. Evans, c. 1930.
GENTILEZA DE LA NATIONAL PORTRAIT GALLERY, LONDRES

Milne, bahía de Ensenada del océano Pacífico sur en Papúa y Nueva Guinea. Situada en el extremo sudoriental de la isla de Nueva Guinea, tiene 50 km (30 mi) de largo y 10–13 km (6–8 mi) de ancho. Un explorador español cartografió la bahía en 1606; fue bautizada por los británicos en 1873 en honor del almirante Alexander Milne. Durante la fiebre del oro de 1889–99, aumentó el interés de los europeos por ella. Samarai, isla del estrecho de China, tuvo un período de bonanza por ser el lugar desde donde los prospectores se diseminaban por las islas de la bahía de Milne y el territorio de Nueva Guinea. Durante la segunda guerra mundial fue una base de operaciones japonesa y escenario de la primera gran derrota de Japón, en 1942; desde ese momento sirvió como base aliada para la guerra.

Milner, Alfred post. **vizconde Milner (de St. James's y Cape Town)** (23 mar. 1854, Giessen, Hesse-Darmstadt–13 may. 1925, Sturry Court, cerca de Canterbury, Kent, Inglaterra). Alto comisario británico en Sudáfrica (1897–1905). En la crucial conferencia de Bloemfontein con el pdte. PAULUS KRUGER (1899) defendió la idea de garantizar la ciudadanía plena a los *uitlanders* (residentes británicos en TRANSVAAL) después de cinco años de residencia. Kruger se oponía a esta política pero estaba dispuesto a hacer concesiones. Milner no lo estaba y declaró: "se hará la guerra". Las fuerzas bóers invadieron Natal cuatro meses después, iniciando así la guerra de los BÓERS. Con posterioridad, Milner fue ministro de Guerra (1916–19) y ministro de Colonias (1919–21).

Milo, isla *griego* **Mēlos** Isla (pob., 1991: 4.302 hab.) de las CÍCLADAS, Grecia. Mide 23 km (14 mi) de largo y tiene 151 km² (58 mi²) de superficie. La ciudad principal es Milo. Aquí se encontró la *Venus de Milo* (actualmente en el Museo del LOUVRE) en 1820, en la antigua acrópolis de Adamanda. En 1100 AC los colonizadores DORIOS destruyeron el asentamiento de Filacopi, que data de 1550 AC. En 416 AC, ATENAS conquistó Milos y asesinó a toda su población masculina en represalia por la neutralidad que habría mantenido durante la guerra del PELOPONESO. LISANDRO devolvió después la isla a los dorios, pero nunca recuperó su prosperidad. Más tarde, bajo el dominio de los cruzados, formó parte del ducado de NAXOS.

Milón de Crotona (floreció a fines del s. VI AC). Atleta griego, el más famoso luchador de la antigüedad. Ganó numerosos Juegos Olímpicos y juegos píticos. Su nombre ha sido desde entonces sinónimo de fuerza extraordinaria. Se dice que atravesó el estadio olímpico con un buey sobre los hombros.

Milošević, Slobodan (29 ago. 1941, Požarevac, Serbia, Yugoslavia–11 marz. 2006, La Haya, Países Bajos). Político nacionalista serbio. Se integró al Partido Comunista a los 18 años de edad y luego se convirtió en jefe de la compañía de gas estatal y presidente de un importante banco de Belgrado. Aconsejado por su esposa, ideóloga comunista, ejerció la presidencia del Partido Comunista de Belgrado (1984) y posteriormente de Serbia (1987). Reemplazó a los líderes del partido por sus seguidores y en 1989 la asamblea serbia lo nombró presidente de la república. Se mantuvo en el poder por medio de la represión y del control de los medios de comunicación. Derogó la autonomía constitucional de la provincia de mayoría albanesa de Kosovo en 1989, lo que contribuyó al desarrollo de movimientos secesionistas en Eslovenia, Croacia y Macedonia y a la disolución de Yugoslavia en 1991. Luego apoyó a las milicias serbias que combatían contra los musulmanes en Bosnia y Croacia (ver conflicto BOSNIO), pero posteriormente firmó un acuerdo de paz (1995) en nombre de los serbio bosnios. En 1999, después de que insurgentes independentistas comenzaron a asesinar a policías y políticos serbios, tomó represalias con ataques despiadados en la provincia de Kosovo (ver crisis de KOSOVO). La OTAN respondió con una campaña de bombardeo masivo sobre blancos serbios. La consiguiente LIMPIEZA ÉTNICA de la provincia por tropas bajo su mando desplazó a cientos de miles de kosovares albaneses a otros países como refugiados y le ganó el repudio mundial como criminal de guerra. En 2000 fue derrotado en las elecciones nacionales. El año siguiente fue arrestado y extraditado a los Países Bajos para ser enjuiciado por crímenes de guerra y crímenes contra la humanidad. Acusado de GENOCIDIO, permaneció recluido desde 2002 hasta su muerte en 2006. Fue enterrado en su ciudad natal.

Miłosz, Czesław (30 jun. 1911, Šateiniai, Lituania, Imperio ruso–14 ago. 2004, Cracovia, Polonia). Autor, traductor y crítico estadounidense de origen polaco. Miłosz era socialista cuando publicó su primer libro de poemas a los 21 años de edad. Durante la ocupación nazi en Polonia participó activamente en la resistencia. Luego de ejercer como diplomático de la Polonia comunista por un corto período, emigró a EE.UU., donde impartió clases durante décadas en la Universidad de California, en Berkeley. Su poesía, que incluye colecciones como *Bells in Winter* [Campanas en invierno] (1978), se caracteriza por su estilo clásico y por su preocupación por temas filosóficos y políticos. En su famosa colección de ensayos, *El pensamiento cautivo* (1953), criticó a muchos intelectuales polacos por acogerse al comunismo. La crítica estadounidense Helen Vendler escribió que a su parecer la obra *Tratado de poesía* de Miłosz (1957) es "el poema más exhaustivo y emotivo" de la segunda mitad del s. XX. Obtuvo el Premio Nobel de Literatura en 1980.

milpiés Cualquiera de unas 10.000 especies de la clase Diplopoda del filo ARTRÓPODOS, de distribución mundial. La mayoría vive en la materia vegetal descompuesta y se alimenta de ella. Algunas dañan las plantas vivas y unas pocas son depredadoras y carroñeras. Los milpiés tienen 2,5–28 cm (1–11 pulg.) de largo y de 11 a más de 100 diplosomitos, segmentos dobles (formados por la fusión de dos segmentos). La cabeza no tiene patas; los tres segmentos siguientes tienen un par cada uno y el resto, dos pares cada uno. Para defenderse, no pican; la mayoría de las especies se enrosca apretadamente, con la cabeza al centro y muchas secretan un líquido o gas acre y tóxico.

Milstein, César (8 oct. 1927, Bahía Blanca, Argentina–24 mar. 2002, Cambridge, Cambridgeshire, Inglaterra). Inmunólogo británico de origen argentino. En 1975, Milstein y Georges Köhler (n. 1946–m. 1995) fusionaron linfocitos altamente específicos, de corta vida, con células de mieloma, un tipo de tumor que puede reproducirse indefinidamente. Las células híbridas cumplían la doble función de secretar anticuerpos contra un solo antígeno, como los linfocitos, y de perpetuarse como las del mieloma. Esto permitió producir grandes cantidades de anticuerpos puros contra características antigénicas únicas (anticuerpos monoclonales). En 1984, Milstein, Köhler y Niels K. Jerne (n. 1911–m. 1994) compartieron el Premio Nobel.

Milton, John (9 dic. 1608, Londres, Inglaterra–8 nov. 1674, Chalfont St. Giles, Buckinghamshire). Poeta inglés. Joven brillante, estudió en la Universidad de Cambridge (1625–32), donde escribió poemas en latín, italiano e inglés, como *L'Allegro* e *Il Penseroso*, ambos publicados en *Poems* (1645). En 1632–38 se dedicó a estudiar en privado y a escribir la mascarada *Comus* (1637), la extraordinaria elegía *Lycidas* (1638), y a viajar por Italia. Comprometido con la causa puritana en Inglaterra, se dedicó gran parte del período 1641–60, a escribir panfletos en defensa de las libertades civiles y religiosas y a trabajar para el gobierno de OLIVER CROMWELL. Sus obras en prosa más conocidas son los tratados *Areopagitica*, sobre la libertad de prensa, y *Sobre la educación* (1644, ambos). Perdió la vista en 1651, y a partir de entonces empezó a dictar sus obras. Su primer matrimonio, que resultó desastroso, terminó cuando murió su esposa en 1652; dos matrimonios posteriores resultaron más felices. Después de la Restauración, fue encarcelado por ser uno de los principales defensores de la *Commonwealth*; sin embargo, pronto fue puesto en libertad. En *El paraíso perdido* (1667), su obra épica maestra sobre la caída del Hombre, escrita en verso blanco, hace uso de su sublime estilo elevado con poderoso efecto; su caracterización de Satanás es uno de los mayores logros de la literatura universal. Vuelve a escribir sobre su fe pura en Dios y la fuerza regeneradora del alma individual en *El paraíso recobrado* (1671), epopeya en la cual Cristo vence a Satanás, el tentador, y en *Samson Agonistes* (1671), tragedia en la que esta figura del Antiguo Testamento se sobrepone a la autocompasión y al abatimiento para transformarse en el defensor de Dios. Considerado el segundo mayor poeta después de WILLIAM SHAKESPEARE en la historia de la poesía en lengua inglesa, Milton ejerció una gran influencia en la literatura posterior; si bien fue criticado a comienzos del s. XX, volvió a ocupar su sitial en el canon occidental a mediados del mismo siglo.

Milwaukee Ciudad (pob., 2000: 596.974 hab.) y puerto lacustre en el sudeste del estado de Wisconsin, EE.UU. La mayor urbe del estado, se encuentra junto al lago MICHIGAN. En el s. XVII, algunos comerciantes de pieles y misioneros franceses visitaron el lugar; los indios locales lo llamaban *Mahn-a-waukee Seepe* ("lugar de encuentro junto al río"). Aunque fue colonizado en 1800, el pueblo no se desarrolló hasta que los indios renunciaron a sus reclamaciones en 1831–33. Milwaukee se formó en 1839 y se constituyó como ciudad en 1846. Fue centro de la inmigración alemana hasta c. 1900. Es un puerto importante de los GRANDES LAGOS, donde se embarcan principalmente cereales; también produce maquinaria eléctrica. Cuenta con diversas instituciones educacio-

Vista de Milwaukee junto al lago Michigan, importante centro agrícola, portuario y universitario, estado de Wisconsin, EE.UU.
ARCHIVO EDIT. SANTIAGO

nales, entre las que destacan las universidades Marquette y de Wisconsin-Milwaukee.

Mimamsa Probablemente el más antiguo de los seis sistemas ortodoxos (DARSANA) de la filosofía india. Fundamental para el VEDANTA, ha influenciado profundamente la ley hindú. Su finalidad es prescribir reglas para la interpretación de los VEDAS y ofrecer una justificación filosófica para la observancia del ritual védico. La primera obra del sistema, el *Mimamsa-sutra* de Jaimini (c. siglo IV AC), fue seguida por los escritos de una larga generación de intérpretes y maestros, en especial Kumarila Bhatta y Prabhakara Mishra (s. VIII). A Kumarila se le atribuye haberlo utilizado para derrotar el budismo en India; Prabhakara fue un realista que creyó que las percepciones sensoriales eran verdaderas.

mimetismo Semejanza entre dos organismos que confiere una ventaja de supervivencia a uno de ellos. En el mimetismo defensivo o de Bates, un organismo sin defensas imita a una especie que las tiene. En el de Müller, todas las especies de un grupo son similares aunque todas tienen defensas en forma individual. En el mimetismo agresivo de Peckham, una especie depredadora imita a una inofensiva, de modo tal que puede aproximarse a su presa sin alarmarla, o una especie parásita imita a su huésped. Algunas plantas imitan los patrones cromáticos y olores de animales para efectos de la polinización y dispersión. El mimetismo difiere del camuflaje en que este oculta al organismo, mientras que aquel le da ventajas sólo si el organismo es detectado.

Mimir En la mitología escandinava, el más sabio de los dioses de la tribu ASES. También se creía que era un espíritu del agua. Fue enviado por los Ases como rehén a los dioses rivales (los VANES), pero fue decapitado y su cabeza devuelta a los Ases. ODÍN preservó la cabeza en hierbas y obtuvo conocimiento de ella. Otras historias señalan que vivió cerca de un pozo, bajo las raíces del Yggdrasil, el árbol del mundo, y que fue un herrero que enseñó su arte al héroe SIGFRIDO.

mimo y pantomima Estilo teatral en el que se narra una historia mediante un expresivo movimiento corporal. El estilo teatral del mimo surgió en Grecia en el s. V AC como una entretención cómica que enfatizaba la acción mímica, pero incorporaba canciones y diálogos. Una forma diferente apareció en Roma c. 100 AC, que trataba asuntos vulgares y atre-

Marcel Marceau, mimo francés, interpretando a *Bip*, mientras toca el violín.
RONALD A. WILFORD ASSOCIATES, INC.

vidos. La pantomima romana difería del mimo romano por sus temas más elevados y por el uso de máscaras, que exigían una mayor expresividad a través de posturas físicas y gestualidad manual. Desde tiempos remotos, el arte del mimo fue también importante en el teatro asiático y actualmente es una destacada técnica que se emplean en las principales manifestaciones teatrales de China y Japón. (p. ej., el TEATRO NŌ). La tradición romana de la pantomima fue modificada en el s. XVI en la COMMEDIA DELL' ARTE, que a su vez influenció los interludios cómicos franceses e ingleses del s. XVIII que derivaron en la pantomima del s. XIX, una entretención para niños que realzaba el espectáculo. El mimo moderno occidental evolucionó hacia un arte estrictamente mudo, en el que el cuento es relatado por medio de gestos, movimientos y expresiones faciales. Entre los actores mimos famosos se cuentan Jean-Gaspard Deburau, Étienne Decroux (quien desarrolló un código de lenguaje corporal) y MARCEL MARCEAU. CHARLIE CHAPLIN fue un notable mimo, así como también SID CAESAR y el payaso circense Emmett Kelly.

Mimosa Género compuesto por más de 450 especies (familia Mimosaceae) originarias de las zonas tropicales y subtropicales de ambos hemisferios. La mayoría son plantas herbáceas o aparradas; algunas son trepadoras leñosas; unas cuantas son arbolillos. A menudo estas especies son espinosas. Las mimosas se cultivan ampliamente por la belleza de su follaje y por su interesante respuesta a la luz y estímulos mecánicos: las hojas de algunas especies se repliegan y contraen en respuesta a la oscuridad y cierran sus folíolos al tocarlas. El nombre proviene de esta "imitación (de mimo)" de la sensibilidad animal. Las raíces de algunas especies son venenosas; otras contienen sustancias irritantes para la piel. Comúnmente, muchas especies del género ACACIA son mal llamadas mimosas. Ver también SENSITIVA.

Min Jiang Río de la región central de la provincia de FUJIAN, sudeste de China. Nace en la cordillera situada cerca del límite entre Fujian y Jiangxi y fluye hacia el sudeste para desembocar en el mar de CHINA oriental, después de un curso de 577 km (358 mi). La llegada de la red ferroviaria en 1957 aumentó el tráfico fluvial, y en el presente hay numerosas estaciones de trasbordo a lo largo del río.

Min Jiang Río en la provincia de SICHUAN, centro-sur de China. Nace en los montes Min, situados en el norte de Sichuan, discurre luego hacia el sur siguiendo el borde occidental de la cuenca de Sichuan y vacía sus aguas en el YANGTZÉ (Chang Jiang) a la altura de Yibin. El río, de 560 km (350 mi) de longitud, es navegable en casi toda su extensión.

miná Cualquiera de varias especies de pájaros canoros asiáticos de la familia Sturnidae (ver ESTORNINO). El miná del Himalaya (*Gracula religiosa*), de Asia meridional, tiene unos 25 cm (10 pulg.) de largo y es negro brillante con manchones blancos en las alas, carúnculas amarillas, con pico y patas anaranjadas. En estado natural, cloquea y chilla; en cautiverio, aprende a imitar la voz humana mucho mejor que su rival principal, el LORO gris. El miná vulgar (*Acridotheres tristis*) se aclimató en Australia, Nueva Zelanda y Hawai. El miná crestado (*A. cristatellus*), originario de China e Indonesia, habita en la Columbia Británica (Canadá), pero no se ha extendido.

mina submarina En operaciones militares y navales, dispositivo explosivo estacionario colocado bajo la superficie del mar, destinado a destruir buques que lo tocan o se acercan a él. Las minas submarinas han sido usadas desde mediados del s. XIX. Consisten en una carga explosiva provista de un dispositivo que detona la carga cuando un buque o submarino está en las proximidades. Colocadas por naves llamadas siembraminas, o lanzadas por aeronaves, quedan ancladas al fondo marino mediante un cable. Los diversos tipos de minas submarinas detonan ya sea por contacto, como también por el campo magnético de un buque que se acerca, cambios en la presión del agua, o el sonido de las hélices del barco. La mina fue el arma antisubmarina más efectiva en la primera guerra mundial. Su papel fue aún más importante en la segunda guerra mundial; hundieron 1.118 barcos aliados y 1.316 barcos del Eje. Ver también BARREMINAS; MINA TERRESTRE.

mina terrestre Dispositivo explosivo colocado bajo la superficie del suelo, usado en operaciones militares contra tropas y vehículos. La mina terrestre puede ser disparada por acción del peso de vehículos o de soldados sobre ella, por el paso del tiempo, o por control remoto. A pesar de que en la primera guerra mundial se usaron minas terrestres improvisadas (munición de artillería enterrada), sólo llegaron a ser importantes durante la segunda guerra mundial; desde entonces han sido extensamente utilizadas. En sus orígenes, la mayoría de las minas tenían cajas metálicas, pero luego fueron hechas de otros materiales para evitar su detección magnética. Comúnmente son usadas para perturbar o impedir ataques masivos de tanques o infantería, pero en los conflictos posteriores a la segunda guerra mundial también se han empleado para inutilizar territorios para la población civil enemiga. Un tratado que prohibía las minas terrestres, y que no fue firmado por EE.UU., Rusia y China, entró en vigencia en 1997. Ver también MINA SUBMARINA.

minador de la hoja Cualquiera de varias larvas de insectos que viven en una hoja y se alimentan de ella, como las ORUGAS, larvas de AVISPA SIERRA (himenópteros), COLEÓPTEROS, GORGOJOS y gusanillos de DÍPTEROS. La mayoría de las galerías o túneles de los minadores de la hoja se manifiesta, ya sea como rastros blanquecinos, finos y sinuosos o como manchones amplios, blanquecinos o parduscos. Aunque en general no causan daños, estropean el aspecto de los árboles y arbustos ornamentales. Un método de control es sacar y quemar las hojas infestadas; la aspersión con soluciones de nicotina o la pulverización con insecticidas sólo es efectiva cuando los adultos están emergiendo.

Minamata, enfermedad de Enfermedad identificada por primera vez en 1956 en Minamata, Japón. En este puerto pesquero funcionaba la empresa Nippon Chisso Hiryo Co., fabricante de fertilizantes químicos, carburo y cloruro de vinilo. El mercurio metílico descargado por la fábrica contaminó peces y mariscos, los que a su vez provocaron daños en la salud de la población local que los consumió y defectos de nacimiento en sus hijos. Esta enfermedad, que a veces resulta fatal, fue la primera en ser reconocida como una cuya causa había sido la contaminación industrial del agua de mar. El hecho generó preocupación a nivel mundial y estimuló el desarrollo del movimiento ambientalista.

Minamoto Yoritomo (1147, Japón–9 feb. 1199, Kamakura). Fundador del sogunado *bakufu* o Kamakura. Miembro del clan guerrero Minamoto, Yoritomo fue desterrado en su juventud como consecuencia de la rebelión protagonizada por su padre contra la familia Taira reinante. En el exilio, encontró apoyo para su causa en Hojo Tokimasa (ver familia HŌJŌ), y en 1185 derrotó a los Taira. En 1192 el emperador enclaustrado (ver *insei*) le confirió el título de SOGÚN, que le otorgó autoridad suprema sobre todas las fuerzas militares del país. Nombró a sus propios gobernado-

Minamoto Yoritomo liberando grullas, obra de Yoshitoshi Taiso, 1876.
FOTOBANCO

res (*shugo*) y administradores (*jitō*) en todo Japón, creando así una infraestructura gubernamental que compitió con la que tenía la corte imperial, la que gradualmente llegó a sustituir. De esta forma, pudo gobernar sin tener que derrocar al emperador, modelo que imitaron los siguientes sogunados. Ver también guerra GEMPEI; período KAMAKURA.

Minamoto Yoshitsune (1159, Japón–15 jun. 1189, Fuerte Koromogawa, provincia de Mutsu, Japón). Carismático hermanastro de MINAMOTO YORITOMO, que lo ayudó a vencer a la familia Taira (ver TAIRA KIYOMORI). Fue criado en un monasterio del que escapó a los 15 años para unirse a Yoritomo. Bajo sus órdenes, Yoshitsune capturó Kioto y luego atacó y derrotó a las restantes fuerzas de los Taira a través del mar Interior de Japón. Yoshitsune despertó los celos de Yorimoto, quien finalmente lo hizo matar tras varios años de persecución. Desde hace mucho tiempo los japoneses consideran a Yoshitsune el epítome del héroe desfavorecido. En muchas leyendas, historias, representaciones de kabuki, e incluso, películas se recuerdan sus aventuras junto a su fiel seguidor, el monje Benkei. Ver también guerra GEMPEI.

minangkabau Miembro del grupo étnico mayoritario de la isla de SUMATRA, Indonesia. Aunque musulmanes, los *minangkabau* tienen un sistema matrilineal. Tradicionalmente, la esposa permanecía con sus familiares maternos después del matrimonio; su esposo continuaba viviendo con su madre aunque visitaba a su esposa. En la unidad doméstica, la casa comunal, hay una jefa junto con sus hermanas, hijas e hijos, y esposos que llegan de visita. En la actualidad esta estructura de parentesco ha declinado y una mayor cantidad de hombres ha dejado sus poblados para establecer sus propios hogares con sus esposas e hijos. Los *minangkabau* son tradicionalmente agricultores y se dedican también a la artesanía, como tallado en madera, trabajo en metal y tejido. Algunos migraron a la península de Malaca en la década de 1850 para participar en la rápida expansión de la minería malaya del estaño; con el tiempo los inmigrantes se transformaron en agricultores y en el s. XX pasaron a controlar la mayor parte del comercio minorista malayo. Su número fluctúa entre dos y cinco millones de personas.

Minch, estrecho Brazo marítimo entre las islas HÉBRIDAS Exteriores y la costa noroccidental de Escocia. El estrecho es muy profundo y correntoso; su ancho varía entre 40 y 70 km (25 y 45 mi). Su extensión hacia el sur, el Little Minch, se encuentra entre las Hébridas Exteriores e Interiores.

Mindanao, isla Isla (pob., 2000: 16.136.921 hab.) del sur de Filipinas. La segunda isla más grande del país, con una superficie de 94.630 km^2 (36.537 mi^2), tiene 521 km (324 mi) de largo y 471 km (293 mi) de ancho. Montañosa y con volcanes activos, entre ellos el APO, es la cumbre más alta de Filipinas y único lugar del mundo donde vive el águila comedora de monos. En el s. XVI, el Islam se propagó por toda Mindanao. FERNANDO DE MAGALLANES la visitó en 1521. Más tarde fue reclamada por España, pero la resistencia de los habitantes musulmanes mantuvo a gran parte de la isla libre de la autoridad española. En 1990 se instauró en la zona occidental y sudoccidental de la isla la Región Autónoma del Mindanao Musulmán.

Mindanao, río *ant.* **río Cotabato** Principal río del centro de MINDANAO, Filipinas. Serpentea hacia el sudoeste y desemboca en la bahía de Illana en dos brazos, el Cotabato y el Tamentaka, después de un curso de 320 km (200 mi). El sistema fluvial riega una fértil cuenca y es una importante vía de transporte interior.

Mindon (1814, Amarapura, Myanmar–1 oct. 1878, Mandalay). Rey de Myanmar (Birmania; r. 1853–78). Llegó al poder tras la segunda de las guerras ANGLO-BIRMANAS. No pudo persuadir a los británicos de que devolvieran Pegu (en el sur de Myanmar) y además fue obligado a hacer importantes concesiones económicas. En el plano interno, su reinado fue una época de numerosas reformas y de gran florecimiento cultural y religioso. En 1857 levantó la nueva capital, Mandalay, con palacios y monasterios que constituyen obras maestras de la arquitectura tradicional del país. En esa ciudad se realizó el quinto concilio budista en 1871, en un esfuerzo por corregir y purificar las escrituras sagradas en pali.

Mindoro, isla Isla (pob., 2000: 1.062.068 hab.) del centro-oeste de Filipinas. El paso isla Verde la separa de LUZÓN por el norte. Tiene 130 km (80 mi) de largo, 80 km (50 mi) de ancho, y una superficie de 9.735 km² (3.759 mi²). Visitada por primera vez por los españoles en 1570, en 1901 quedó bajo dominio de EE.UU. Los japoneses la ocuparon durante la segunda guerra mundial. Es la única parte del mundo donde vive el tamaro, pequeño búfalo de agua.

Mindszenty, József *orig.* **Pehm József** (29 mar. 1892, Csehimindszent, cerca de Szombathely, Austria-Hungría–6 may. 1975, Viena, Austria). Cardenal húngaro que se opuso al fascismo y al comunismo. Ordenado sacerdote en 1915, fue arrestado como un enemigo de los gobiernos totalitarios en 1919 y nuevamente en 1944. Nombrado primado de Hungría en 1945 y un año después, cardenal, no permitió que las escuelas católicas húngaras fueran secularizadas por los comunistas; fue arrestado en 1948 y condenado por traición el año siguiente. Sentenciado a prisión perpetua, fue liberado por la revolución húngara (1956). Cuando los comunistas recuperaron el control, buscó asilo en la embajada de EE.UU. en Budapest y vivió allí durante 15 años, negándose siempre a las peticiones del Vaticano de abandonar Hungría. Cedió en 1971, se estableció en Viena y dejó de ser primado de Hungría en 1974.

Miner, Jack *orig.* **John Thomas Miner** (10 abr. 1865, Dover Centre, Ohio, EE.UU.–3 nov. 1944, Kingsville, Ontario, Canadá). Naturalista canadiense. Después de mudarse a Canadá en 1878, estableció un santuario de aves en 1904 en su granja de Kingsville, Ontario. Anilló más de 50.000 patos en 1910–15, con los que elaboró los primeros registros completos de anillado de las aves norteamericanas. En 1931, sus amigos establecieron la Fundación Jack Miner para el estudio de pájaros migratorios a fin de asegurar la continuación de su obra. En 1943 recibió la Orden del Imperio Británico.

mineral Cualquier sustancia sólida homogénea de origen natural que tiene una composición química definida (pero no fija) y una estructura cristalina interna característica. Por lo general los minerales se forman por procesos inorgánicos. Equivalentes sintéticos de varios minerales, como esmeraldas y diamantes, se fabrican con propósitos comerciales. Aunque la mayoría de los minerales son compuestos químicos, un número reducido (p. ej., azufre, cobre, oro) son elementos químicos. Los minerales se combinan entre sí para formar rocas. Por ejemplo, el granito consta de feldespato, cuarzo, mica y anfíbol en diferentes proporciones. En consecuencia, las rocas son generalmente un crecimiento conjunto de diversos minerales.

minerales, tratamiento de Procesamiento mecánico a que se someten los MINERALES brutos para separar el mineral valioso de la ganga. El tratamiento de minerales se aplicó inicialmente sólo a MENAS de metales preciosos, pero luego se utilizó para recuperar otros minerales metálicos y no metálicos. También se emplea durante la preparación del carbón para enriquecer el grado del carbón en bruto. Las operaciones principales son triturado y concentrado. El triturado se lleva a cabo mediante grandes molinos de mandíbula y por pequeños molinos cilíndricos de chancado. Los métodos comunes de concentrado son los de separación por gravedad y separación por FLOTACIÓN. Los métodos por gravedad son el cribado hidráulico (el mineral molido se coloca dentro de un recipiente con agua en oscilación de manera que las fracciones más pesadas se decantan, y dejan un desecho más liviano en la superficie) o el lavado de la mena en planos inclinados, espirales o mesas vibratorias, de modo que las fracciones de mineral y desecho se depositan en zonas diferentes. Ver también BENEFICIO; MINERÍA.

mineralogía Estudio científico de los MINERALES, como sus propiedades físicas, composición química, estructura cristalina interna, presencia y distribución en la naturaleza y orígenes o condiciones de formación. Los estudios mineralógicos varían desde la descripción y clasificación de minerales nuevos o raros hasta el análisis de la estructura cristalina y la síntesis en laboratorio o en procesos industriales de especies de minerales. Los métodos empleados comprenden pruebas de identificación química y física, determinación de la estructura y simetría de sus cristales, exámenes ópticos, difracción de rayos X y análisis de isótopos.

minería Excavación de minerales de la corteza terrestre, incluyendo aquellos de origen orgánico, como el carbón y el petróleo. La minería moderna es costosa y compleja. En primer lugar es necesario ubicar una veta de mineral que tenga posibilidades de producir suficiente cantidad de la sustancia deseada para justificar los costos de extracción. Después de determinar el tamaño de la veta, los ingenieros de minas deciden cuál es la mejor manera de extraerla. La mayor parte de la producción minera anual del mundo es extraída mediante minería de superficie, que comprende minería a tajo abierto, minería a cielo abierto y canteras. En el caso de masas minerales que yacen a una considerable distancia bajo la superficie, se debe considerar la minería subterránea. En ambas técnicas, la excavación y extracción de sustancias involucran costosas combinaciones de perforación, voladura, elevación y acarreo, así como medidas de salud y seguridad, y reducción del impacto ambiental.

minería a cielo abierto Técnica de la minería superficial de CARBÓN que consiste en remover la sobrecarga de roca y suelo que se encuentra sobre un manto y extraer el mineral expuesto. El método se usa ventajosamente cuando el manto de carbón es delgado y está a poca profundidad. (Si los mantos son más gruesos o más profundos, se pueden extraer por minería a tajo abierto o por minería subterránea.) La minería a cielo abierto alcanza mayor economía cuando un terreno plano y un manto horizontal permiten que se remueva de una vez un área extensa. Cuando los yacimientos aparecen en un terreno con colinas o montañas, se usa un método de contorno que crea una superficie plana (como un camino) con una pendiente natural hacia un lado y una pared casi vertical al otro. Se emplea una variedad de equipos, como excavadoras, raspadores, palas hidráulicas, dragas de arrastre y excavadoras con rueda de paletas. La preocupación por los efectos medioambientales de la minería a cielo abierto ha dado como resultado la exigencia de numerosos requisitos que persiguen asegurar la recuperación del terreno excavado.

minería de datos ver DATA MINING

Minerva En la mitología ROMANA, diosa de los artesanos, las profesiones, las artes y, con posterioridad, la guerra. Fue identificada habitualmente con la diosa griega ATENEA. Algunos especialistas creen que su culto comenzó cuando el de Atenea fue introducido en Roma desde Etruria. Integró la tríada capitolina, junto con JÚPITER y JUNO, y su santuario en Roma fue un lugar de encuentro para los gremios de artesanos. Su culto llegó a su apogeo bajo el emperador DOMICIANO, quien reclamó su protección especial.

Minerva como diosa de la guerra, estatuilla de bronce del período etrusco temprano; Museo Británico, Londres.
GENTILEZA DEL DIRECTORIO DEL MUSEO BRITÁNICO

Ming, dinastía (1368–1644). Dinastía china que representó un intervalo de gobierno local entre las etapas de predominio MONGOL y MANCHÚ. Los Ming, una de las dinastías más estables aunque autocráticas, extendieron la influencia china más lejos que cualquier otro gobernante chino. Durante el período Ming, la capital se trasladó de Nanjing a Beijing y se construyó la CIUDAD PROHIBIDA. Las expediciones marítimas, dirigidas por ZHENG HE, prepararon el camino para comerciar con el Sudeste asiático, India y África oriental. Se escribieron novelas en lengua vernácula, y la filosofía se benefició con la obra de WANG YANGMING sobre el NEOCONFUCIANISMO. La porcelana monocromática Ming se hizo famosa a través del mundo, y surgieron imitaciones en Vietnam, Japón y Europa.

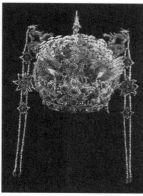
Diadema Fénix de la dinastía Ming.
FOTOBANCO

Minggantu *chino* **Ming Antu,** *mongol* **Minganto** (m. circa 1763). Astrónomo y matemático chino. Mongol de la compañía del estandarte del Blanco puro (ver sistema de ESTANDARTES), apareció por primera vez en los registros oficiales chinos en 1712 como un estudiante en la Oficina imperial de astronomía. Permaneció allí durante toda su carrera, en un tiempo en que los misioneros jesuitas estaban a cargo de las reformas del calendario. Tomó parte en la compilación por encargo imperial del libro *Lüli yuanyuan* [Fuente de las armonías matemáticas y astronomía] (c. 1723), y de 1737 a 1742 trabajó con los jesuitas en la revisión de su sección de astronomía. En 1759 llegó a ser director de la Oficina imperial de astronomía. Dejó un manuscrito matemático inconcluso, el *Geyuan milü jiefa* [Métodos rápidos para la división y proporción precisa del círculo], que fue completado por su discípulo, Chen Jixin, en 1774.

Mingus, Charles (22 abr. 1922, Nogales, Ariz., EE.UU.–5 ene. 1979, Cuernavaca, México). Compositor, contrabajista y director de JAZZ estadounidense. Participó en las agrupaciones de LIONEL HAMPTON, DUKE ELLINGTON y Red Norvo, y finalmente colaboró con varios de los innovadores del BEBOP. En 1953 organizó el Jazz Workshop Ensemble, grupo que interpretaba una fogosa combinación de improvisación y de secciones con arreglos libres, donde incorporaban elementos del BLUES y del "free jazz". Por sus exploraciones como director y su virtuosismo como contrabajista, Mingus se mantuvo como una fuerza independiente e innovadora en el jazz por el resto de su carrera. Fue una de las figuras más importantes y pintorescas del jazz moderno.

miniatura Pequeña pintura profusa en detalles, generalmente un retrato, ejecutada en acuarela sobre vitela (pergamino), cartón preparado, cobre o marfil, que pueda ser sostenida en la mano, o usada como pieza de joyería. El nombre deriva del *minium*, o plomo rojo, utilizado para enfatizar las letras iniciales de los manuscritos iluminados medievales. Al combinar las tradiciones de la iluminación y la medalla renacentista, la miniatura prosperó desde inicios del s. XVI hasta mediados del s. XIX. Las primeras miniaturas fechadas fueron pintadas en Francia por JEAN CLOUET en la corte de FRANCISCO I. En Inglaterra, H. Holbein el Joven realizó obras maestras en miniatura, durante el reinado de ENRIQUE VIII, e inspiró una larga tradición en la práctica conocida como "miniado"; NICHOLAS HILLIARD se desempeñó como miniaturista al servicio de ISABEL I durante más de 30 años. En los s. XVII–XVIII se hizo popular en Francia la pintura con esmalte sobre metal. En Italia, ROSALBA CARRIERA introdujo el uso del marfil (c. 1700) como superficie luminosa para los pigmentos transparentes, estimulando con ello un gran resurgimiento de la técnica a fines del s. XVIII. A mediados del s. XIX, las miniaturas eran consideradas artículos de lujo, y quedaron obsoletas ante la irrupción de la fotografía.

minimalismo Movimientos del s. XX en el campo del arte y la música que se caracterizaron por una extrema simplicidad de la forma y un rechazo al contenido emocional. En las artes visuales, el minimalismo se originó en Nueva York durante la década de 1950, como una forma de arte abstracto y se convirtió en una tendencia muy importante en las décadas de 1960–70. Los minimalistas creían que una obra de arte debía ser íntegramente autorreferente; los elementos de carácter personal eran descartados con la finalidad de revelar sólo los elementos objetivos y puramente visuales. Entre los principales escultores minimalistas cabe mencionar a CARL ANDRÉ y DONALD JUDD; entre los pintores minimalistas destacan ELLSWORTH KELLY y AGNES MARTIN. En la música, el minimalismo surgió en la década de 1960. Emplea un compás pulsátil regular, la incesante repetición de tonos y acordes, con sólo algunos cambios graduales en sus componentes, un lento rango de cambio armónico y poco o nada de contrapunto. Sus principales raíces se encuentran en la música de India y del Sudeste asiático. Entre los primeros y más importantes intérpretes figuran La Monte Young (n. 1935); Terry Riley (n. 1935), cuyo *In C* (1964) es quizás su obra más original e influyente; así como STEVE REICH, PHILIP GLASS y JOHN ADAMS.

mínimo En matemática, punto en el cual una función tiene su menor valor. Si el valor es menor o igual que todo otro valor de la función, es un mínimo absoluto. Si es sólo menor que cualquier otro en la vecindad del punto, es un mínimo relativo o local. En un punto donde la función es mínima, la DERIVADA (ver CÁLCULO) es cero, o no existe. Ver también MÁXIMO; OPTIMIZACIÓN.

mínimos cuadrados, método de los Método estadístico para encontrar una línea recta o curva –la línea de mejor ajuste– que mejor representa una correspondencia entre dos cantidades medidas (p. ej., la altura y el peso de un grupo de estudiantes de colegio). Cuando las medidas se presentan como puntos en un gráfico y los puntos parecen quedar aproximadamente en línea recta, el método de los mínimos cuadrados sirve para determinar la recta con el mejor ajuste. El método usa técnicas del cálculo para encontrar el MÍNIMO de la suma de los cuadrados de las distancias verticales de cada punto a la línea propuesta. En términos más generales, el proceso se llama REGRESIÓN, y cuando la curva ajustada es una recta, regresión lineal.

ministril Músico errante de la Edad Media, a menudo de baja condición social. En la época medieval, el término (y sus equivalentes como *ioculator* en latín y *jongleur* en francés) se aplicó a una gama de personas que abarcaba desde mendigos cantores, músicos itinerantes contratados en los pueblos para eventos especiales, hasta los bufones cortesanos. Un descendiente suyo es el cantor folclórico moderno. Ver también MINSTREL SHOW.

ministro de justicia Principal funcionario público encargado del cumplimiento de la ley en un Estado y consejero jurídico del jefe del ejecutivo. El cargo data de la Edad Media, pero no adoptó su forma moderna hasta el s. XVI. En EE.UU., el puesto se denomina fiscal general y data de la época de la ley del poder judicial de 1789. Jefe del Departamento de justicia y miembro del GABINETE, el fiscal general supervisa todos los asuntos jurídicos del gobierno y actúa como asesor jurídico del presidente. Todos los estados del país cuentan con un fiscal general

Minkowski, Oskar (13 ene. 1858, Aleksotas, Imperio ruso–18 jul. 1931, Fürstenberg an der Havel, Alemania). Fisiólogo y patólogo alemán. Mientras investigaba sobre la DIABETES MELLITUS en 1884, descubrió que el ácido beta-hidroxibutírico y la disminución del bicarbonato sanguíneo causan la acidosis (pH sanguíneo bajo) diabética, y que el coma diabético se acompaña de dióxido de carbono sanguíneo disminuido y puede ser tratado con terapia alcalina. Experimentos en perros, realizados con Joseph von Mering (n. 1849–m. 1908) llevaron a Minkowski a proponer que el páncreas es la fuente de una sustancia "antidiabética", actualmente conocida como insulina. También demostró que el hígado produce pigmentos biliares y ácido úrico.

Minneapolis Ciudad (pob., 2000: 382.618 hab.) en el este del estado de Minnesota, EE.UU. Es la mayor ciudad del estado y se encuentra junto al río MISSISSIPPI, cerca de la desembocadura del MINNESOTA. Junto a la ciudad de SAINT PAUL, situada en la ribera opuesta, conforma el área metropolitana de las ciudades gemelas. El misionero francés Louis Hennepin fue el primero en explorar la zona en 1680, la que luego se estableció como puesto de avanzada militar. En la ribera oriental se encontraba el pueblo de Saint Anthony (constituido en 1855) y en la occidental, el poblado de Minneapolis (constituido en 1856). En 1872, ambos se unieron para formar la ciudad de Minneapolis, que se convirtió en el centro de la industria maderera y del trigo. Continúa siendo el mercado de cereales de la región agrícola circundante y es también centro manufacturero. Entre sus instituciones educacionales se cuenta la Universidad de MINNESOTA.

Minnelli, Vincente (28 feb. 1910, Chicago, Ill., EE.UU.–25 jul. 1986, Los Ángeles, Cal.). Director de cine estadounidense. Fue director escénico y diseñador de vestuario desde la edad de 16 años, y c. 1935 se consagró como director en Broadway. En 1940 se mudó a Hollywood, donde aunó un audaz uso del color con un imaginativo trabajo de cámara en filmes como *Una cabaña en el cielo* (1943), *Cita en Saint Louis* (1944), *El pirata* (1948), *Un americano en París* (1951) y *Gigi* (1958, premio de la Academia), que inculcaron una renovada sofisticación y vitalidad a los musicales. También realizó notables dramas como *El padre de la novia* (1950), *Cautivos del mal* (1952) y *El loco de pelo rojo* (1957). Estuvo casado con JUDY GARLAND (1945–51), cuya hija, la cantante y actriz Liza Minnelli (n. 1946), obtuvo un premio Tony por su interpretación en *Flora, the Red Menace* (1965) y un premio de la Academia por *Cabaret* (1972).

Minnesinger (del alemán *Minne*: "amor"). Nombre dado a ciertos músico-poetas alemanes (c. 1150–c. 1325), equivalentes a los TROVADORES y TROVEROS. Al igual que sus homólogos franceses, los temas de los *Minnesinger* no se limitaban al amor, sino que incluían también la política y ética. Aunque los *Minnesinger* originales eran miembros de la alta nobleza, las generaciones posteriores provinieron de la emergente clase media, quienes tenían intereses tanto económicos como sociales en el canto. WALTHER VON DER VOGELWEIDE, Neidhardt von Reuental (n. circa 1180–m. circa 1250) y TANNHÄUSER fueron algunos de los principales exponentes.

Minnesota Estado (pob., 2000: 4.919.479) en el centro-oeste de EE.UU. Limita con Canadá y los estados de Wisconsin, Iowa, Dakota del Norte y Dakota del Sur, EE.UU. Ocupa una superficie de 225.182 km^2 (86.943 mi^2); su capital es SAINT PAUL. Constituye el estado más septentrional de los 48 estados contiguos de EE.UU. y posee extensos bosques, fértiles praderas y numerosos lagos. Antes de la colonización europea, la región se encontraba habitada por las tribus ojibwa (chippewa) y dakota (SIOUX). Los exploradores franceses llegaron en busca del paso del NOROESTE a mediados del s. XVII. En 1763, el nordeste pasó a dominio británico y luego (1783) a EE.UU.; en 1787 se incorporó a los Territorios del Noroeste. Estados Unidos adquirió la parte del sudoeste en 1803, mediante la adquisición de LUISIANA, y los británicos le cedieron la parte noroccidental en virtud del tratado de 1818. El primer asentamiento estadounidense permanente data de 1819, cuando se fundó Fort Snelling. El Territorio de Minnesota, establecido en 1849, incluía el actual estado de Minnesota y las secciones

orientales de los estados de Dakota del Norte y Dakota del Sur. En 1858 se convirtió en el 32° estado de la nación. La rebelión de los indios sioux en el sur de Minnesota en 1862 dejó un saldo de 500 muertos, entre civiles, soldados e indios. La explotación comercial del mineral de hierro comenzó en 1884 y después del descubrimiento de las enormes reservas de hierro en los montes Mesabi (1890), la población de DULUTH y de las cercanías del lago Superior creció con rapidez. En la actualidad, el sector agropecuario constituye la base de su economía, especialmente cereales, carne vacuna y porcina y productos lácteos. Sus principales recursos minerales son hierro, granito y piedra caliza.

Minnesota Mining & Manufacturing Co. ver CORPORACIÓN 3M

Minnesota, río Río en el sur del estado de Minnesota, EE.UU. Nace en el límite entre Dakota del Sur y Minnesota y corre en dirección sudeste, para luego desviarse hacia el nordeste y confluir con el río MISSISSIPPI justo al sur de SAINT PAUL, después de un curso de 534 km (332 mi). Otrora llamado Saint Peter o Saint Pierre, fue importante para los primeros exploradores y comerciantes de pieles.

Minnesota, Universidad de Sistema universitario del estado de Minnesota, EE.UU., compuesto por un campus principal en la conurbación Minneapolis-Saint Paul y otras tres sedes. El campus principal se inició como una escuela preparatoria en 1851, y en 1862 obtuvo el régimen jurídico de institución del tipo *land-grant*, i.e., basado en la ley de concesiones de terrenos para universidades públicas. La universidad ofrece amplios programas de pregrado, posgrado y profesionales. Sus destacados programas de pregrado imparten las carreras de ingeniería química, tecnología médica, geografía, economía, psicología y arquitectura. Posee más de 100 instalaciones de investigación y su biblioteca cuenta con cerca de cinco millones de volúmenes.

Mino da Fiesole (1429, Poppi, República de Florencia–1484, Florencia). Escultor italiano. Probablemente formado en Florencia, desarrolló su obra tanto en esta ciudad como en Roma, donde creó monumentos (especialmente sepulcros) y bustos de cardenales y otros personajes importantes. Sus obras, que se encuentran entre las primeras esculturas de retrato del RENACIMIENTO, fueron muy admiradas en el s. XIX; sin embargo, hoy en día se consideran menos inspiradas que las de DESIDERIO DA SETTIGNANO, Antonio Rossellino (n. 1427–m. 1479) y otros eminentes contemporáneos suyos.

minoico Miembro de un pueblo no indoeuropeo que floreció (c. 3000–c. 1100 AC) en la isla de Creta durante la EDAD DEL BRONCE. El mar constituyó la base de su economía y poderío. La avanzada cultura, que tuvo su centro en CNOSOS, debe su nombre al legendario rey MINOS. Representó la primera civilización egea. Los minoicos ejercieron gran influencia en la cultura micénica (ver MICÉNICO) de Grecia insular y continental. La cultura minoica alcanzó su mayor esplendor c. 1600 AC y se destacó por las ciudades y palacios, los amplios contactos comerciales y el uso de la escritura (ver ESCRITURA LINEAL A Y LINEAL B). Su arte consistió en sellos con elaborados dibujos, cerámica y, en especial, los frescos de colores brillantes que decoran las murallas del palacio, que presentan escenas religiosas y seculares, como aquellas de diosas, que reflejan una religión matriarcal. Las ruinas del palacio demuestran la existencia de calles pavimentadas y redes de canalización de aguas. Los motivos habituales del arte minoico son la serpiente (símbolo de la diosa) y las escenas del salto del toro, también de significado místico.

minorista, comercio *o* **comercio al detalle** Venta de mercancías directamente al consumidor. El comercio minorista se inició hace varios miles de años con los vendedores ambulantes que pregonaban sus productos en los mercados primitivos. El comercio minorista es extremadamente competitivo y la tasa de fracaso de este tipo de establecimientos es relativamente alta. El precio constituye la base de la competencia, pero también se consideran otros factores, como la conveniencia de la ubicación, selección y exhibición de la mercancía, el atractivo del establecimiento y la reputación. La diversidad del comercio minorista se manifiesta en las múltiples formas que hoy asume: máquinas EXPENDEDORAS, ventas puerta a puerta y por teléfono, mercadeo por CORREO DIRECTO, internet, tiendas de descuento, tiendas especializadas, TIENDAS POR DEPARTAMENTOS, supermercados y las COOPERATIVAS de consumidores.

Minos En la mitología griega, rey de Creta, hijo de ZEUS y EUROPA. Obtuvo el trono con la ayuda de POSEIDÓN y también se convirtió en gobernante de las islas egeas. Su esposa Pasífae se enamoró de un toro y dio a luz al MINOTAURO, el que fue encerrado en el laberinto. Le declaró la guerra a Atenas e impuso un tributo de jóvenes y doncellas para alimentar al Minotauro hasta que TESEO mató al monstruo con la ayuda de la hija de Minos, ARIADNA. Resultó asesinado en Sicilia cuando le fue vertida agua hirviendo mientras se bañaba. Actualmente, muchos expertos consideran que Minos constituyó un título real o dinástico de los sacerdotes gobernantes de la civilización minoica (es decir, "de Minos"), perteneciente a la edad del bronce, en CNOSOS. Ver también MINOICO.

Minot, George (Richards) (2 dic. 1885, Boston, Mass., EE.UU.–25 feb. 1950, Brookline, Mass.). Médico estadounidense. Se graduó en medicina en la Universidad de Harvard. Trató la anemia (inducida por sangramiento) en perros alimentándolos con una dieta de hígado crudo; posteriormente, con William Murphy (n. 1894–m. 1987), observó que la ingestión de hígado crudo mejoraba la anemia perniciosa en los seres humanos. En 1934 ambos compartieron el Premio Nobel con GEORGE WHIPPLE por el tratamiento de esta enfermedad, antes invariablemente fatal. Con EDWIN JOSEPH COHN prepararon extractos hepáticos que, administrados por vía oral, constituyeron el tratamiento principal de la anemia perniciosa hasta 1948, cuando se aisló la vitamina B_{12}.

Minotauro En la mitología GRIEGA, monstruo cretense con cuerpo humano y cabeza de toro. Era hijo de Pasífae, esposa del rey MINOS, y de un toro blanco enviado por POSEIDÓN y destinado al sacrificio. Como Minos lo conservó, el dios lo castigó, haciendo que su esposa se enamorara del toro. El Minotauro (cuyo nombre significa "toro de Minos") fue encerrado en el laberinto construido por DÉDALO. Tras derrotar a Atenas en una guerra, Minos obligó a los atenienses a enviarle seres humanos como tributo para alimentar al monstruo. Al tercer año en que se envió el tributo, TESEO se presentó como voluntario y con la ayuda de ARIADNA le dio muerte.

Minsk Capital (pob., est. 2001: 1.699.000 hab.) y principal ciudad de Belarús. Fundada antes de 1067, se convirtió en sede de un principado en 1101. En el s. XIV pasó a formar parte de Lituania y posteriormente de Polonia. En 1793 se anexó a Rusia tras la segunda partición de POLONIA y se convirtió en un centro provincial. En 1812, Minsk fue ocupada por tropas francesas. Gracias a la llegada del ferrocarril en 1870, adquirió importancia como centro industrial. Durante la primera guerra mundial, la ocuparon primero los alemanes y luego los polacos. Resultó destruida casi en su totalidad durante la segunda guerra mundial, especialmente con el avance soviético de 1944. Fue capital de la República Socialista Soviética de Bielorrusia (actual Belarús) y se mantuvo como tal hasta su independencia en 1991. Es el centro administrativo e industrial del país.

Minsky, Marvin (Lee) (n. 9 ago. 1927, Nueva York, N.Y., EE.UU.). Científico en informática estadounidense. Obtuvo un Ph.D. en la Universidad de Princeton y se incorporó al cuerpo docente del Instituto Tecnológico de Massachusetts (MIT), donde permaneció durante toda su carrera. Sus investigaciones contribuyeron al avance en los campos de la INTELIGENCIA ARTIFICIAL, psicología cognitiva, REDES NEURONALES (construyó el primer simulador de redes neuronales en 1951) y teoría de las máquinas de Turing. Pionero de la robótica, construyó una de las primeras manos mecánicas con sensores táctiles, escáneres visuales y el *software* e interfaces computacionales requeridos. Influyó en muchos proyectos de robótica fuera del MIT y trabajó para incorporar en las máquinas la capacidad humana de razonar con sentido común. En *La sociedad de la mente* (1987), 270 ideas simples interconectadas reflejan la estructura de su teoría. Recibió el Premio Turing en 1969.

minstrel show Manifestación teatral que se hizo popular en EE.UU. durante el s. XIX y principios del s. XX. Este tipo de espectáculo se originó en la década de 1830, y uno de los primeros actores populares de raza blanca fue Thomas D. Rice, quien interpretó al famoso personaje conocido como "Jim Crow", que utilizaba un estilizado maquillaje de rostro negro e imitaba de forma estereotipada canciones y bailes de afroamericanos. El estilo se desarrolló y diversas compañías de actores blancos, que se maquillaban carinegros, fueron especialmente populares en EE.UU. e Inglaterra en los años 1840–80. Un grupo destacado fue Christy Minstrels, que se mantuvo en cartelera por una década en Broadway, donde interpretaron composiciones musicales de STEPHEN FOSTER. El *minstrel show* comenzaba con una apertura coral y proseguía con un reiterado intercambio de bromas entre "Mr. Interlocutor", que era el maestro de ceremonias, y los personajes, "Mr. Tambo", quien tocaba la pandereta, y "Mr. Bones", quien percutía huesos, ambos llamados los "end men", ya que se ubicaban en los extremos izquierdo y derecho de la hilera de músicos. Esta rutina se intercalaba con baladas, canciones cómicas e instrumentales (generalmente con banjo y violín), actos individuales, bailes "soft-shoe" (estilo de *tap dance* de suela blanda) y números especiales. Las compañías de *minstrel*, cuyos integrantes eran afroamericanos, aparecieron después de la guerra de Secesión y constituyeron el único medio de subsistencia para los actores de raza negra de la época. Si bien este estilo desapareció a principios del s. XX, el estereotipo racial que exhibían continuó influyendo en los escenarios hasta mediados de ese siglo.

minué o **minuete** Danza solemne en pareja, derivada de un baile folclórico francés, que predominó en los salones de baile cortesanos europeos en los s. XVII–XVIII. Los bailarines ejecutaban pasos pequeños y lentos, con música en compás de 3 por 4, además de realizar figuras coreográficas combinadas con reverencias e inclinaciones. Después de haber sido el baile preferido de la aristocracia del s. XVIII, cayó en descrédito luego de la Revolución francesa en 1789. Tuvo gran importancia como forma musical; comúnmente incorporada a la SUITE c. 1650–1775, fue la única forma de danza que conservaron la SINFONÍA, SONATA, CUARTETO DE CUERDAS y otras composiciones de varios movimientos c. 1800.

Minuit, Peter (c. 1589, Wesel, Kleve–jun. 1638, mar Caribe). Gobernador colonial neerlandés de Nueva Holanda, Norteamérica. En 1626 la Compañía Holandesa de las Indias Occidentales lo nombró director general de la colonia de la isla de MANHATTAN. Según la leyenda, para legitimar la ocupación holandesa de la isla, convenció a los indios de venderla por un puñado de baratijas que valían unos 60 florines (US$ 24). En el extremo sur de la isla fundó Nueva Amsterdam. Por diferencias con la Compañía tuvo que regresar a Holanda (1631) y más adelante fue enviado a establecer la colonia de Nueva Suecia, en la bahía de Delaware, donde otra vez compró terrenos a los indios y construyó Fort Christina (más tarde Wilmington, Del.) en 1638.

minúscula En CALIGRAFÍA, letra de caja baja, en contraste con la MAYÚSCULA, o letra de caja alta. A diferencia de las mayúsculas, las minúsculas no están totalmente contenidas entre dos líneas reales o hipotéticas; sus trazos pueden ir por arriba o por debajo de la línea. Desarrollada por ALCUINO en el s. VIII, permitió la división de la escritura en oraciones y párrafos, al iniciar las oraciones con letras mayúsculas y terminarlas con puntos. Originalmente, la escritura era redondeada, pero poco a poco los trazos se hicieron más pesados hasta convertirse en lo que hoy se llama letra gótica o tipografía GÓTICA.

minuteman Soldado colonial de la guerra de independencia de los ESTADOS UNIDOS DE AMÉRICA. Estos milicianos se organizaron por primera vez en Massachusetts en septiembre de 1774, cuando los dirigentes revolucionarios procuraron eliminar de la milicia a los tories o simpatizantes de Gran Bretaña, con el reemplazo de todos los oficiales. Un tercio de los miembros de cada regimiento nuevo debían estar listos, "al minuto", para la acción militar. Su primera prueba importante tuvo lugar en las batallas de LEXINGTON Y CONCORD. El 18 de julio, el Congreso continental recomendó que otras colonias organizaran también unidades de *minutemen*.

Minuteman, misil MISIL BALÍSTICO INTERCONTINENTAL (ICBM) estadounidense desplegado por primera vez en 1962. Sus tres generaciones –Minuteman I (1962–73), Minuteman II (1966–95) y Minuteman III (desde 1970)– han constituido desde la década de 1960 la mayor parte del arsenal nuclear con bases terrestres de EE.UU. Fueron los primeros ICBM estadounidenses en tener como base silos subterráneos, usar combustible sólido y estar dotados de vehículos múltiples de reentrada ajustable e independiente, dirigidos a blancos diferentes (ver MIRV). Bajo los términos de las negociaciones sobre la reducción de ARMAS ESTRATÉGICAS, el arsenal de Minuteman II fue desmantelado y el de Minuteman III, programado para ser degradado a una única cabeza nuclear.

Minutisa (*Dianthus barbatus*).
GRANT HEILMAN

minutisa Planta de jardín (*Dianthus barbatus*) de la familia de las CARIOFILÁCEAS, que se cultiva por sus ramilletes de flores pequeñas de vivos colores. Normalmente es una planta bienal: las semillas que se plantan el primer año producen flores la primavera del año siguiente. La planta crece hasta unos 60 cm (2 pies) de altura y produce flores numerosas con borde dentado, de color blanco, rosado o rosa a violeta y a veces también bicolores.

miocardio, infarto del ver ATAQUE CARDÍACO

mioceno Una de las divisiones del período TERCIARIO, que se extendió desde 23,8 hasta 5,3 millones de años atrás. El extenso registro fósil de vida terrestre durante el mioceno provee un cuadro bastante completo del desarrollo de los vertebrados, especialmente de los mamíferos. Estos eran en esencia modernos, y la mitad de las familias modernas conocidas ya estaban presentes en el mioceno. El caballo evolucionó principalmente en América del Norte, y en el sur de Europa ya se encontraban primates avanzados, como simios. En el hemisferio norte ocurrió algún intercambio de fauna entre el Viejo y Nuevo Mundo. La libre comunicación entre África y Eurasia era posible, pero Sudamérica y Australia permanecieron aisladas.

miositis INFLAMACIÓN del tejido muscular (ver MÚSCULOS), a menudo por INFECCIONES bacterianas, virales o parasitarias, pero a veces de origen desconocido. La mayoría de los tipos destruye el músculo y el tejido circundante. Las bacterias pueden infectar directamente el músculo (por lo general después de una herida) o producir sustancias tóxicas contra él. Algunas enfermedades crónicas (p. ej., la TUBERCULOSIS, la SÍFILIS terciaria) pueden comprometer los músculos. Ciertos parásitos (p. ej., TENIAS, PROTOZOOS) presentes en alimentos contaminados penetran en el torrente sanguíneo desde los intestinos para alojarse en los músculos.

miotonía Trastorno que dificulta la relajación de los MÚSCULOS voluntarios contraídos. Pueden estar afectados todos, o sólo unos pocos. La miotonía parece originarse en los músculos (miopatía) y no en el sistema NERVIOSO. Puede ser causada por ciertas TOXINAS. Una forma hereditaria, la miotonía congénita (enfermedad de Thomsen), puede afectar los párpados, los movimientos oculares, la deglución o el habla. Los movimientos rápidos causan rigidez muscular. También existe una variedad miotónica de DISTROFIA MUSCULAR. Los síntomas pueden aliviarse con medicamentos ANALGÉSICOS, ANESTÉSICOS y anticonvulsivantes.

Miqueas (floreció s. VIII AC). Uno de los doce profetas menores de la Biblia, al que la tradición atribuye la autoría del Libro de Miqueas. (Su profecía forma parte de un libro mayor, Los Doce, en el canon judío). Probablemente comenzó a profetizar antes de la caída del reino de Israel en 721 AC. Los especialistas más recientes le atribuyen los primeros tres capítulos del libro, que predicen el juicio divino de los idólatras y los líderes injustos. La mayor parte del texto restante, que presagia el establecimiento de un reino de paz en Sión, probablemente data de varios siglos después.

Miquelon ver SAINT-PIERRE Y MIQUELON

Mir, estación espacial ESTACIÓN ESPACIAL rusa. Constaba de un módulo central lanzado en 1986 y cinco módulos adicionales lanzados separadamente durante la década de 1990, que se unieron al primero para crear un laboratorio espacial de grandes proporciones y con múltiples funciones. Siendo la tercera generación de estaciones espaciales rusas (ver SALYUT), la Mir estaba provista de seis escotillas para el acoplamiento de módulos y otras naves espaciales, habitáculos ampliados, mayor potencia y modernos equipos para la investigación. Se mantuvo en condiciones habitables entre 1986 y 2000, y estuvo habitada en forma ininterrumpida por casi diez años; acogió a varios astronautas estadounidenses (1995–98), como parte del esfuerzo de cooperación de Mir-TRANSBORDADOR ESPACIAL. En 1995, Valeri Polyakov (n. 1942) alcanzó el récord de permanencia de casi 438 días en el espacio a bordo de la Mir. En marzo de 2001 la estación fue abandonada y reingresó a la atmósfera terrestre de manera controlada, cayendo sus restos al océano Pacífico.

La estación espacial MIR, cuyo módulo central fue lanzado en 1986, desde el cosmódromo de Baikonur, Kazajstán.
ARCHIVO EDIT. SANTIAGO

Mīr Sayyid 'Alī (floreció s. XVI). Miniaturista persa. Nació en Tabrīz, y alrededor de 1545 se trasladó a India. Él y su compatriota 'ABD AL-ṢAMAD formaron a los artistas del taller imperial, que en su mayoría eran indios, contribuyendo a fundar la escuela de arte MOGOL. Supervisó parte del proceso de ilustración del manuscrito mogol *Dāstān-e Amīr Ḥamzeh* ("Cuentos de Amīr Ḥamzeh"). El escaso número de pinturas de su autoría que se han conservado revelan a un pintor talentoso, que manejaba la pincelada con delicadeza y tenía una gran capacidad de observación.

"Mejnun siendo llevado a la tienda de Leyla por una mendiga", miniatura de Mīr Sayyid 'Alī en el Jamseh de Nezami hecha para Shah Tahmasp I, 1539–43; Biblioteca Británica (OR. MS. 2265 fol 157v).
GENTILEZA DEL DIRECTORIO DE LA BIBLIOTECA BRITÁNICA.

Mirabeau, Honoré-Gabriel Riqueti, conde de *orig.* **Honoré-Gabriel Riqueti** (9 mar. 1749, Le Bignon, cerca de Nemours, Francia–2 abr. 1791, París). Político y orador francés. Hijo del economista Víctor Riqueti (n. 1715–m. 1789), sufrió la desaprobación de su padre; fue a menudo encarcelado por intrigas y comportamiento desenfrenado (1774–80), y escribió varios ensayos sobre la vida en prisión. En 1789 fue elegido a los ESTADOS GENERALES desde el tercer estado. Experto orador, tuvo apoyo popular y resultó influyente en los primeros años de la REVOLUCIÓN FRANCESA. Abogó por una monarquía constitucional y trató de mediar entre los monárquicos absolutistas y los revolucionarios. Fue elegido presidente de la Asamblea Nacional en 1791, pero falleció poco después.

Mirabello, golfo Ensenada del mar EGEO en la costa septentrional de CRETA, Grecia. Un promontorio lo separa de la bahía de Sitias en el este. Olonte y Lato constituyen asentamientos en ruinas de la época clásica. En Gurnia y en las pequeñas islas de Psira y Moclos se conservan restos de poblados que datan del MINOICO tardío (1600–1450 AC).

mirador Construcción en forma de torrecilla, pequeña cúpula, o glorieta situada en altura para brindar una vista panorámica. Pocos miradores de fines del s. XVIII y del s. XIX han perdurado, pero aún subsisten algunas torrecillas del s. XVII construidas en un encuentro de dos muros de un jardín. Hoy el término se refiere, a menudo en forma específica, a una estructura techada independiente, generalmente octogonal, con sus costados abiertos o con celosías.

miraguano Fibra obtenida de un árbol tropical grande, llamado capoc o árbol de algodón (*Ceiba pentandra*, de la familia de las Bombacáceas), el cual da cientos de vainas llenas de semillas fibrosas. El árbol se cultiva principalmente en Asia e Indonesia. A veces llamada algodón de seda o algodón de Java, esta fibra flexible, de secado rápido y resistente a la humedad, se ha utilizado en chalecos salvavidas y otros equipos de seguridad acuática. El miraguano también se usa como relleno de almohadas, colchones y tapizado, como aislante y, en cirugía, como sustituto del algodón. Sin embargo, es altamente inflamable, y las fibras son demasiado frágiles para ser hiladas. Su importancia ha disminuido con el desarrollo de la goma de espuma, plásticos y fibras artificiales.

mi'raj En la tradición islámica, la ascensión de MAHOMA al cielo. Una noche, según la tradición, Mahoma fue visitado por dos arcángeles, quienes abrieron su cuerpo y purificaron su corazón de toda duda, error y paganismo. Fue llevado al cielo, donde ascendió los siete niveles hasta alcanzar el trono de Dios. En el camino, él y el arcángel JIBRAIL, se encontraron con los profetas ADÁN, Yahya (san JUAN EVANGELISTA), Isa (JESÚS), Yusuf (JOSÉ), Idris, Harun (AARÓN), Musa (MOISÉS) e Ibrahim (ABRAHAM), y visitaron el infierno y el paraíso. Mahoma supo que Dios lo tenía en más alta consideración que todos los demás profetas. La *mi'raj* se celebra popularmente el día 27 del Rajab con lecturas de la leyenda, y se la denomina *Laylat' al-Mirāj* ("Noche de la ascensión").

Miranda, Carmen *orig.* **Maria do Carmo Miranda da Cunha** (9 feb. 1909, Lisboa, Portugal–5 ago. 1955, Beverly Hills, Cal., EE.UU.). Cantante y actriz brasileña. En la década de 1930 fue la cantante de mayor venta de discos en Brasil y actuó en cinco películas. Posteriormente fue contratada por un productor de Broadway, donde protagonizó *The Streets of Paris* (1939). Debutó en el cine estadounidense en *Serenata argentina* (1940), y recibió el apodo "Brazilian Bombshell" (La bomba brasileña). Luego le otorgaron roles caricaturescos como "The Lady in the Tutti-Frutti Hat" (La mujer con el sombrero de tutti-frutti) en *Toda la banda está aquí* (1943). Llegó a ser la artista del espectáculo mejor pagada en EE.UU. durante la segunda guerra mundial. Su última película en Hollywood se tituló *Una herencia de miedo* (1953).

Miranda, Francisco de (28 mar. 1750, Caracas–14 jul, 1816, Cádiz, España). Revolucionario venezolano que contribuyó a preparar el camino para la independencia de su país. Formó parte del ejército español, pero huyó a EE.UU. en 1783, donde conoció a algunos líderes de la guerra de independencia de los ESTADOS UNIDOS DE AMÉRICA e ideó planes para la liberación de América del Sur, lugar que vislumbraba dominado por un emperador inca y una legislatura bicameral. En 1806 intentó invadir Venezuela sin éxito y regresó al campo de batalla en 1810 a petición de SIMÓN BOLÍVAR. Asumió poderes dictatoriales en 1811 cuando se declaró la independencia, pero debió capitular ante un contraataque español, por lo que firmó un armisticio. Sus correligionarios vieron su rendición como una traición y frustraron su intento de huida. Murió en una prisión española.

Miranda v. Arizona (1966). Sentencia de la Corte Suprema de EE.UU. que precisó el comportamiento que debe observar la policía durante el interrogatorio de las personas sospechosas de haber cometido un delito. MIRANDA estableció que la policía debe informar al detenido que tiene derecho a guardar silencio, que todo lo que diga puede ser usado en su contra y que tiene derecho a asesoramiento letrado. En este caso, el demandante sostuvo que el estado de Arizona, al obtener su confesión sin haberle informado de su derecho a la presencia de un abogado, había violado sus derechos de conformidad con la V enmienda respecto de la AUTOINCRIMINACIÓN. El fallo de cinco votos contra cuatro causó conmoción entre los funcionarios de policía. Varios fallos posteriores han limitado el alcance de las salvaguardas establecidas en Miranda v. Arizona. Ver también derechos del INCULPADO.

mirlo acuático Cualquiera de cinco especies de aves paseriformes del género *Cinclus* (familia Cinclidae), notables por cazar insectos caminando bajo el agua en corrientes de curso rápido. Las especies se distribuyen ampliamente en Asia, África, Europa, Norteamérica y Sudamérica. Los mirlos acuáticos son rechonchos, de cola mocha y unos 18 cm (7 pulg.) de largo, con pico y patas turdiformes. Suelen ser marrón negruzcos o gris opacos. Anidan en una bóveda de musgo construida en una grieta, a menudo detrás de una cascada. Ver también MIRLO COLLARIZO.

mirlo collarizo Especie (*Turdus torquatus*) de ave paseriforme de la familia Turdidae (ver ZORZAL), que se caracteriza por una medialuna blanca pectoral. Es un pájaro negruzco, de unos 25 cm (10 pulg.) de largo, que se reproduce localmente en las tierras altas desde Gran Bretaña y Noruega hasta el Medio Oriente. El nombre se aplicaba antes a una especie de ICTÉRIDO europeo muy emparentada (*T. merula*).

Miró, Joan (20 abr. 1893, Barcelona, España–25 dic. 1983, Palma de Mallorca). Artista español (catalán). Cursó estudios de comercio, y trabajó como escribiente hasta que una crisis nerviosa llevó a su padre, artesano, a permitirle que estudiara arte. Desde un comienzo buscó expresar metafóricamente conceptos de la naturaleza. De 1919 en adelante vivió alternadamente entre España y París, donde recibió la influencia del DADAÍSMO y el SURREALISMO. El influjo de PAUL KLEE se manifiesta en sus "pinturas oníricas" y en los "paisajes imaginarios" de fines de la década de 1920, en los que las configuraciones lineales y manchas de color parecen haber sido dispuestas casi al azar. Su estilo maduro evolucionó a partir de la tensión entre este impulso poético y fantástico, y su visión de la crueldad de la vida moderna. Trabajó extensamente en litografía y realizó numerosos murales, tapices y esculturas para espacios públicos.

"Mujer y pájaro", escultura de Joan Miró, en el Parque del Escorxador, Barcelona.
ARCHIVO EDIT. SANTIAGO

Mirón (c. 480 AC, Grecia–440 AC). Escultor griego. Contemporáneo de FIDIAS y POLICLETO, aunque de mayor edad, fue considerado por los antiguos el más versátil e innovador de todos los escultores atenienses. Fue el primer escultor griego capaz de combinar la maestría del movimiento con el don de la composición armónica. Trabajó casi exclusivamente en bronce. Es más conocido por sus estudios de atletas en acción, particularmente por el *Discóbolo*, c. 450 AC.

El "Discóbolo", copia romana en mármol de la escultura griega en bronce de Mirón, c. 450 AC; Museo Nacional Romano, Roma.
ALINARI—ART RESOURCE

mirto Cualquiera de los arbustos siempreverde del género *Myrtus* (familia Myrtaceae). Los especialistas difieren mucho respecto del número de sus especies; la mayoría crece en Sudamérica, algunas se encuentran en Australia y Nueva Zelanda. El mirto común (*M. communis*) es originario de la zona del Mediterráneo y Medio Oriente, y se cultiva en el sur de Inglaterra y en las áreas más cálidas de Norteamérica. Otras plantas conocidas como mirto son el LAUREL DE MONTAÑA y la VINCAPERVINCA. La familia Myrtaceae o de las Mirtáceas comprende las plantas que producen las especias PIMIENTA DE JAMAICA y CLAVO DE OLOR, así como el género *Eucalyptus*. Ver también CRESPÓN.

MIRV *sigla de* **Multiple Independently Targeted Reentry Vehicle** (Vehículo múltiple de reentrada ajustable e independiente). Cualquiera de las varias cabezas nucleares transportadas en el extremo de un misil balístico. La técnica permite liberar en diferentes trayectorias a varias cabezas nucleares dirigidas hacia blancos independientes, atacando de ese modo varios objetivos desde una sola instalación de lanzamiento. Los misiles balísticos dotados de MIRV fueron desplegados primero por EE.UU. y luego por la Unión Soviética en la década de 1970, seguidos por Gran Bretaña y Francia en la década siguiente, y posiblemente por China en la década de 1990. Debido a que múltiples cabezas representan un significativo aumento en el poder de fuego, ha sido a menudo motivo de discusión en conversaciones sobre control de armas. Las negociaciones sobre la reducción de las ARMAS ESTRATÉGICAS obliga tanto a EE.UU. como a Rusia a limitar el número de MIRV en algunos misiles.

misa Celebración de la EUCARISTÍA en la Iglesia católica. Es considerada una reconstitución sacramental de la muerte y resurrección de JESÚS, así como un verdadero sacrificio, en el cual el cuerpo y la sangre de Jesús (el pan y el vino) son ofrecidos a Dios. También es considerada como una cena sagrada que unifica y alimenta a la comunidad de creyentes. Comprende lecturas de las Escrituras, sermón, ofertorio, oración eucarística y comunión. El rito cambió notoriamente tras el concilio VATICANO II, en especial con la adopción en la misa de lenguas vernáculas en lugar del latín. Ver también SACRAMENTO; TRANSUSTANCIACIÓN.

misa de réquiem Adaptación musical de la MISA de difuntos (*Requiem*, término en latín que significa "descanso", constituye el introito, primera palabra de la misa). El texto del réquiem se diferencia del ordinario de la misa por la omisión de sus secciones alegres y la preservación sólo del *Kyrie*, del *Sanctus* y del *Agnus Dei*, los que se combinan con otras secciones, entre ellas, la secuencia *Dies irae* ("día de la ira"). La primera adaptación polifónica que se ha conservado pertenece a JOHANNES OCKEGHEM. Entre otros célebres réquiem posteriores están aquellos de WOLFGANG AMADEUS MOZART, HÉCTOR BERLIOZ, GIUSEPPE VERDI, GABRIEL FAURÉ, JOHANNES BRAHMS y BENJAMIN BRITTEN.

Mises, Ludwig (Edler) conde von (29 sep. 1881, Lemberg, Austria-Hungría–10 oct. 1973, Nueva York, N.Y., EE.UU.). Economista austroestadounidense, seguidor de las teorías de la Escuela AUSTRÍACA DE ECONOMÍA. Fue profesor de la Universidad de Viena (1913–38) antes de emigrar a EE.UU. e integrarse al cuerpo docente de la Universidad de Nueva York (1945–69). En *La mentalidad anticapitalista* (1956), examen del socialismo estadounidense, abordó la oposición de los intelectuales al libre mercado, quienes, en su opinión, experimentaban un resentimiento injustificado respecto de la demanda a gran escala, base de la prosperidad de los grandes negocios.

Mishima Yukio *orig.* **Hiraoka Kimitake** (14 ene. 1925, Tokio, Japón–25 nov. 1970, Tokio). Escritor japonés. Tras reprobar el examen médico para ingresar al servicio militar durante la segunda guerra mundial, Mishima consiguió empleo en una fábrica de Tokio y después de la guerra siguió estudios de derecho. Fue aclamado con su primera novela *Confesiones de una máscara* (1949). Muchos de sus personajes están obsesionados por ideales y deseos eróticos inalcanzables, como en *El pabellón de oro* (1956). Su epopeya narrativa, *El mar de la fertilidad*, 4 vol. (1965–70), es tal vez su logro más perdurable. Se opuso tenazmente a las estrechas relaciones de Japón con Occidente durante la posguerra (en particular la nueva constitución que prohibía el rearmamento de Japón) y buscó preservar las tradiciones japonesas del espíritu marcial y la veneración hacia el emperador. En un gesto simbólico de estos ideales, murió practicándose el SEPPUKU (suicidio ritual por destripamiento), después de tomarse un cuartel militar. Es considerado uno de los novelistas japoneses más importantes del s. XX.

Mishná *o* **Misná** Compilación de la ley oral judía más antigua y fehaciente, que complementa las leyes de las Escrituras hebreas. Compilada por una serie de sabios durante dos siglos, YEHUDÁ HA-NASÍ le dio su forma definitiva en el s. III DC. Anotaciones de sabios posteriores en Palestina y Babilonia dieron como resultado el Guemará; la Mishná y el Guemará constituyen el TALMUD. La Mishná se divide en seis órdenes principales: la oración diaria y la agricultura, el SABBAT y otros rituales religiosos, la vida conyugal, el derecho civil y penal, el templo de JERUSALÉN y la purificación ritual.

Mishná Torá Extenso comentario sobre el TALMUD compuesto en el s. XII por MOSHÉ MAIMÓNIDES. Sus 14 volúmenes versan sobre leyes que abarcan temas como la conducta ética, asuntos civiles, agravios, matrimonio y divorcio, y obsequios a los pobres. Maimónides pretendió que su comentario combinara la ley religiosa y la filosofía y sirviera como vehículo de enseñanza y no sólo para prescribir conductas.

misil Proyectil propulsado por COHETES diseñado para llevar una cabeza explosiva hasta un blanco, con gran precisión y a alta velocidad. Los misiles varían desde pequeñas armas tácticas, efectivas a varias decenas de metros, hasta otras armas estratégicas de mayor envergadura con alcances de varios miles de kilómetros. No tuvieron desarrollo significativo hasta después de la segunda guerra mundial. Casi todos contienen algún tipo de mecanismo de guía y control, por ende se suelen denominar MISILES TELEDIRIGIDOS. Un misil militar no dirigido, así como cualquier vehículo usado para penetrar la atmósfera superior o colocar un satélite en el espacio, recibe generalmente el nombre de cohete. Un misil submarino propulsado por una hélice se conoce como TORPEDO, y un misil teledirigido propulsado con una trayectoria rasante a poca altura por un motor de reacción, con toma de aire, se llama MISIL CRUCERO. Con el desarrollo de los MISILES BALÍSTICOS INTERCONTINENTALES, los misiles se transformaron en una cuestión central en la estrategia de la GUERRA FRÍA. Ver también MISIL ANTIBALÍSTICO; misil MINUTEMAN, misil V-1; misil V-2.

misil antibalístico (ABM) *sigla de* **Antiballistic Missile** Proyectil diseñado para interceptar y destruir MISILES balísticos. Se han buscado sistemas ABM efectivos desde la guerra fría, tiempo en que la carrera armamentista nuclear planteaba el fantasma de la destrucción total por misiles balísticos. Hacia fines de la década de 1960, tanto EE.UU. como la Unión Soviética desarrollaron sistemas de ABM con armamento nuclear, que combinaban un misil interceptor a gran altitud (el Spartan estadounidense y el Galosh soviético) con un interceptor de fase terminal (el Sprint estadounidense y el Gacela soviético). Ambos bandos fueron limitados a una ubicación de ABM, cada uno por el Tratado de misiles antibalísticos de 1972; EE.UU. desmanteló su sistema, mientras que la Unión Soviética desplegó uno en torno a Moscú. Durante la década de 1980, EE.UU. comenzó la investigación para una ambiciosa INICIATIVA DE DEFENSA ESTRATÉGICA en contra de un ataque "con todo" de los soviéticos, pero el esfuerzo resultó ser costoso y técnicamente difícil, y perdió urgencia con el colapso de la Unión Soviética. La atención se redirigió hacia sistemas de "teatro", como el misil Patriot estadounidense, que durante la primera guerra del Golfo Pérsico (1990–91) se usó con efecto limitado contra misiles Scud iraquíes, con armamento convencional. En 2002, EE.UU. se retiró formalmente del tratado sobre los ABM, con el fin de desarrollar una defensa contra un ataque limitado con misiles por parte de potencias menores, o de estados "canallas".

misil balístico intercontinental (ICBM) *sigla de* **Intercontinental Ballistic Missile** Misil balístico con base en tierra provisto de armamento nuclear, de más de 5.600 km (3.500 mi) de alcance. Sólo EE.UU., Rusia y China han instalado misiles de ese alcance con base terrestre. Los primeros ICBM fueron desplegados por la Unión Soviética en 1958, continuando EE.UU. al año siguiente y China unos 20 años más tarde. El principal ICBM estadounidense es el misil MINUTEMAN, que se lanza desde un silo. Los misiles balísticos lanzados desde submarinos (SLBM, del inglés, *Submarine-Launched Ballistic Missile*) con alcances comparables a los ICBM son el misil

TRIDENT, desplegado por EE.UU. y Gran Bretaña, y diversos sistemas desplegados por Rusia, China y Francia.

misil crucero Tipo de MISIL TELEDIRIGIDO estratégico, de vuelo a baja altura, desarrollado en las décadas de 1960–70 por EE.UU. y la Unión Soviética. El misil V-1 fue el precursor. Propulsados por MOTORES DE REACCIÓN, los misiles crucero pueden llevar indistintamente una cabeza nuclear o convencional. Están diseñados para desplazarse siguiendo una trayectoria de baja altitud, lo que dificulta su detección por RADAR. Son lanzados desde buques, submarinos, aviones, y desde tierra.

misil teledirigido Proyectil provisto de medios para modificar su dirección después que ha abandonado su dispositivo de lanzamiento. Casi todos los MISILES modernos son propulsados por COHETES o MOTORES DE REACCIÓN y tienen mecanismos de direccionamiento, los que a menudo cuentan con sensores para ayudar al misil a encontrar su blanco. Los misiles buscadores de calor, por ejemplo, llevan sensores infrarrojos que les permiten enfilar hacia los gases de escape de los motores de reacción.

misiles, crisis cubana de los (1962). Principal enfrentamiento entre EE.UU. y la Unión Soviética causado por la presencia de misiles nucleares soviéticos en Cuba. En octubre de 1962, un avión espía estadounidense detectó misiles balísticos en una zona de lanzamiento en Cuba. El presidente JOHN F. KENNEDY ordenó el bloqueo naval alrededor de la isla, y por varios días EE.UU. y la Unión Soviética estuvieron al borde de la guerra. El premier soviético NIKITA JRUSCHOV finalmente accedió a desmantelar los misiles a cambio de un compromiso secreto de EE.UU. de retirar sus propios misiles de Turquía y de no invadir Cuba. El incidente aumentó las tensiones durante la guerra fría e impulsó la carrera armamentista nuclear entre ambos países. Ver también FIDEL CASTRO.

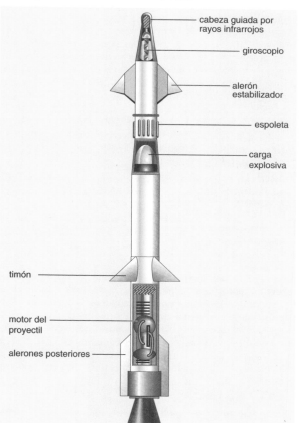

Componentes de un misil táctico aire-aire, con cabeza guiada por rayos infrarrojos (termoguiado).

misiles, sistema de alarma de defensa con (MIDAS) *sigla de* **Missile Defense Alarm System** Cualquiera de una serie de satélites militares estadounidenses no tripulados, desarrollados para proporcionar una alerta en prevención de ataques sorpresa con MISILES BALÍSTICOS INTERCONTINENTALES (ICBM) de la Unión Soviética. MIDAS fue el primero de tales sistemas de alerta en el mundo. Lanzados a comienzos de la década de 1960, los satélites de reconocimiento estaban equipados con sensores infrarrojos capaces de detectar el calor producido por las toberas de escape de los misiles balísticos.

misión Esfuerzo organizado para propagar la fe cristiana. San PABLO evangelizó gran parte de Asia Menor y Grecia, y la nueva religión se difundió rápidamente a lo largo de las rutas comerciales del Imperio romano. El avance del cristianismo se lentificó con la desintegración del Imperio romano después de 500 DC y el fortalecimiento del mundo árabe en los s. VII–VIII, pero los misioneros anglosajones e irlandeses continuaron extendiendo la fe en Europa septentrional y occidental, mientras que misioneros de la Iglesia griega de Constantinopla operaron en Europa oriental y Rusia. Las misiones hacia las regiones islámicas y Asia comenzaron en el período medieval y, cuando España, Portugal y Francia establecieron imperios ultramarinos en el s. XVI, la Iglesia católica envió misioneros a América y Filipinas. Una oleada renovada de trabajo misionero católico destinado a África y Asia se produjo en el s. XIX. Las iglesias protestantes tardaron más en emprender misiones extranjeras, pero en el s. XIX y comienzos del s. XX hubo un gran incremento de la actividad misionera protestante. La acción misional continúa hasta la actualidad, aunque a menudo es desalentada por los gobiernos de las ex colonias europeas que se independizaron.

misional, estilo Estilo arquitectónico de las misiones establecidas por los franciscanos españoles en Florida, Texas, Arizona, Nuevo México y en especial, en California, EE.UU. (1769–1823). Aunque estas misiones a menudo tenían portales bellamente decorados, la impresión general es de volúmenes geométricos simples, de estuco blanco, con ventanas adosadas en gruesos muros de adobe y detalles interiores muy simples. También lleva este nombre un estilo creado a comienzos del s. XX principalmente por GUSTAV STICKLEY, quien comercializó una línea de muebles de roble rústicos y pesados, inspirada en aquellos de las misiones españolas, así como una serie de diseños de artículos para el hogar para familias de ingresos bajos.

misisipiense En América del Norte, período geológico equivalente a lo que se conoce como el CARBONÍFERO temprano (354–323 millones de años atrás). Debido a que las rocas asociadas con este período son tipificadas por aquellas en el valle del Mississippi, algunos geólogos estadounidenses prefieren la designación misisipiense al término europeo carbonífero temprano.

Miskolc Ciudad (pob., 2001: 18.125 hab.) en el nordeste de Hungría. Está situada al pie del macizo de Bükk. Las cavernas existentes en sus montañas de roca caliza, habitadas desde la prehistoria, sirven actualmente de cavas para la industria vinícola. Colonizado por tribus germánicas, sármatas y ávaras, el pueblo fue conquistado por los húngaros en el s. X. Los mongoles invadieron la región en el s. XIII, y en el s. XV se convirtió en una ciudad independiente. Es un importante centro industrial, productor de hierro y acero. Entre sus edificios de interés histórico se cuenta una iglesia gótica del s. XIII.

Mississauga Ciudad (pob., 2001: 612.925 hab.) en el sudeste de la provincia de Ontario, Canadá. Se ubica en el extremo occidental del lago ONTARIO, al sudoeste de TORONTO; fue colonizada a principios del s. XIX en las tierras vendidas por los indios mississauga. En 1968, la unión de varios municipios dio origen a Mississauga; seis años más tarde adquirió la categoría de ciudad. Además de ser una zona residencial adyacente a Toronto, también constituye un centro industrial. En la ciudad se encuentra el aeropuerto internacional Lester B. Pearson.

Mississippi Estado (pob., 2000: 2.844.658 hab.) en el centro-sur de EE.UU. Situado junto al golfo de México, limita con los estados de Tennessee, Alabama, Luisiana y Arkansas. Ocupa una superficie de 123.530 km² (47.695 mi²); su capital es JACKSON. Su paisaje abarca desde montes y bosques de pinos hasta llanuras y planicies fluviales. Antes del asentamiento europeo, la zona estaba habitada por varias tribus indias, entre ellas los CHOCTAW, natchez y chickasaw. Se convirtió en parte del Territorio de Luisiana, controlado por los franceses, y en 1699 se fundó allí la ciudad de Biloxi. La parte norte fue cedida a EE.UU. en 1783 y la parte sur se incorporó al Territorio de Mississippi (creado en 1798), que en 1804 extendió sus límites incluyendo la mayor parte del estado actual. En 1817, Mississippi se convirtió en el 20° estado de EE.UU. En la década de 1820, su economía, basada en las plantaciones algodoneras, se desarrolló gracias a la mano de obra de esclavos. Se separó de la Unión en 1861 y dio a la Confederación su presidente, JEFFERSON DAVIS. La captura de VICKSBURG por parte de la Unión en 1863 representó un momento crucial de la guerra de SECESIÓN. Fue readmitido en la Unión en 1870 y en 1890 adoptó una constitución cuyo fin era bloquear la RECONSTRUCCIÓN. Durante la década de 1960, el estado se convirtió en campo de batalla de la lucha contra la segregación racial: el intento del estado de impedir la admisión de James Meredith a la Universidad de MISSISSIPPI dio origen a las revueltas de 1962; MEDGAR EVERS, líder local en materia de derechos humanos, fue asesinado en 1963. A partir de 1969, cuando el gobierno federal ordenó la integración del sistema escolar del estado, las arraigadas tradiciones racistas de Mississippi comenzaron a cambiar gradualmente. En la actualidad, su economía se basa en la producción agrícola, de algodón y soya. Entre los productos manufacturados se cuentan textiles y equipos eléctricos. En agosto de 2005 sufrió los efectos devastadores del huracán Katrina, que originó uno de los mayores desastres naturales de EE.UU.

Mississippi, cultura del Última cultura prehistórica en América del Norte, c. 800–1550 DC. Se extendió sobre gran parte del centro y sudeste del subcontinente, especialmente en los valles de los grandes ríos. Se basaba en la siembra intensiva de maíz, frijol, calabaza y otros cultivos. Cada poblado importante dominaba un grupo de aldeas satélites, destacando una plaza central y ceremonial con uno o más montículos de tierra de forma piramidal u oval, coronados con un templo, conformación que indica una conexión con América Central. Los inmensos túmulos de Cahokia cerca del actual Collinsville, Ill., EE.UU., constituían el mayor centro urbano de la cultura. El trabajo artesanal del Mississippi se realizaba con cobre, conchas, piedras, madera y arcilla. La cultura ya había comenzado a declinar cuando los europeos penetraron por primera vez en el sudeste. Ver también indio del SUDESTE; culturas WOODLAND.

Mississippi, río Río en el centro de EE.UU. Nace en el lago ITASCA, en el estado de Minnesota, y discurre hacia el sur, donde confluyen sus afluentes más importantes, los ríos MISSOURI y OHIO, casi a mitad de su recorrido hacia el golfo de MÉXICO. Desemboca en el sudeste de NUEVA ORLEANS, después de un curso de 3.780 km (2.350 mi). Es el curso fluvial más extenso de Norteamérica y junto a sus afluentes drena una superficie de 3,1 millones de km² (1,2 millones de mi²). El explorador español HERNANDO DE SOTO fue el primer europeo en descubrir el río en 1541. En 1673, los exploradores franceses LOUIS JOLLIET y JACQUES MARQUETTE bajaron por él hasta el río ARKANSAS. El explorador francés LA SALLE llegó al delta en 1682 y reclamó toda la región del Mississippi para Francia, bautizándola Luisiana.

Francia mantuvo el control del curso superior del río, pero el inferior pasó a manos de España en 1769. En 1783 se estableció como el límite occidental de EE.UU. En 1803, Francia lo vendió a EE.UU. como parte de la adquisición de LUISIANA. En 1863, durante la guerra de SECESIÓN, las fuerzas de la Unión capturaron Vicksburg, Miss. (ver campaña de VICKSBURG), lo que terminó con el control de los Confederados sobre el río. Dado que es la principal arteria fluvial estadounidense, constituye una de las vías de navegación comercial más activas del mundo.

Mississippi, Universidad de *llamada* **Ole Miss** Universidad pública estadounidense con sede en Oxford, Miss., EE.UU. Ofrece programas de pregrado, posgrado y profesionales, y administra más de 15 unidades de investigación, incluido el Center for Study of Southern Culture (Centro para el estudio de la cultura del sur). Los estatutos de la universidad fueron constituidos en 1844 y abrió sus puertas en 1848. La escuela de derecho, creada en 1854, es una de las instituciones públicas de derecho más antiguas del país. En 1882, las mujeres fueron admitidas por primera vez; la segregación racial fue eliminada en 1962 (ver GEORGE C. WALLACE). WILLIAM FAULKNER asistió a ella y actualmente su residencia de Oxford funciona como un museo.

Missouri Estado (pob., 2000: 5.595.211 hab.) en el centro-oeste de EE.UU. Limita con los estados de Iowa, Illinois, Kentucky, Tennessee, Arkansas, Oklahoma, Kansas y Nebraska; ocupa una superficie de 180.546 km² (69.709 mi²) y su capital es Jefferson City. El río MISSOURI corre de oeste a este atravesando el estado. La zona norte está conformada por colinas suaves y planicies fértiles, mientras que la zona sur presenta valles encajonados y corrientes impetuosas. Originalmente la región se encontraba habitada por diversos pueblos indígenas; uno de ellos, los missouri, dieron su nombre al estado. Cazadores y trabajadores franceses de las minas de plomo se establecieron en Sainte Geneviève, primer asentamiento europeo permanente desde 1735. SAINT LOUIS se fundó en 1764. Estados Unidos obtuvo el control de la región en 1803 como parte de la adquisición de LUISIANA. En 1805 se incorporó al Territorio de Luisiana y en 1812, al Territorio de Missouri. Después de la guerra ANGLO-ESTADOUNIDENSE se produjo una gran afluencia de colonizadores estadounidenses. En 1821,

The Old Courthouse, edificio de los antiguos tribunales, Saint Louis, Missouri.
STOCKXPERT

Missouri se convirtió en el 24° estado, pero sólo después del compromiso de MISSOURI se permitió su admisión como estado esclavista. Fue escenario de mucha tensión entre los defensores de la esclavitud y los abolicionistas, lo cual quedó reflejado en la sentencia sobre el caso de DRED SCOTT en 1857. Missouri adhirió a la Unión durante la guerra de SECESIÓN, aun cuando sus ciudadanos lucharon por ambos bandos. Después de la guerra aumentó su crecimiento económico, celebrado con la Exposición de Saint Louis de 1904. Después de la segunda guerra mundial, su economía pasó de la agricultura a la industria. A nivel nacional encabeza la producción de plomo, centrada principalmente en la región de los OZARK.

Missouri, compromiso de (1820). Ley aprobada por el Congreso de EE.UU. que admitió a Missouri en la Unión como el 24° estado. Cuando el territorio solicitó la categoría de estado sin restricciones relativas a la esclavitud, los parlamentarios del Norte procuraron sin éxito agregar enmiendas que limitaran el incremento de la posesión de esclavos. Cuando Maine (que formó parte originalmente de Massachusetts) solicitó la categoría de estado, un avenimiento apoyado por HENRY CLAY permitió el ingreso de Missouri como estado esclavista y de Maine como estado libre. La fórmula de entendimiento de Clay pareció haber resuelto el problema de la extensión de la esclavitud, pero puso de relieve la división seccional.

Missouri, plan En EE.UU., método para elegir a los jueces que se originó en el estado de Missouri y que posteriormente fue adoptado por otros estados. Concebido para superar las deficiencias del sistema electoral, el plan permite que el gobernador del estado seleccione a los jueces de una lista de candidatos recomendados por una comisión especial, pero exige que el juez nombrado sea aprobado en un referendo público después de haber desempeñado el cargo durante un tiempo determinado.

Missouri, río Río del centro de EE.UU. Es el afluente más largo del río MISSISSIPPI y nace en las montañas ROCOSAS, en el sudoeste del estado de Montana. Corre en dirección este hacia la parte central del estado de Dakota del Norte y en dirección sur, atravesando por el estado de Dakota del Sur. Define algunas secciones de los límites entre los estados de Dakota del Sur y Nebraska, Nebraska e Iowa, Nebraska y Missouri, y Kansas y Missouri. Luego serpentea en dirección este, pasando por el centro de Missouri para confluir con el río Mississippi al norte de SAINT LOUIS, después de un curso total de 3.726 km (2.315 mi). Ha recibido el apodo de "Big Muddy" (gran río cenagoso), debido a la cantidad de limo que arrastra su caudal. Los primeros europeos en visitar su desembocadura fueron los exploradores franceses JACQUES MARQUETTE y LOUIS JOLLIET en 1673. La expedición de LEWIS Y CLARK realizó la primera exploración del río desde su desembocadura hasta su curso superior en 1804–05. Desde mediados del s. XX se han establecido programas a lo largo de sus riberas para controlar sus crecidas turbulentas y usar sus aguas con fines de regadío.

Missouri, Universidad de Sistema universitario del estado de Missouri, EE.UU., que cuenta con campus en Columbia (sede principal), St. Louis, Kansas City y Rolla. Fundada en 1839 en Columbia, en 1870 se desarrolló al amparo del sistema jurídico de institución *land-grant*, i.e., según la ley de concesiones de terrenos para universidades públicas. La sede de Columbia otorga amplios programas de pregrado, posgrado y profesionales, y está dividida en numerosos *colleges* (colegios universitarios) y escuelas. La sede de Kansas City cuenta con escuelas de odontología y farmacia, un conservatorio de música y un programa de telecomunicaciones. La sede de St. Louis es reconocida por sus escuelas de optometría y su centro de estudios metropolitanos. Tanto el campus de Columbia como el de Kansas City cuentan con escuelas de derecho y medicina.

mistela LICOR DESTILADO producido al combinar una base espiritosa, a menudo BRANDY, con saborizantes y un sirope azucarado. Los contenidos de alcohol oscilan entre 24% y 60% por volumen, y los saborizantes comprenden frutas, nueces, hierbas, especias e ingredientes como café y chocolate. Probablemente algunos monjes y alquimistas medievales fueron los primeros en producir licores en forma comercial. Por ser dulce y contener ingredientes que facilitan la digestión, son muy populares como bajativos, y también se usan en tragos combinados y en postres. Entre las variedades figuran la mistela de damasco (*apricot*), la crema de menta, el curaçao (con cáscara de naranja de la variedad verde de Curaçao) y marcas comerciales como Benedictine (una mistela de hierbas), Grand Marnier (una mistela de naranjas de la región francesa de Cognac), Irish Mist (saborizado con whisky irlandés y miel) y Kahlúa (saborizado con café).

mistéricas, religiones Cualquiera de los diversos cultos secretos del mundo grecorromano. Derivadas de primitivas ceremonias tribales, las religiones mistéricas alcanzaron su apogeo en Grecia en los tres primeros siglos DC. Sus miembros se reunían en secreto para compartir alimentos y participar en danzas y ceremonias, en especial ritos de iniciación. El culto a DEMÉTER originó las religiones mistéricas más famosas: los misterios ELEUSINOS, así como los misterios de ANDANIA. DIONISO era adorado en fiestas en las cuales había vino, cantos corales, actividad sexual y mímica. En cambio, el culto órfico, basado en escritos sagrados atribuidos a ORFEO, exigía la castidad y la abstinencia de carne y vino. También hubo cultos mistéricos asociados a ATIS, ISIS y JÚPITER DOLICENO, entre otros.

misterio, relato de Obra de ficción en la cual la evidencia relacionada a un crimen o a un acontecimiento misterioso es presentada de tal forma que el lector tiene la oportunidad de considerar posibles soluciones al problema; hacia el final del relato se presenta la solución del autor. El relato de misterio constituye un género popular antiquísimo y está vinculado a otros géneros. Algunos elementos propios del relato de misterio se pueden encontrar en relatos de horror o terror, fantasías pseudocientíficas, historias de crímenes, crónicas de intrigas diplomáticas, relatos sobre códigos, claves y sociedades secretas, o cualquier situación que involucre algún tipo de enigma. Ver también NARRATIVA POLICIAL; NOVELA GÓTICA.

misterios Drama vernáculo de la Edad Media, originario del DRAMA LITÚRGICO, que generalmente abordó una historia bíblica. En el s. XIII, los gremios de diversos oficios de cada comunidad comenzaron a realizar misterios en lugares alejados de la iglesia e introdujeron elementos apócrifos y satíricos a los dramas. Posteriormente en Inglaterra se iniciaron unas representaciones de larga duración, compuestas por secuencias encadenadas y que aún se presentan en las ciudades de Chester y Wakefield. En Gran Bretaña habitualmente se presentaban en procesiones con carros móviles, a diferencia de las puestas en escenas en Francia e Italia, sobre escenarios fijos con decorados que reproducían el cielo, la tierra y el infierno. Las habilidades técnicas que exigían ángeles voladores y demonios lanzafuego mantenían la atención del espectador; sin embargo, en 1600, comenzó el ocaso del género de misterio. Ver también MILAGROS; MORALIDADES.

Misti, volcán Volcán de la cordillera de los ANDES, en el sur del Perú. Flanqueado por los volcanes Chachani y Pichupichu, el Misti se eleva a 5.821 m (19.098 pies) sobre el nivel del mar, dominando la ciudad de AREQUIPA. Su prístino cono nevado, que ha inspirado leyendas y poemas, tenía, según se cree, un significado religioso para los INCAS. Actualmente inactivo, su última erupción ocurrió durante un terremoto en 1600.

Vista del volcán Misti, en la cordillera de los Andes, Perú.
KEVIN SCHAFER/THE IMAGE BANK/GETTY IMAGES

misticismo Búsqueda espiritual para unirse con lo divino. Formas de misticismo se encuentran en todas las religiones principales. El HINDUISMO, con su meta de absorción del alma en el

Todo, tiene una predisposición inherente a la experiencia mística. El BUDISMO enfatiza la MEDITACIÓN como medio de aproximarse al NIRVANA. En el ISLAM, el SUFISMO utiliza metáforas acerca de la embriaguez y del amor entre novios para expresar el deseo de unión con lo divino. En el JUDAÍSMO, los fundamentos del misticismo se encuentran en las visiones de los profetas bíblicos y fueron desarrolladas más tarde en la CÁBALA y en el HASIDISMO. Ha aparecido en forma intermitente en el CRISTIANISMO, en particular en los escritos de san AGUSTÍN y santa TERESA DE ÁVILA, y en las obras de Meister Eckhart y sus sucesores del s. XIV.

Mistral, Frédéric (8 sep. 1830, Maillane, Francia–25 mar. 1914, Maillane). Poeta francés. Líder del renacimiento del provenzal en el s. XIX, Mistral fue cofundador de Félibrige, una influyente asociación que tenía por fin conservar las costumbres y el idioma de la Provenza y posteriormente de todo el sur de Francia. Dedicó 20 años de su vida a la creación de un diccionario erudito del provenzal. Su producción literaria consta de poemas líricos; cuentos, *Moun espelido: Memori è raconte* [Mis orígenes: memorias y relatos] (1906), su obra más conocida; y extensos poemas narrativos, entre ellos, *Mireya* (1859) y *El poema del Ródano* (1897), sus dos grandes obras. En 1904 compartió el Premio Nobel de Literatura con JOSÉ ECHEGARAY.

Mistral, Gabriela orig. **Lucila Godoy Alcayaga** (7 abr. 1889, Vicuña, Chile–10 ene. 1957, Hempstead, N.Y., EE.UU.). Poetisa chilena. Mistral combinó la creación poética con la carrera de ministra de cultura, diplomática y profesora en EE.UU. Su reputación como poetisa se consolidó en 1914, cuando obtuvo un premio por sus *Sonetos de la muerte*. Su apasionada lírica, centrada en el tema del amor que sentía por los niños y por los oprimidos, está recopilada en los volúmenes *Desolación* (1922), *Tala* (1938) y *Lagar* (1954). En 1945

Gabriela Mistral, 1941.
GENTILEZA DE LA BIBLIOTECA DEL CONGRESO, WASHINGTON, D.C.

se convirtió en la primera mujer hispanoamericana en obtener el Premio Nobel de Literatura.

MIT *sigla de* **Massachusetts Institute of Technology** *español* **Instituto Tecnológico de Massachusetts** Universidad privada estadounidense con sede en Cambridge, famosa por la alta calidad de su formación académica y de sus investigaciones científicas y tecnológicas. Fue fundada en 1861 y cuenta con escuelas de arquitectura y planificación, ingeniería, humanidades y ciencias sociales, administración de negocios (la Sloan School) y ciencias, además de un *college* (colegio universitario) de ciencias de la salud y tecnología. Aunque el MIT es más conocido por sus programas en ingeniería y ciencias físicas, otras áreas de importancia son: economía, ciencias políticas, estudios urbanos, lingüística y filosofía. Entre sus instalaciones se cuentan: centro de informática, observatorios geofísicos y astrofísicos, centro de investigación espacial, túneles de viento supersónico, reactor nuclear, acelerador lineal, laboratorio de inteligencia artificial y centros de ciencia cognitiva y de estudios internacionales.

Mitanni Antiguo reino en el norte de MESOPOTAMIA. Se extendía desde el ÉUFRATES hasta las cercanías del TIGRIS y floreció entre 1500 y 1360 AC. Fundado por grupos indoiranios que se asentaron entre los pueblos hurritas de la región, rivalizó con Egipto por el control de Siria. En el s. XV AC, bajo el rey Saustatar, los soldados de Mitanni saquearon el palacio asirio de ASSUR. A mediados del s. XIV AC, Wasuganni, su capital, fue saqueada por los hititas, y el reino pasó a formar parte del Imperio HITITA con el nombre de Hanigalbat. Poco después fue convertido en provincia asiria.

Mitchell, Arthur (n. 27 mar. 1934, Nueva York, N.Y., EE.UU.). Bailarín y coreógrafo estadounidense, director del Dance Theatre de Harlem. Estudió en la High School for the Performing Arts en Nueva York. Bailó en musicales de Broadway y trabajó en varias compañías de ballet antes de ser el primer bailarín afroamericano en integrar el NEW YORK CITY BALLET en 1956. Dejó la compañía en 1972, tras interpretar varios papeles en ballets de GEORGE BALANCHINE, entre ellos *Sueño de una noche de verano* (1962) y *Agon* (1967). En 1968 cofundó una escuela de ballet y la compañía Dance Theatre de Harlem, que debutó en 1971. Continúa siendo su director y coreógrafo.

Mitchell, Billy *orig.* **William Mitchell** (29 dic. 1879, Niza, Francia–19 feb. 1936, Nueva York, N.Y., EE.UU.). Aviador estadounidense de origen francés. Se incorporó al ejército y prestó servicios en la guerra hispano-estadounidense. Fue el comandante de la aviación de EE.UU. más destacado en la primera guerra mundial; inició las formaciones de bombardeo masivo y dirigió un ataque con 1.500 aviones. Partidario declarado de una fuerza aérea separada, previó el reemplazo del acorazado por el bombardero. Cuando un dirigible de la marina se perdió en una tormenta (1925), culpó a los departamentos de guerra y marina de EE.UU. de incompetencia; acusado de insubordinación, derivó ante un tribunal militar y fue suspendido. En 1928 renunció, pero siguió abogando por el poderío aéreo y advirtiendo de los adelantos en las fuerzas aéreas extranjeras. En 1948, la nueva Fuerza Aérea de EE.UU. le rindió homenaje póstumo con una medalla especial.

Mitchell, John (Newton) (5 sep. 1913, Detroit, Mich., EE.UU.–9 nov. 1988, Washington, D.C.). Funcionario público estadounidense. Abogado de prestigio en Nueva York, ejerció con RICHARD NIXON cuando sus bufetes se fusionaron en 1967. En 1968 dirigió la campaña presidencial victoriosa de Nixon. Como fiscal general (ministro de justicia) (1969–72), recibió críticas por enjuiciar a los que protestaban contra la guerra, aprobar la interception telefónica sin autorización judicial y procurar que no se publicaran los papeles del PENTÁGONO. Renunció con el fin de dirigir la campaña por la reelección de Nixon, pero pronto se vio envuelto en el escándalo de WATERGATE. Condenado por conspiración, obstrucción de la justicia y perjurio, pasó 19 meses en la cárcel.

Mitchell, Joni *orig.* **Roberta Joan Anderson** (n. 7 nov. 1943, Fort McLeod, Alberta, Canadá). Cantautora canadiense. Estudió arte en Calgary, donde comenzó a cantar en clubes. Con el tiempo se estableció en Laurel Canyon, Cal., EE.UU. Diversos artistas convirtieron en éxitos varias de sus primeras canciones, entre ellas "Both Sides Now" y "Woodstock". Aunque sus primeras grabaciones, como *Clouds* (1969) y *Blue* (1971), se orientaron a la música folclórica y reflejaban el idealismo de la época, en discos posteriores, como *Court and Spark* (1974), *Hejira* (1976), *Mingus* (1979, con CHARLES MINGUS) y *Turbulent Indigo* (1994), se aprecia la fuerte influencia del pop y del jazz. Por la notable originalidad de sus textos y adaptaciones musicales fue reconocida como una de las cantautoras preeminentes de fines del s. XX.

Mitchell, Margaret (8 nov. 1900, Atlanta, Ga., EE.UU.–16 ago. 1949, Atlanta). Escritora estadounidense. Mitchell estudió en el Smith College y luego escribió para *The Atlanta Journal* antes de dedicar diez años de su vida a escribir su único libro, *Lo que el viento se llevó* (1936, Premio Pulitzer; película, 1939). Esta novela sobre la guerra de Secesión y el período de Reconstrucción, bajo la óptica del Sur, fue posiblemente la más vendida en la historia editorial de EE.UU. hasta ese momento. En 2001, Alice Randall publicó una parodia del libro, *The Wind Done Gone* [Como que el viento se fue], en la que cuenta la historia desde el punto de vista del esclavo.

Mitchell, monte Pico en el oeste del estado de Carolina del Norte, EE.UU. Es la cumbre más alta del país, al este del río Mississippi, que alcanza los 2.037 m (6.684 pies). Se encuentra en las Black Mountains de Carolina del Norte y es parte del sistema de BLUE RIDGE, dentro del Mount Mitchell State Park y del Pisgah National Forest. Anteriormente se llamaba Black Dome y fue rebautizado con su nombre actual en honor de Elisha Mitchell, quien en 1835 realizó un levantamiento topográfico y lo estableció como el punto más elevado del este de EE.UU. El explorador murió en la montaña y se encuentra sepultado en su cumbre.

Mitchell, Peter Dennis (29 sep. 1920, Mitcham, Surrey, Inglaterra–10 abr. 1992, Bodmin, Cornualles). Químico británico. Descubrió cómo la distribución de las ENZIMAS en las membranas mitocondriales ayuda a usar la energía proveniente de los IONES HIDRÓGENO para convertir el ADP (difosfato de adenosina) en ATP. En 1978 recibió el Premio Nobel por formular la teoría quimiosmótica, la cual explica cómo se genera la energía en la mitocondria de las células vivas.

Mitchell, río Río en el norte de QUEENSLAND, Australia. Nace en la Gran Cordillera Divisoria y fluye a lo largo de 560 km (350 mi) hacia el noroeste a través de la península del cabo York hasta desembocar en el golfo de CARPENTARIA. Aunque alimentado por varios afluentes, su flujo varía según la estación y puede secarse durante tres meses del año. En 1845 fue explorado por Ludwig Leichhardt; recibió su nombre en honor de Thomas Mitchell, topógrafo de Nueva Gales del Sur. En sus riberas abundan los cocodrilos.

Mitchell, Wesley C(lair) (5 ago. 1874, Rushville, Ill., EE.UU.–29 oct. 1948, Nueva York, N.Y.). Economista estadounidense. Estudió en la Universidad de Chicago y fue alumno de THORSTEIN VEBLEN y JOHN DEWEY. Posteriormente dictó clases en varias universidades, entre las que se encuentra la Universidad de Columbia (1913–19, 1922–44). Colaboró en la fundación de la National Bureau of Economic Research en 1920 y fue su director de investigación hasta 1945. Su labor tuvo gran influencia en el desarrollo de estudios cuantitativos del comportamiento económico en EE.UU. y en el extranjero. Además fue el experto más destacado en CICLOS ECONÓMICOS de su época.

Mitchum, Robert (Charles Duran) (6 ago. 1917, Bridgeport, Conn., EE.UU.–1 jul. 1997, cond. de Santa Bárbara, Cal.). Actor de cine estadounidense. Expulsado de la secundaria en Nueva York, pasó su adolescencia deambulando y ejerciendo diversos oficios a través de EE.UU. Posteriormente, se unió a un grupo teatral en California, y en 1943 debutó en el cine con la primera de varias apariciones en la serie de *westerns* del personaje de "Hopalong Cassidy". Fue elogiado por su rol en *También somos seres humanos* (1945). Con su particular imagen de tipo rudo de mirada soñolienta, interpretó a numerosos villanos y hombres solitarios en películas (muchas de ellas clase B, que con el tiempo han sido revalidadas por la crítica) como *Retorno al pasado* (1947), *Hombres errantes* (1952), *La noche del cazador* (1955), *Camino de odio* (1958), *El cabo del miedo* (1962), *El confidente* (1973) y *Adiós, muñeca* (1975). En sus últimos años protagonizó las miniseries televisivas *Winds of War* (1983) y *War and Remembrance* (1988–89).

Mitford, Nancy (28 nov. 1904, Londres, Inglaterra–30 jun. 1973, Versalles, Francia). Escritora británica. Nació en el seno de una familia excéntrica y aristocrática; se hizo conocida por sus ingeniosas novelas satíricas sobre la vida de la clase alta, entre ellas, las casi autobiográficas *En busca del amor* (1945), *Amor en un clima frío* (1949), *La bendición* (1951) y *No se lo cuentes a Alfred* (1960). Un volumen de ensayos que coeditó, *Noblesse Oblige* (1956), dio a conocer la diferencia entre los usos lingüísticos de la clase alta y la clase baja. Su hermana Jessica (n. 1917–m. 1996) fue una escritora que se destacó por sus ensayos sobre la sociedad estadounidense; su obra más conocida fue *The American Way of Death* [El estilo de muerte estadounidense] (1963).

Mitilene, isla ver isla LESBOS

Mitla Poblado y yacimiento arqueológico del estado de OAXACA, sur de México. Se halla a una altura de 1.480 m (4.855 pies) y está rodeado por la SIERRA MADRE del sur. Fundada por los ZAPOTECAS como cementerio sagrado, fue utilizada por estos hasta c. 900 DC. Entre 900 y 1500, los mixtecas se trasladaron a la zona desde el norte de Oaxaca y tomaron posesión de Mitla. En el lugar destacan edificaciones, como el Grupo de las Columnas y el de la Iglesia con una magnífica ornamentación.

mito Relato tradicional de hechos aparentemente históricos que sirve para revelar parte de la cosmovisión de un pueblo o para explicar una costumbre, una creencia o un fenómeno natural. Los mitos relatan los hechos, las condiciones y las hazañas de dioses o seres sobrenaturales que, pese a estar más allá de la vida humana corriente, son fundamentales para ella. Estos sucesos se enmarcan en un tiempo totalmente diferente del tiempo histórico, a menudo al comienzo de la creación o en una etapa temprana de la prehistoria. Los mitos de una cultura suelen estar en estrecha relación con sus creencias y ritos religiosos. El estudio moderno del mito surgió con el ROMANTICISMO de principios del s. XIX. Más tarde, Wilhelm Mannhardt, JAMES GEORGE FRAZER y otros estudiosos emplearon un enfoque más comparativo. Para SIGMUND FREUD el mito era expresión de ideas reprimidas, tesis que más tarde desarrolló CARL GUSTAV JUNG en su teoría del "inconsciente colectivo" y de los ARQUETIPOS míticos a los que aquel da origen. BRONISŁAW MALINOWSKI hizo hincapié en la idea de que el mito cumple funciones sociales comunes, proporcionando un modelo o "carta" para la conducta humana. CLAUDE LÉVI-STRAUSS distinguió estructuras subyacentes en las relaciones y patrones formales de los mitos presentes en todo el mundo. MIRCEA ELIADE y RUDOLF OTTO postularon que los mitos debían entenderse sólo como fenómenos religiosos. Otras formas literarias comparten ciertos rasgos con los mitos. Los relatos de origen explican la génesis o las causas de diversos aspectos de la naturaleza o de la sociedad y la vida humana. Los CUENTOS DE HADAS tratan de seres y sucesos extraordinarios, pero no tienen la legitimidad del mito. Las SAGAS y las EPOPEYAS se plantean como legítimas y verídicas, pero reflejan situaciones históricas específicas.

Mito *HAN* japonés perteneciente a una de las tres ramas de la familia Tokugawa, de la que se elegía al SOGÚN durante el período de los TOKUGAWA. En el s. XIX, los nacionalistas de Mito adoptaron la consigna "Sonno joi" ("venerar al emperador, expulsar a los bárbaros"). Tokugawa Nariaki (n. 1800–m. 1860), DAIMIO del Mito, cuando se presentó la misión del comodoro MATTHEW C. PERRY en Japón, llamó a mantener la política aislacionista, sobre la base de una mayor unidad nacional y una renovación militar. Ver también II NAOSUKE; restauración MEIJI; YOSHIDA SHOIN.

mitosis División o reproducción celular, en la cual una célula origina dos células hijas genéticamente idénticas. En sentido estricto, el término describe la duplicación y distribución de los CROMOSOMAS. Antes de la mitosis, cada cromosoma se replica, y produce dos hebras (cromátidas) unidas por un centrómero. Durante la mitosis, la membrana que rodea el núcleo celular se disuelve y las cromátidas de cada cromosoma se separan y son arrastradas a cada extremo de la célula. A medida que la membrana nuclear se reconstituye alrededor de cada juego de cromosomas, el citoplasma de la célula progenitora comienza a dividirse para formar dos células hijas. Después de la mitosis, la membrana celular se hiende para separar las células hijas. La mitosis es esencial

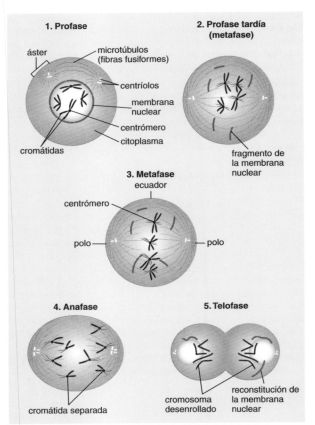

1. Profase
áster
microtúbulos (fibras fusiformes)
centríolos
membrana nuclear
centrómero
citoplasma
cromátidas

2. Profase tardía (metafase)
fragmento de la membrana nuclear

3. Metafase
ecuador
centrómero
polo
polo

4. Anafase
cromátida separada

5. Telofase
cromosoma desenrollado
reconstitución de la membrana nuclear

Etapas de la mitosis. 1. Profase. Los cromosomas replicados, que consisten en dos hebras hijas (cromátidas) unidas por un centrómero, se enrollan y contraen. Dos pares de organelos especializados (centríolos) comienzan a separarse formando un puente de cilindros proteicos huecos entre ellos, conocidos como microtúbulos (fibras fusiformes). Además, los microtúbulos se extienden en una disposición radial (áster) desde los centríolos hasta los polos de la célula. 2. Profase tardía. A medida que los centríolos se separan, la membrana nuclear se fragmenta y los microtúbulos se extienden desde cada centrómero hacia los lados o polos opuestos de la célula. 3. Metafase. Los centrómeros se alinean en el plano medio entre los polos, conocido como ecuador o placa metafásica. Durante la metafase tardía, cada centrómero se divide en dos, liberando a las cromátidas hermanas. 4. Anafase. Las cromátidas hermanas son atraídas a los extremos opuestos de la célula, mientras que los microtúbulos centroméricos se acortan y los microtúbulos polares se alargan haciendo que los polos se aparten. 5. Telofase. Los cromosomas se desenrollan, los microtúbulos desaparecen y la membrana nuclear se reconstituye en torno a cada juego de cromosomas hijos. El citoplasma comienza a separarse para crear dos células hijas y el proceso de división citoplasmática se completa durante la citoquinesis.

para la vida, pues proporciona nuevas células para el crecimiento y el reemplazo de las células envejecidas. Puede tardar minutos u horas, según el tipo de células y las especies de organismos. Es influenciada por la hora del día, la temperatura y diversas sustancias químicas. Ver también CENTRÓMERO; MEIOSIS.

Mitra En la mitología indoirania (persa), dios de la luz. Nació portando una antorcha y armado con un cuchillo, al lado de un arroyo sagrado y bajo un árbol, también sagrado, que era hijo de la Tierra. Poco después montó, y luego mató al toro cósmico vivificante, cuya sangre fertiliza toda la vegetación. Esta hazaña se convirtió en el prototipo del ritual de fertilidad consistente en el sacrificio de un toro. Como dios de la luz, fue asociado con el dios griego HELIOS y el romano Sol Invicto. Su primera referencia escrita data de 1400 AC. Ver también MITRAÍSMO.

Mitra En el HINDUISMO védico, uno de los dioses en la categoría de aditias, o principios soberanos del universo. Representa la amistad, integridad, armonía y todas las demás cualidades necesarias para mantener el orden en la existencia humana. Generalmente compañero de Varuna, el guardián del orden cósmico, cuyos poderes complementa como guardián del orden humano. Espíritu diurno, a veces es asociado con el Sol. Su equivalente iranio (persa) es MITRA.

mitraísmo Antigua religión irania basada en el culto a MITRA, la mayor de las deidades iranias antes de la llegada de ZOROASTRO en el s. VI AC. Se difundió desde India a través de Persia y el mundo helénico; en los s. III–IV DC, los soldados del Imperio romano la difundieron en el oeste hasta la actual España, Gran Bretaña y Alemania. La ceremonia mitraica más importante era el sacrificio del toro, evento asociado con la creación del mundo. Las ceremonias eran celebradas en cavernas subterráneas iluminadas con antorchas. Una forma de mitraísmo en la cual se dio una interpretación platónica a las antiguas ceremonias persas fue popular en los s. II–III DC en el Imperio romano, donde Mitra fue honrado como el protector de la lealtad al emperador. Después que CONSTANTINO I aceptó el CRISTIANISMO a principios del s. IV, el mitraísmo declinó rápidamente.

Mitre, Bartolomé (26 jun. 1821, Buenos Aires–18 ene. 1906, Buenos Aires). Presidente de la Argentina (1862–68). Exiliado por su oposición al dictador JUAN MANUEL DE ROSAS, colaboró a su caída dirigiendo a fuerzas uruguayas en su contra. Luego promovió una fructífera campaña para hacer que Buenos Aires se convirtiera en la capital de una Argentina unida. Una vez elegido presidente, contuvo a los CAUDILLOS rurales, extendió el servicio de correos y telégrafos, organizó las finanzas públicas, estableció nuevos tribunales, fundó el diario *La Nación* (1870) y la Academia Argentina de Historia. Ver también JUSTO JOSÉ DE URQUIZA.

Mitrídates VI Eupátor *llamado* **Mitrídates el Grande** (latín: "nacido de un padre noble") (m. 63 AC, Panticapea). Rey del PONTO (120–63 AC) y enemigo de Roma. Cuando

niño, cogobernó con su madre c. 120, luego la derrocó en 115 para convertirse en el único gobernante. Conquistó territorios gradualmente en las regiones occidental y meridional del mar Negro. Libró tres guerras contra Roma, denominadas guerras mitridáticas (88–85, 83–82, 74–63). Aunque al principio los griegos que buscaban un alivio a la amenaza romana lo consideraron su adalid, su derrota ante SILA (86) acabó con esa esperanza. Cuando fue necesario, extorsionó a los territorios griegos en Asia Menor para conseguir dinero y provisiones. Las revueltas griegas pro-

Mitrídates VI, busto; Museo del Louvre, París.
CLICHÉ MUSÉES NATIONAUX, PARÍS

vocaron crueles represalias. Después del 86 Grecia se puso del lado de Roma, pero estuvo sometida a las duras exigencias de ambos bandos hasta que Mitrídates fue derrotado en forma definitiva por Pompeyo. Fue uno de los pocos gobernantes que se opuso eficazmente a la expansión romana en Asia.

Mitscher, Marc A(ndrew) (26 ene. 1887, Hillsboro, Wis., EE.UU.–3 feb. 1947, Norfolk, Va.). Oficial de marina estadounidense. Egresado de la Academia Naval de Annapolis, Md. (1910), en 1916 se recibió de piloto naval, el trigésimo tercero hasta entonces. En los años siguientes colaboró en el desarrollo de la aviación naval y su integración a la flota. En la segunda guerra mundial estuvo al mando del portaaviones *Hornet* en la batalla de MIDWAY. Más adelante dirigió ataques de portaaviones en las batallas del mar de Filipinas y del golfo de LEYTE, también en IWO JIMA y OKINAWA. En 1946 ascendió a almirante y comandante en jefe de la flota del Atlántico de EE.UU.

Mitsubishi Corp. Consorcio libre de compañías japonesas independientes. La primera compañía Mitsubishi fue una empresa comercial y de transporte marítimo fundada en 1873 por Iwasaki Yataro. Se establecieron diversas filiales después de la primera guerra mundial y en la década de 1930, Mitsubishi era la segunda ZAIBATSU de Japón. Durante la segunda guerra mundial fue una importante contratista militar; su producto más conocido era el avión caza ZERO. A fines de la guerra, Mitsubishi controlaba cerca de 200 empresas. La *zaibatsu* fue disuelta por las fuerzas de ocupación de EE.UU. y las ACCIONES de las filiales se vendieron al público. Después de la ocupación, las empresas Mitsubishi independientes volvieron a asociarse. En la actualidad, el grupo está conformado por cientos de filiales y empresas asociadas en todo el mundo, organizadas en varios grupos comerciales que se centran en diversas áreas, p. ej., productos químicos, electrónica y maquinaria.

Mitterrand, François (-Maurice-Marie) (26 oct. 1916, Jarnac, Francia–8 ene. 1996, París). Presidente de Francia (1981–95). Después de participar en la segunda guerra mundial, fue elegido a la Asamblea Nacional (1946) y ocupó cargos en 11 gobiernos de la Cuarta República (1947–58). Se inclinó progresivamente hacia la izquierda política, se opuso al gobierno de CHARLES DE GAULLE y compitió sin éxito en su contra en 1965, pero obtuvo el 32% de los votos. En 1971 se convirtió en secretario del PARTIDO SOCIALISTA FRANCÉS y lo transformó en el partido mayoritario de la izquierda, conduciéndolo a su elección como presidente en 1981.

François Mitterrand, presidente de Francia (1981–95).
CAMERA PRESS–GLOBE PHOTOS

Con una mayoría izquierdista en la Asamblea Nacional, introdujo reformas económicas radicales, que fueron modificadas cuando una mayoría de derecha recuperó el poder en 1986. Reelegido presidente en 1988, promovió con fuerza la integración europea. Su política interna tuvo menos éxito y Francia experimentó altos niveles de desempleo. En 1991 nombró a Edith Cresson (n. 1934) primera ministra, la primera mujer francesa que ocupó ese cargo (1991–92). La derrota de los socialistas en las elecciones legislativas de 1993 moderó aún más sus políticas.

Mix, Tom *orig.* **Thomas Hezikiah Mix** (6 ene. 1880, Mix Run, Pa., EE.UU.–12 oct. 1940, cerca de Florence, Ariz.). Actor de cine estadounidense. Trabajó como vaquero, asistente de *sheriff* y sirvió en el ejército y en los Texas Rangers; en 1906 se unió a un "Wild West show" (espectáculo propio del rodeo estadounidense). En 1910 debutó en el cine al interpretar a un domador de caballos. Poco después se convirtió en estrella de *westerns* mudos. A través de los años, su caballo Tony se hizo casi tan famoso como él mismo. Mix actuó en más de 200 cortos, medios y largometrajes, muchos de los cuales dirigió y produjo. Su carrera declinó con el advenimiento del cine sonoro.

Mixco Municipio (pob., 1994: 209.791 hab.) del centro-sur de Guatemala. Suburbio del oeste de Ciudad de GUATEMALA, abastece a la capital de productos agrícolas.

mixedema Reacción fisiológica a concentraciones bajas de hormona tiroidea en los adultos, ya sea por extirpación, disfunción o atrofia de la TIROIDES, o secundaria a un trastorno de la HIPÓFISIS. Los cambios graduales incluyen crecimiento de la lengua, piel gruesa empastada, somnolencia y metabolismo lento. La escasez de hormona tiroidea afecta la concentración de otras hormonas, y puede provocar disminución del sodio sanguíneo y alteraciones del sistema reproductivo (como menor fecundidad), las glándulas suprarrenales y el sistema circulatorio. El tratamiento se realiza con hormona tiroidea.

mixomicete Cualquiera de unas 500 especies de organismos primitivos que contienen núcleos verdaderos y se parecen tanto a los PROTISTAS como a los HONGOS. Originalmente catalogados en el reino Fungi, algunos sistemas de clasificación consideran a los mixomicetes como parte del reino Protista. Por lo general prosperan en condiciones oscuras, frías y húmedas, como los suelos forestales. Las BACTERIAS,

Mixomicete (*Diachea leucopoda*).
© ENCYCLOPÆDIA BRITANNICA, INC.

LEVADURAS y MOHOS, además de los hongos, constituyen la fuente alimentaria principal del mixomicete. El complejo ciclo vital de este organismo, que muestra una completa ALTERNANCIA DE GENERACIONES, puede aclarar la evolución primitiva de las células vegetales y animales. En presencia de agua, una ESPORA diminuta libera una masa de citoplasma llamada célula mixoflagelada, la que posteriormente se desarrolla como célula reptante, con aspecto de ameba, llamada mixameba. Tanto las mixoflageladas como las mixamebas pueden fusionarse mediante la cópula; la célula fertilizada resultante, o plasmodio, crece mediante división nuclear y forma un saco de esporas, el cual, al secarse, se desintegra y libera esporas para reiniciar el ciclo.

mixovirus Cualquier integrante de un grupo de VIRUS que son agentes de la INFLUENZA y pueden causar RESFRÍO COMÚN, PAPERAS y SARAMPIÓN en los seres humanos, DISTÉMPER en los caninos, ictericia hematúrica en el ganado y la enfermedad de Newcastle en aves de corral. La partícula viral está embutida en una membrana grasa, de forma variable desde esferoidal hasta filiforme, y tachonada de proyecciones proteicas espigadas; contiene ARN. Estos virus reaccionan con una proteína de la superficie de los glóbulos rojos; muchos de ellos hacen que los glóbulos rojos se apilen.

mixteca Pueblo amerindio del sur de México. Alcanzaron un alto nivel de civilización en tiempos de los AZTECAS y anterior a ellos, y dejaron testimonios escritos. Actualmente se dedican a los cultivos de rotación, a la caza, pesca, crianza de ganado y recolección de especies silvestres. De su artesanía destacan la cerámica y los tejidos a telar. Nominalmente católicos y miembros activos de las cofradías eclesiales, combinan sus creencias y prácticas precristianas con rituales católicos.

Mizoguchi Kenji (16 may. 1898, Tokio, Japón–24 ago. 1956, Kioto). Director de cine japonés. Después de estudiar bellas artes, comenzó a actuar en el estudio Nikkatsu en 1919, y luego de tres años debutó como director. Entre sus primeras películas se cuentan *Escenas de la calle* (1925), *La marcha de Tokio* (1929), *Elegía de Naniwa* (1936) e *Historias de los crisantemos tardíos* (1939). Entre sus más de 80 películas, que se destacaron por su belleza pictórica, muchas trataron sobre el conflicto entre la escala de valores tradicional japonesa y las virtudes modernas. Aclamado internacionalmente por *Cuentos de la luna pálida de agosto* (1953), visión alegórica sobre el Japón de posguerra, también fueron reconocidos sus filmes sobre la problemática de la mujer, como *El amor de la actriz Sumako* (1947) y *La calle de la vergüenza* (1956).

Mizoram Estado (pob., est. 2001: 891.058 hab.) del nordeste de India. Con una superficie de 21.081 km² (8.139 mi²), limita con MYANMAR (Birmania) y BANGLADESH y los estados indios de TRIPURA, ASSAM y MANIPUR. Predominantemente montañoso, su capital es AIZAWL. Los diferentes grupos étnicos, que reciben el nombre colectivo de mizo, hablan diversos dialectos tibetobirmanos. Se rebelaron durante décadas contra el dominio de India, y el establecimiento de Mizoram como territorio federado, en 1972, no logró aplacarlos. El conflicto se resolvió en 1987 cuando Mizoram obtuvo categoría de estado y con la elección de un gobierno estatal con mayoría mizo. La agricultura es la base de su economía.

Mizuno Tadakuni (19 jul. 1794, Edo [Tokio], Japón–12 mar. 1851, Edo). Consejero jefe del duodécimo SOGÚN Tokugawa, Tokugawa Ieyoshi (r. 1837–53). Para enfrentar la decadencia social y económica, Mizuno intentó implementar una serie de reformas orientadas a que el Japón de fines del período de los TOKUGAWA recuperara la simplicidad marcial de los comienzos del sogunado. Promulgó leyes suntuarias (que gravaban el lujo con impuestos), canceló deudas de los SAMURÁIS, decretó reducción de precios y salarios e intentó forzar a los migrantes campesinos ilegales a que dejaran las ciudades y regresaran al campo. Pero las llamadas reformas Tempo fracasaron y Mizuno fue removido de su cargo.

Mjøsa, lago Lago en el sudeste de Noruega. Situado al norte de OSLO en el extremo meridional del valle de Gudbrands. Es el lago más grande del país y comunica el río LÁGEN en el norte con el sistema fluvial Vorma-Glåma en el sur. Ocupa 368 km² (142 mi²) de superficie, tiene 100 km (62 mi) de largo y 1,6 a 14 km (1 a 9 mi) de ancho. Lillehammer, situada en su extremo septentrional, y Hamar, en su orilla oriental, son las principales ciudades lacustres.

moa Cualquiera de 13–25 especies de RATITES extintas de Nueva Zelanda, que constituyen el orden Dinornithiformes. El tamaño variaba desde el de un pavo hasta 3 m (10 pies) de altura. Los moas eran corredores veloces que se defendían pateando. Se los cazó por su carne (alimento), huesos (armas y adornos) y huevos (vasijas de agua). Los de mayor tamaño probablemente se extinguieron hacia fines del s. XVII; unas pocas especies más pequeñas pueden haber sobrevivido hasta entrado el s. XIX. Ramoneaban y pastaban alimentándose de semillas, frutas, hojas y hierbas. Ponían un único huevo en un orificio en el suelo.

Moab Reino de la antigua Palestina. Situado al este del mar MUERTO, en el sudoeste de la actual Jordania, limitaba con EDOM y la tierra de los amonitas. Aunque estrechamente emparentados con los hebreos, los MOABITAS fueron sucesivamente enemigos o aliados de estos. La estela moabita, encontrada en DIBÓN, relata una victoria del rey Mesá en el s. IX AC sobre Israel. Moab fue conquistado por los babilonios (ver BABILONIA) en 582 AC.

moabita Pueblo semita que vivió en las tierras altas al este del mar MUERTO (en el actual centro-oeste de Jordania). Esta cultura data de fines del s. XIV AC a 582 AC, cuando fueron conquistados por los babilonios. Según el Antiguo Testamento, descendían de Moab, hijo de LOT. Aunque su idioma, religión y cultura estuvieron estrechamente relacionados con los hebreos, no eran parte de su comunidad. Ruth, la bisabuela de DAVID, fue moabita. La estela moabita, descubierta en 1868, es el único documento escrito que se conserva de Moab; describe una victoria del rey Mesá sobre los hebreos. Ver también DIBÓN.

moai de toromiro Pequeña estatua de madera tallada de significado religioso incierto, de origen pascuense (ver ISLA DE PASCUA). Se cree que estas figuras representan ancestros que siguen viviendo en la forma de esqueleto; las hay de dos tipos: el *moai kavakava* (masculino), con nariz corva y barba de chivo y, a veces, con una figura animal o humana tallada en la cabeza; y el *moai paepae* (femenino), de rasgos planos, tipo relieve y grandes ojos. En ocasiones se

Moai kavakava, figura masculina en madera tallada de Isla de Pascua, Chile.
FOTOBANCO

los utilizaba para ritos de fertilidad; sin embargo, se recurría a ellos con mayor frecuencia para celebrar la cosecha, cuando los primeros frutos recolectados eran apilados a su alrededor como ofrendas.

Mobil Corp. Razón social anterior de una de las sociedades controladoras más grandes de EE.UU. Se dedica principalmente a las operaciones petroleras, pero tiene importantes participaciones en negocios de productos químicos y ventas al detalle. Tuvo sus orígenes en dos empresas petroleras del s. XIX, Vacuum Oil Co. (fundada en 1866) y la Standard Oil Co. of New York (o Socony, fundada en 1882). La fusión de ambas en 1931 dio origen a la Socony-Vacuum Corp., que cambió su razón social por Socony Mobil Oil Corp. en 1955 y por Mobil Oil Corp. en 1966. La Mobil Corp., sociedad controladora, se creó en 1974, cuando Mobil Oil Corp. compró Marcor, Inc. a fin de diversificarse. En 1988, la Mobil había vendido las principales divisiones comerciales de Marcor que no estaban relacionadas con el petróleo –entre las que se encontraba Montgomery Ward & Co.– con el objeto de volver a centrarse en los productos petroleros. La Mobil Oil Corp. desarrolló una completa gama de operaciones petroleras, desde la exploración hasta el mercadeo. Sus principales centros de producción están en el golfo de México, California, la costa atlántica, Alaska, el mar del Norte y Arabia Saudita. En 1999 se fusionó con Exxon Corp. y adoptó la razón social EXXON MOBIL CORPORATION.

Mobile Ciudad (pob., 2000: 198.915 hab.) en el sudoeste del estado de Alabama, EE.UU. Está ubicada junto a la bahía de MOBILE, en la desembocadura del río homónimo. El lugar fue explorado por los españoles en 1519. Los colonizadores franceses construyeron en 1702 un fuerte cerca de la desembocadura del río. Capital de la Luisiana francesa hasta 1720, en 1763 pasó a manos de los británicos; los españoles la capturaron durante la guerra de independencia de los ESTADOS UNIDOS DE AMÉRICA. En 1814 se constituyó como pueblo del estado de Florida occidental y pasó a dominio de EE.UU. cuando en 1819 España vendió Florida a los estadounidenses. Durante la guerra de SECESIÓN fue un puerto importante de la Confederación, pero las fuerzas unionistas ganaron la batalla de MOBILE BAY y capturaron la ciudad. El único puerto marítimo del estado es también un importante centro industrial y manufacturero y sede de diversas instituciones de educación superior.

Mobile, bahía de *inglés* **Mobile Bay** Ensenada del golfo de MÉXICO. Se extiende por 56 km (35 mi) al norte hasta la desembocadura del río Mobile en el sudoeste del estado de Alabama, EE.UU. Mide 13–29 km (8–18 mi) de ancho e ingresa al golfo a través de un canal dragado entre la isla Dauphin y Mobile Point. Durante la guerra de SECESIÓN fue escenario de la batalla de MOBILE BAY.

Mobile Bay, batalla de (5 ago. 1864). Combate naval durante la guerra de SECESIÓN. La flota de la Unión, al mando de DAVID FARRAGUT, entró en la bahía de Mobile, Ala., cruzó la barrera protectora de minas (torpedos) y atacó al acorazado *Tennessee* de la Confederación. Después de un combate de dos horas, la flota de la Unión obtuvo el control de la bahía. Con la rendición del cercano Fort Morgan, el ex puerto confederado de Mobile quedó inaccesible para quienes intentaban burlar el bloqueo.

mobiliario Equipamiento doméstico diseñado para diversos propósitos. Puede ser de madera, metal, plástico, piedra, vidrio, tela u otros materiales. Varía desde el simple baúl de pino o la silla rústica hasta el armario con un elaborado trabajo de marquetería o la consola dorada. Suele ser móvil, aunque puede estar empotrado, como los armarios de cocina y las estanterías. Se relaciona estilísticamente con la arquitectura y el diseño de interiores. A lo largo de la historia, los aspectos funcionales y decorativos del mobiliario se han visto influenciados por la economía y la MODA. En los s. XIV–XVIII la fabricación de mobiliario experimentó una creciente prosperidad. En las décadas de 1920–30, algunos arquitectos dise-

ñaron sillas fabricadas con materiales modernos como el acero tubular y el plástico. Ver también MOBILIARIO COLONIAL AMERICANO; MOBILIARIO DE MADERA CURVADA; mobiliario SHAKER.

mobiliario colonial americano Mobiliario fabricado durante la segunda mitad del s. XVII por colonos norteamericanos. Las primeras piezas eran macizas y se basaban en el estilo jacobino inglés. La decoración consistía en motivos florales o lunetas, y en volutas y hojas talladas, en ocasiones realizadas con pintura. Las maderas más utilizadas eran roble y pino. El mobiliario colonial americano se fabricó en el valle del río Connecticut y en las colonias costeras de Massachusetts; estaba compuesto principalmente por baúles, alacenas, mesas, banquetas, sillas y camas.

mobiliario de madera curvada Tipo de mobiliario fabricado con varillas de madera curvadas al vapor. El método se usó en la silla Windsor del s. XVIII, aunque su principal exponente fue MICHAEL THONET, quien explotó sus posibilidades en la década de 1840. Sus sillas de madera curvada se cuentan entre los ejemplos más logrados de mobiliario fabricado para un público masivo. La madera curvada es liviana, cómoda, económica, a la vez que resistente y elegante.

Silla con brazos de madera de haya curvada de los hermanos Thonet, Austria, c. 1870; Museo de Arte Moderno de Nueva York.

GENTILEZA DEL MUSEO DE ARTE MODERNO DE NUEVA YORK, DONACIÓN DE INDUSTRIAS THONET

Möbius, August Ferdinand (17 nov. 1790, Schulpforta, Sajonia–26 sep. 1868, Leipzig). Matemático y astrónomo teórico alemán. Fue profesor en la Universidad de Leipzig en 1815 y estableció su reputación mediante numerosas publicaciones. Sus artículos matemáticos tratan principalmente de geometría. Introdujo las coordenadas homogéneas en la geometría analítica y trabajó con las transformaciones geométricas, en particular las proyectivas. Fue un pionero en TOPOLOGÍA; en una memoria descubierta después de su muerte discute las propiedades de la superficie de una sola cara y un solo borde, como su famosa cinta o banda de Möbius.

Mobutu Sese Seko *orig.* **Joseph-Désiré Mobutu** (14 oct. 1930, Lisala, Congo Belga–7 sep. 1997, Rabat, Marruecos). Presidente de Zaire (actual República Democrática del Congo), 1965–97. Fue miembro del ejército del Congo Belga y periodista antes de participar con PATRICE LUMUMBA en las negociaciones para la independencia que se realizaron en Bruselas en 1960. Lograda esta, el gobierno de coalición del pdte. JOSEPH KASAVUBU y el primer ministro Lumumba lo designaron jefe del estado mayor. Cuando Kasavubu y Lumumba se distanciaron, ayudó a Kasavubu a que tomara el control. Cuatro años después, en una lucha de poder entre el pdte. Kasavubu y el entonces primer ministro MOÏSE TSHOMBÉ, Mobutu derrocó al mandatario en un golpe de Estado y asumió la presidencia. Estableció un gobierno de partido único y africanizó todos los nombres europeos, incluso el suyo, que pasó a ser Mobutu Sese Seko ("Guerrero todopoderoso"). Su régimen represivo no pudo fomentar el desarrollo económico; la corrupción, mala administración y negligencia llevaron a la decadencia de Zaire, mientras Mobutu acumulaba una de las fortunas personales más grandes del mundo. En 1997 fue derrocado por LAURENT KABILA y murió en el exilio en Marruecos.

Mobutu Sese Seko, lago ver lago ALBERTO

mocárabe *o* **muqarnas** Ornamentación arquitectónica islámica en forma de panal de abejas, formada por la intrincada disposición de triángulos o pechinas con MÉNSULAS (ver arquitectura BIZANTINA) y formas prismáticas en hileras traslapadas. Apareció a principios del s. XII en todo el mundo islámico; un uso frecuente fue para cubrir la zona de transición entre las cúpulas y sus apoyos. Alcanzó su máximo desarrollo en los s. XIV–XV, siendo la decoración común en dinteles, nichos, cornisas y galerías de los alminares. Ejemplos notables se encuentran en la ALHAMBRA y en otras obras moriscas en España.

mocasín Cualquiera de dos especies de crotálidos (ver CRÓTALO): el MOCASÍN ACUÁTICO o el mocasín de México (*Agkistrodon bilineatus*). Este último, también conocido como cantil, es una serpiente peligrosa que se distribuye por tierras bajas desde el límite de EE.UU. con México, en el límite del río Bravo, hasta Nicaragua. Mide 1 m (3 pies) aprox. de largo y es marrón o negra con rayas blancas, delgadas e irregulares en el dorso y costados. Ver también SERPIENTE CABEZA DE COBRE.

mocasín acuático Cualquiera de dos especies de crotálidos (ver CRÓTALO) que viven en las tierras bajas pantanosas del sudeste de EE.UU. y México. La especie estadounidense (*Ancistrodon piscivorus*) recibe el nombre de mocasín de boca de algodón porque amenaza con la boca abierta y muestra su interior blanco. Puede medir hasta 1,5 m (5 pies) de largo y es completamente negra o marrón con cruces oscuras. Es una serpiente peligrosa, cuya mordedura puede ser letal; tiende a mantener firme su posición o se aleja lentamente cuando se atemoriza. Come casi cualquier animal pequeño que esté disponible, como tortugas, peces y aves. Ver también SERPIENTE CABEZA DE COBRE.

mochica *o* **moche** Cultura precolombina en la costa septentrional del actual territorio peruano, durante los s. I–VIII DC. El nombre proviene del sitio en que se encuentra el centro de la cultura mochica, el valle del río Moche, lugar en que aparentemente estaba su capital. Su asentamiento se extendió a lo largo de la calurosa y árida costa del norte peruano, desde el valle del río Lambayeque hasta el sur, en el valle del río Nepeña. Regaban extensas áreas y su agricultura abastecía a muchos centros urbanos, destacando los pirámides *Huaca del Sol* y *Huaca de la Luna*. Trabajaban los metales con mucho talento y producían sofisticadas artesanías, como cerámicas de gran calidad hechas en molde. Se desconoce la causa de su desaparición. Ver también civilizaciones ANDINAS.

Máscara de aleación de oro y cobre con ojos de concha, encontrada en la Huaca de la Luna, valle del río Moche, c. 400 AC–600 DC; Museo Linden, Stuttgart, Alemania.
FERDINAND ANTON

Moctezuma II (1466–c. 30 jun.1520, Tenochtitlán, cerca de la actual Ciudad de México). Noveno emperador de los AZTECAS. En 1502 heredó de su tío Ahuitzotl un imperio de cinco a seis millones de personas que se extendía desde el actual México hasta Nicaragua. La creencia de los aztecas en la profecía del retorno del dios QUETZALCÓATL, cuya descripción se asemejaba al conquistador HERNÁN CORTÉS, contribuyó a la caída de Moctezuma. Cortés se alió con las tribus que estaban ansiosas por liberarse de la dominación azteca y lo mantuvo arrestado en TENOCHTITLÁN; murió en prisión.

moda Cualquier estilo de vestir o manera de arreglarse que se torna popular durante una determinada época o en un determinado lugar (p. ej., el estilo actual). Puede cambiar de un período a otro, de generación en generación. La moda refleja el nivel social y económico, función que explica la popularidad de muchos estilos a lo largo de la historia del vestuario. En Occidente, las cortes han sido una importante fuente para la moda. En los s. XIX–XX, se convirtió en una industria internacional cada vez más rentable como resultado del auge de las casas de vestir famosas en todo el mundo y de las revistas de moda. Ver también VESTUARIO.

moda ver MEDIA, MEDIANA Y MODA

modelo estándar En física, combinación de dos teorías de la FÍSICA DE PARTÍCULAS en un solo marco para describir todas las interacciones de las PARTÍCULAS SUBATÓMICAS, excepto aquellas debidas a la gravedad (ver GRAVITACIÓN). Las dos teorías, la ELECTRODÉBIL y de la CROMODINÁMICA CUÁNTICA, describen las interacciones entre partículas en términos del intercambio de partículas intermediarias. El modelo ha probado ser altamente preciso en predecir ciertas interacciones, pero no explica todos los aspectos de las partículas subatómicas. Por ejemplo, no puede decir cuántos tipos de partículas debería haber o cuáles son sus masas. La búsqueda de una teoría más completa continúa, y en particular, la de una teoría UNIFICADA DE CAMPOS que describa las fuerzas NUCLEARES FUERTES, NUCLEARES DÉBILES y ELECTROMAGNÉTICAS.

modelo legaliforme Modelo según el cual la explicación de un acontecimiento por referencia a otro supone necesariamente apelar a leyes o enunciados generales que correlacionan acontecimientos del tipo que se pretende explicar (*explananda*) con acontecimientos del tipo indicado como causa o condición de los primeros (*explanantia*). El modelo tiene sus raíces en la doctrina de DAVID HUME, según la cual cuando se dice que dos acontecimientos están causalmente relacionados, lo único que se afirma es que estos muestran ciertas regularidades de sucesión que, según se ha observado repetidamente, se han dado entre tales acontecimientos en el pasado. El positivista lógico Carl Hempel (n. 1905– m. 1997) dio a esta doctrina una expresión más rigurosa.

Modelo T Automóvil fabricado por la FORD MOTOR CO. desde 1908 hasta 1927; fue el primer auto producido en serie a precios accesibles al gran público. Los métodos de producción de LÍNEA DE MONTAJE introducidos en 1913 por HENRY FORD permitieron que el precio de este modelo turismo, de cinco asientos, bajara de 850 dólares en 1908, a 300 dólares en 1925. Se fabricaron más de 15 millones de unidades de Modelo T con diferentes estilos de carrocería, todas montadas sobre un chasis estándar. Inicialmente estaba disponible en varios colores, pero después de 1913, sólo en negro. Fue reemplazado en 1928 por el popular Modelo A.

modelos, fabricación de En el procesamiento de materiales, el primer paso en los procesos de COLADA y moldeado, consistente en la fabricación de un modelo preciso de la pieza, levemente sobredimensionado para permitir la contracción del material fundido al enfriarse. A partir del modelo se fabrica un MOLDE, se introduce el material líquido dentro de él y se extrae la pieza moldeada una vez endurecida. El procesamiento de materiales en forma líquida es comúnmente conocido como colada o vaciado cuando involucra metales, vidrios o cerámicas; se llama moldeado cuando implica plásticos u otros materiales no metálicos.

módem Dispositivo electrónico que convierte datos digitales en señales analógicas (de onda modulada) adecuadas para la transmisión por circuitos de telecomunicaciones analógicos (p. ej., líneas telefónicas tradicionales) y demodula las señales analógicas recibidas para recuperar los datos digitales transmitidos. De este modo, el "modulador/demodulador" hace posible que canales de comunicaciones existentes soporten una variedad de comunicaciones digitales, como CORREO ELECTRÓNICO, acceso a INTERNET y transmisiones por FAX. Un módem corriente, que opera por líneas telefónicas tradicionales, tiene un límite de velocidad de transmisión de datos de alrededor de 56 kilobits por segundo. Las líneas RDSI permiten comunicaciones con el doble de esa velocidad, y el MÓDEM POR CABLE y las líneas DSL cuentan con tasas de transmisión sobre el millón de bits por segundo.

módem por cable MÓDEM que se emplea para convertir señales de datos analógicos en formas digitales y viceversa, para la transmisión o recepción por las líneas de televisión por cable, de preferencia para la conexión a INTERNET.

Un módem por cable modula y demodula señales tal como lo hace un módem telefónico, pero es un dispositivo mucho más complejo. Los datos pueden ser transferidos por líneas de cable con mayor rapidez que por las líneas telefónicas tradicionales. Las velocidades de transmisión son generalmente de alrededor de 1,5 megabits por segundo. De hecho, transmisiones más rápidas son posibles, pero la velocidad está restringida casi siempre por las conexiones de la compañía de cable (por lo general, más lentas) a internet. El acceso por cable a internet es considerado como el reemplazo de servicios RDSI y discados de tono más lentos, y es competitivo con otros modos de conexión de banda ancha (p. ej. conexiones DSL). Ver también tecnología de BANDA ANCHA.

Módena Ciudad (pob., est. 2001: 175.442 hab.) de la región de EMILIA-ROMAÑA, norte de Italia. Ubicada entre los ríos Secchia y Panaro, al noroeste de BOLONIA, es una antigua ciudad etrusca que se convirtió en colonia romana en 183 AC. Fue atacada y saqueada por los hunos al mando de ATILA y más tarde por los lombardos. En 1288 pasó a manos de la familia ESTE. Conquistada por Francia en 1796, e integrada al reino italiano de Napoleón en 1805, la familia Este la recuperó en 1815 y pasó a formar parte de la Italia unificada en 1860. En su economía destaca la industria automovilística y el comercio agropecuario. Entre sus sitios de interés se cuentan la catedral del s. XI y la universidad (fundada en 1175).

Modern Jazz Quartet (MJQ) Conjunto de JAZZ estadounidense. Fue fundado en 1951 por el pianista John Lewis (n. 1920–m. 2001), el vibrafonista Milt Jackson (n. 1923–m. 1999), el baterista Kenny Clarke (n. 1914–m. 1985) y el contrabajista Ray Brown (n. 1926–m. 2002). Su origen se remonta a 1946, cuando trabajaban juntos como sección rítmica de la orquesta de DIZZY GILLESPIE. El cuarteto consolidó un enfoque discreto y sutil hacia las innovaciones modernas en el jazz de mediados de la década de 1940, mediante la incorporación de elementos de la música clásica de cámara tanto en composiciones originales como en *standards* de jazz. Percy Heath (n. 1923) reemplazó a Brown en 1952 y Connie Kay (n. 1927–m. 1994) a Clarke en 1955. El grupo se disolvió en 1974, pero volvió a reunirse para realizar giras anuales a comienzos de la década de 1980. Después de la muerte de Kay, el hermano de Percy, Albert ("Tootie") Heath (n. 1935) se incorporó al grupo.

modernismo En las artes, quiebre radical con el pasado y consecuente búsqueda de nuevas formas de expresión. El modernismo inició un período de experimentación en las artes que se extendió de fines del s. XIX hasta mediados del s. XX, particularmente los años que siguieron a la primera guerra mundial. En una época caracterizada por la industrialización, los rápidos cambios sociales, los avances de la ciencia y las ciencias sociales (p. ej., el DARWINISMO, la teoría freudiana), los modernistas sintieron una creciente alienación incompatible con la moralidad, optimismo y convencionalismo victoriano. El impulso modernista en las diversas literaturas europeas fue dado por la industrialización y urbanización y por la búsqueda de una respuesta auténtica a un mundo muy cambiante. Entre los escritores de lengua inglesa, los modernistas más conocidos son T.S. ELIOT, JAMES JOYCE, GERTRUDE STEIN y VIRGINIA WOOLF. Los compositores, entre ellos ARNOLD SCHOENBERG, IGOR STRAVINSKI y ANTON WEBERN, buscaban nuevas soluciones dentro de formas renovadas y usaban aproximaciones a la tonalidad hasta entonces no exploradas. En la danza se produjo una reacción contra las tradiciones tanto del ballet como de la danza interpretativa; esta reacción tuvo sus raíces en el trabajo de ÉMILE JAQUES-DELCROZE, RUDOLF LABAN y LOIE FULLER. Cada uno de ellos examinó un aspecto específico de la danza, como los elementos de la forma humana en movimiento o el efecto del contexto teatral, y de esta manera hicieron posible el nacimiento de la DANZA MODERNA. En las artes visuales, las raíces del modernismo se remontan a menudo al pintor ÉDOUARD MANET, quien a comienzos de 1860 rompió con las nociones heredadas de perspectiva, modelado y contenido. Los movimientos de vanguardia que siguieron abarcan el IMPRESIONISMO, POSTIMPRESIONISMO, CUBISMO, FUTURISMO, EXPRESIONISMO, CONSTRUCTIVISMO, De STIJL y EXPRESIONISMO ABSTRACTO, los cuales generalmente se suelen definir como modernistas. Durante el período de vigencia de estos movimientos, los artistas se empezaron a centrar cada vez más en las cualidades intrínsecas de sus medios –p. ej., línea, forma y color– y se alejaron de las nociones que habían heredado sobre el arte. A comienzos del s. XX, los arquitectos también hacían abandono de estilos y convencionalismos pasados, en favor de una forma de arquitectura basada en intereses esencialmente funcionales. Durante el período que siguió a la primera guerra mundial, estas tendencias se codificaron en lo que se llamó el estilo INTERNACIONAL, que utilizó figuras simples y geométricas y fachadas sin adornos, omitiendo toda referencia histórica; los edificios de LUDWIG MIES VAN DER ROHE y LE CORBUSIER plasmaron este estilo. Después de la segunda guerra mundial, el estilo se manifestó en rascacielos de vidrio de líneas puras sin ornamentos y en proyectos de viviendas colectivas.

modernismo Movimiento literario de lengua española de fines del s. XIX y comienzos del s. XX, fundado por RUBÉN DARÍO. En reacción contra los escritores sentimentales románticos, a la sazón tan populares en América Latina, los modernistas escribieron sobre temas exóticos y a menudo sobre mundos artificiales como el pasado remoto, el Lejano Oriente, tierras fantaseadas en la infancia y completamente creadas. Con el credo del "arte por el arte" dieron cabida a la mayor revitalización en el lenguaje y en la técnica poética españoles desde el s. XVII. Entre sus adherentes se encuentran el peruano José Santos Chocano (n. 1875–m. 1934) y el cubano JOSÉ MARTÍ. Aunque en la década de 1920 el movimiento ya llegaba a su fin, su influencia continuó en el s. XX.

modernización Transformación de una sociedad desde una condición rural y agraria a una condición secular, urbana e industrial. Está estrechamente relacionada con la INDUSTRIALIZACIÓN. A medida que una sociedad se moderniza, el individuo se hace cada vez más importante, reemplazando gradualmente a la familia, la comunidad o el grupo ocupacional como unidad básica de la sociedad. La división del trabajo, característica de la industrialización, también se aplica a las instituciones que se vuelven altamente especializadas. En lugar de regirse por la tradición o la costumbre, la sociedad se rige por principios abstractos formulados con tal propósito. A menudo declina la importancia de las creencias religiosas tradicionales, y suelen perderse los rasgos culturales característicos.

Modersohn-Becker, Paula *orig.* **Paula Becker** (8 feb. 1876, Dresde, Alemania–30 nov. 1907, Worpswede). Pintora alemana. Luego de estudiar arte en Londres y París, fue una de las primeras artistas en introducir el POSTIMPRESIONISMO francés en el arte alemán. Aunque sus primeras obras fueron meticulosamente naturalistas, las posteriores, como *Autorretrato con el ramo de camelias* (1907), combinan el naturalismo lírico con las amplias áreas de color simplificado características de PAUL GAUGUIN y PAUL CÉZANNE. Dado que su pintura está

"Autorretrato con el ramo de camelias", óleo sobre tela de Paula Modersohn-Becker, 1907; Museo Folkwang, Essen, Alemania.

más orientada a la expresión de sus sentimientos internos, que al retrato fiel de la realidad, a menudo se la considera una artista expresionista (Ver EXPRESIONISMO). Murió a los 31 años de edad, cuando daba a luz a su primer hijo.

Modesto Ciudad (pob., 2000: 188.856 hab.) en el centro del estado de California, al este de la ciudad de SAN FRANCISCO, EE.UU. El poblado, fundado en 1870 por el Central Pacific Railway, recibió el nombre de Modesto cuando W.C. Ralston, director del ferrocarril, rehusó con modestia que se diera su nombre a la comunidad. Se constituyó como ciudad en 1884. Es centro de embarque para la región agrícola circundante, dedicada a la producción de frutas, nogales y vino.

modificación conductual ver terapia del COMPORTAMIENTO

Modigliani, Amedeo (12 jul. 1884, Livorno, Italia–24 ene. 1920, París, Francia). Pintor y escultor italiano. Después de estudiar arte en Italia, se estableció en París (1906), donde realizó exposiciones de varias pinturas en el SALÓN DE LOS INDEPENDIENTES en 1908. Siguiendo el consejo de CONSTANTIN BRANCUSI, estudió la escultura africana y en 1912 exhibió una serie de 12 cabezas de piedra, cuyas formas simplificadas y alargadas reflejan la influencia africana. Cuando retomó la pintura, sus retratos y desnudos –caracterizados por la asimetría en la composición, alargamiento de la figura y simplificación del contorno– reflejaron el estilo de su escultura. Al casi eliminar el claroscuro, logró una cualidad escultórica con la fuerza de sus contornos y la riqueza de los colores yuxtapuestos.

"Autorretrato", óleo sobre tela de Amedeo Modigliani, 1919; Museo de Arte Contemporáneo de la Universidad de São Paulo, Brasil.
GENTILEZA DEL MUSEO DE ARTE CONTEMPORÁNEO DE LA UNIVERSIDAD DE SÃO PAULO, FRANCISCO M. SOBRINHO Y YOLANDA PENTEADO; FOTOGRAFÍA, GERSON ZANINI

En 1917 comenzó a pintar una serie de desnudos femeninos que, con colores cálidos y vivos, y formas sensuales y redondeadas, se cuentan entre sus mejores obras. Su creación refleja la admiración que tuvo durante toda su vida por los maestros del Renacimiento, así como la influencia de PAUL CÉZANNE y Brancusi. Murió a los 35 años de edad, afectado por la tuberculosis.

Modigliani, Franco (18 jun. 1918, Roma, Italia–25 sep. 2003, Cambridge, Mass., EE.UU.). Economista estadounidense de origen italiano. Huyó de la Italia fascista a EE.UU. en 1939. En 1944 obtuvo un doctorado en la New School for Social Research. Fue profesor en diversas universidades, entre ellas, el Instituto Tecnológico de Massachusetts (1962–88; posteriormente, profesor emérito). Su trabajo sobre el ahorro personal lo llevó a formular la teoría del ciclo vital, que sostiene que los individuos acumulan ahorros durante su vida laboral cuando jóvenes para utilizarlos en su vejez y no como herencia para sus descendientes. Para analizar los mercados financieros, inventó una técnica para calcular el valor de las ganancias futuras previstas de una empresa, la que se convirtió en una herramienta básica en las finanzas y toma de decisiones empresariales. En 1985 obtuvo el Premio Nobel.

modo En música, nombre dado a una variedad de conceptos usados para clasificar ESCALAS y melodías. En la música occidental, el término se usa en forma particular para los MODOS LITÚRGICOS medievales. En la música tonal, se dice habitualmente que cada una de las TONALIDADES está en modo mayor o en modo menor, lo que depende en particular del tercer grado de la escala. Las RAGAS indias se pueden considerar modos. El concepto de modo puede implicar mucho más que simplemente una clasificación de escalas, pues se puede extender hasta abarcar un vocabulario completo de fórmulas melódicas y quizás otros aspectos de la música que se presentan de manera tradicional en conjunto con una serie dada de fórmulas. Así, el término modo ha sido usado también para modalidades puramente rítmicas como aquellas del ARS ANTIQUA, que se basaban en antiguos metros poéticos griegos.

modo En GRAMÁTICA, categoría que refleja el punto de vista del hablante acerca de la realidad, probabilidad o urgencia de un hecho. Se expresa a menudo por medio de formas verbales especiales (inflexiones). Los modos comprenden el indicativo, para situaciones objetivas o neutras (p. ej., "Hiciste tu trabajo"); el imperativo, para órdenes o peticiones ("Haz tu trabajo"); y el subjuntivo. Las funciones del subjuntivo varían ampliamente. Expresa duda, posibilidad, necesidad o deseo (por ej, "Él quiere que ayudes a su hermano"). Suele indicar una condición opuesta a los hechos o hipotética (p. ej., "Si yo tuviera dinero, viajaría a muchos países").

modoc Pueblo de indios de las MESETAS de Norteamérica que viven mayoritariamente en Oregón, EE.UU. Su idioma pertenece a las lenguas PENUTIAS, y su tierra natal se encuentra al sur de la cordillera de las Cascadas, en el norte de California. Su economía se basaba en la caza y recolección, y vivían de forma similar a sus vecinos, los KLAMATH. En 1864, el gobierno estadounidense los forzó a vivir en territorio klamath, lo que dio inicio a la guerra modoc de 1872–73. Cerca de 80 familias se retiraron a la región de Lava Beds en California, pero finalmente se rindieron, y se los trasladó a Oklahoma. A los sobrevivientes se les permitió regresar a Oregón en 1909. Junto a los klamath y a la banda yahooskin de indios Snake, forman una entidad conocida como las Tribus Klamath. Unas 500 personas manifestaron descender exclusivamente de los modoc en el censo estadounidense de 2000.

modos litúrgicos En música, nombre dado a ocho MODOS dispuestos en escalas y empleados para las melodías litúrgicas medievales. El sistema modal fue concebido con el propósito de codificar el canto llano (ver CANTO GREGORIANO); los nombres de los modos fueron tomados del sistema usado por los antiguos griegos, aunque el sistema griego fue mal entendido y la conexión entre ambos sistemas es ilusoria. Los modos se distinguen de acuerdo con la nota usada como *finalis* (la nota final) y la importancia otorgada a otra nota, llamada *repercusa* (semejante a la "dominante" del sistema tonal). La *finalis* del modo dórico es re, la del modo frigio es mi, la del modo lidio es fa y la del modo mixolidio es sol. Cada uno de estos cuatro modos originales tiene un modo paralelo (hipodórico, hipofrigio, hipolidio e hipomixolidio) con una gama más baja. Aunque emplean principalmente los tonos la-si-do-re-mi-fa-sol, en algunos modos se reemplaza si con si bemol. En el s. XVI se identificaron otros modos: el modo eolio, en la, y el modo jónico, en do (que corresponden a los modernos modos menor y mayor). El modo en si no se tomaba en cuenta debido a la difícil relación tonal de la nota si dentro de la escala.

modulación En electrónica, técnica para grabar información (voz, música, imágenes o datos) en una onda portadora de radiofrecuencia, mediante la variación de una o más características de la ONDA de acuerdo con la señal. Existen varias formas de modulación, cada una diseñada para alterar una característica particular de la onda portadora. Las características que más suelen alterarse son amplitud (ver AM), frecuencia (ver FM), FASE y secuencia de pulso, y duración del pulso.

modulación En música, la transición de un MODO a otro o de una TONALIDAD (o tono) a otra. En la armonía clásica hay tres métodos principales de modulación: diatónico, en el que el acorde pivote es común a ambas tonalidades; cromático, en el que las notas del acorde pivote se alteran subiendo o bajando un semitono, y enarmónico, en el que las notas del acorde pivote, mientras conservan sus notas originales, simplemente asumen nombres diferentes. La modulación puede ser transitoria, como en el transcurso de un desarrollo temático, o estructural, que contribuye a la definición armónica de la forma.

módulo En arquitectura, unidad adoptada para normalizar las dimensiones, proporciones o construcción de partes de un edificio. En la arquitectura CLÁSICA se usaron módulos basados en el diámetro de una columna. En la arquitectura japonesa, el tamaño de las habitaciones estaba determinado por combinaciones de esteras de arroz de dimensiones específicas llamadas *tatami*. Tanto FRANK LLOYD WRIGHT como LE CORBUSIER usaban sistemas modulares. El diseño modular estandarizado reduce las pérdidas de material, disminuye costos, facilita la construcción y flexibiliza la distribución y uso de los espacios. Sin embargo, la mayoría de los arquitectos y fabricantes de materiales de construcción continúan usando módulos basados en sus necesidades e intereses particulares.

módulo de compresibilidad Coeficiente numérico que describe una propiedad elástica de un sólido o fluido sometido a PRESIÓN. En el caso particular de presión uniforme, esto es, igual en todas las direcciones, como por ejemplo al interior de un líquido es el cociente entre la presión y el cambio de volumen por unidad de volumen del sólido o fluido; es por tanto, una medida de la capacidad de una sustancia para oponerse a la deformación volumétrica (ver DEFORMACIÓN Y FLUJO). En general, es la razón entre la tensión normal promedio y la llamada dilatación volumétrica, que es la suma de las tres deformaciones unitarias normales. Las unidades en que se mide el módulo de compresibilidad son newton por metro cuadrado (N/m^2). Un material difícil de comprimir tiene un módulo de compresibilidad grande; por ejemplo, el acero tiene un módulo de compresibilidad de $1,6 \times 10^{11} \ N/m^2$, tres veces mayor que el del vidrio (i.e., el vidrio es tres veces más compresible que el acero). También se le llama módulo de elasticidad volumétrica.

módulo de elasticidad En ciencia de los MATERIALES y METALURGIA física, cifra que cuantifica la respuesta de un material a la deformación elástica. Cuando un material se somete a un esfuerzo de tracción se estira en una cantidad que es proporcional al esfuerzo aplicado. La razón entre la TENSIÓN aplicada y la DEFORMACIÓN UNITARIA correspondiente es constante para un material dado y se llama módulo de elasticidad o módulo de Young (ver THOMAS YOUNG). El módulo de Young tiene dimensiones de (fuerza)/(longitud)^2 y se mide en unidades como el PASCAL o newton por metro cuadrado ($1 \ Pa = 1 \ N/m^2$), dinas/cm^2, o libras por pulgada cuadrada (psi). Ver también ELASTICIDAD.

modus ponens y modus tollens (latín: "modo afirmativo" y "modo negativo"). En LÓGICA, dos tipos de inferencia que es posible derivar a partir de una proposición condicional, i.e., de una proposición de la forma "Si p, entonces q" (simbólicamente, p ⊃ q). El *modus ponens* se refiere a inferencias de la forma p ⊃ q; p, por lo tanto q. El *modus tollens* se refiere a inferencias de la forma p ⊃ q; ¬q, por lo tanto, ¬p. Ejemplo de *modus tollens* es el siguiente: "Si un ángulo se inscribe en un semicírculo, entonces es un ángulo recto; este ángulo no es recto; por lo tanto, no se inscribe en un semicírculo".

Moeris, lago Lago extinto del norte de Egipto. En el pasado ocupaba la depresión de Al-Fayūn, donde se halla el actual lago Qarun, mucho más pequeño. Sus aguas comenzaron a menguar en el período paleolítico, a causa de la acumulación de légamo en el canal que corría desde el NILO. El canal se dragó durante el Imperio Medio (c. 2040–1786 AC), lo que renovó el acceso de las aguas del Nilo. En el s. III AC se llevaron a cabo proyectos de recuperación de tierras que tomaron agua del lago, con lo cual se dispuso de 1.200 km^2 (450 mi^2) de tierra aluvial regada por canales. La región decayó después de los dos primeros siglos de dominio romano.

mofeta *o* **zorrillo** Cualquiera de varias especies CARNÍVORAS del Nuevo Mundo de la familia Mephitidae, que expelen un líquido maloliente (hasta una distancia de 3,7 m [12 pies]) cuando son amenazados. El líquido se transforma en rocío fino que causa lagrimeo y asfixia. Algunas secreciones de las glándulas odoríferas se usan en perfumería. Las especies varían en cuanto a su tamaño y patrón cromático blanquinegro. La mayoría mide 46–93 cm (18–37 pulg.) de largo, incluida la cola, y pesa 1–6 kg (2–13 lb); las dos especies de mofeta moteada (género *Spilogale*) son bastante más pequeñas. Comen roedores, insectos, huevos, pájaros y plantas. La mofeta rayada o común (*Mephitis mephitis*) se alimenta de noche y vive en la mayor parte de Norteamérica. A veces se la tiene de mascota con las glándulas odoríferas extirpadas. La mofeta común es un vector importante de la RABIA, fatal para las mofetas. Las especies del género *Conepatus* tienen un morro largo y desnudo. La mofeta colilarga (*Mephitis macroura*) cuenta con un collarín de pelos.

Mofeta rayada o común (*Mephitis mephitis*)

Mofeta de mancha blanca (*Conepatus mesoleucus*)

Especies de mofeta.

Mogadiscio Ciudad (pob., est. 1999: área metrop., 1.162.000 hab.) y capital de SOMALIA. Situada en el océano Índico, al norte del ecuador, fue fundada por mercaderes árabes en el s. X; comerciaba con los estados árabes y más tarde con los portugueses. En 1871 cayó bajo control del sultán de Zanzíbar. Italia arrendó el puerto en 1892 y lo adquirió en 1905. Fue la capital de la SOMALIA italiana y luego del territorio fiduciario de Somalia; finalmente, en 1960, se transformó en capital de la República de Somalia. La guerra civil que comenzó en la década de 1980 destruyó amplios sectores de la ciudad.

mogol, arquitectura Estilo de construcción que floreció en India bajo el régimen de los emperadores mogoles (s. XVI–XVII). Marcó un resurgimiento notable de la arquitectura islámica en el norte de India, donde los estilos persa, indio y provinciales se fusionaron para producir obras de gran refinamiento. El mármol blanco y la arenisca roja eran los materiales preferidos. Los primeros edificios mogoles usaron escasamente el arco, recurriendo a la construcción de poste y viga. El uso de la bóveda doble, el pasillo abovedado dentro de un frontón rectangular (arena), y el parque rodeando la construcción son típicos del período SHA JAHĀN (r. 1628–58), en el cual el diseño mogol alcanzó su apogeo. Tenían especial importancia la simetría y el equilibrio entre las partes del edificio, así como la delicadeza de los detalles ornamentales. Ejemplos importantes de la arquitectura mogol son el TAJ MAHAL y el palacio-fortaleza en Delhi (comenzado en 1638).

mogol, arte Estilo de pintura restringido principalmente a la ilustración de libros y miniaturas, que evolucionó en India durante la dinastía MOGOL (s. XVI–XIX). En las fases iniciales, el uso de la técnica a menudo comprendía un equipo de artistas: uno determinaba la composición, un segundo pintaba los colores y un retratista trabajaba en los rostros de cada personaje. Probablemente el ejemplo más temprano de arte mogol sea el cuento popular ilustrado *Tuti-nameh* ("Cuentos de un loro"). Como fue esencialmente un arte cortesano, se desarrolló bajo el mecenazgo de los emperadores y declinó cuando estos perdieron interés. Ver también arquitectura MOGOL.

mogol, dinastía Dinastía musulmana que gobernó la mayor parte de India septentrional desde principios del s. XVI hasta mediados del s. XVIII. Entre los gobernantes de esta dinastía, descendientes de TAMERLÁN y GENGIS KAN, hubo algunos excepcionalmente talentosos a lo largo de siete generaciones. Se distinguió en especial por el esfuerzo de sus emperadores de integrar hindúes y musulmanes en un estado indio unitario. Entre sus gobernantes destacaron su fundador, BĀBER (r. 1526–30),

"Ave posada sobre rocas", pintura mogol, c. 1610 DC; Museo de Hyderābād, Andhra Pradesh, India.
P. CHANDRA

su nieto AKBAR (r. 1556–1605) y SHA JAHĀN. Con AURANGZEB (r. 1658–1707), el imperio alcanzó su máxima extensión, pero su intolerancia dio paso a la decadencia. Se desintegró por la presión de las rivalidades entre facciones, la guerra dinástica y la invasión del norte de la India que encabezó NĀDIR SHA en 1739.

Mogollon, cultura de Grupo de indígenas norteamericanos que vivían en lo que hoy es el sudeste de Arizona y el sudoeste de Nuevo México, EE.UU., c. 200 AC–1200 DC. Las primeras piezas de alfarería del sudoeste fueron obra de los mogollones; su alta calidad desde el comienzo sugiere que el oficio puede haber provenido de México. En un principio, la economía se basaba en la recolección de plantas silvestres comestibles y en la caza de animales pequeños. El cultivo del maíz apareció c. 500 DC. También en esa época las viviendas, con el uso de la mampostería, se empezaron a construir con mayor cuidado y detalle. En el período final, de la cerámica Mimbres (1050–1200) surgieron nuevas modalidades de diseño habitacional (viviendas PUEBLO con varios niveles y organizados en torno a una plaza) y de alfarería (escuetos diseños en blanco y negro de animales o líneas geométricas), que sugieren contactos con la cultura ANASAZI del norte. Por razones desconocidas, la cultura de Mogollon llegó a su fin en el s. XIII.

Mogreb o Magreb Región del norte de África que bordea el mar Mediterráneo. Abarca las llanuras costeras de Marruecos, Argelia, Túnez y suele incluir Libia. Antiguamente, el término se hacía extensivo también a partes de la España musulmana. Durante la era romana, la región fue conocida como África Menor, pero después de las conquistas musulmanas de los s. VII–VIII pasó a conocerse como el Mogreb ("Oeste"), toda vez que cubría los territorios más occidentales del mundo musulmán. Desde esa época, la región ha desarrollado una cultura propia dentro del contexto mayor del mundo islámico. Sus dos grupos étnicos principales son los bereberes y los árabes. El árabe es la lengua predominante, aunque muchos de sus habitantes hablan también bereber y francés.

Moguiliov Ciudad (pob., est. 2001: 361.000 hab.) del centro este de Belarús, a orillas del DNIÉPER. Fundada en 1267 como fortaleza, se convirtió en ciudad en 1526, bajo dominio lituano. Pasó luego a Polonia y en 1772 a manos de los rusos, tras la primera partición de POLONIA. En 1812, una importante batalla entre las tropas de NAPOLEÓN I y las fuerzas rusas tuvo lugar en las afueras de Moguiliov. Sufrió graves daños durante la segunda guerra mundial, pero fue reconstruida y actualmente es una importante ciudad industrial.

Mohammed ver MAHOMA

mohave o mojave Indígenas norteamericanos que viven mayoritariamente en Arizona, EE.UU. El idioma mohave pertenece a la familia lingüística yuma. Su territorio tradicional era el desierto de Mohave a lo largo del curso inferior del río Colorado, en el valle rodeado por el desierto estéril. Se dedicaban a la agricultura, pesca, caza y recolección de plantas silvestres. La unidad social esencial era la familia patrilineal. No tenían aldeas permanentes, sino que construían viviendas dispersas dondequiera que existieran tierras inundadas aptas para la labranza. Creían en un creador supremo y asignaban gran significación a los sueños, considerados la fuente de todos los poderes especiales. Unos 1.500 mohaves viven en la reserva del río Colorado en Arizona o en sus cercanías.

Mohave, desierto de o desierto de Mojave Región árida en el sudeste del estado de California, EE.UU. Ocupa una superficie superior a los 65.000 km² (25.000 mi²), desde la SIERRA NEVADA hasta la meseta del Colorado; se une con el desierto de la Gran Cuenca por el norte y el desierto de SONORA por el sur y sudeste. Junto con los desiertos de Sonora, la Gran Cuenca y Chihuahua, conforman el desierto de Norteamérica. El desierto de Mohave recibe una precipitación promedio anual de 13 cm (5 pulg.). Es el lugar donde se emplaza el parque nacional JOSHUA TREE.

mohawk Pueblo indígena de Norteamérica, el grupo más oriental de la Confederación IROQUESA, que vive en Canadá y EE.UU. Su idioma pertenece a la familia de las lenguas IROQUESAS. Se autodenominaban kahniakehake, que significa "gente del pedernal". Al interior de la Confederación se les consideraba "los guardianes de la puerta del este". Semisedentarios vivían cerca del actual Schenectady, N.Y. Las mujeres se ocupaban del cultivo del maíz, mientras los hombres cazaban durante el otoño y el invierno, y pescaban en el verano. Las familias emparentadas vivían juntas en viviendas comunitarias. La mayor parte de los miembros de este pueblo adhirieron a los británicos, tanto en la guerra FRANCESA E INDIA como en la guerra de independencia de Estados Unidos, bajo las órdenes de JOSEPH BRANT. Actualmente son más de 35.000 personas, muchas de las cuales se dedican a labores de construcción.

Mohawk, río Curso fluvial en el centro-este del estado de Nueva York, EE.UU. Es el principal afluente del río HUDSON y discurre 238 km (148 mi) en dirección sudeste para confluir con el Hudson en Waterford, al norte de Troy. El valle de Mohawk (Mohawk Trail) fue la ruta histórica que siguieron los pioneros que iban hacia el oeste atravesando los APALACHES para llegar a la región de los GRANDES LAGOS. Las cinco naciones de la Confederación IROQUESA vivían en el valle, que fue campo de batalla importante durante la guerra FRANCESA E INDIA y la guerra de independencia de los ESTADOS UNIDOS DE AMÉRICA.

mohegan Pueblo indígena de Norteamérica de lengua ALGONQUINA que alguna vez habitó la zona sudoriental de Connecticut, EE.UU. Posteriormente se apropiaron de territorios de otras tribus en Massachusetts y Rhode Island. Su economía se basaba en el cultivo de maíz, caza y pesca. En el s. XVII, las tribus PEQUOT y mohegan fueron gobernadas por un jefe común pequot, pero una rebelión los llevó a independizarse y a aniquilar a los pequot. Aliados con los ingleses, fueron la única tribu importante que perduró en el sur de Nueva Inglaterra después de la guerra del REY FELIPE (1675–76). Hoy quedan unos pocos miembros (aprox. 1.000) cerca de Norwich, Conn.

Mohenjo-Daro Antigua ciudad a orillas del Indo, en el actual Pakistán meridional. Con cerca de 5 km (3 mi) de circunferencia, era la mayor ciudad de la civilización del valle del INDO, en el III–II milenio AC, y probablemente fue la capital de un extenso estado. Estaba fortificada, y su ciudadela contenía, según indican los hallazgos arqueológicos, un gran baño público, graneros y dos salas de reuniones.

mohicano *o* **mahicano** Pueblo indígena de Norteamérica que vive mayoritariamente en el nordeste de Wisconsin, EE.UU. Ubicados originalmente en el valle del curso superior del río Hudson, al norte de las montañas Catskill, se denominaban a sí mismos Muh-he-con-neok, que significa "gente de las aguas que nunca están quietas". Estaban formados por cinco divisiones principales, gobernadas por caciques (*sachems*) hereditarios, quienes eran asistidos por consejeros elegidos. Vivían en poblados de 20 a 30 viviendas, situadas en colinas o bosques. En 1664 fueron forzados por los MOHAWKS a trasladarse a lo que ahora es Stockbridge, Mass., donde pasaron a ser conocidos como los indios Stockbridge. Luego se mudaron a Wisconsin. Unas 1.200 personas declararon tener ascendencia exclusivamente mohicana en el censo estadounidense de 2000. JAMES FENIMORE COOPER realizó un retrato idealizado de la declinación de este pueblo en *El último de los mohicanos* (1826).

mohismo ver MO-TZU

moho En biología, masa conspicua de MICELIO y estructuras fructíferas producida por diversos HONGOS (division Mycota). Los mohos de los géneros *Aspergillus*, *Penicillium* y *Rhizopus* se relacionan con la descomposición de alimentos y la patología vegetal; sin embargo, algunos tienen usos benéficos, como en la elaboración de ANTIBIÓTICOS (p. ej., PENICILINA) y de ciertos quesos. *Neurospora* o el moho rojo del pan ha sido inestimable en el estudio de la genética bioquímica. Los mohos acuáticos viven en aguas dulces o salobres, o bien en suelos húmedos, donde absorben materia orgánica muerta o en descomposición. Ver también MIXOMICETE.

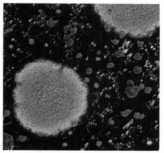
Moho sobre sustancia gelatinosa.
INGMAR HOLMASEN

Moho *o* **discontinuidad de Mohorovičič** Zona de transición entre la CORTEZA terrestre y el MANTO. Se encuentra a una profundidad de 35 km (22 mi) aprox. bajo los continentes y 7 km (4,5 mi) aprox. bajo la corteza oceánica. Instrumentos modernos han determinado que la velocidad de las ONDAS SÍSMICAS aumenta rápidamente en esta zona. Recibió su nombre en honor a ANDRIJA MOHOROVIČIČ.

Moholy-Nagy, László (20 jul. 1895, Bácsbarsod, Hungría–24 nov. 1946, Chicago, Ill., EE.UU.). Pintor húngaro, fotógrafo y profesor de arte. Tras estudiar derecho en Budapest, se trasladó a Berlín en 1919, y en 1923 se hizo cargo del taller de metal de la BAUHAUS y de la serie de publicaciones *Bauhausbook*. Como pintor y fotógrafo trabajó principalmente con la luz. Sus "fotogramas" estaban compuestos directamente sobre la película, y sus "moduladores de luz" (pinturas al óleo sobre superficies transparentes o pulidas) incluían efectos de luz móvil. Como educador, ideó un programa de estudio que tuvo gran aceptación para desarrollar los talentos visuales innatos de los estudiantes en lugar de las destrezas especializadas. En 1935 escapó de la Alemania nazi, se trasladó a Londres y luego a Chicago, EE.UU., donde organizó y dirigió la Nueva Bauhaus.

Mohorovičič, Andrija (23 ene. 1857, Volosko, Croacia, Imperio austríaco–18 dic. 1936, Zagreb, Yugoslavia). Meteorólogo y geofísico croata. Descubrió la zona de transición entre la CORTEZA terrestre y el MANTO, más tarde llamado discontinuidad de Mohorovičič, o MOHO. Fue profesor en la Universidad de Zagreb y también director de su observatorio meteorológico desde 1892. Al observar ONDAS SÍSMICAS, dedujo que la Tierra sólida comprende una capa exterior y una interior, y que entre ellas se encuentra un borde o zona claramente identificable. Ideó también una técnica para localizar los epicentros de los sismos y calculó el tiempo de recorrido de las ondas sísmicas. Fue un precursor en la construcción antisísmica.

Escala de dureza de Mohs

Mineral	Nº de Mohs	Otros materiales	Descripción
Talco	1		se raya muy fácilmente con la uña; es grasoso al tacto
Yeso	2	~2,2 uña	se puede rayar con la uña
Calcita	3	~3,2 moneda de cobre	se raya muy fácilmente con un cuchillo y apenas se raya con una moneda de cobre
Fluorita	4		se raya fácilmente con un cuchillo, pero no tanto como la calcita
Apatito	5	~5,1 cortaplumas ~5,5 placa de vidrio	se raya con dificultad con un cuchillo
Ortoclasa	6	~6,5 aguja de acero	no se puede rayar con un cuchillo, raya el vidrio con dificultad
Cuarzo	7	~7,0 placa de rayado	raya el vidrio con facilidad
Topacio	8		raya el vidrio con mucha facilidad
Corindón	9		corta el vidrio
Diamante	10		se usa para cortar vidrio

Mohs, escala de Medida estimativa de la resistencia o dureza de una superficie lisa al rayado o a la abrasión, expresada en términos de una escala ideada por el mineralogista alemán Friedrich Mohs en 1812. Los minerales se ordenan por comparación con la escala de Mohs, la cual está compuesta de diez minerales a los que se les han asignado valores arbitrarios de dureza en una escala de 1 (menos duro, el talco) a 10 (más duro, el diamante).

Moi, Daniel (Toroitich) Arap (n. 1924, Sacho, África Oriental Británica). Presidente de Kenia durante cinco períodos (1978–2002). Formado como profesor, fue miembro del gabinete y vicepresidente (1967–78) durante la presidencia de JOMO KENYATTA antes de sucederlo en el cargo. Dirigente del partido dominante, la Unión Nacional Africana de Kenia (KANU), gobernó en forma autocrática y permitió finalmente la realización de elecciones pluripartidistas en 1991, cuando la presión internacional lo obligó a ello. Sus victorias electorales posteriores (1992, 1998) provocaron desórdenes civiles y acusaciones de fraude electoral. Durante su gobierno se desarrollaron algunos sectores de la economía, pero quienes lo critican lo atribuyen al arraigado sistema de clientelismo político.

Moisés (vivió s. XIV–XIII aC). Profeta del JUDAÍSMO. De acuerdo con el Libro del ÉXODO, nació en Egipto de padres judíos, quienes lo abandonaron en el Nilo en una cesta de caña para salvarlo de un edicto que ordenaba dar muerte a todos los niños varones judíos recién nacidos. Encontrado por la hija del faraón, fue criado en la corte egipcia. Después de matar a un cruel amo egipcio, huyó al país de Madián, donde Yahvé (Dios) se le reveló en un zarza ardiente y le encomendó la liberación de los israelitas de Egipto. Con la ayuda de su hermano AARÓN, pidió al faraón la liberación de los hebreos. Este los dejó ir después de que Yahvé enviara una serie de plagas a Egipto, pero luego dirigió su ejército tras ellos. Dios separó las aguas del mar Rojo para permitir el paso de los israelitas y luego ahogó a los egipcios que los perseguían. Posteriormente estableció una ALIANZA con los hebreos en el monte SINAÍ y le entregó a Moisés los DIEZ MANDAMIENTOS, tras lo cual este se mantuvo a la cabeza de su pueblo durante los 40 años de travesía por el desierto hasta alcanzar CANAÁN. Moisés falleció antes de que pudiera llegar a la Tierra Prometida. Se le atribuye tradicionalmente la autoría de los cinco primeros libros de la Biblia (ver TORÁ).

Moisés de León *orig.* **Moses ben Shem Tov** (c. 1240, León–1305, Arévalo). Prestigioso autor del SÉFER HA-ZOHAR, la obra más importante de misticismo judío. Se conoce poco de su vida, aunque se cree que habría vivido en Guadalajara (centro de los adherentes españoles de la CÁBALA) hasta 1290 y más tarde habría viajado extensamente. Describió el *Zohar* como un libro antiguo que había descubierto, pero es más probable que sea una obra de su propia autoría.

Moisséiev, Ígor (Alexándrovich) (n. 21 ene. 1906, Kíev, Ucrania, Imperio ruso). Bailarín y coreógrafo ruso, fundador y director del conjunto académico de danza folclórica del Estado, más conocido como conjunto Moisséiev. En 1924 se unió al Ballet BOLSHÓI y, en 1936 asumió el cargo de coreógrafo principal del Teatro de arte folclórico de Moscú, que luego se convirtió en el Conjunto oficial de danzas populares de la U.R.S.S., grupo integrado por bailarines profesionales que interpretaban danzas de todas las repúblicas. Compuso más de 170 coreografías para este conjunto, combinando pasos auténticos de danzas folclóricas con efectos escénicos. El conjunto Moisséiev sirvió de modelo para la creación de grupos de danza folclórica en otros países.

mojave ver MOHAVE

Mojave, desierto de ver desierto de MOHAVE

moksha *o* **moksa** En el HINDUISMO y el JAINISMO, la meta espiritual esencial, la liberación del alma de las cadenas de la transmigración. El alma, una vez que se introduce en una existencia corporal, permanece atrapada en una cadena de reencarnaciones sucesivas hasta que consigue la perfección o iluminación que le permite liberarse. El método por el cual se busca y se consigue la liberación difiere de una escuela filosófica a otra, pero la mayoría considera que el *moksha* es el objetivo supremo de la vida.

mol Unidad estándar para medir cantidades corrientes de entidades tan diminutas como ÁTOMOS O MOLÉCULAS. Para cualquier sustancia, el número de átomos o moléculas en un mol es igual al número de AVOGADRO ($6,02 \times 10^{23}$). Definido con exactitud, es la cantidad de sustancia pura que contiene el mismo número de unidades químicas que hay en exactamente 12 g de CARBONO 12. Para cada sustancia, un mol es su PESO ATÓMICO, PESO MOLECULAR O su PESO FÓRMULA en GRAMOS. El número de moles de un soluto en un litro de SOLUCIÓN es su molaridad (M); el número de moles de soluto en 1.000 g de SOLVENTE es su molalidad (m). Las dos medidas difieren ligeramente y tienen usos diferentes. Ver también ESTEQUIOMETRÍA.

mola Marca pigmentada, plana o carnosa de la PIEL, formada principalmente por células que producen MELANINA, lo que le da su color pardo claro, oscuro o negro y, en la dermis, un tinte azuloso. Las molas más gruesas también contienen elementos nerviosos y tejido conectivo. Comienzan a menudo en la niñez, habitualmente como manchas planas entre la dermis y la epidermis. Las que persisten ahí tienen más probabilidades de malignizarse. La mayoría se desplaza a la dermis y se hace ligeramente solevantada. En los niños, las molas pueden experimentar cambios canceriformes pero son benignas. El MELANOMA maligno puede iniciarse en una mola, pero casi nunca antes de la pubertad. Las molas pueden crecer durante el embarazo y aparecer otras nuevas. El término *nevus* se refiere a marcas congénitas de la piel, mientras que las molas pueden aparecer después del nacimiento. Los *nevus* epidérmicos tienen el mismo color de la piel circundante.

Mold Localidad (pob., est. 1995 : 9.000 hab.) del cond. histórico y actual de Flintshire, nordeste de Gales. Situada entre los centros industriales de Deeside y Wrexham, creció alrededor de un castillo construido por los normandos en el s. XII. En esta zona, los cristianos britanos derrotaron a los PICTOS y escoceses paganos en una batalla librada en 430 DC. Ha sido durante mucho tiempo un eje comercial y actualmente es el centro administrativo y capital del condado.

Moldava, río *o* **río Vltava** *alemán* **Moldau** Río de la República Checa. El más largo del país, recorre 435 km (270 mi). Nace en el sudoeste de BOHEMIA, en los montañosos bosques de la selva de Bohemia. Fluye al sudeste y luego hacia el norte a través de la región, hasta su confluencia con el río ELBA.

Moldavia Antiguo principado en el sudeste de Europa central. Situado en el DANUBIO, fue fundado en el s. XIV por los valacos y obtuvo su independencia en 1349. A mediados del s. XVI formó parte del Imperio OTOMANO. En 1774 pasó a poder de los rusos; pronto perdió su territorio noroccidental, Bucovina, que quedó bajo control de Austria, y la región oriental y de BESARABIA, a Rusia. En 1859, Moldavia y VALAQUIA formaron el estado de RUMANIA. En 1918, los territorios cedidos anteriormente por Moldavia se integraron a Rumania. En 1924, la Unión Soviética creó la República Socialista Soviética de Moldavia en el territorio situado al este del río Dniéster, dentro de la República Socialista Soviética de Ucrania. Ver también MOLDAVIA.

MOLDAVIA

▸ **Superficie:** 33.845 km² (13.068 mi²)

▸ **Población:** 4.206.000 hab. (est. 2005)

▸ **Capital:** CHISINAU

▸ **Moneda:** leu moldavo

Moldavia *o* **Moldova** *ofic.* **República de Moldavia** País en el nordeste de la península BALCÁNICA, Europa central. Limita con Ucrania y Rumania. La mayoría de sus habitantes pertenecen a la etnia moldava, aunque en la región del Transdniéster, al este del río DNIÉSTER, viven rusos y ucranianos. Idiomas: rumano (oficial), ruso, ucraniano. Religión: cristianismo ortodoxo. Una fértil región situada entre los ríos Dniéster y Prut ocupa gran parte de Moldavia, y las zonas septentrional y central del país se encuentran cubiertas de bosques. La economía se basa principalmente en la agricultura; es un importante productor de uvas, trigo, maíz y productos lácteos. La industria está centrada en la fabricación de alimentos. Moldavia es una república con una cámara legislativa, cuyo jefe de Estado es el presidente y el jefe de Gobierno, el primer ministro. La superficie actual del país comprende la parte del antiguo principado de Moldavia, que se encontraba al este del río Prut (parte de Rumania, antes de 1940) y, en el sur, la región de BESARABIA que se encuentra adyacente a la costa del mar Negro (ver principado de MOLDAVIA para la historia previa a 1940.) Ese año ambas regiones se unieron para formar la República Socialista Soviética de Moldavia. El país se independizó de la Unión Soviética en 1991 y, anteriormente, había legitimado el uso del alfabeto romano en lugar del cirílico. La república fue admitida a la ONU en 1992. Durante la década de 1990 se esforzó por lograr el equilibrio económico. En 2000 abandonó la forma semipresidencialista de gobierno para convertirse en una república parlamentaria.

molde En manufactura, pieza o conjunto de piezas con cavidad en la cual se vierte una sustancia fundida o fluida para darle la forma deseada. La sustancia fundida, metal o plástico, se vacía o inyecta en el molde y se deja endurecer. Los moldes se fabrican de varios materiales, según la aplicación; se usa frecuentemente arena para la COLADA de metales, acero templado en moldes para materiales plásticos, y yeso para otros fines. Ver también LINGOTE; fabricación de MODELOS; fabricación de TROQUELES Y MATRICES.

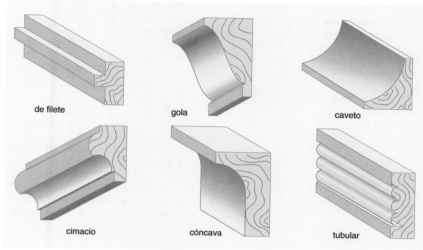

de filete

gola

caveto

cimacio

cóncava

tubular

Ejemplos de estilos comunes de molduras.
© 2006 MERRIAM-WEBSTER INC.

moldeo Proceso que consiste en vaciar metal fundido en un MOLDE de manera que cuando se solidifique el metal y se retire el molde, el resultado sea una pieza de metal (ver COLADA), con la forma del molde. Existe una inmensidad de objetos que se moldean en alguna etapa de su fabricación. Las modernas plantas de fundición, capaces de producir en gran escala, se caracterizan por un alto grado de mecanización, automatización y robótica; hay microprocesadores que controlan en forma precisa los sistemas automatizados. Los progresos en el campo de los aglutinantes químicos se han traducido en moldes y almas más resistentes y en piezas fundidas de mayor precisión. La pureza y precisión aumentan en condiciones de vacío y se esperan mayores progresos en condiciones de gravitación nula en el espacio.

moldeo a la cera perdida ver fundición a la CERA PERDIDA

moldeo a presión Formación de objetos metálicos por inyección a presión de un metal fundido en MATRICES O MOLDES. Un uso inicial e importante de la técnica para moldear tipos de imprenta fue la máquina llamada LINOTIPIA (1884), pero la línea de montaje de automóviles le dio al moldeo por inyección su real ímpetu. La técnica permite una gran precisión y se puede usar tanto para piezas diminutas de máquinas de coser y de automóviles, como para moldear bloques de motor de aluminio.

moldeo de precisión COLADA de precisión para formar piezas de METAL con detalles muy precisos. La colada o vaciado de piezas de BRONCE o de metales preciosos entraña por lo general varios pasos, como la fabricación de un MOLDE a partir de una pieza esculpida; desprendimiento del molde (en dos o más secciones); revestimiento de su interior con CERA; fabricación de un segundo molde de arcilla termorresistente alrededor de la cáscara de cera y su llenado con un alma de arcilla; cocción del conjunto, para endurecer la arcilla y derretir la cera, la que escapa a través de aberturas del molde exterior; vaciado de bronce fundido en el espacio que dejó la cera, y finalmente la fractura del molde para liberar la pieza moldeada. En algunas fundiciones modernas se emplea plástico o mercurio sólido en lugar de cera. Ver también fundición a la CERA PERDIDA; MOLDEO A PRESIÓN.

moldura En arquitectura y artes decorativas, elemento saliente, de transición o de terminación, que sirve para perfilar o delinear aristas y superficies. La superficie de una moldura puede ser lisa o modelada con sacados y relieves, los cuales mantienen un perfil constante en toda su longitud o están dispuestos en patrones repetidos con un ritmo determinado. Los frisos, chaflanes (o bisel) y filetes (bandas angostas) son tipos de molduras planas o angulares. Las molduras curvas sim-

ples comprenden el caveto (cóncavo, cuyo perfil es un cuarto de círculo), el bocel (cóncavo profundo), la flauta (ranurada), el óvolo (convexo, cuyo perfil es un cuarto de círculo), el toro (semicírculo convexo), el baquetón (redondeado convexo) y el astrágalo (angosto, semicircular y convexo). Entre las molduras compuestas más comunes están la cima recta o gola, proyectadas y con doble curva, utilizadas a menudo como coronación, y la cima reversa, utilizada para corona o base. Los perfiles de molduras son tradicionalmente mejorados con formas de flores u hojas, motivos geométricos o espirales.

molécula Unidad identificable más pequeña en la cual una sustancia pura puede ser dividida y conservar su composición y sus propiedades químicas. La división en partes aún más pequeñas, finalmente en ÁTOMOS, entraña destruir el ENLACE que mantiene unida la molécula. En los GASES NOBLES, la molécula es un solo átomo; todas las otras sustancias tienen dos átomos (diatómicas) o más átomos (poliatómicas) en una molécula. Los átomos son iguales en los ELEMENTOS QUÍMICOS, como el hidrógeno (H_2), y diferentes en los COMPUESTOS,

fórmula lineal de enlaces de la vitamina A

estructura de Kekulé del benceno

CHO

H—OH

HO—H

H—OH

H—OH

CH_2OH

proyección de Fischer de la glucosa

modelo de barras y esferas del metano

estructuras de Lewis del metano

Formas de representación de la estructura molecular. En las estructuras de Lewis, los símbolos de los elementos representan átomos y los puntos representan los electrones que los rodean. Un par de electrones compartidos (enlace covalente) también se puede graficar como un guión único. El modelo de barras y esferas ilustra de mejor forma el orden espacial de los átomos. En el caso de los compuestos aromáticos es común usar la estructura de Kekulé, en la cual cada enlace se representa por medio de un guión, los átomos de carbono están implícitos donde dos o más líneas se unen y, por lo general, los átomos de hidrógeno se omiten. Las fórmulas lineales de enlaces, similares a la estructura de Kekulé, se usan a menudo para compuestos orgánicos complejos no aromáticos. Los azúcares, por lo general, se representan con proyecciones de Fischer, en los cuales la "columna vertebral" del carbono se dibuja como una línea vertical recta donde los átomos de carbono están implícitos en la intersección de las líneas horizontales con la vertical.
© 2006 MERRIAM-WEBSTER INC.

como la glucosa ($C_6H_{12}O_6$). Los átomos siempre se combinan en las moléculas en proporciones fijas. Las moléculas de sustancias diferentes pueden tener los mismos átomos constituyentes, ya sea en proporciones diferentes, como en el monóxido de carbono (CO) y dióxido de carbono (CO_2), o unidos de diferentes maneras (ver ISÓMERO). Los ENLACES COVALENTES en las moléculas les dan sus formas y la mayoría de sus propiedades. (El concepto de moléculas no tiene significado en los sólidos con ENLACES IÓNICOS). El ANÁLISIS con técnicas y computadoras modernas puede determinar y mostrar el tamaño, forma y CONFIGURACIÓN de las moléculas, posiciones de sus núcleos y sus nubes de electrones, longitudes y ángulos de sus enlaces y otros detalles. La MICROSCOPIA ELECTRÓNICA puede incluso producir imágenes de moléculas y de átomos individuales. Ver también PESO MOLECULAR.

molecular, biología ver BIOLOGÍA MOLECULAR

molibdeno ELEMENTO QUÍMICO metálico, uno de los elementos de TRANSICIÓN, de símbolo químico Mo y número atómico 42. METAL gris plateado, relativamente escaso, con un punto de fusión elevado (2.610 °C [4.730 °F]), no se encuentra libre en la naturaleza. Puesto que el molibdeno y sus aleaciones tienen una resistencia útil a temperaturas que funden a la mayoría de los demás metales y aleaciones, se les emplea en aceros para altas temperaturas. Se aplica en reactores, aeronaves, misiles, piezas de automóvil, electrodos, elementos de calentamiento y soportes de filamento. Algunos compuestos de molibdeno (en los cuales tiene distintas VALENCIAS) son utilizados como pigmentos y catalizadores. El disulfuro de molibdeno es un lubricante sólido, utilizado solo o agregado a grasas y aceites.

Molière orig. **Jean-Baptiste Poquelin** (bautizado 15 ene. 1622, París, Francia–17 feb. 1673, París). Dramaturgo, actor y director francés. Hijo de un próspero tapicero, en 1643 abandonó su hogar con el propósito de ser actor, y se unió a la compañía de la familia BÉJART. Luego fue cofundador, además de dramaturgo y actor del grupo Illustre-Théâtre, que realizó giras por las provincias francesas (1645–58). La compañía se estableció en un teatro parisiense bajo el mecenazgo de LUIS XIV, y Molière logró grandes elogios de la corte y el público burgués por su comedia *Las preciosas ridículas* (1659). Sus otras obras significativas son *La escuela de las mujeres* (1662), *Tartufo* (1664), que inicialmente fue prohibida por las autoridades religiosas, *El misántropo* (1666), *El avaro* (1669), *El burgués gentilhombre* (1670) y *El enfermo imaginario* (1673). Sus piezas retrataron todo el espectro de la sociedad francesa del s. XVII y se definen por su mofa inteligente y de buen humor hacia los vicios, vanidades y estupidez humana. A pesar del éxito, nunca dejó de actuar ni de dirigir. Durante una función teatral se sintió indispuesto, por lo que debió abandonarla, y en menos de 24 horas falleció debido a una hemorragia; le fue negada la cristiana sepultura. Moliére es considerado el más grande dramaturgo francés y el creador de la comedia francesa moderna.

molinillo de oración En el BUDISMO TIBETANO, artefacto mecánico utilizado como un equivalente de la recitación de un MANTRA. Consiste en un cilindro metálico hueco, a menudo bellamente grabado en relieve, montado en una vara, que contiene un papel consagrado portador de un mantra. Cada vuelta del molinillo con la mano se considera equivalente a la recitación de una plegaria. Una variante de los molinillos de oración manuales son los grandes cilindros que pueden ser movidos a mano o unidos a molinos de viento o ruedas hidráulicas para así mantenerlos en continuo movimiento.

molino de grano Máquina o artefacto para la molienda de CEREALES. La RUEDA HIDRÁULICA fue la primera en ser usada para este fin. En el Imperio romano se utilizaron molinos con ENGRANAJES, pero su máximo desarrollo tuvo lugar en la Europa medieval. Un ejemplo es el gran molino de grano cerca de Arles, Francia, el cual, con sus 16 ruedas en cascada, cada una

de 2 m (7 pies) de diámetro, y engranajes de madera, probablemente abasteció a unas 80.000 personas. Los MOLINOS DE VIENTO figuran también entre las primeras máquinas que reemplazaron la fuerza muscular como fuente de potencia motriz. Se emplearon por siglos en varias partes del mundo y aún revisten importancia en algunas naciones en desarrollo.

molino de viento Máquina que aprovecha la energía del viento mediante aspas montadas en un eje giratorio. Las aspas se colocan en un cierto ángulo o con un pequeño giro respecto del eje de manera que la fuerza del viento las haga girar. Tal como la RUEDA HIDRÁULICA, los molinos de viento fueron las primeras máquinas que reemplazaron a los seres humanos como fuente de energía motriz. Su uso tradicional más importante fue la molienda de cereales, aunque en ciertas regiones su empleo en el riego de cultivos y bombeo de agua tuvo la misma importancia. El uso del molino de viento se propagó en forma gradual por Europa (en particular en los Países Bajos) desde el s. XII hasta comienzos del s. XIX, cuando comenzó a declinar lentamente. El interés por los molinos de viento resurgió durante la década de 1970 como alternativa para generar energía eléctrica. Ver también ENERGÍA EÓLICA.

Molise Región autónoma (pob., est. 2001: 316.548 hab.) del centro-sur de Italia. El sector occidental forma parte de los APENINOS y el resto se compone principalmente de montañas bajas y colinas. Durante el reinado de la Liga LOMBARDA, a principios de la Edad Media, pertenecía al ducado de Benevento. En el s. XIII quedó sucesivamente en poder de gobernantes angevinos, españoles y borbones. En 1860 se unió a los ABRUZOS para formar la región de Abruzos y Molise, que se incorporó al Reino de Italia. En 1965, esta se dividió nuevamente en dos regiones separadas. Molise es una de las zonas más rurales de Italia. Su capital, CAMPOBASSO, es la única ciudad existente en ella.

Mollet, Guy (31 dic. 1905, Flers-de-l'Orne, Francia–3 oct. 1975, París). Político francés. Profesor de inglés en Arras, se integró al Partido Socialista en 1921 y se convirtió en 1939 en el líder del sindicato de profesores de tendencia socialista. Después de participar en la segunda guerra mundial, fue elegido a la Cámara de Diputados y pasó a ser secretario general del Partido Socialista (1946–69). Junto a PIERRE MENDÈS-FRANCE, condujo el Frente Republicano a la victoria y ocupó el cargo de primer ministro (1956–57). La incapacidad de hacer frente a la rebelión argelina y la crisis de Suez lo llevó a la derrota del gobierno. Sin embargo, se mantuvo como diputado y alcalde de Arras.

Guy Mollet, político francés.
HARLINGUE—H. ROGER-VIOLLET

Molnár, Ferenc (12 ene. 1878, Budapest, Hungría–1 abr. 1952, Nueva York, N.Y., EE.UU.). Escritor húngaro. Escribió sus primeros relatos cuando tenía 19 años de edad y logró su primer éxito con la obra de teatro *El diablo* (1907). Otras obras suyas, algunas llevadas al cine, son: *Liliom* (1909), también adaptada como musical con el título *Carousel*, *El cisne* (1920) y *El molino rojo* (1923). Algunos de sus relatos, especialmente *Music* (1908), son obras maestras que revelan los problemas que aquejan a los pobres. De sus muchas novelas, sólo *Los muchachos de la calle de Pál* (1907) conoció el éxito.

Moloc Antigua deidad del Medio Oriente a quien se inmolaban víctimas humanas, especialmente niños. Las leyes que Dios entregó a MOISÉS prohibieron expresamente el sacrificio de niños, como lo hacían los egipcios y cananeos. Un santuario dedicado a Moloc en los extramuros de Jerusalén fue destruido durante el reinado de JOSÍAS, el reformador.

Molótov, Viacheslav (Mijáilovich) *orig.* **Viacheslav Mijáilovich Skriabin** (9 mar. 1890, Kukarki, Rusia–8 nov. 1986, Moscú, Rusia, U.R.S.S.). Líder político soviético. Miembro de los bolcheviques desde 1906, trabajó en organizaciones comunistas provinciales desde 1917. Partidario incondicional de STALIN, se convirtió en secretario del comité central en 1921. Promovido al Politburó en 1926, se deshizo de los antiestalinistas del partido en Moscú (1928–30). Fue primer ministro (1930–41) y ministro de asuntos exteriores (1939–49, 1953–56). En 1939 negoció el Pacto de NO AGRESIÓN GERMANO-SOVIÉTICO, y durante la segunda guerra mundial ordenó la fabricación de bombas incendiarias de mezcla de productos inflamables, que más adelante se conocieron como "cócteles o bombas Molótov". Organizó las alianzas con Gran Bretaña y EE.UU. y fue el vocero soviético en las conferencias aliadas durante y después de la guerra. Tras ser destituido por NIKITA JRUSCHOV en 1956, participó en un intento fracasado por deponer a Jruschov (1957) y perdió todos sus cargos en el partido; en 1962 fue expulsado del Partido Comunista.

Moltke, Helmuth (Johannes Ludwig) von (25 may. 1848, Gersdorff, Mecklemburgo–18 jun. 1916, Berlín, Alemania). Militar alemán. Sobrino del conde VON MOLTKE, ascendió rápidamente en el ejército alemán y fue asistente de su tío a partir de 1882. Fue nombrado intendente general en 1903 y jefe del estado mayor general alemán en 1906. Al estallar la primera guerra mundial, aplicó el plan SCHLIEFFEN, ideado por su predecesor, pero su incapacidad de modificar el plan para poder abordar los errores tácticos y de dirección contribuyó a detener la ofensiva alemana en la batalla del MARNE (1914). Poco después fue relevado del mando y murió quebrantado dos años después.

Moltke, Helmuth (Karl Bernhard), conde von (26 oct. 1800, Parchim, Mecklemburgo–24 abr. 1891, Berlín, Alemania). General prusiano. Se integró al ejército prusiano en 1822 y fue nombrado en el estado mayor general en 1832. Luego de una misión como asesor en el ejército turco (1835–39), viajó ampliamente y escribió varios libros sobre viajes e historia. En 1855 fue asesor personal del príncipe prusiano Federico Guillermo (más adelante Federico III), con posterioridad fue nombrado jefe del estado mayor central prusiano (1857–88). Muy inteligente y de gran creatividad en materia militar, reorganizó el ejército prusiano y concibió nuevos métodos de dirección táctica y estratégica para ejércitos masivos modernos. Dirigió las estrategias que llevaron a la victoria en las guerras prusianas y alemanas contra Dinamarca (1864), contra Austria en la guerra de las SIETE SEMANAS (1866) y contra Francia en la guerra FRANCO-PRUSIANA (1870–71). Fue nombrado conde en 1870 y mariscal de campo en 1871.

Molucas, islas *indonesio* **Maluku** *ant.* **Islas de las Especias** Grupo insular (pob., est. 1999: 2.223.000 hab.), entre las CÉLEBES y NUEVA GUINEA, en el este de Indonesia. Las Molucas están formadas por tres grandes islas (HALMAHERA, CERAM y BURU) y varias más pequeñas. Su superficie es de unos 77.871 km² (30.066 mi²). Constituyen las provincias indonesias de Moluca y Moluca del Norte; las capitales provinciales son AMBON y Ternate, respectivamente. La población está compuesta por diversos grupos étnicos, entre ellos malayos y papuanos y descendientes de holandeses, portugueses y javaneses. Conocidas como Islas de las Especias, integraban la cadena de comercio asiático de las especias antes de ser descubiertas por los portugueses en 1511. Disputadas por españoles, ingleses y holandeses, quedaron finalmente en poder de estos últimos. Los japoneses las ocuparon durante la segunda guerra mundial; y luego fueron incorporadas al estado de Indonesia Oriental y, en 1949, a la República de Indonesia.

molusco Cualquiera de unas 75.000 especies de animales INVERTEBRADOS de cuerpo blando (filo Mollusca), muchos de los cuales están total o parcialmente encerrados en una concha de carbonato de calcio secretada por el manto, una cubierta blanda

formada por la pared del cuerpo. Entre el manto y el cuerpo está la cavidad del manto. Se distribuyen por la mayoría de los hábitats, desde las profundidades del mar hasta las altas montañas. Los moluscos vivos se agrupan normalmente en ocho clases: Gastropoda (ver GASTERÓPODO), Bivalvia o Pelecypoda (ver BIVALVO), Cephalopoda (ver CEFALÓPODOS), Scaphopoda (colmillos de mar o dentalios), Aplacophora (Solenogastros), Caudofoveata (a veces incluidos en el orden Aplacophora), Polyplacophora (chitones) y Monoplacophora. Tienen importancia económica como alimento y sus conchas se usan mucho en joyería y artículos decorativos.

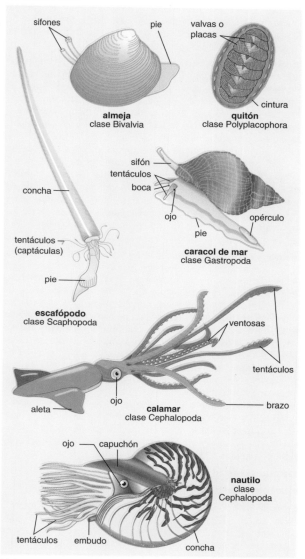

Moluscos representativos. Los bivalvos tienen una concha compuesta de dos mitades. Dado que se alimentan por filtración, absorben agua y alimento por medio de un sifón tubular. En el caso de la almeja, esta usa un pie muscular para enterrarse y arrastrarse. Los quitones, que se encuentran comúnmente adheridos a las rocas y conchas, tienen la valva dividida en ocho placas imbricadas. Los escafópodos (colmillos de mar) son moluscos excavadores y su concha está abierta en ambos extremos. La parte más larga la entierran en la arena y se alimentan de microorganismos que atrapan con los tentáculos. Los caracoles de mar, como la mayor parte de los gasterópodos (univalvos), tienen una sola concha, que usualmente es en espiral. Cuando son amenazados pueden refugiarse en su concha, la cual se cierra por medio de una placa (opérculo). Los cefalópodos tienen una cabeza bien desarrollada y un pie dividido en numerosos tentáculos. El calamar usa sus dos tentáculos largos para capturar la presa y los cortos, para llevarse el alimento a la boca. El nautilo es el único cefalópodo que ha conservado una concha externa; al controlar la cantidad de gas y líquido en las cámaras interiores, puede regular su flotación.

Mombasa Ciudad de Kenia (pob., 1989: 461.753 hab.) en la isla de Mombasa frente a la costa sur del país. La isla tiene una superficie de 14,25 km² (5,5 mi²) y está conectada con el continente por una carretera elevada, un puente y transbordadores; la ciudad abarca un sector continental de 259 km² (100 mi²). Fundada por mercaderes árabes en el s. XI, en 1498 arribó el navegante portugués VASCO DA GAMA. Dada su posición estratégica para el comercio en el océano Índico, fue objeto de luchas continuas para asegurar su control, pasando sucesivamente de manos árabes, persas, portuguesas y turcas hasta 1840, año en que ZANZÍBAR logró el control. En 1895 pasó a ser administrada por los británicos y fue la capital del protectorado de África Oriental hasta 1907. Es el principal puerto de Kenia y la segunda ciudad más populosa del país; también es un importante mercado agrícola.

momento *o* **momentum** Producto de la MASA de una partícula por su VELOCIDAD. La segunda ley del movimiento de NEWTON afirma que la velocidad de cambio del momento es proporcional a la fuerza que actúa sobre la partícula. ALBERT EINSTEIN demostró que la masa de una partícula aumenta a medida que su velocidad se acerca a la de la luz. A las velocidades que contempla la MECÁNICA clásica, el efecto de la velocidad sobre la masa puede ser despreciado, y los cambios en el momento son sólo el resultado de cambios en la velocidad. Si una fuerza constante actúa sobre una partícula durante un tiempo dado, el producto de la fuerza por el intervalo de tiempo, esto es, el impulso, es igual al cambio en el momento. Para un cuerpo rígido, el momento total es la suma de los momentos individuales de cada partícula del cuerpo. Ver también MOMENTO ANGULAR.

momento angular Propiedad que describe el ímpetu rotacional (o cantidad de movimiento rotacional) de un sistema en torno a un eje, y que para un cuerpo rígido es igual al producto de su momento de INERCIA por su VECTOR velocidad angular. Es un vector que tiene tanto magnitud como dirección. La magnitud del momento angular de una partícula es el producto de su MOMENTO lineal (masa m × velocidad v) por la distancia r perpendicular desde el centro de rotación, o sea, mvr. La dirección del momento angular y del vector velocidad angular es la del eje de rotación. El momento angular de un sistema aislado es constante. Esto significa que un objeto rígido que rota, continúa haciéndolo a una velocidad constante a menos de que sea sometido a un momento de torsión (ver TORQUE) externo. Por esto, el GIRÓSCOPO que rota en un avión permanece con la orientación de su eje fija, independiente del movimiento del avión, debido que conserva tanto la dirección como la magnitud de su momento angular.

momento de inercia ver momento de INERCIA

momento de torsión ver TORQUE

momia Cuerpo embalsamado o preservado para el entierro. En el antiguo Egipto el proceso varió de una época a otra, pero siempre implicó la extracción de los órganos internos, el tratamiento del cuerpo con resina y su envoltura con vendaje de lino. (En la época egipcia tardía, los órganos se reponían después de tratarlos). Entre algunos de los numerosos pueblos que practicaron la momificación se encontraban aquellos de las islas del estrecho de TORRES, cerca de Papúa Nueva Guinea y los INCAS.

momias de las turberas Recopilación informal de restos humanos (cerca de 700) encontrados en distintos estados de conservación durante los últimos 200 años en turberas naturales, principalmente en Europa occidental. Los cadáveres, algunos incluso con tejidos blandos y restos de alimento en el estómago, se han conservado gracias a las condiciones anaeróbicas de las turberas. Cronológicamente, su datación oscila entre c. 8000 AC y los inicios de la época medieval. El hecho de que varios de estos restos se encuentren con la garganta cortada, extremidades fracturadas, sogas alrededor del cuello, etc. sugiere la posibilidad de matanzas rituales, asesinatos y entierros ignominiosos (dado que ninguno fue hallado dentro de una sepultura).

Mommsen, (Christian Matthias) Theodor (30 nov. 1817, Garding, Schleswig–1 nov. 1903, Charlottenburg, cerca de Berlín, Imperio alemán). Historiador y escritor alemán. Después de estudiar leyes, realizó investigaciones en Italia y se transformó en un maestro de la epigrafía, el estudio e interpretación de inscripciones. En 1848 fue nombrado catedrático de derecho romano en Leipzig. Sin embargo, al poco tiempo fue destituido por su participación en actividades políticas liberales; posteriormente ocupó cargos docentes en otros lugares. Se mantuvo activo políticamente durante toda su vida. Se le conoce particularmente por su obra *Historia de Roma*, 4 vol. (1854–56, 1885), considerada su obra maestra. Editó el *Corpus inscriptionum latinarum* (de 1863), colección exhaustiva de inscripciones latinas que contribuyeron significativamente para el entendimiento de la vida en el mundo antiguo. Su obra *Römisches Staatsrecht* [Derecho constitucional romano], 3 vol. (1871–88), representó la primera codificación del derecho romano. Tuvo una producción voluminosa a lo largo de toda su vida; publicó aproximadamente mil ensayos sobre temas eruditos. En 1902 recibió el Premio Nobel de Literatura.

mon Miembro de un pueblo que, según se cree, se originó en China occidental; en la actualidad habita la región sudoriental de Myanmar (Birmania) y el centro-oeste de Tailandia. Han vivido en este lugar durante los últimos 1.200 años y llevaron a Myanmar su escritura (pali) y su religión (budismo). Sus productos agrícolas más importantes son el arroz y la madera de teca. En la actualidad suman más de 1,1 millones de personas. Ver también DVARAVATI; reino MON.

mon, reino Reino del pueblo MON, que fue poderoso en Myanmar (Birmania) en los s. IX–XI, XIII–XVI y por un período breve a mediados del s. XVIII. En 825 habían fundado Thaton, la capital, y Pegu. El reino mon fue derrotado por el reino birmano de PAGAN. Cuando este cayó frente a los mongoles (1287), los mon recuperaron su independencia y su antiguo territorio. Fueron nuevamente derrotados en 1539. Volvieron a establecer Pegu por un breve período durante el s. XVIII, pero la ciudad fue destruida por ALAUNGPAYA en 1757. Ver también DVARAVATI.

monacato Movimiento religioso institucionalizado cuyos miembros llevan los votos de una vida ascética de plegaria, meditación y buenas obras. Los miembros de una orden monástica (monjes) generalmente son célibes y viven aparte de la sociedad, tanto en una comunidad de monjes o monjas, o bien como religiosos aislados. Las primeras comunidades monásticas cristianas se fundaron en los desiertos de Egipto, la más importante por el ermitaño san ANTONIO ABAD (n. 251–m. 356). San Pacomio (n. circa 290–m. 346) le dio su forma cenobítica más conocida. San BASILIO EL GRANDE estableció una regla muy influyente para la Iglesia oriental, y san Juan Casiano (n. 360–m. 465) contribuyó a difundir el monacato en Europa occidental. La orden benedictina (ver BENEDICTINO), creada por san BENITO DE NURSIA en el s. VI, llamó a la moderación de las prácticas ascéticas y estableció un servicio de culto en horas regulares. Durante toda la Edad Media, el monacato desempeñó una función vital no sólo para difundir el cristianismo, sino también para preservar y ampliar la literatura y el saber. Experimentó reformas periódicas, principalmente por los clunicenses en el s. X y los CISTERCIENSES en el s. XII, y vio surgir órdenes mendicantes, como los DOMINICOS y FRANCISCANOS. También ha sido importante en las religiones orientales. En la época hindú primitiva (c. 600–200 AC) hubo ermitaños que vivían en grupos (ASHRAMS), aunque no llevaban una vida comunitaria muy organizada. El JAINISMO sería la primera religión que tuvo una vida monástica organizada, que se caracterizó por su ascetismo extremo. Los monjes budistas observan una regla moderada que evita los extremos de la autocomplacencia y la automortificación.

MÓNACO

▸ **Superficie:** 1,97 km²
(0,76 mi²)

▸ **Población:** 32.700 hab.
(est. 2005)

▸ **Capital:** Mónaco

▸ **Moneda:** euro

Mónaco *ofic.* **Principado de Mónaco** Principado independiente en el mar Mediterráneo, cerca de la frontera francoitaliana. La mayoría de sus habitantes son ciudadanos franceses, con una pequeña cantidad de italianos. Menos del 15% son de origen monegasco. Idioma: francés (oficial). Religión: catolicismo. Poblada desde tiempos prehistóricos, la región fue conocida por fenicios, griegos, cartagineses y romanos. Los genoveses se apoderaron de ella en 1191, y en 1297 comenzó el reinado de la familia Grimaldi. Estos se aliaron con Francia, con excepción del período entre 1524 y 1641, cuando estuvieron bajo la protección de España. Francia se anexó Mónaco en 1793 y permaneció bajo control francés hasta la caída de NAPOLEÓN I, cuando regresaron los Grimaldi. En 1815 se convirtió en protectorado de Cerdeña. En 1861 se suscribió un tratado que contempló la venta de los feudos de Menton y Roquebrune a Francia y la independencia de Mónaco. Situado en la COSTA AZUL, es uno de los balnearios más lujosos de Europa, conocido por el casino de MONTECARLO, las carreras internacionales de automóviles deportivos y sus playas. En 1997, bajo el príncipe RAINIERO III, se celebraron los 700 años de reinado de la familia.

La Costa Azul en Mónaco.
ARCHIVO EDIT. SANTIAGO

Monarda Género que comprende 12 plantas anuales o perennes de Norteamérica conocidas como BERGAMOTO, sándalo de jardín y monarda. Pertenecen a la familia de las Labiadas (ver MENTA) y tienen flores llamativas. El bergamoto silvestre (*M. fistulosa*) tiene un aroma a menta. El té de Oswego (*M. didyma*), mucho más aromático, es originario del este de Norteamérica, pero se cultiva ampliamente en otras partes.

monarquía SOBERANÍA indivisa o gobierno de una sola persona, que es la cabeza permanente del Estado. El término se emplea actualmente para referirse a los países con soberanos hereditarios. El monarca era la cabeza ideal de los nuevos estados-naciones de los s. XVI–XVII; sus atribuciones eran casi ilimitadas (ver ABSOLUTISMO), aunque el PARLAMENTO BRITÁNICO logró restringir la libertad de acción del soberano, particularmente mediante la CARTA MAGNA (1215) y la DECLARACIÓN DE DERECHOS (1689). La vieja idea de que el monarca representaba (dentro de sus dominios) el gobierno de Dios sobre todas las cosas culminó en el s. XVII en la doctrina del origen divino de los REYES (ver MONARQUÍA DE ORIGEN DIVINO), ejemplificada por LUIS XIV. El absolutismo monárquico se adaptó a la ILUSTRACIÓN evolucionando hacia el "despotismo ilustrado", tipificado por el gobierno de CATALINA II de Rusia. La REVOLUCIÓN FRANCESA le asestó a la monarquía absoluta un golpe aplastante, y la primera guerra mundial destruyó

de facto lo que quedaba de ella; se sindicó a los gobernantes de Rusia, Alemania y Austria-Hungría responsables de la guerra y del sufrimiento de la posguerra. La institución se transformó en MONARQUÍA CONSTITUCIONAL en Europa occidental, aunque en el Medio Oriente continúan existiendo monarquías absolutas.

monarquía constitucional Sistema de gobierno en el cual el monarca (ver MONARQUÍA) comparte el poder con un gobierno constitucional. El monarca puede ser el jefe de Estado de facto o un personaje que cumple funciones puramente ceremoniales. La CONSTITUCIÓN asigna el resto del poder del Estado a la legislatura y al poder judicial. Gran Bretaña se transformó en monarquía constitucional bajo los WHIGS; otras monarquías constitucionales son las de Bélgica, Camboya, España, Jordania, Noruega, Países Bajos, Suecia y Tailandia.

monarquía de origen divino Noción religioso-política según la cual el gobernante es la encarnación, la manifestación, el mediador o el representante de lo sagrado. En algunas sociedades sin escritura, sus miembros consideran a los soberanos o jefes como herederos del poder mágico de la propia comunidad. El monarca puede ejercer ese poder en forma malévola o benévola, pero generalmente tiene la responsabilidad de influir en el clima y la fertilidad de la tierra para asegurar las cosechas y con ello la supervivencia. En otras sociedades, especialmente las de la antigua China, Medio Oriente y América del Sur, se asociaba al monarca a un dios específico o bien era la divinidad misma; en Japón, Perú (entre los incas), Mesopotamia y el mundo grecorromano, se lo concebía como hijo de un dios. En cualquier caso, ya fuera que el gobernante encarnara su propio poder mágico o el de la comunidad, tenía por misión proteger a su gente de los enemigos y, en general, alimentar y cuidar a su pueblo. Según un tercer tipo de monarquía de origen divino, practicada en Europa, el monarca es el mediador o representante ejecutivo de un dios. En esta modalidad es la institución de la monarquía, más que la persona del gobernante, lo que simboliza lo sagrado.

monasterio Comunidad local o residencia de una orden religiosa, en particular de monjes. Los monasterios cristianos tuvieron su origen en Egipto, donde los monjes, que en un comienzo vivían aislados como ermitaños, comenzaron a convivir en grupos comunales. Luego, los monasterios se propagaron al resto del mundo cristiano. A menudo incluían un espacio central para la iglesia, capillas, fuente y refectorio. En la EDAD MEDIA sirvieron como centros de culto y de estudio, y a menudo jugaron un papel importante para varios gobernantes europeos. El *vihara* era un antiguo monasterio budista, consistente en un patio abierto rodeado de celdas abiertas, accesibles a través de un porche. Originalmente construidos en India para proteger a los monjes durante la temporada de lluvia, los *viharas* adquirieron un carácter sagrado cuando se instalaron pequeñas STUPAS e imágenes del Buda en el patio central. En el oeste de India, los *viharas* eran por lo general excavados en acantilados rocosos. Ver también ABADÍA.

Monck, George, 1er duque de Albermarle (5 dic. 1608, Great Potheridge, Devon, Inglaterra–3 ene. 1670, Londres). General inglés. Sirvió en el ejército holandés contra los españoles en los Países Bajos (1629–38) y posteriormente reprimió una rebelión en Irlanda (1642–43). Combatió en Irlanda y Escocia en las guerras civiles INGLESAS, y luego fue comandante (1650) y gobernador (1654) en Escocia. Nombrado almirante de la flota (1652) en las guerras ANGLO-HOLANDESAS, tuvo una destacada actuación en las victorias navales inglesas. En 1660 fue el principal arquitecto de la RESTAURACIÓN de la monarquía Estuardo, por lo cual fue nombrado duque de Albemarle.

Mondale, Walter F(rederick) (n. 5 ene. 1928, Ceylon, Minn., EE.UU.). Político estadounidense. Perteneció al Partido Laboral y Agrícola de Minnesota y trabajó en la campaña senatorial de HUBERT H. HUMPHREY en 1948. En 1956 egresó de la escuela de derecho de la Universidad de Minnesota y fue fiscal general del estado desde 1960 hasta su nombramiento, en 1964, para reemplazar a Humphrey en el Senado durante la parte pendiente de su período, cuando Humphrey ganó la elección como vicepresidente con LYNDON B. JOHNSON. Ganó la elección de senador en 1966 y la reelección en 1972. En 1976 fue elegido vicepresidente con JIMMY CARTER. En 1984 ganó la candidatura presidencial demócrata, pero perdió la elección frente a RONALD REAGAN. Volvió al ejercicio de su profesión de abogado y más adelante fue embajador en Japón (1993–96). En 2002 hizo campaña para senador, cuando Paul Wellstone, senador por Minnesota, murió en un accidente de aviación días antes de la elección; perdió por un margen muy estrecho.

Monde, Le (francés: "El Mundo"). Periódico publicado en París, uno de los más importantes y respetados en todo el mundo. Después de que el ejército alemán dejara la ciudad en 1944 se estableció como un órgano independiente desvinculado del gobierno y de subsidios privados. Desde un comienzo ofreció cobertura a fondo de noticias nacionales e internacionales, y pronto cobró renombre debido a su exactitud e independencia. Sus escritores presentan sus propios puntos de vista, de modo que el periódico no privilegia ninguna perspectiva ideológica particular, lo que genera elogios y críticas de todos los sectores del espectro político francés.

Mondino de' Luzzi *latín* **Mundinus** (c. 1270, Bolonia, Italia–c. 1326, Bolonia). Médico y anatomista italiano. Reintrodujo la enseñanza sistemática de la anatomía, abandonada durante muchos siglos en el currículum médico e hizo disecciones en disertaciones públicas. Su *Anathomia Mundini* (1316, impresa en 1478) fue el manual estándar de los disectores hasta la época de ANDREAS VESALIUS. Aunque siguió estrictamente las enseñanzas de GALENO, con descripciones a veces inexactas de los órganos internos, inauguró una nueva era en la difusión del conocimiento anatómico.

Mondrian, Piet *orig.* **Pieter Cornelis Mondriaan** (7 mar. 1872, Amersfoort, Países Bajos–1 feb. 1944, Nueva York, N.Y., EE.UU.). Pintor neerlandés. Ante la insistencia de su padre, rector de un colegio calvinista, obtuvo un título en educación, pero inmediatamente después comenzó a tomar lecciones de pintura. Sus primeras pinturas fueron exhibidas en 1893; su obra inicial reflejó la influencia de las tendencias de vanguardia, como el POSTIMPRESIONISMO y el CUBISMO. En 1917, Mondrian junto con otros tres pintores, fundó el periódico y movimiento de arte conocido como De STIJL. El grupo propugnaba un estilo llamado "neoplasticismo" que, por una parte, rechazaba por completo como tema la realidad percibida visualmente, y por otra, restringía el lenguaje pictórico a sus elementos más básicos: la línea recta, los colores primarios y los tonos de negro, blanco y gris. Pintó en este estilo durante los siguientes 20 años hasta que huyendo de los estragos de la guerra abandonó París y viajó a Londres, y luego a Nueva York, en 1940. Inspirándose en la agitada vida de la ciudad y en los nuevos ritmos de las formas musicales, como el jazz, reemplazó sus austeros diseños por una serie de pequeños cuadrados y rectángulos, que se unían en un flujo de coloridas líneas verticales y horizontales. Sus últimas obras maestras (p. ej., *Broadway Boogie-Woogie*, 1942–43) expresan esta nueva vivacidad. La constante evolución del arte de Mondrian hacia la total abstracción constituyó una hazaña extraordinaria en la historia del arte moderno, y su obra anunció el auge del arte abstracto en las décadas de 1940–50.

moneda En las naciones industrializadas, OFERTA MONETARIA nacional (que consta de billetes de banco y billetes y monedas que emite el gobierno [ver DINERO]) que no requiere de endoso para ser utilizada como medio de intercambio. Desde que se abandonó el PATRÓN ORO, los gobiernos no están obligados a reembolsar ningún tipo de metal precioso a los tenedores de moneda. En consecuencia, no es la oferta de metales preciosos sino las medidas que adopta el gobierno o el BANCO CENTRAL las que determinan el volumen monetario. En sociedades menos desarrolladas o en tiempos de escasez, pueden servir de moneda productos como ganado o tabaco (cigarros). Ver también ACUÑACIÓN.

Monet, Claude (14 nov. 1840, París, Francia–5 dic. 1926, Giverny). Pintor paisajista francés. Monet pasó sus primeros años en El Havre, donde su primer profesor, EUGÈNE BOUDIN, le enseñó a pintar al aire libre. Al mudarse a París entabló amistad para toda la vida con otros pintores jóvenes, entre ellos PIERRE-AUGUSTE RENOIR, ALFRED SISLEY y PAUL CÉZANNE. Desde mediados de la década de 1860, Monet buscó un nuevo estilo; en lugar de intentar reproducir fielmente el detalle de la escena con sus ojos, plasmó en terreno la impresión que la visión relajada y momentánea le permitía percibir. En 1874 ayudó a organizar una exposición independiente, al margen del Salón Oficial, con las obras que él y sus amigos realizaron en este estilo. Una de las obras que Monet exhibió en la exposición, *Impresión, amanecer* (1872), motivó al periodista Louis Leroy para darles el nombre con el cual se conocen hasta hoy. Durante la década de 1870, Monet y los demás impresionistas exploraron este estilo y montaron exposiciones en conjunto. En 1881, el grupo original ya había comenzado a desintegrarse, y sólo Monet seguía escudriñando la naturaleza con el mismo fervor. En sus obras maduras, desarrolló su método de realizar una serie de varios estudios del mismo motivo (p. ej., los almiares, 1891 y la catedral de Ruán, 1894), cambiando las telas de acuerdo con las variaciones de la luz o de su propio interés. En 1893, en el jardín de su casa en Giverny, Monet creó la laguna de nenúfares que inspiró sus obras más famosas, la lírica serie de pinturas *Nenúfares*. Exposiciones retrospectivas de su obra han viajado alrededor del mundo durante las últimas décadas del s. XX, despertando gran entusiasmo en el público y confirmando su fama como una de las figuras más significativas y populares de la tradición pictórica occidental moderna.

"Regata en Agenteuil", óleo sobre lienzo de Claude Monet, 1872.
FOTOBANCO

monetaria, política Medidas empleadas por los gobiernos para influir en la actividad económica, específicamente mediante la manipulación de la OFERTA MONETARIA y de las tasas de INTERÉS. La política FISCAL y monetaria son dos formas con que los gobiernos intentan alcanzar o mantener altos niveles de empleo, estabilidad de precios y CRECIMIENTO ECONÓMICO. El BANCO CENTRAL de una nación dirige la política monetaria. En EE.UU., la política monetaria es responsabilidad del Sistema de la RESERVA FEDERAL, el que utiliza tres instrumentos principales: operaciones de MERCADO ABIERTO, TASAS DE DESCUENTO y encaje legal. En la época posterior a la segunda guerra mundial, los economistas llegaron al consenso de que, en el largo plazo, se genera INFLACIÓN cuando la oferta monetaria crece a una tasa muy rápida. Ver también MONETARISMO.

monetarismo Escuela del pensamiento económico que sostiene que la OFERTA MONETARIA es el determinante principal de la actividad económica. MILTON FRIEDMAN y sus seguidores promovieron el monetarismo como una alternativa a la economía keynesiana (ver JOHN MAYNARD KEYNES). Sus teorías económicas tuvieron gran influencia en la década de 1970 y principios de la siguiente. Según el monetarismo, un cambio en la oferta monetaria afecta y determina directamente la producción, el empleo y los niveles de precios, aunque su influencia sólo se hace evidente tras un período prolongado y a menudo variable. En el enfoque monetarista es esencial rechazar la política FISCAL en favor del "régimen monetario". Friedman y otros economistas sostenían que las medidas fiscales como los cambios en la política tributaria o el aumento del gasto público tienen un efecto poco significativo en las fluctuaciones del CICLO ECONÓMICO. Manifestaban que la intervención del gobierno en la economía debía ser mínima y que las condiciones económicas cambiarían antes de que surtieran efecto las medidas económicas específicas diseñadas para hacer frente a esas condiciones. A su juicio, el crecimiento constante y moderado de la oferta monetaria ofrece las mejores expectativas de lograr una tasa constante de crecimiento económico con inflación baja. Los resultados económicos de EE.UU. en la década de 1980 arrojaron dudas respecto del monetarismo y la proliferación de nuevos tipos de depósitos bancarios hacía difícil calcular la oferta monetaria.

Mongkut o **Phrachomklao** o **Rama IV** (18 oct. 1804, Bangkok, Siam–15 oct. 1868, Bangkok). Rey de Siam (Tailandia; r. 1851–68). El cuadragésimo tercer hijo del rey Rama II, fue monje y teólogo budista antes de ascender al trono. Su budismo reformado surgió en la secta Thammayut, que en la actualidad ocupa el centro intelectual del budismo thai. Sus inquietudes intelectuales también lo llevaron a tomar contacto con el pensamiento occidental. Como rey, abrió plenamente Siam al comercio con Occidente y combinó la tolerancia y la astucia para ayudar a asegurar su supervivencia como nación independiente. En las memorias de una institutriz inglesa, empleada en la casa real, se basó la comedia musical *El rey y yo*.

mongo Grupo étnico que vive en los bosques ecuatoriales de África. Sus miembros hablan un dialecto de lengua común, mongo o nkundo, que pertenece a las lenguas NIGEROCON-GOLEÑAS. Tradicionalmente cultivaban mandioca y bananas, además de dedicarse a la caza, pesca y recolección. Su religión se centra en el culto a los ANTEPASADOS y los espíritus naturales; también se caracteriza por la magia y hechicería. Su arte ha sido principalmente oral; cultivan una particular literatura basada en un diálogo de percusión y cantos. Su población suma unos cinco millones de personas.

mongol Pueblo asiático originario de la meseta de MONGOLIA, cuyos miembros comparten un idioma común y una tradición nómada de crianza de ganado vacuno, ovino, caprino y equino. Aunque en los s. X–XII en Mongolia reinaron las tribus jitan (ver dinastía LIAO), y juchen (dinastía Jin), además de los TÁRTA-ROS (todos pueblos mongoles), su poder aumentó en el s. XIII cuando GENGIS KAN, sus hijos (entre ellos OGODAY) y sus nietos BATU y KUBLAI KAN crearon uno de los imperios más grandes del mundo. Este decayó en forma importante en el s. XIV, cuando la dinastía MING ascendió al poder en China y los moscovitas derrotaron a la HORDA DE ORO. Las incursiones de los Ming acabaron con la unidad de los mongoles; en los s. XV–XVI existía solamente una federación debilitada. En la actualidad, la meseta está dividida en dos: Mongolia independiente y MONGOLIA INTERIOR, controlada por China. Otros mongoles viven en Siberia. Su principal religión es el budismo tibetano.

mongol, dinastía ver dinastía YUAN

mongoles, lenguas Familia compuesta por cerca de ocho lenguas ALTAICAS habladas por cinco a siete millones de personas en Eurasia central. Todas las lenguas mongoles tienen un grado de parentesco relativamente cercano; aquellas lenguas cuyos hablantes fueron los primeros que abandonaron la zona del núcleo lingüístico en Mongolia, tienden a ser las más divergentes. La lengua más antigua es el mogholi (mogul, mongol), actualmente hablada por menos de 200 personas en el oeste de Afganistán. Menos divergentes son las lenguas

de varios grupos étnicos en el noroeste de China, el este de Qinghai y lugares adyacentes de Gansu y Mongolia Interior, habladas en total por menos de 500.000 personas. Las lenguas nucleares son el mongol propiamente tal, dialecto dominante en Mongolia y la base del mongol estándar moderno, además de un grupo de dialectos periféricos. El grupo nuclear de hablantes de mongol ha utilizado tradicionalmente el mongol clásico como lengua literaria; se escribe en un sistema alfabético vertical tomado de los UIGURES (ver lenguas TURCAS). El mongol moderno se escribió con este sistema hasta 1946, cuando la República Popular de Mongolia introdujo un sistema de escritura con un alfabeto CIRÍLICO modificado. Con la democratización política ocurrida en la década de 1990, ha resurgido el antiguo sistema de escritura. En Mongolia Interior este se ha utilizado en forma ininterrumpida.

MONGOLIA

▸ **Superficie:** 1.564.116 km² (603.909 mi²)

▸ **Población:** 2.550.000 hab. (est. 2005)

▸ **Capital:** ULAN BATOR

▸ **Moneda:** tugrik

Mongolia ant. **Mongolia Exterior** País del centro norte de Asia, situado entre Rusia y China. Casi 80% de los habitantes son mongoles; el resto está compuesto de kázaros, rusos y chinos. Idiomas: kalka (mongoliano), lenguas turcas, ruso y chino. Religiones: budismo tántrico e Islam. El territorio tiene una altitud promedio de 1.580 m (5.200 pies) sobre el nivel del mar. Tres cadenas montañosas se extienden en el norte y el oeste: el Altái, el Hangayn Nuruu (Khangai) y el Hentiyn Nuruu (Khentei). En el sur y el este está el desierto de GOBI. La ganadería, en especial de ganado ovino, representa 75% del valor total de la producción agropecuaria; el trigo es el principal cultivo. Sus principales recursos minerales son carbón, hierro y estaño. Es una república unicameral; el jefe de Estado es el presidente y el jefe de Gobierno, el primer ministro. En el neolítico la región estuvo poblada por pequeños grupos de cazadores y nómadas. Durante el s. III AC se transformó en el centro de la liga tribal XIONGNU. Los turcos la dominaron entre los s. IV–X DC. A principios del s. XIII, GENGIS KAN unificó las tribus mongolas y conquistó Asia central. Su sucesor, OGODAY, se impuso sobre la dinastía JIN de CHINA en 1234. En 1279, KUBLAI KAN estableció en China la dinastía YUAN, o mongol. Después del s. XIV, los mongoles fueron confinados a su territorio originario en las estepas.

Yurtas, viviendas de nómadas de Mongolia.
BRUNO MORANDI/ROBERT HARDING WORLD IMAGERY/GETTY IMAGES

Ligdan Kan (r. 1604–34) unificó a las tribus mongolas para que se defendieran contra los MANCHÚES, pero después de su muerte los mongoles pasaron a estar bajo el dominio de la dinastía QING de China. Después de la caída de la dinastía Qing en 1912, los príncipes mongoles, apoyados por Rusia, declararon la independencia de Mongolia respecto de China, y en 1921 el Ejército Rojo soviético ayudó a repeler las fuerzas chinas y rusas. En 1924 se instauró la República Popular de Mongolia. En 1992, el país adoptó una nueva constitución y acortó su nombre a Mongolia.

Mongolia Interior *chino* **Nei -menggu** *o* **Nei Mong-ku**
Región autónoma (pob., est. 2000: 23.760.000 hab.) de China. Se extiende cerca de 2.900 km (1.800 mi) a lo largo del nornordeste de China y tiene una superficie de 1.177.500 km² (454.600 mi²); su capital es HUHHOT. Mongoles y chinos constituyen el grueso de la población, en su mayoría concentrada en la franja agrícola situada cerca del HUANG HE (río Amarillo). La región es una meseta interior de unos 900 m (3.000 pies) de altitud; está bordeada por montañas y valles. Su parte norte está dentro del desierto de GOBI, y su frontera sur está parcialmente demarcada por la GRAN MURALLA. Mongolia Interior fue separada de MONGOLIA (Mongolia Exterior) en 1644, y en 1947 se transformó en una región autónoma. Su duro clima limita la agricultura intensiva; registra un incipiente desarrollo industrial.

mongoloide ver RAZA

monismo En METAFÍSICA, doctrina que afirma que el mundo es esencialmente una sustancia o contiene sólo un tipo de sustancia. El monismo se opone al DUALISMO y al PLURALISMO. Ejemplos de monismo son el MATERIALISMO, PANTEÍSMO y el IDEALISMO metafísico. Ver también BARUCH SPINOZA.

monitor Buque de guerra BLINDADO, diseñado originalmente para uso en puertos poco profundos y en ríos, que en Norteamérica se utilizaron para bloquear a los estados confederados durante la guerra de SECESIÓN. El acorazado, construido por JOHN ERICSSON, recibió el nombre de *Monitor*. Su innovador diseño tenía entre sus características una exposición mínima sobre la línea de flotación, una cubierta y un casco con blindaje pesado, y una torreta giratoria para el cañón. El combate inconcluso entre el *Monitor* y el *Merrimack* (1862) (ver batalla de HAMPTON ROADS) fue el primero entre buques blindados. Ese mismo año, el *Monitor*, que nunca fue apropiado para la navegación marítima, naufragó durante un temporal cerca de cabo Hatteras; la armada estadounidense construyó varios monitores mejorados durante la guerra. La armada británica mantuvo en servicio sus monitores hasta la segunda guerra mundial.

monje ver MONACATO

monje blanco ver CISTERCIENSE

monjita americana *o* **reinita rayada** Especie de MOSQUITERO (*Dendroica striata*). Como todos los mosquiteros, es un pájaro pequeño y dinámico que se alimenta de insectos y tiene un pico corto y delgado. Es una especie común y menos llamativa que muchos otros mosquiteros, conocidos por su plumaje de colorido brillante.

mon-jmer, lenguas *o* **lenguas mon-khmer** Familia de alrededor de 130 lenguas AUSTROASIÁTICAS habladas por más de 80 millones de personas en el sur y sudeste de Asia. El VIETNAMITA cuenta con muchísimos más hablantes que todas las demás lenguas austroasiáticas. Otras lenguas con

Monjita americana (D. *striata*).
© ENCYCLOPÆDIA BRITANNICA, INC.

muchos hablantes son el muong, con alrededor de un millón de ellos en el norte de Vietnam; el JMER; el kuay (kuy), con tal vez 800.000 hablantes, y el mon, empleado por más de 800.000 personas en el sur de Myanmar y partes de Tailandia. De todas las lenguas mon-jmer, sólo el mon, el jmer y el vietnamita tienen tradiciones escritas anteriores al s. XIX. El mon antiguo, del que existen testimonios desde el s. VII, se escribía con un sistema originado en el sur de Asia que fue adaptado más tarde por los birmanos (ver reino MON; sistemas de escritura ÍNDICA). Algunos rasgos fonéticos típicos de las lenguas mon-jmer son el extenso repertorio de vocales y la ausencia de distinciones de TONO.

Monk, Meredith (Jane) (n. 20 nov. 1942, Lima, Perú). Compositora y artista performática estadounidense de origen peruano. Criada en Connecticut y Nueva York, estudió en el Sarah Lawrence College. Pronto formó su primer grupo, The House (1968), con el fin de explorar "técnicas de extensión vocal" (varias de ellas aprendidas del estudio de otras culturas) en combinación con la danza, cine, teatro y otros elementos, en obras de difícil clasificación genérica como *Juice* (1969). Se cuenta entre los creadores originales de la PERFORMANCE, y ha permanecido incomparable e inclasificable.

Monk, Thelonious (Sphere) (10 oct. 1917, Rocky Mount, N.C., EE.UU.–17 feb. 1982, Englewood, N.J.). Pianista y compositor de JAZZ estadounidense. Criado en Nueva York, trabajó como pianista estable de la Minton's Playhouse en dicha ciudad (1940–43), donde el vocabulario armónico creciente del BEBOP se gestaba. Hizo presentaciones con COLEMAN HAWKINS, Cootie Williams (n. ¿1908?–m. 1985) y DIZZY GILLESPIE antes de comenzar a realizar grabaciones bajo su propio nombre en 1947. Su muy percusivo e idiosincrásico modo de tocar, hacía uso frecuente de disonancias agudas y ritmos insistentes inusuales en el jazz. Su composición más conocida, "Round Midnight", se ha convertido en un *standard* del jazz.

Monmouth, James Scott, duque de *orig.* **James Fitzroy** *o* **James Crofts** (9 abr. 1649, Rotterdam, Países Bajos– 15 jul. 1685, Londres, Inglaterra).
Líder militar británico. Hijo ilegítimo de CARLOS II de Inglaterra, vivió en París con su madre. En 1662 fue llevado a Inglaterra como favorito del rey, quien lo nombró duque de Monmouth. Se casó con la heredera escocesa Anne Scott, duquesa de Buccleuch, y tomó su apellido. Miembro de la guardia real desde 1668, comandó tropas en las guerras ANGLO-HOLANDESAS y contra los rebeldes escoceses en 1679. Fue apoyado por los whigs anticatólicos para la sucesión real, pero tras la fracasada conspiración de RYE HOUSE se refugió en los Países Bajos (1684). Regresó tras la muerte de Carlos para desafiar a JACOBO II y fue derrotado junto a su ejército de campesinos, capturado y decapitado.

Duque de Monmouth, pintura al óleo al estilo de W. Wissing, c. 1683.
GENTILEZA DE LA NATIONAL PORTRAIT GALLERY, LONDRES

Monnet, Jean (9 nov. 1888, Cognac, Francia–16 mar. 1979, Bazoches-sur-Guyonne, Yvelines). Diplomático y economista francés. Dirigió su empresa familiar de coñac antes de convertirse en socio de un banco de inversiones (1925). En la segunda guerra mundial presidió un comité económico franco-británico y propuso una unión entre ambos países. En 1947 creó y dirigió el exitoso plan Monnet para reconstruir y modernizar la economía francesa. En 1950, junto a ROBERT SCHUMAN, propuso el plan para la COMUNIDAD EUROPEA DEL CARBÓN Y DEL ACERO, predecesora de la COMUNIDAD ECONÓMICA EUROPEA y la UNIÓN EUROPEA, fue nombrado su primer pdte. (1952–55). También fue fundador y pdte. del Comité de acción para los Estados Unidos de Europa (1955–75).

mono Cualquier miembro de dos grupos de PRIMATES antropoides: MONOS DEL VIEJO MUNDO y MONOS DEL NUEVO MUNDO. Casi todas las especies son tropicales o subtropicales, y diurnas. La mayoría es arbórea y usa las cuatro extremidades para saltar de árbol en árbol. Pueden sentarse erguidas y pararse erectas. La mayoría corre por las ramas en vez de braquiar como los SIMIOS. Los monos son sociales, omnívoros, y se organizan en clanes de hasta varios cientos de individuos encabezados por un macho mayor. Los machos sexualmente maduros son siempre potentes y todas las hembras no preñadas tienen un ciclo menstrual mensual. La mayoría de las especies da a luz una sola cría, la cual recibe el cuidado materno por años.

mono araña Cualquiera de cuatro especies (familia Cebidae) de MONOS DEL NUEVO MUNDO, diurnos y arbóreos, distribuidos de México a Brasil. Tienen miembros largos y algo panzones, miden 35–66 cm (14–26 pulg.) de largo, manos sin pulgares y una cola prensil y de pelaje tupido de 60–92 cm (24–36 pulg.). El pelaje es gris, rojizo, marrón o negro. Se columpian por las ramas, usando la cola y las manos, saltan o se dejan caer de árbol en árbol con los miembros extendidos. Comen fruta, nueces, flores y brotes. Se usan en laboratorio para estudiar el paludismo, al cual son susceptibles. Aunque a veces se mantienen como mascotas, los adultos suelen tener rabietas y pueden ser peligrosos.

Mono araña (Ateles geoffroyi).
© ENCYCLOPÆDIA BRITANNICA, INC.

mono ardilla Cualquiera de varias especies (género *Saimiri*, familia Cebidae) de MONOS DEL NUEVO MUNDO, arbóreos, que circulan durante el día por los bosques ribereños fluviales de América Central y del Sur, en grupos de hasta varios cientos. Comen fruta, insectos y animales pequeños. Miden 25–40 cm (10–16 pulg.) de largo y tienen una cola gruesa, no prensil y de punta negra de 37–47 cm (15–19 pulg.) de largo. Tienen una cara pequeña y blanca, ojos y orejas grandes, estas normalmente mechudas. El pelaje es corto y suave, grisáceo a verdoso, y amarillo o anaranjado en los brazos, manos y pies. La coronilla del mono ardilla común (*S. sciureus*) es aceitunada o grisácea; el de espalda roja (*S. oerstedii*) tiene la coronilla negra.

mono aullador Cualquiera de varias especies de MONOS (género *Alouatta*) de movimientos lentos de América tropical, notables por sus gritos clamorosos audibles a una distancia de 3–5 km (2–3 mi). Cinco especies de distribución amplia son los monos del Nuevo Mundo, de mayor tamaño, llegando normalmente a longitudes de 40–70 cm (16–28 pulg.) sin la cola, la cual mide 50–75 cm (20–30 pulg.) Los monos aulladores son de contextura robusta y barbados, de aspecto gibado y con una cola prensil de pelaje tupido. El pelaje es largo y grueso y según la especie, negro, marrón o rojo. Viven en grupos en territorios delimitados por contiendas de aullidos entre clanes vecinos. Son esencialmente folívoros.

mono del Nuevo Mundo Cualquiera especie de MONO sudamericano (platirrino) de una de dos familias: Callitrichidae (ver TITÍ) o la de los Cebidae, que incluye a los monos sudamericanos distintos a los tití, entre ellos los monos CAPUCHINO y los MONOS ARAÑA. Los platirrinos tienen la nariz y el tabique nasal anchos; este último separa a las narinas que son divergentes. Los pulgares son relativamente poco oponibles. La mayoría de las especies tiene cola larga, y en unas pocas es prensil. Ver también MONO DEL VIEJO MUNDO.

mono del Viejo Mundo Cualquiera de ciertos PRIMATES antropoides de África y Asia (también llamados catarrinos), para distinguirlos de los MONOS DEL NUEVO

Mono capuchino (Cebus capucinus).
© ENCYCLOPÆDIA BRITANNICA, INC

MUNDO (platirrinos). Se los distingue normalmente de estos últimos por su nariz y tabique nasal estrechos, narinas próximas que miran hacia adelante o abajo, conductos auditivos óseos, dos premolares en cada hemimandíbula, cola no prensil (si la hay) y placas de piel desnuda y dura (callosidades isquiáticas) en los glúteos. Los términos mono del Viejo Mundo y catarrino se aplican normalmente sólo a las familias Cercopithecidae (monos con abazones: cercopitecos, BABUINOS y otros) y Colobidae (monos folívoros), pero puede también incluir a las familias Hylobatidae (ver GIBÓN), Pongidae (ver SIMIO) y Hominidae (seres humanos). Ver también CERCOPITECO; COLOBO; MONO NARIGUDO.

mono fantasma ver TARSERO

mono narigudo Especie (*Nasalis larvatus*, familia Cercopithecidae) de MONO DEL VIEJO MUNDO, colilargo y arbóreo, de los manglares pantanosos de Borneo. De hábitos diurnos y vegetarianos, viven en grupos de unos 20 individuos. Son marrón rojizo y claros por debajo; las crías tienen la cara azul. La nariz del macho es larga y péndula, la de la hembra es más pequeña y la de las crías respingada. Los machos miden 56–72 cm (22–28 pulg.) de largo, tienen una cola de 66–75 cm (26–29 pulg.) y pesan 12–24 kg (26–53 lb); las hembras son más pequeñas y mucho más livianas.

monocopia ver MONOTIPO

monocotiledóneo ver ANGIOSPERMA; COTILEDÓN

Monod, Jacques (Lucien) (9 feb. 1910, París, Francia–31 may. 1976, Cannes). Bioquímico francés. En 1961 junto con FRANCOIS JACOB propusieron la existencia del ARN (ácido ribonucleico) mensajero (mARN), especulando que el mensajero lleva la información codificada en la secuencia de bases a los RIBOSOMAS, donde la secuencia de bases del ARN mensajero es traducida a su vez a la de aminoácidos de una proteína. Al proponer el concepto de complejos de genes, que denominaron OPERONES, sugirieron la existencia de un tipo de genes que regula la función de otros genes, regulando la síntesis del mARN. En 1965 ambos compartieron el Premio Nobel con André Lwoff (n. 1902–m. 1994).

monodia Término usado como sinónimo de MONOFONÍA y además como nombre de un estilo de canción para solista con acompañamiento instrumental, de comienzos del s. XVII. Representó una reacción contra el estilo contrapuntístico (basado en la combinación de líneas melódicas simultáneas) del MADRIGAL y MOTETE del s. XVI. Los compositores, en un claro intento de emular la antigua música griega, otorgaron renovada importancia a la articulación apropiada de los textos así como a su interpretación expresiva, y de este modo reemplazaron el CONTRAPUNTO por el RECITATIVO de acompañamiento simple. El resultado fue una distinción decisiva entre melodía y acompañamiento que coincide con la fase inicial del bajo CONTINUO. Una colección de canciones publicada por GIULIO CACCINI en 1602 es un ejemplo de la monodia primitiva. Ver también ÓPERA.

monofisita, herejía (s. V–VI dc). Doctrina que enfatizó la naturaleza única (el término significa literalmente "de una naturaleza") de Cristo, en tanto ser completamente divino y no parcialmente divino y humano. El monofisismo comenzó a surgir en el s. V; aunque condenado como herejía en el concilio de CALCEDONIA (451), fue tolerado por algunos gobernantes bizantinos como JUSTINO II, TEODORA y ZENÓN, lo que produjo un verdadero cisma entre Oriente y Occidente. En el s. VI se fundaron varias iglesias monofisitas, entre ellas la Iglesia COPTA ORTODOXA.

monofonía Música que consiste en una sola línea melódica sin acompañamiento instrumental. A menudo, el concepto abarca además una melodía que es acompañada por un zumbido o por percusión. Los ejemplos más antiguos de repertorio monofónico que se han conservado son el CANTO GREGORIANO y el CANTO BIZANTINO.

monograma Originalmente, una cifra que consistía en una sola letra, más tarde un diseño o marca formado por dos o más letras entrelazadas. Las letras así entrelazadas pueden ser todas las de un nombre o las letras iniciales de los nombres de pila y apellidos de una persona, a usarse en papel de carta, sellos o en cualquier otro lugar. Muchas monedas griegas y romanas antiguas llevan los monogramas de los gobernantes o de ciudades. El monograma más famoso es el sagrado, que está formado por la unión de las dos primeras letras griegas de ΧΡΙΣΤΟΣ (Cristo), generalmente con α (alfa) y ω (omega) del Apocalipsis en cada una de sus caras. La Edad Media fue muy prolífica en la creación de signos para uso eclesiástico, artístico y comercial. Otros que guardan relación son los colofones, utilizados para la identificación por editores e impresores, los SELLOS DE PUREZA de orfebres y plateros y los logotipos de empresas.

monómero Cualquier MOLÉCULA de una clase de compuestos mayoritariamente orgánicos que puede reaccionar con otras moléculas del mismo compuesto o de otros para formar moléculas mayores (POLÍMEROS). La característica esencial de las moléculas del monómero es la capacidad para formar uniones químicas (ver ENLACE) con al menos otras dos moléculas de monómero (polifuncionalidad). Aquellas capaces de reaccionar con otras dos pueden formar sólo polímeros de cadena; aquellas capaces de reaccionar con tres o más pueden formar una red de polímeros entrelazados. Ejemplos de monómeros (y sus polímeros) son el estireno (poliestireno), ETILENO (POLIETILENO) y AMINOÁCIDOS (PROTEÍNAS).

Monomotapa Título que ostentó el jefe de un reino que en los s. XIV–XVII dominó un territorio de África meridional, entre los ríos Zambeze y Limpopo, en los actuales Zimbabwe y Mozambique. Su imperio, a menudo llamado Matapa (o Mutapa), se asocia con la ubicación histórica del GRAN ZIMBABWE en el sudeste de Zimbabwe.

Monongahela, río Curso fluvial en el norte del estado de Virginia Occidental, EE.UU. Discurre al norte pasando por Morgantown en dirección al estado de Pensilvania y confluye con el ALLEGHENY en PITTSBURGH para formar el río OHIO, después de un curso total de 206 km (128 mi). En su curso superior es usado para generar energía hidroeléctrica. Es navegable gracias a la construcción de una serie de esclusas a lo largo de 170 km (106 mi) y funciona como ruta importante para barcazas.

mononucleosis infecciosa *o* **fiebre glandular** Infección común, causada por el virus de EPSTEIN-BARR. Ocurre más a menudo entre los 10–35 años de edad. Habitualmente los niños pequeños infectados se enferman poco o nada, pero se vuelven inmunes. Conocida popularmente como la "enfermedad del beso", se disemina sobretodo por contactos orales con intercambio de saliva. Por lo general dura entre 7 y 14 días. Los síntomas más comunes son malestar, dolor de garganta, fiebre y tumefacción de los ganglios linfáticos. El compromiso hepático es común, pero raras veces severo. A menudo el bazo se dilata y, en casos raros, puede romperse fatalmente. Las complicaciones menos frecuentes son erupción de la piel, NEUMONÍA, ENCEFALITIS (a veces fatal), MENINGITIS y NEURITIS periférica. Las recaídas y los ataques secundarios son raros. El diagnóstico puede requerir de exámenes de sangre. El tratamiento es inespecífico.

monopolio Posesión exclusiva de un mercado por el proveedor de un producto o servicio para el cual no existe sustituto. Al no existir competencia, el proveedor generalmente restringe la producción y aumenta el PRECIO para maximizar las UTILIDADES. El concepto de monopolio puro es útil para el análisis teórico, pero rara vez se encuentra en la realidad. Los economistas denominan "monopolios naturales" a aquellas situaciones en que resulta ineficiente tener más de un proveedor (p. ej., en el caso de la electricidad, el gas o el agua [ver empresa de SERVICIOS PÚBLICOS]). Para que existan monopolios debe haber una barrera que impida la entrada de empresas competidoras. En el caso de los monopolios naturales, el gobierno crea esa barrera. Los propios gobiernos locales suministran el servicio, o bien otorgan una franquicia a una empresa privada y la regulan. En algunos casos, una PATENTE efectiva puede actuar como barrera. En otros casos, la barrera que elimina a las empresas competidoras es tecnológica. Las operaciones integradas y de gran escala que aumentan la eficiencia y reducen los costos de producción otorgan un beneficio a las empresas que las adoptan y pueden también traducirse en beneficio para los consumidores si los menores costos se reflejan en productos de menor precio. En muchos casos, la barrera es el resultado de una conducta anticompetitiva de la empresa. La mayoría de las economías de libre empresa ha aprobado leyes para proteger a los consumidores del abuso del poder monopólico. Las leyes ANTIMONOPOLIOS estadounidenses son el ejemplo más antiguo de este tipo de legislación orientada a controlar los monopolios. Por su parte, la ley de servicios públicos es el corolario del derecho consuetudinario inglés relativo a los monopolios naturales. La ley antimonopolios prohíbe las FUSIONES y adquisiciones que reduzcan la competencia. La duda es si los consumidores se beneficiarán con el aumento de la eficiencia o serán castigados con una menor producción y un mayor precio. Ver también OLIGOPOLIO.

monopolística, competencia Situación de mercado en que pueden existir muchos compradores y vendedores independientes, pero donde la competencia está limitada por condiciones de mercado específicas. Esta teoría –desarrollada casi simultáneamente por Edward Hastings Chamberlin en su libro *Teoría de la competencia monopólica* (1933), y JOAN ROBINSON en su libro *Economía de la competencia imperfecta* (1933)– supone la diferenciación de productos, una situación en que los productos de cada vendedor tienen algunas propiedades únicas, lo que otorga al vendedor cierto poder monopolístico. Ver también MONOPOLIO; OLIGOPOLIO.

monopsonio En teoría económica, situación de mercado en que existe un solo comprador. Un ejemplo de monopsonio puro es aquella empresa que es la única compradora de mano de obra en un pueblo aislado. Esta empresa puede pagar salarios más bajos a sus trabajadores que los que pagaría si existieran otras firmas. Aunque los casos de monopsonio puro son poco comunes, siempre se encuentran elementos típicos de un monopsonio dondequiera que existan muchos vendedores y pocos compradores.

monorriel *o* **monocarril** *o* **monorraíl** Ferrovía eléctrica de un solo riel que se ubica arriba o abajo de los vagones. Los primeros sistemas fueron introducidos a comienzos del s. XX; probablemente el más antiguo es el inaugurado en 1901 en Wuppertal, Alemania. Desde entonces se han construido monorrieles de trayectos cortos en ciudades como Tokio y Seattle. Debido a que tiene mayores costos y menores velocidades que los sistemas ferroviarios convencionales, el monorriel no ha sido muy difundido. Desde hace muchos años se ha investigado el desarrollo de vehículos monorriel de alta velocidad que usan levitación magnética.

monosacárido Cualquiera de los AZÚCARES simples que sirven como elementos constitutivos de los CARBOHIDRATOS. Se clasifican sobre la base de su esqueleto de átomos de carbono (C): las triosas tienen tres átomos de carbono, las tetrosas cuatro, las pentosas cinco, las hexosas seis y las heptosas siete. Los átomos de carbono están unidos a átomos de hidrógeno ($-H$), a grupos hidroxilo ($-OH$; ver GRUPO FUNCIONAL), y a grupos carbonilo ($-C=O$), cuyas combinaciones, orden y CONFIGURACIONES permiten que exista un gran número de estereoisómeros (ver ISÓMERO). Las pentosas incluyen a la xilosa, que se encuentra en materiales leñosos; la arabinosa, que se encuentra en las GOMAS de las coníferas; la ribosa, que es un componente del ARN y de varias VITAMINAS, y la deoxirribosa, que es un componente del ADN. Las hexosas importantes comprenden la GLUCOSA, la GALACTOSA y la FRUCTOSA. Los monosacáridos se combinan mutuamente y con otros grupos para formar una diversidad de disacáridos, POLISACÁRIDOS y otros carbohidratos.

monoteísmo Creencia en la existencia de un solo dios. Se opone al POLITEÍSMO. El primer caso conocido de monoteísmo data del reino egipcio de AJNATÓN en el s. XIV AC. Es la afirmación fundamental del JUDAÍSMO, el CRISTIANISMO y el ISLAM, todos los cuales ven a dios como el creador del mundo, quien vigila e interviene en los acontecimientos humanos, y como un ser sagrado y benéfico, fuente del bien supremo. El monoteísmo que caracteriza el judaísmo comenzó en el antiguo Israel con la adopción de Yahvé como único objeto de culto y el rechazo a los dioses de otras tribus y pueblos, sin negar inicialmente su existencia. El Islam es categórico en confesar un solo dios, eterno, ingénito e inigualable, mientras el cristianismo sostiene que un solo dios está reflejado en las tres personas de la Santísima TRINIDAD.

monotipo *o* **monocopia** En la IMPRESIÓN artística, técnica muy preciada debido a sus excepcionales cualidades de textura. Los monotipos resultan al dibujar con tinta de impresión o pintura al óleo sobre vidrio o sobre una placa de metal o de piedra. El dibujo se presiona contra una hoja de papel absorbente o se imprime en una prensa de grabado. El pigmento que queda en la placa suele ser insuficiente para realizar otra impresión, a menos que el diseño original sea reforzado. Las impresiones subsiguientes invariablemente difieren de la primera, ya que las variaciones a la hora de repintar e imprimir son inevitables. En el s. XIX, WILLIAM BLAKE y EDGAR DEGAS experimentaron con esta técnica.

monotrema Cualquiera de tres especies vivientes de MAMÍFEROS ovíparos (orden Monotremata): el ORNITORRINCO y dos especies de EQUIDNA. Habitan únicamente en Australia, Tasmania y Nueva Guinea. Pese a ser ovíparos, tienen características mamíferas, como glándulas mamarias, pelo y diafragma completo. Carecen de mamas; las crías chupan la leche a través de poros en la piel materna. Los monotremas fósiles más antiguos, encontrados en Australia, tienen sólo unos 2 millones de años y se diferencian poco de las especies actuales. Se originaron probablemente de una estirpe de reptiles mamiferoides diferente de la que dio origen a los mamíferos placentarios y MARSUPIALES.

monotropa Planta herbácea, no verde (*Monotropa uniflora*), saprófita (que vive de restos de plantas muertas). Los racimos de esta planta crecen en áreas húmedas, sombreadas y boscosas de Norteamérica y Asia. Toda la planta es blanca o grisácea, ocasionalmente rosada, y se torna negra al secarse. Del ápice del tallo de 15–25 cm (6–10 pulg.) de alto, cuelga una flor inodora y acopada. Las hojas, que carecen de CLOROFILA y no realizan la FOTOSÍNTESIS, son escamas pequeñas.

monóxido de carbono Compuesto inorgánico, gas incoloro, inodoro, inflamable, muy tóxico, de fórmula química CO. Se produce cuando el CARBONO (como el CARBÓN y el COQUE) o un combustible que contiene carbono (como los HIDROCARBUROS de PETRÓLEO; p. ej., GASOLINA, *fueloil*) no se quema completamente hasta el DIÓXIDO DE CARBONO, porque el OXÍGENO es insuficiente. El CO está presente en los gases de escape de los motores de combustión interna y en las chimeneas de hornos. Es tóxico porque se une a la HEMOGLOBINA de la sangre mucho más fuertemente que el oxígeno, y así interfiere en el transporte de oxígeno desde los pulmones hasta los tejidos (ver HIPOXIA; RESPIRACIÓN). Los síntomas de intoxicación por CO van desde el dolor de cabeza, náusea, pulso débil, pérdida de conocimiento –que puede estar entre un síncope y coma–, falla respiratoria y muerte. El CO se utiliza en la industria como combustible y en la síntesis de numerosos compuestos orgánicos, como metanol, etileno y aldehídos.

Monro, familia Familia de médicos escoceses. Tres generaciones de la familia hicieron de la Universidad de Edimburgo un centro internacional de la enseñanza médica, conservando siempre la cátedra de anatomía por 126 años (1720–1846). Alexander *primus* (8 sep. 1697, Londres, Inglaterra–10 jul. 1767, Edimburgo, Escocia) enseñó anatomía y cirugía; sus preparaciones anatómicas eran sobresalientes y, aunque no era cirujano, propuso muchas ideas novedosas en materia de instrumentos y vendajes. Su hijo, Alexander *secundus* (22 may. 1733, Edimburgo–2 oct. 1817, Edimburgo) comenzó a enseñar en su segundo año de estudios de medicina; es considerado el más grande de los tres como profesor y anatomista, y sus investigaciones también abarcaron la patología y la fisiología. Alexander *tertius* (5 nov. 1773, Edimburgo–10 mar. 1859, Craiglockheart, cerca de Edimburgo) se basó en gran medida en los estudios heredados.

Monroe, Bill *orig.* **William Smith Monroe** (13 sep. 1911, Rosine, Ky., EE.UU.–9 sep. 1996, Springfield, cerca de Nashville, Tenn.). Cantautor e intérprete de mandolina estadounidense, inventor del estilo de BLUEGRASS. En 1927 comenzó a tocar profesionalmente y después realizó giras con su hermano Charlie. En 1936 hicieron sus primeras grabaciones y registraron 60 canciones en los dos años siguientes. En 1939 formó la agrupación musical The Blue Grass Boys. En 1945, cuando el intérprete de banjo Earl Scruggs (n. 1924) y el guitarrista LESTER FLATT se unieron a su grupo, su sonido *bluegrass* alcanzó la plenitud. The Blue Grass Boys establecieron la formación instrumental clásica de los grupos de *bluegrass* –mandolina, violín, guitarra, banjo y contrabajo– y legaron su nombre al género mismo. Monroe siguió presentándose hasta poco antes de su muerte.

Monroe, doctrina Política exterior estadounidense cuya primera declaración fue enunciada por el pdte. JAMES MONROE (2 dic. 1823), en la que establecía que el Nuevo Mundo quedaba vedado para la colonización europea. Preocupado de que las potencias europeas tratarían de restaurar las antiguas colonias españolas, declaró, entre otras cosas, que todo intento de una de ellas por dominar alguna nación del continente americano sería visto como un acto hostil contra EE.UU. Esto fue reiterado en 1845 y 1848 por el pdte. JAMES K. POLK para hacer desistir a España o a Gran Bretaña de establecer asentamientos en Oregón, California o en la península de Yucatán en México. En 1865, EE.UU. envió tropas al río Bravo (o río Grande del Norte) para respaldar la exigencia de que Francia saliera de México. En 1904 el pdte. THEODORE ROOSEVELT la complementó con el llamado Corolario de Roosevelt, en el cual declaraba que en la circunstancia de un acto ilegal de un estado latinoamericano (ver AMÉRICA LATINA), EE.UU. tenía el derecho de intervenir en sus problemas internos. Con la transformación de EE.UU. en potencia mundial, la doctrina Monroe terminó definiendo al continente americano como una ESFERA DE INFLUENCIA estadounidense. Ver también POLÍTICA DEL BUEN VECINO.

Monroe, Harriet (23 dic. 1860, Chicago, Ill., EE.UU.–26 sep. 1936, Arequipa, Perú). Editora estadounidense. Trabajó en varios periódicos de Chicago como crítica de arte y teatro, mientras escribía, en forma privada, poemas y obras de teatro en verso. En 1922 fundó la revista *Poetry*, para lo que se aseguró el respaldo de patrocinadores adinerados e invitó a colaborar en la revista a un amplio grupo de poetas. La política editorial desprejuiciada de Monroe y su conciencia de la importancia de la revolución modernista en la poesía contemporánea, hicieron de ella una de las grandes influencias en el desarrollo de este movimiento.

Monroe, James (28 abr. 1758, cond. de Westmoreland, Va., EE.UU.–4 jul. 1831, Nueva York, N.Y.). Quinto presidente de EE.UU. (1817–25). Después de prestar servicios en la guerra de independencia de los ESTADOS UNIDOS DE AMÉRICA, estudió derecho con THOMAS JEFFERSON, entonces gobernador de Virginia. En 1783–86 se desempeñó en el congreso en virtud de los artículos de la CONFEDERACIÓN. En 1790 fue elegido

para integrar el Senado, donde se opuso al gobierno de GEORGE WASHINGTON. No obstante, en 1794 fue representante diplomático de Washington en Francia, aunque dos años más tarde se le llamó de vuelta por inducir a los franceses a error respecto de la actividad política en EE.UU. Entre 1799 y 1802 fue gobernador de Virginia. En 1803, el pdte. Jefferson lo envió a Francia a colaborar en la negociación de la adquisición de LUISIANA; luego fue representante diplomático en Gran Bretaña (1803–07). Regresó a Virginia y otra vez fue elegido gobernador, en 1810, aunque renunció al cargo después de 11 meses

James Monroe, bosquejo al óleo de E.O. Sully, 1836, según un retrato contemporáneo de Thomas Sully.
GENTILEZA DE LA INDEPENDENCE NATIONAL HISTORICAL PARK COLLECTION, FILADELFIA

para ocupar los de secretario de Estado (1811–17) y secretario de guerra (1814–15). Fue presidente durante dos períodos, en una época que llegó a conocerse como la era de los BUENOS SENTIMIENTOS. Supervisó las guerras SEMINOLAS (1817–18) y la adquisición de Florida (1819–21), y firmó el compromiso de MISSOURI (1820). Con el secretario de Estado JOHN QUINCY ADAMS formuló los principios de política exterior de EE.UU. que más adelante se llamaron la doctrina MONROE.

Monroe, Marilyn *orig.* **Norma Jean Mortenson** (1 jun. 1926, Los Ángeles, Cal., EE.UU.–5 ago. 1962, Los Ángeles). Actriz de cine estadounidense. Sobrellevó una infancia carente de cariño, y un prematuro y breve matrimonio. Después de trabajar como modelo fotográfica, debutó en el cine en 1948 y obtuvo pequeños roles de reparto en *La jungla de asfalto* (1950) y *Eva al desnudo* (1950). Obtuvo el estrellato con la imagen de *sex symbol* en *Los caballeros las prefieren rubias* (1953), *Cómo casarse con un millonario* (1953) y *La tentación vive arriba* (1955). Posteriormente estudió en el ACTORS STUDIO, para luego protagonizar películas más exigentes como *Bus stop* (1956), *Con faldas y a lo loco* (1959) y *Vidas rebeldes* (1961). Su vida privada y sus matrimonios con JOE DIMAGGIO y ARTHUR MILLER fueron muy publicitados. Falleció a la edad de 36 años, producto de una sobredosis de barbitúricos, aparentemente autosuministrada. Su vulnerabilidad y sensualidad junto con su muerte la erigieron como un icono cultural estadounidense.

Marilyn Monroe.
BROWN BROTHERS

Monrovia Ciudad portuaria (pob., est. 1999: área metrop., 479.000 hab.) y capital de LIBERIA, localizada en la costa atlántica de África. Fundada en 1822 por la Sociedad Colonizadora Americana como asentamiento para libertos estadounidenses, fue denominada así en honor del presidente JAMES MONROE. La isla Bushrod alberga el puerto artificial (y puerto libre a la vez) de Monrovia, el único de ese tipo en África occidental. Es la ciudad más grande de Liberia y su centro administrativo y comercial. Muchos de sus edificios sufrieron daños durante la guerra civil que comenzó en 1990, y en su creciente población se encuentran numerosos campesinos desplazados por

la guerra. Es la sede de la Universidad de Liberia.

Mons Jovis ver paso del Gran SAN BERNARDO

Temple of Justice, edificio que alberga la Corte Suprema y la Corte Civil en Monrovia, Liberia.
CAROL GOLDSTEIN/KEYSTONE

monstruo de Gila Una de las dos únicas especies (ambas de la familia Helodermatidae) de LAGARTOS venenosos, llamado así por la cuenca del río Gila y que habita el sudoeste de EE.UU. y México septentrional. El monstruo de Gila (*Heloderma suspectum*) crece hasta unos 50 cm (20 pulg.) de largo, es de cuerpo robusto con manchas o listas negras y rosadas, y tiene escamas perladas. Durante la estación cálida, se alimenta de noche con mamíferos pequeños, aves y huevos, y almacena grasa en la cola y el abdomen para el invierno. Es lento pero de mordedura poderosa. Unos surcos dentales conducen el veneno (una neurotoxina) desde glándulas en la mandíbula inferior. Las mordeduras rara vez son fatales para los humanos. La otra especie venenosa es el lagarto perlado de México (*H. horridum*).

Monstruo de Gila (*Heloderma suspectum*).
© ENCYCLOPÆDIA BRITANNICA, INC.

Mont Blanc *italiano* **Monte Bianco** Cumbre montañosa de Europa. Situado en los ALPES, en las fronteras de Francia, Italia y Suiza, es uno de los puntos más elevados del continente europeo; alcanza los 4.807 m (15.771 pies) de alto. Michel-Gabriel Paccard y Jacques Balmat fueron los primeros en escalarlo en 1786. El túnel del Mont Blanc, de 11,7 km (7,3 mi) de largo y uno de los túneles viales más extensos del mundo, conecta a Francia con Italia. La región se ha convertido en un importante centro turístico y de deportes invernales.

Mont Cenis *italiano* **Monte Cenisio** Macizo e importante paso de montaña en los ALPES. Situado en el sudeste de Francia y al oeste de TURÍN, Italia, el paso era una ruta de invasión desde tiempos remotos y la atraviesa un camino de 38 km (24 mi) de largo, construido por NAPOLEÓN I en 1803–10. La carretera asciende el paso del Mont Cenis (2.083 m o 6.834 pies de elevación) y pasa entre dos cumbres que se elevan a más de 2.500 m (8.000 pies). El túnel ferroviario del Mont Cenis, de 14 km (8,5 mi), fue el primer gran túnel a través de los Alpes (abierto en 1871). El túnel vial de 16 km (10 mi) de largo fue inaugurado en 1980.

montagnais y naskapi Dos pueblos amerindios norteamericanos afines que viven mayormente en Quebec y el Labrador, Canadá. Hablan lenguas ALGONQUINAS casi idénticas. Los montagnais, nombre en francés que significa "montañeses", originalmente ocupaban una extensa superficie boscosa más allá del litoral norte del golfo de San Lorenzo. Vivían en *wingwams* (tiendas cónicas) de corteza de abedul; se dedicaban a la caza de alces y pesca de salmones, anguilas y focas. Los naskapis, cuyo nombre deriva de una palabra montagnais cuyo significado es "salvaje", habitaban más al norte, en la meseta del Labrador, donde se dedicaban a la caza de caribúes y a la pesca. Ambos grupos usaban canoas en verano y trineos y raquetas (o zapatos de nieve) en invierno. Las creencias religiosas se basaban en el *manitou* o poder sobrenatural; rendían tributo a los espíritus de animales y a la naturaleza. La unidad social básica era la BANDA nómada. Ambos grupos actualmente se llaman a sí mismos innu –nombre que no debe confundirse con inuit (ver ESQUIMALES)–, que significa "gente". En conjunto suman unas 20.000 personas, siendo la mayoría montagnais.

Montagu, John ver 4° conde de SANDWICH

Montagu, Lady Mary Wortley *orig.* **Lady Mary Pierrepont** (bautizada 26 may. 1689, Londres, Inglaterra–21 ago. 1762, Londres). Escritora inglesa. Es recordada principalmente por sus 52 magníficas cartas en que describe su estadía en Constantinopla, donde su esposo fue embajador en 1716 –18. A su regreso introdujeron en Inglaterra la práctica implementada en Medio Oriente de vacunación contra la viruela. Además fue poeta, ensayista, feminista, excéntrica y amiga de JOHN GAY y ALEXANDER POPE, quien posteriormente se volvió contra ella y la satirizó. Entre sus escritos se encuentran seis "églogas pueblerinas", ingeniosas adaptaciones de VIRGILIO, un vívido ataque a JONATHAN SWIFT (1734) y ensayos que abordan el feminismo y el cinismo moral de su época.

Montaigne, Michel (Eyquem) de (28 feb. 1533, castillo de Montaigne, cerca de Burdeos, Francia–23 sep. 1592, Castillo de Montaigne). Cortesano y autor francés. Nació en la nobleza inferior, recibió una excelente educación clásica (habló solamente latín hasta los seis años de edad) antes de estudiar leyes y servir como consejero en el parlamento de Burdeos. Durante su estadía allí, conoció

Lady Mary Wortley Montagu, detalle de una pintura al óleo de Sir Godfrey Kneller, 1715; colección privada.
GENTILEZA DEL MARQUÉS DE BUTE

al abogado Étienne de La Boétie, con quien estableció una extraordinaria amistad; el vacío que dejó la muerte de su amigo en 1563, probablemente motivó a Montaigne a iniciar su carrera de escritor. En 1571 se retiró a su castillo para trabajar en sus *Ensayos* (1580, 1588), una serie de reflexiones breves escritas en prosa sobre varios temas, y que forman uno de los más cautivantes e íntimos autorretratos literarios jamás escritos. Profundamente crítico de su tiempo y muy involucrado en sus luchas internas, buscó el entendimiento a través del autoexamen, que le permitió elaborar una descripción de la condición humana y de la ética de la autenticidad, autoaceptación y tolerancia. Si bien se dedicó los últimos años a escribir, sirvió en ocasiones como mediador en conflictos religiosos internos, y fue alcalde de Burdeos en el turbulento período de 1581–85. Ver también ENSAYO.

montaje Técnica gráfica en la que recortes de ilustraciones o fragmentos de ellas se disponen juntos y se montan sobre un soporte, produciendo una imagen compuesta a partir de varias imágenes diferentes. Difiere del COLLAGE, en que solamente usa imágenes prefabricadas elegidas para su tema o mensaje. La técnica es muy usada en publicidad. El fotomontaje utiliza nada más que fotografías. En las películas cinematográficas, el montaje corresponde a la unión secuencial de distintas tomas de una película según un guión realizado por el director, el montajista y los técnicos visuales y de audio, quienes cortan y calzan cada parte para producir yuxtaposiciones visuales y complejos patrones de audio.

Montale, Eugenio (12 oct. 1896, Génova, Italia–12 sep. 1981, Milán). Poeta, prosista, editor y traductor italiano. Montale empezó sus actividades literarias después de la primera guerra mundial, cofundó una revista, escribió para otras publicaciones y se desempeñó como director de una

biblioteca en Florencia. Su primer libro de poemas, *Huesos de sepia* (1925), expresó el amargo pesimismo del período de la posguerra. En la década de 1930–40 se le identificó con el HERMETISMO y sus obras pasaron a ser progresivamente introvertidas y oscuras. Con la obra *El vendaval y otras cosas* (1956), su escritura demostró su creciente habilidad, calidez y franqueza, características de su último período. Sus relatos y sus breves ensayos fueron recopilados en *La farfalla di Dinard* [La mariposa de Dinard] (1956). Recibió el Premio Nobel de Literatura en 1975.

Montalembert, Charles (-Forbes-René), conde de (15 abr. 1810, Londres, Inglaterra–13 mar. 1870, París, Francia). Político e historiador francés. Comenzó su carrera política como periodista en varios periódicos católicos, se convirtió en líder de los católicos liberales durante la monarquía de julio y formó parte de la Cámara de los Pares (1835–48). Paladín de las libertades civiles y religiosas, se opuso a las políticas de NAPOLEÓN III después de 1851. Escribió obras históricas como *Sobre los intereses católicos en el siglo XIX* (1852), *El futuro político de Inglaterra* (1856) y *Los monjes de Occidente* (1863–77).

Montana Estado (pob., 2000: 902.195 hab.) en el noroeste de EE.UU. Limita con Canadá y los estados de Dakota del Norte, Dakota del Sur, Wyoming e Idaho, EE.UU. y ocupa una superficie de 308.849 km² (147.046 mi²); su capital es Helena. Montana se extiende desde las GRANDES LLANURAS por el este hasta las montañas ROCOSAS por el oeste. Se destaca de los demás estados porque sus ríos desembocan en tres de las principales cuencas del continente: el Pacífico, el golfo de México y la bahía de Hudson. En la época de la colonización europea, la región se encontraba habitada por diversas tribus indias, CHEYENES, PIES NEGROS, NEZ PERCÉ y CROW. La mayor parte de Montana pasó a manos de EE.UU. a través de la adquisición de LUISIANA de 1803. La parte occidental se mantuvo en disputa hasta 1846, cuando los británicos renunciaron a sus reclamaciones en la zona. La expedición de LEWIS y CLARK exploró Montana en 1804–06. La misión de Saint Mary, establecida en 1841 por misioneros católicos, se convirtió en el primer poblado permanente con el nombre de Stevensville. A principios de la década de 1860 se descubrió oro; posteriormente, en esa misma década, se introdujo el pastoreo de ganado bovino y ovino, lo que llevó a crudas batallas con los indios, cuyos terrenos de caza fueron destruidos. El Territorio de Montana se estableció en 1864. Si bien en 1876 las tropas estadounidenses al mando de GEORGE ARMSTRONG CUSTER fueron derrotadas y masacradas en la batalla de LITTLE BIGHORN, los indios dejaron de combatir en 1877 y fueron relegados a reservaciones. En 1889 Montana se convirtió en el 41er estado. En la década de 1890 se descubrieron grandes yacimientos de cobre y la minería fue el pilar de la economía durante casi un siglo. En la actualidad, la economía del estado se centra en el turismo.

Montana, Joe *p. ext.* **Joseph Clifford Montana, Jr.** (n. 11 jun. 1956, New Eagle, Pa., EE.UU.). Mariscal de campo estadounidense de fútbol americano. Jugó en la Universidad de Notre Dame y llevó a su equipo a ganar el campeonato nacional de 1977. Integro profesionalmente el equipo San Francisco 49ers en 1979–93, y lo condujo a ganar los títulos del Super Bowl en 1982, 1985, 1989 y 1990. Alcanzó el primer puesto como jugador más eficaz en el pase de la NFL, con un promedio de trayectoria de 63,2 yardas. Los totales registrados en su carrera de pases completos (3.409), yardas ganadas gracias a sus pases (40.551) y pases de anotación (273) figuran entre los más altos de este deporte. Terminó su carrera en los Kansas City Chiefs (1993–95), y en 2000 ingresó al Salón de la Fama del fútbol americano profesional.

Montana, Universidad de Sistema universitario público con sede en Missoula, EE.UU. Ofrece una variedad de títulos: bachiller, pregrado, posgrado y profesionales. Destaca en el área de la ingeniería forestal y el periodismo. Fue constituida en 1893 y las actividades docentes se iniciaron en 1895. Entre sus ex alumnos más destacados se cuenta a HAROLD C. UREY.

Montand, Yves *orig.* **Ivo Livi** (13 oct. 1921, Monsummano Alto, Italia–9 nov. 1991, Senlis, Francia). Actor y cantante francés de origen italiano. Criado en Marsella, a fines de la década de 1940 fue el protegido de la famosa cantante EDITH PIAF. En 1951 contrajo matrimonio con la actriz Simone Signoret (n. 1921–m. 1985). Con su actuación en el filme *El salario del miedo* (1953) alcanzó el reconocimiento internacional. En Hollywood protagonizó el largometraje *El multimillonario* junto a MARILYN MONROE (1960) con quien tuvo un fugaz romance muy publicitado. Entre sus posteriores películas se cuentan Z (1969), *El manantial de las colinas* y *La venganza de Manon* (ambas de 1987). Durante la mayor parte de su vida fue conocido por su apoyo político a las causas izquierdistas. Disfrutó de un enorme éxito como cantante, especialmente en Francia.

montanismo Movimiento cristiano herético fundado en 156 DC por Montanus. Convertido al cristianismo, cayó en trance y comenzó a profetizar. Otros se le unieron y el movimiento se extendió por Asia Menor. Los montanistas sostenían que el ESPÍRITU SANTO hablaba por intermedio de Montanus y que la segunda venida era inminente. Los obispos de Asia Menor los excomulgaron (c. 177), pero el movimiento continuó en el este como una secta aparte. También floreció en Cartago, donde TERTULIANO fue su converso más ilustre. Casi había desaparecido en los s. V–VI, aunque algunos vestigios perduraron hasta el s. IX.

montaña Formación de terreno que se eleva muy por encima de sus alrededores; por lo general presenta pendientes empinadas y una cima poco extensa. Las montañas se distinguen de las colinas por su altitud, pero el término no tiene un significado geológico estandarizado. Las montañas se forman por plegamiento, falla o levantamiento de la superficie de la Tierra debido al movimiento de las placas (ver TECTÓNICA DE PLACAS) o por la acumulación de roca volcánica sobre la superficie. Por ejemplo, las montañas del Himalaya, donde la placa de India se encuentra con la de Eurasia, fueron formadas por una colisión entre ambas, que causó un gigantesco plegamiento por compresión y el levantamiento de grandes áreas. Las cadenas montañosas alrededor de la cuenca del Pacífico son atribuidas al hundimiento de una placa bajo otra. Ver también MESETA.

Montaña Blanca, batalla de la (1620). Decisiva batalla cerca de Praga al comienzo de la guerra de los TREINTA AÑOS. Las fuerzas católicas de MAXIMILIANO I, duque de Baviera, al mando del conde de TILLY, derrotaron a las fuerzas protestantes de FEDERICO V, rey de Bohemia. Debido a la derrota, Bohemia perdió su independencia y el protestantismo fue exterminado hasta 1648.

montañés (francés: "montagnard"). Diputado radical en la CONVENCIÓN NACIONAL durante la REVOLUCIÓN FRANCESA. Los montañeses eran denominados así debido a que se sentaban en los escaños altos (la "Montaña") sobre los diputados no alineados de la "LLANURA". Los montañeses surgieron en 1792 como oponentes a los moderados GIRONDINOS y con posterioridad se asociaron con el radical club de los JACOBINOS en el COMITÉ DE SALVACIÓN PÚBLICA. Tras la reacción TERMIDORIANA, muchos montañeses fueron ejecutados y excluidos de la convención, y se convirtieron en una minoría denominada la *crête* ("cresta").

Montañés, Juan (de) Martínez (16 mar. 1568, Alcalá la Real, Jaén, España–18 jun. 1649, Sevilla). Escultor español. Después de estudiar en Granada, instaló su taller en Sevilla y tuvo un papel decisivo en la transición del MANIERISMO al BARROCO. Se hizo conocido como *el dios de la madera*, debido a su gran destreza en el tallado de ese material. Su producción y su influencia se extendió por más de 50 años. Es recordado por sus altares de madera y sus retablos cubiertos con láminas de oro y pintura de color, realistas y a la vez idealizadas. Su obra influenció no sólo a los escultores y realizadores de altares de España y Latinoamérica, sino también a los pintores españoles de su siglo.

montañismo *o* **alpinismo** Deporte que consiste en tratar de alcanzar las altas cumbres de las montañas, generalmente por el mero placer de escalar. Los desafíos del montañismo residen no sólo en conquistar la cima, sino también en la satisfacción física y espiritual provocada por el intenso esfuerzo personal, la destreza cada vez mayor que exige el ascenso y el contacto con la grandiosidad de la naturaleza. Las mayores recompensas no están exentas de considerables peligros. La primera gran cima conquistada en los tiempos modernos fue el Mont BLANC, en 1786. A ella siguieron otras cumbres alpinas, hasta llegar al ascenso del MATTERHORN en 1865. En la década de 1910, la mayoría de las cumbres más altas de los Andes, las Rocosas y otras cordilleras de América habían sido conquistadas, entre ellas el monte MCKINLEY (1913). A partir de la década de 1930, hubo una seguidilla de ascensos del HIMALAYA; sin embargo, varias de sus cimas no fueron alcanzadas sino hasta la década de 1950. De esas expediciones, la más conocida es el ascenso del EVEREST por EDMUND HILLARY y TENZING NORGAY, en 1953. En la década de 1960, el montañismo se convirtió en un deporte cada vez más técnico, en que se intensificó el uso de anclajes, cordaje y vestuario apropiado, sobre todo para la escalada en roca o hielo.

Montcalm (de Saint-Véran), Louis-Joseph de Montcalm-Grozon, marqués de (28 feb. 1712, Château de Candiac, Francia–14 sep. 1759, Quebec). Jefe militar francés. Entró al ejército a los 12 años de edad y combatió en varios conflictos europeos. En 1756 se le concedió el mando de las tropas francesas en América del Norte, sin embargo, su misión excluía a los militares apostados en Canadá. Obligó a los británicos a entregar su puesto en Oswego y capturó Fort William Henry (1757). En la batalla de TICONDEROGA (1758) repelió un ataque de 15.000 soldados británicos con una fuerza de sólo 3.800 hombres. Ascendió a teniente general y se le dio autoridad sobre los asuntos militares en Canadá. En 1759, una fuerza británica de 8.500 soldados, al mando del gral. JAMES WOLFE, marchó sobre Quebec; en la contienda librada allí (ver batalla de QUEBEC), combatió con valentía notable y cayó herido de muerte.

Muerte del marqués de Montcalm en la batalla de Quebec.

Monte Albán Yacimiento arqueológico en la cima de un cerro aplanado, ubicado cerca de Oaxaca, México, que comprende las ruinas del centro religioso de la cultura ZAPOTECA. La construcción del asentamiento comenzó alrededor del s. VIII AC y alcanzó su apogeo en 250–700 DC. El sitio alberga grandes plazas, pirámides truncadas, los *tlachtli* (juegos de pelota), un observatorio astronómico y alrededor de 170 tumbas. Es el más elaborado descubierto hasta ahora en el Nuevo Mundo. Sobre el cerro más alto hay una gran plaza flanqueada por cuatro plataformas; dos templos se levantan en la que mira al sur. En su etapa final, Monte Albán fue habitado por los MIXTECAS.

Monte Aspiring, parque nacional del Parque del sudoeste de la isla del SUR, Nueva Zelanda. Instaurado en 1964, tiene una superficie de 3.167 km² (1.223 mi²) y abarca gran parte de los ALPES MERIDIONALES, donde se alza el monte Aspiring (3.027 m [9.932 pies]). Su límite meridional es el parque nacional de FIORDLAND. Tiene variados paisajes, con ventisqueros, montañas, desfiladeros, cataratas y pasos; se encuentran las fuentes de siete grandes ríos. En el parque abundan aves como el tui, campanero, paloma colipava y corruca gris.

Lago Harris en el parque nacional del Monte Aspiring, Nueva Zelanda.
GERALD CUBITT

Monte Cook, parque nacional Parque del centro-oeste de la isla del SUR, Nueva Zelanda. Instaurado en 1953, tiene una superficie de 700 km² (270 mi²), comparte su límite occidental con el parque nacional Westland. Se extiende a lo largo de las altas cumbres de los ALPES MERIDIONALES, con cerca de 27 montes de más de 3.000 m (10.000 pies) de altura, entre ellos el Cook, de 3.764 m (12.349 pies), cumbre más elevada de Nueva Zelanda. Más de un tercio del parque está cubierto de nieves permanentes y ventisqueros.

Monte Palomar, observatorio de OBSERVATORIO astronómico ubicado en monte Palomar, cerca de San Diego, Cal., EE.UU. Alberga el famoso TELESCOPIO reflector Hale, de 5 m (200 pulg.) de diámetro, que ha resultado determinante en la investigación cosmológica. Construido en 1948 y nombrado en honor de George Hale (n. 1868-m. 1938), fue el instrumento más grande de su tipo durante casi 30 años. Fundado en 1948 por el Instituto Tecnológico de California (Caltech), el observatorio funcionó hasta 1980 conjuntamente con el de MONTE WILSON bajo la denominación de observatorios Hale.

monte submarino Gran montaña volcánica submarina que se eleva al menos 1.000 m (3.000 pies) sobre el suelo marino; los volcanes submarinos más pequeños son llamados montículos submarinos y los montes submarinos de cima plana son llamados guyots. Son abundantes y existen en todas las principales cuencas oceánicas. Para fines de la década de 1970 se había informado la existencia de más de 10.000 montes submarinos, sólo en la cuenca del océano Pacífico. Virtualmente todas las expediciones oceanográficas descubren nuevos montes submarinos y se estima que existen unos 20.000 en todo el mundo.

Monte Wilson, observatorio de OBSERVATORIO astronómico ubicado en la cumbre del monte Wilson, cerca de Pasadena, Cal., EE.UU. Fundado en 1904 por George Hale (n. 1868–m. 1938), fue operado en conjunto con el obser-

vatorio de MONTE PALOMAR, llamados anteriormente observatorios Hale (1948–80). Su telescopio óptico más grande, con un diámetro de 2,5 m (100 pulg.), permitió a EDWIN HUBBLE y a sus asociados descubrir la evidencia de un UNIVERSO EN EXPANSIÓN y estimar su tamaño.

Montecarlo Localidad (pob., 1990: 14.702 hab.), del principado de MÓNACO, uno de sus cuatro barrios. Está situado al nordeste de Niza, en la RIVIERA francesa. En 1856, Carlos III de Mónaco otorgó a una sociedad anónima un permiso para la construcción de un casino, inaugurado en 1861. La zona aledaña, llamada Montecarlo, se convirtió en un lujoso centro de entretención para la gente adinerada del mundo. En 1967, el gobierno se hizo cargo de la administración del casino.

Montecarlo, método Método estadístico de aproximación a la solución de sistemas físicos o matemáticos complejos. El método fue adoptado y perfeccionado por JOHN VON NEUMANN y STANISLAW ULAM para simulaciones de la BOMBA ATÓMICA durante el proyecto MANHATTAN. Dado que el método se basa en probabilidades aleatorias, fue bautizado con el nombre de un casino famoso.

Montecassino Principal monasterio de la orden benedictina (ver BENEDICTINO), situado en el Lacio, centro de Italia. Fundado c. 529 por san BENITO DE NURSIA, alcanzó su máximo esplendor bajo Desiderio (futuro papa VÍCTOR III), quien fue abad 1058-87. Sus construcciones fueron destruidas por los lombardos (c. 581), y árabes (883); también sufrió los embates de un terremoto (1349) y bombardeos de la segunda guerra mundial (1944). En cada evento se reconstruyó y fue consagrado nuevamente en 1964.

Montego Bay Ciudad y puerto marítimo (pob., est. 2000: 89.859 hab.) en el noroeste de Jamaica. Se ubica al noroeste de KINGSTON, en el lugar donde habitó una gran aldea ARAWAK descubierta por CRISTÓBAL COLÓN en 1494. Los españoles, desplazados por los británicos después de 150 años, destruyeron la mayor parte de las edificaciones originales. Es una de las ciudades más grandes de Jamaica, y un activo centro comercial, portuario y vacacional, famoso por sus playas de arena blanca.

Montenegro República constituyente de SERBIA Y MONTENEGRO. Superficie: 13.812 km² (5.333 mi²). Población (est. 2001): 658.000 hab. Capital: PODGORICA. Moneda: euro. El nombre ("montaña negra") hace referencia al monte Lovcen, cerca del mar Adriático que alcanza 1.749 m (5.738 pies) de altura. Su paisaje comprende desde áridas montañas hasta bosques y valles fértiles. La economía de Montenegro esta basada en la agricultura, especialmente en la ganadería ovina y caprina y en el cultivo de cereales. La mayoría de sus habitantes son montenegrinos que pertenecen a la Iglesia ortodoxa oriental, con una cantidad apreciable de minorías de musulmanes y albaneses. Durante el Imperio romano, la región formó parte de la provincia de ILIRIA. Colonizada por los eslavos en el s. VII, se incorporó al Imperio serbio a fines del s. XII. Conservó su independencia después que los turcos derrotaran a los serbios en 1389 (ver batalla de KOSOVO). A causa del conflicto permanente con turcos y albaneses, en 1711 inició una alianza con Rusia. Durante las guerras BALCÁNICAS de 1912–13 prestó su cooperación para luchar contra Turquía. Apoyó a SERBIA durante y después de la primera guerra mundial. Posteriormente, se unió a Serbia y ambos pasaron a formar parte del Reino de los SERBIOS, CROATAS Y ESLOVENOS (desde 1929, YUGOSLAVIA). Durante la segunda guerra mundial, Montenegro estuvo ocupada por los italianos y fue escenario de fuertes enfrentamientos. En 1946, en virtud de la nueva la constitución federal de Yugoslavia, Montenegro se convirtió en una de las seis repúblicas nominalmente autónomas del país. En 1992, un año después del desmembramiento de Yugoslavia, Serbia y Montenegro se unieron en torno a la nueva República Federal de Yugoslavia. En 2003, luego de un período de agitación política por la independencia de Montenegro, los parlamentos serbio, montenegrino y yugoslavo ratificaron un nuevo acuerdo constitucional que contemplaba mantener la federación y en virtud del cual se adoptó el nombre de Serbia y Montenegro, garantizándole a este último una autonomía considerable para manejar sus asuntos internos.

Monterrey Ciudad (pob., 2000: 1.110.997 hab.) y capital del estado de NUEVO LEÓN, en el norte de México. Está situada a 530 m (1.750 pies) de altura. Aunque fundada en 1579, creció en forma lenta hasta fines del s. XIX. En 1846, durante la guerra MEXICANO-ESTADOUNIDENSE, fue capturada por las fuerzas del general ZACHARY TAYLOR. En 1882 se construyó una conexión ferroviaria con la ciudad de Laredo en Texas, EE.UU., y en 1930 se inició la construcción de la carretera Interamericana, lo que condujo al desarrollo en gran escala de fundiciones y de industria pesada en la ciudad. Cuenta con varias instituciones de educación superior.

Monterrey, Instituto Tecnológico y de Estudios Superiores de Universidad privada de México, fundada en 1943 por un grupo de empresarios de Monterrey encabezado por Eugenio Garza Sada. Cuenta con 33 campus y sedes en México y América Latina. Todos sus campus están acreditados desde 1950 por la Southern Association of Colleges and Schools (SACS) de EE.UU., para otorgar títulos profesionales y grados de magíster y Ph.D. El Instituto Tecnológico de Monterrey ofrece programas de formación profesional y de posgrado en cinco áreas: administración y finanzas, ciencias de la salud, ciencias sociales y humanidades, computación y electrónica, e ingeniería y arquitectura. Su universidad virtual, creada en 1997, ofrece programas de posgrado, educación continua y desarrollo social a toda América, así como a empresas y organizaciones que requieren atender necesidades de capacitación.

Montesquieu, Charles-Louis de Secondat, barón de (La Brède y de) (18 ene. 1689, Château La Brède, cerca de Burdeos, Francia–10 feb. 1755, París). FILÓSOFO y escritor francés. Nació en el seno de una familia noble, ejerció un cargo público en Burdeos a partir de 1714. Sus satíricas *Cartas persas* (1721) tuvieron gran éxito. A partir de 1726 viajó extensamente para estudiar las instituciones políticas y sociales. Su obra magna, *El espíritu de las leyes* (1750), contenía una clasificación original de los tipos de gobierno según la conducción de los asuntos políticos, una defensa de la separación de los poderes ejecutivo, legislativo y judicial y una celebrada pero menos convincente teoría acerca de la influencia del clima en la política. La obra influyó profundamente en el pensamiento político europeo y americano y fue invocada por los forjadores de la constitución estadounidense. Otra obra importante es *Consideraciones sobre las causas de la grandeza de los romanos y su decadencia* (1734).

Barón de Montesquieu.
FOTOBANCO

Montessori, María (31 ago. 1870, Chiaravalle, cerca de Ancona, Italia–6 may. 1952, Noordwijk aan Zee, Países Bajos). Educadora italiana. Montessori se tituló de médico (1894) y trabajó en una clínica para niños con retraso mental antes de ejercer la docencia en la Universidad de Roma. En 1907 abrió su primera escuela para niños, y durante los 40 años siguientes viajó a lo largo de Europa, India y EE.UU., dictando conferencias, escribiendo y creando escuelas Montessori. Actualmente, en EE.UU., Canadá y varios países del mundo existen escuelas Montessori, que se

centran principalmente en la EDUCACIÓN PREESCOLAR, pero algunas de ellas llegan hasta 6° grado de EDUCACIÓN BÁSICA. El sistema Montessori se basa en la creencia del potencial creativo de los niños, su energía para aprender y sus derechos a ser tratados como individuos. Utiliza "material didáctico" para cultivar la coordinación mano-ojo, el autocontrol y la sensibilidad para la instrucción prematemática y de preescritura.

Monteverdi, Claudio (Giovanni Antonio) (bautizado 15 may. 1567, Cremona, ducado de Milán–29 nov. 1643, Venecia). Compositor italiano. En 1587 apareció el primero de sus nueve libros de madrigales y, el segundo, en 1590. Visitó la corte de los Gonzaga en Mantua, y su libro siguiente (1592) revela un uso más libre de la disonancia y una coordinación íntima entre música y palabra. En 1599 contrajo matrimonio y se estableció en Mantua. Abordó las disonancias aún más libres con sus últimas obras, afirmando que la música tenía dos "prácticas": la primera, más estricta, para las obras sacras y la segunda, más expresiva, para la música secular. Su primera ópera, *Orfeo*, estrenada en 1607, finalmente lo consagró como un compositor de música de gran envergadura formal y no sólo de miniaturas musicales delicadas. En 1610 completó sus grandes *Vísperas*. En 1612, después de muchos intentos, fue liberado de sus servicios en Mantua y al año siguiente se hizo cargo de la música en la catedral de SAN MARCOS, en Venecia. Tras la inauguración del primer teatro de ópera en Venecia (1637), compuso sus últimas tres óperas, entre ellas *Il ritorno d'Ulisse in patria* (1640) y la insigne obra *La coronación de Poppea* (1643). Monteverdi es la primera gran figura de la música barroca, notable innovador que sintetizó los elementos del nuevo estilo para crear las primeras obras maestras del período, tanto del género sacro como del profano.

Palacio Salvo desde la plaza de la Independencia, Montevideo, Uruguay.
WALTER RAWLINGS/ROBERT HARDING WORLD IMAGERY/GETTY IMAGES

Montevideo Ciudad portuaria (pob., 1996: 1.378.707 hab.) y capital de Uruguay. Situada en la desembocadura del RÍO DE LA PLATA, fue fundada en 1726 por los españoles para contener la expansión portuguesa desde Brasil. En 1807–30 fue ocupada sucesivamente por fuerzas británicas, españolas, argentinas, portuguesas y brasileñas. En 1830 se transformó en la capital de la nueva república independiente de Uruguay. Es uno de los puertos más importantes de América del Sur y centro comercial, político y cultural de Uruguay. En ella se encuentran las únicas dos instituciones de educación superior del país: la Universidad de la República y la Universidad del Trabajo del Uruguay.

Montez, Lola orig. **Marie Dolores Eliza Rosanna Gilbert** (1818, Limerick, Irlanda–17 ene. 1861, Nueva York, N.Y., EE.UU.). Aventurera y bailarina irlandesa que alcanzó notoriedad por ser amante del rey LUIS I de Baviera. Después de haber tomado unas pocas clases de danza en España, realizó giras por Europa anunciándose como bailarina española. Durante una estadía en Munich en 1846, se convirtió en amante del rey Luis I y ejerció influencia sobre él para que apoyara políticas liberales y antijesuitas. En 1848, las airadas reacciones que provocó su poder sobre el rey dentro del gobierno la obligaron a fugarse del país y al monarca, a abdicar. Realizó varias giras posteriores hasta establecerse en Nueva York.

Montezuma Castle National Monument Monumento nacional en el centro del estado de Arizona, EE.UU. Se ubica en Verde River Valley y ocupa una superficie de 341 ha (842 acres). Fue declarado monumento nacional en 1906 y es el lugar donde mejor se han conservado las viviendas precolombinas de la cultura PUEBLO, construidas en riscos. El "castillo" es una estructura de 5 pisos y 20 habitaciones fabricada en adobe, que data de c. 1100 DC, y que se construyó un acantilado a 24 m (80 pies) de altura aprox. Hacia el nordeste se encuentra Montezuma Well, un sumidero grande rodeado de viviendas comunales.

Montfort, Simón de o **Simón IV el Fuerte** (¿1165?–25 jun. 1218, Toulouse, Francia). Líder francés de la CRUZADA CONTRA LOS ALBIGENSES. A partir de 1209 dirigió una cruzada contra los herejes CÁTAROS y llegó a gobernar los territorios meridionales de Francia que conquistó. El cuarto concilio de LETRÁN le concedió Toulouse (1215),

Simón de Montfort, llamado el Fuerte.
FOTOBANCO

pero RAIMUNDO VI, rehusó aceptar la derrota y Montfort murió mientras sitiaba la ciudad. Su hijo cedió al rey Luis VIII los territorios de Montfort.

Montfort, Simón de post. **conde de Leicester** (c.1208, Montfort, Ile-de-France, Francia–4 ago. 1265, Evesham, Worcestershire, Inglaterra). Segundo hijo de SIMÓN DE MONTFORT; aunque cedió los territorios meridionales de Francia conquistados por su padre, reactivó las pretensiones familiares al condado inglés de Leicester. Su matrimonio con la hermana de ENRIQUE III (1238) ofendió a los barones y lo llevó a un exilio temporal. Se destacó en una cruzada a Tierra Santa (1240–42) y participó en la fracasada invasión de Francia dirigida por Enrique (1242). Enviado a pacificar Gascuña (1248), fue criticado por los duros métodos que empleó allí y fue llamado de regreso. Se alió con otros barones importantes para obligar a Enrique a aceptar las provisiones de OXFORD. Cuando Luis IX anuló las provisiones, Simón derrotó y capturó a Enrique (1264) y convocó (1265) lo que se convertiría en el parlamento moderno. Gobernó Inglaterra durante menos de un año antes de ser derrotado y asesinado por Eduardo, hijo de Enrique.

Montgolfier, Joseph-Michel y Jacques-Étienne (26 ago. 1740, Annonay, Francia–26 jun. 1810, Balaruc-les-Bains) (6 ene. 1745, Annonay, Francia–2 ago. 1799, camino de Lyon a Annonay). Inventores franceses del GLOBO aerostático de aire caliente. Descubrieron que el aire recalentado y atrapado en una bolsa de material liviano hacía que esta se elevara. En 1783 comprobaron públicamente su descubrimiento con un globo que ascendió a 1.000 m (3.000 pies) y permaneció ele-

vado por diez minutos. Ese mismo año enviaron como pasajeros una oveja, un pato y un gallo y continuaron después de ese experimento con el primer vuelo de globo libre (sin amarras) tripulado.

Montgomery Ciudad (pob., 2000: 201.568 hab.) y capital del estado de Alabama, EE.UU. En tiempos prehistóricos, el lugar fue habitado por indios que levantaban montículos funerarios. En 1715, los franceses construyeron Fort Toulouse junto al río, en el territorio actualmente ocupado por Montgomery. La ciudad fue fundada en 1819 y recibió su nombre en honor al gral. Richard Montgomery; se convirtió en capital del estado en 1847. En 1861, durante la guerra de SECESIÓN, fue por un tiempo breve capital de la Confederación; las tropas de la Unión la capturaron en 1865. Fue centro del movimiento por los DERECHOS CIVILES y famosa por las protestas organizadas por MARTIN LUTHER KING, JR. Se ubica al sudeste de BIRMINGHAM y es centro comercial de una región agrícola, donde se comercia algodón y ganado, y se producen fertilizantes. Es sede de la Universidad del estado de Alabama y de varias instituciones de enseñanza superior.

Montgomery (del Alamein), Bernard Law Montgomery, 1er vizconde (17 nov. 1887, Londres, Inglaterra–24 mar. 1976, cerca de Alton, Hampshire). General británico en la segunda GUERRA MUNDIAL. Educado en Sandhurst, se distinguió en la primera guerra mundial y permaneció en el ejército, donde se hizo conocido como un líder eficiente y duro. En la segunda guerra mundial comandó el ejército británico en las campañas de ÁFRICA DEL NORTE y forzó la retirada alemana desde Egipto tras la batalla de EL-ALAMEIN (1942). Comandó tropas en la invasión aliada a Sicilia e Italia (1943) y en la campaña de NORMANDÍA, y dirigió el ejército británico-canadiense a través del norte de Francia y el norte de Alemania. Promovido a mariscal de campo, se convirtió en jefe del estado mayor imperial (1946–48) y más tarde comandante adjunto de la OTAN (1951–58). Prudente y meticuloso estratega, "Monty" a menudo exasperaba a sus compañeros comandantes aliados, entre ellos DWIGHT D. EISENHOWER, pero su insistencia en estar completamente preparado aseguró su popularidad entre las tropas.

Montgomery, L(ucy) M(aud) (30 nov. 1874, Clifton, isla del Príncipe Eduardo, Canadá–24 abr. 1942, Toronto, Ontario). Novelista canadiense. Trabajó como profesora y periodista antes de alcanzar éxito mundial con *Anne of Green Gables* [Ana de los tejados verdes] (1908), historia sentimental de una niña huérfana llena de vida, inspirada en las experiencias de su infancia y de la vida rural en su nativa isla del Príncipe Eduardo. Publicó seis novelas más en que continuó la historia de Anne hasta su maternidad, pero fueron menos exitosas. Montgomery también produjo otra serie de libros para jóvenes, varias colecciones de relatos y dos libros para adultos.

Montgomery, Wes orig. **John Leslie Montgomery** (6 mar. 1923/25, Indianápolis, Ind., EE.UU.–15 jun. 1968, Indianápolis). Guitarrista de JAZZ estadounidense. Comenzó a tocar la guitarra en su adolescencia y su principal fuente de inspiración inicial fue CHARLIE CHRISTIAN, guitarrista del estilo *swing* maduro. Montgomery fue miembro de la orquesta de LIONEL HAMPTON (1948–50) y después formó un pequeño grupo con sus hermanos. Aunque alcanzó éxito comercial acompañado de orquestas en la década de 1960, sus mejores grabaciones corresponden a trabajos que hizo con grupos pequeños después de 1959. Su técnica atípica, que consistía en reemplazar el plectro por el pulgar, permitía que recurriera con frecuencia a octavas y acordes en sus intervenciones como solista. Fue probablemente el guitarrista improvisador más influyente del jazz moderno.

Montherlant, Henry (-Marie-Joseph-Millon) de (21 abr. 1896, París, Francia–21 sep. 1972, París). Novelista y dramaturgo francés. De familia noble, escribió obras estilísticamente concisas que reflejan su personalidad egocéntrica y autocrática. Su principal obra de ficción es un ciclo de cuatro novelas (1936–39) traducidas como *Las jóvenes*. En ellas se describe la relación entre un novelista libertino y sus adorables víctimas femeninas. En la década de 1940 se volcó al teatro. Sus mejores producciones en este género fueron *Malatesta* (1946), *Port-Royal* (1954) y *La Guerre civile* (1965).

Monticello Residencia de THOMAS JEFFERSON situada al sudeste de Charlottesville, Va. Diseñada por él mismo y construida entre 1768 y 1809, es uno de los mejores ejemplos de los comienzos del estilo neoclásico en la arquitectura estadounidense. Jefferson obtuvo el plano de la construcción de un libro de modelos de casas inglesas; la fachada revela la influencia de las obras de ANDREA PALLADIO. Es un edificio de tres pisos en albañilería confinada, con 35 habitaciones de diferentes formas. Una bóveda octagonal domina la estructura; bajo ella se extiende una balaustrada que corre a lo largo de todo el contorno del techo.

montículos con efigie *ingles* **effigy mound** Montículos terrosos, con formas de pájaros o animales (p. ej., oso, ciervo, tortuga, búfalo) encontrados en el centro-norte de EE.UU., especialmente en el valle del río Ohio. Se sabe poco de estos montículos, excepto que en su mayoría fueron sitios de sepultura. La cultura que creó el *effigy mound* data de 300 DC y se prolongó hasta mediados del s. XVII. Ver también cultura HOPEWELL.

Montmorency, Anne, duque de (15 mar. 1493, Chantilly, Francia–12 nov. 1567, París). Militar francés y condestable de Francia. Nombrado en honor de su madrina, la reina ANA DE BRETAÑA, sirvió a tres reyes: FRANCISCO I, ENRIQUE II y CARLOS IX, en épocas de paz y de guerra. Combatió en numerosas guerras en el norte de Italia y el sur de Francia contra el emperador CARLOS V y en las campañas contra los hugonotes. En 1529 ayudó a negociar el tratado de CAMBRAI entre Francia y Carlos V. Fue nombrado par en 1522, condestable en 1538, y duque en 1551. Herido en la batalla de Saint-Denis, falleció dos días después.

Montpellier Ciudad (pob., 1999: 225.392 hab.) en el sur de Francia, cerca de la costa mediterránea. Fundada en el s. VIII, más tarde cayó en poder de ARAGÓN y del rey de MALLORCA. Se desarrolló como centro distribuidor de las importaciones de especias en el s. X y adquirió el rango de ciudad en 1141. Volvió a manos de Francia en el s. XIV, siendo un bastión de los HUGONOTES hasta que LUIS XIII la capturó en 1622. Se convirtió entonces en la capital administrativa de la región del LANGUEDOC. Las escuelas de medicina y derecho de la ciudad datan del s. XII y la Universidad de Montpellier se fundó en 1220. Es un centro turístico y entre sus industrias más destacadas se cuentan la fabricación de alimentos y de productos electrónicos. Entre sus sitios de interés históricos cabe mencionar el jardín botánico más antiguo de Francia (fundado en 1593) y una catedral gótica del s. XIV.

Montpellier, Universidad de Universidad pública de Francia, heredera de la universidad medieval, fundada en 1220 y confirmada como tal en 1289 por el papa Nicolás IV. Combinó entonces las escuelas de medicina, derecho y artes; a principios del s. XV se creó la facultad de teología y, en el s. XIX, la facultad de ciencias. La REVOLUCIÓN FRANCESA suprimió las facultades, con excepción de la escuela de medicina, las que se reorganizaron progresivamente durante el s. XIX. En 1968, la universidad se dividió en tres centros de enseñanza: Montpellier I agrupó alrededor de sus tradicionales facultades de medicina y derecho, las de ciencias farmacéuticas y biológicas, ciencias económicas, administración económica y social, odontología, y ciencias del deporte; Montpellier II Sciences et Techniques du Languedoc se creó en 1970 a partir de la facultad de ciencias, y sus actividades se concentran en ciencia y tecnología y Montpellier III, conocida como Universidad Paul-Valéry, está dedicada al estudio de humanidades. En todas ellas se ofrecen programas de licenciatura y de posgrado, y entre sus instalaciones se cuentan diversos centros de investigación e institutos. En las aulas de la facultad de derecho fue esbozado el código de NAPOLEÓN.

Montreal Ciudad (pob., 2001: área metrop., 3.426.350 hab.) en el sudeste de Canadá. Ocupa aproximadamente un tercio de la Île-de-Montréal (isla de Montreal), cerca de la confluencia de los ríos Ottawa y SAN LORENZO. El área metropolitana incluye Montreal y otras islas, así como ambas riberas del San Lorenzo. Se levantó en las laderas de una montaña, el Mont-Royal, al que la ciudad debe su nombre. Es el centro industrial y cultural de la parte francesa de Canadá, donde se habla francés e inglés. Cuando el explorador JACQUES CARTIER visitó la zona en 1535, en el lugar se encontraba Hochelaga, aldea de indios HURONES. Los franceses fundaron el primer asentamiento europeo en 1642, que recibió el nombre de Ville-Marie de Montréal. En la primera mitad del s. XVIII, el comercio de pieles propició su rápida colonización y pronto la ciudad comenzó a extenderse. Sucumbió ante las tropas británicas en 1760 y, junto con todo el Territorio de NUEVA FRANCIA (1763), se convirtió en parte del Imperio británico en América del Norte. Montreal fue capital de Canadá en 1844–49. Es la segunda ciudad más grande del país y uno de los principales puertos, tanto para embarques oceánicos como para el transporte terrestre. Constituye además un centro cultural de importancia; tiene un complejo con salas de teatro y concierto y varios museos. Es sede de las universidades McGILL y Concordia, ambas de lengua inglesa y también de las Universidades de MONTREAL y de Quebec, de lengua francesa.

Panorámica de Montreal desde la ladera del Mont-Royal.
ARCHIVO EDIT. SANTIAGO

Montreal, Universidad de Universidad pública canadiense francófona, fundada en Montreal, Quebec, en 1878. Ofrece programas en artes y ciencias, derecho, medicina, teología, arquitectura, trabajo social, criminología y otras disciplinas. Entre sus escuelas afiliadas se cuentan una politécnica y otra de estudios avanzados en administración de empresas.

Montreux Centro turístico (pob., 2000: 22.455 hab.) en el oeste de Suiza, en la ribera oriental del lago LÉMAN. Se formó en 1962 mediante la fusión de las localidades Le Châtelard, Les Planches y Veytaux. El cercano castillo de Chillon, que data del s. XIII, se hizo conocido gracias al poema de LORD BYRON titulado *El prisionero de Chillon*. En Montreux se realiza anualmente un famoso festival de jazz.

Montreux, convención de (1936). Acuerdo relativo a los estrechos del Bósforo y del Dardanelos. En respuesta a la petición turca de volver a fortificar la región, los firmantes del tratado de LAUSANA y otros se reunieron en Montreux, Suiza, y acordaron devolver la zona al control militar turco. La convención permitió a Turquía cerrar los estrechos a todas las naves militares en tiempos de guerra y permitir el libre paso de las naves mercantes. Ver también cuestión de los ESTRECHOS.

Montrose, James Graham, 5° conde y 1ᵉʳ marqués de (1612–21 may. 1650, Edimburgo, Escocia). General escocés en las guerras civiles INGLESAS. Sirvió en el ejército del acuerdo nacional escocés (Covenant) que invadió el norte de Inglaterra (1640), pero se mantuvo como realista. Nombrado teniente general por CARLOS I (1644), dirigió el ejército realista de escoceses (Highlanders) e irlandeses y obtuvo victorias en Escocia en batallas importantes. Después de la derrota de Carlos en 1645, huyó a Europa continental. En 1650 regresó a Escocia con 1.200 hombres, pero fue derrotado, capturado y ahorcado.

1ᵉʳ marqués de Montrose, retrato en miniatura según una pintura de W. Dobson; Wallace Collection, Londres.
GENTILEZA DEL DIRECTORIO DE LA WALLACE COLLECTION, LONDRES

Mont-Saint-Michel Islote rocoso casi circular que se levanta en la costa de la bahía Mont-Saint-Michel entre Bretaña y Normandía, noroeste de Francia. Es una isla bañada por las aguas cuando la marea sube y en torno a ella hay muros y torres medievales, sobre los que se levantan edificios. Una antigua ABADÍA corona el monte. A través de los siglos ha sido centro de peregrinación, fortaleza y prisión. La abadía contiene una imponente nave románica del s. XI y un coro gótico de estilo FLAMÍGERO. Las murallas exteriores del monasterio gótico combinan la solidez de una fortaleza militar con la simplicidad de un edificio religioso. Algunas viviendas que rodean las estrechas calles ondulantes de la isla datan del s. XV.

Montserrat, isla Isla (pob., est. 2001: 3.600 hab.) y colonia de la corona británica en las Antillas Menores. Se encuentra en el mar Caribe oriental y ocupa una superficie de 102 km² (40 mi²); mide 18 km (11 mi) de longitud por 11 km (7 mi) de ancho. En 1493, CRISTÓBAL COLÓN la visitó y le dio nombre; en 1632, fue colonizada por británicos e irlandeses. Posteriormente, Francia tuvo dominio sobre ella por un breve período, pero desde 1783 se ha mantenido en poder de los británicos. En su primera época como colonia británica, la economía se basó en las plantaciones de caña de azúcar y algodón con mano de obra esclava. Entre 1871 y 1956 fue administrada por la Federación de las Islas de Sotavento y luego por la Federación de las Indias Occidentales (1958–62). Fue reconstruida después de un devastador huracán en 1989. En 1996, la violenta erupción del volcán La Soufrière obligó a evacuar la mitad meridional de la isla y el abandono de su capital, Plymouth. En 1998 más de dos tercios de la población que habitaba la isla se había marchado.

montura Conjunto de arreos, especialmente la silla de montar, ocupado por el jinete de cabalgadura. La montura de cuero fue desarrollada entre el s. III AC–I DC, probablemente por pueblos de las estepas asiáticas, donde también se originaron los estribos y los arreos de collera. La montura aumentó la capacidad de control de la cabalgadura, especialmente en combate. Las mejoras hechas a los arreos en la Europa medieval se relacionaban con las batallas feudales sostenidas entre caballeros. Las monturas modernas se dividen en dos tipos principales: montura liviana y plana de estilo inglés o húngaro, para deporte y recreación, y la montura gruesa y pesada para labores de laceado de ganado, como en el oeste norteamericano, ahora también empleada para recreación.

Monty Python('s Flying Circus) Compañía cómica inglesa. Esta innovadora agrupación se formó a comienzos de la década de 1960, y se hizo conocida durante la siguiente década, primero en televisión y luego en cine. La mayoría de sus integrantes se conocieron cuando eran estudiantes de la Universidad de Cambridge, como Graham Chapman (n. 1941–m. 1989) y JOHN CLEESE (coautores de la mayoría de sus rutinas burlescas y filmes), además de Terry Jones (n. 1942), Terry Gilliam (n. 1940), Eric Idle (n. 1943) y Michael Palin (n. 1943). Las parodias acerca de la vida y televisión inglesas, y su absurda fauna de personajes sorprendieron y deleitaron al público internacional. Entre sus películas se cuentan *Los caballeros de la mesa cuadrada y sus locos seguidores* (1975) y *La vida de Brian o el sentido de la vida* (1979).

Monumentum Ancyranum (después de 14 DC). Inscripción bilingüe, griega y latina, en un templo dedicado a Roma y Augusto en Ancira (Ankara, Turquía). Conocida como la *Res gestae divi Augusti* ("Los hechos del divino Augusto"), representa el testimonio oficial de su reinado. Fue redactada por el propio AUGUSTO, quien instruyó en su testamento que fuera grabada en los pilares de su mausoleo en Roma. Los originales se encuentran perdidos y las copias de Ancira corresponden a dos, entre muchas otras.

monzón Importante sistema de vientos que revierte su dirección estacionalmente (p. ej., uno que sopla seis meses desde el nordeste y seis meses desde el sudoeste). Ocurren esencialmente en África y Asia meridional. La causa de los monzones obedece a las diferencias térmicas que se registran en el mar y la tierra. Los cambios estacionales de temperatura son importantes en tierra, pero menores en el océano. Los monzones soplan desde regiones frías hacia regiones cálidas: de mar a tierra en verano y de tierra a mar en invierno. La mayoría de los monzones de verano producen lluvias abundantes; los monzones de invierno tienden a causar sequía.

monzonita Tipo de ROCA ÍGNEA que contiene cantidades abundantes y aproximadamente iguales de plagioclasa y FELDESPATO potásico, así como otros minerales. La región que la tipifica es Monzoni, en el Tirol italiano, pero se sabe de rocas similares en Montana (EE.UU.), Noruega, Sajalín y otras localidades. La monzonita no es escasa, pero por lo general aparece en masas relativamente pequeñas y heterogéneas, mezclada con dioritas, piroxenitas o gabros.

Moon, Sun Myung (n. 6 ene. 1920, Kwangju Sangsa Ri, provincia de P'yŏngan-puk, Corea). Líder religioso surcoreano. Convencido de haber sido designado por Dios como sucesor de JESÚS, en 1946 comenzó a predicar una nueva religión en Corea del Norte, inspirada libremente en el cristianismo. Tras ser encarcelado por las autoridades norcoreanas, escapó o fue liberado y se dirigió a Corea del Sur, donde fundó la Iglesia de la UNIFICACIÓN en 1954 y construyó un imperio comercial multimillonario. En 1973 trasladó su sede central a Tarrytown, N.Y., EE.UU., donde se convirtió en foco de controversias por sus métodos para conseguir fondos, la evasión de impuestos y el adoctrinamiento de sus seguidores (popularmente denominados *moonies*). En 1982 fue condenado por evasión de impuestos, sentenciado a 18 meses de prisión y multado con US$ 25.000. También ha debido enfrentar una declaración de su nuera que lo perjudica. En la década de 1990 la iglesia comenzó a operar en Brasil, donde su adquisición de grandes extensiones de bosque tropical ha sido muy criticada.

Moore, Archie orig. **Archibald Lee Wright** (13 dic. 1913, Benoit, Miss., EE.UU.–9 dic. 1998, San Diego, Cal.). Boxeador estadounidense. Comenzó a pelear en la década de 1930, pero tuvo problemas para progresar debido a que sus potenciales rivales no querían enfrentarlo, pues pensaban que era demasiado bueno. En 1952 conquistó el título mundial de los pesos completos al derrotar a Joe Maxim. Retuvo la corona hasta 1962, cuando fue descalificado por no enfrentar al primer contendor, Harold Johnson. En 1936–63 disputó 229 combates y ganó 194, 141 por *knock out*. Al retirarse se convirtió en actor de cine y realizó trabajos sociales con jóvenes.

Moore, G(eorge) E(dward) (4 nov. 1873, Londres, Inglaterra–24 oct. 1958, Cambridge, Cambridgeshire). Filósofo británico, uno de los fundadores de la FILOSOFÍA ANALÍTICA. Mientras era profesor asociado en la Universidad de Cambridge (1898–1904), publicó dos artículos influyentes, "La naturaleza del juicio" (1899) y "La refutación del idealismo" (1903), que contribuyeron en gran medida a terminar con la influencia del IDEALISMO absoluto en la filosofía británica. Durante ese tiempo también publicó su principal obra ética, *Principia ethica* (1903), en la que sostenía que el "bien" constituye una cualidad simple e inanalizable que es cognoscible por aprehensión directa. Su intuicionismo fue la posición metaética dominante en Gran Bretaña durante los siguientes 30 años, y ejerció considerable influencia dentro del grupo de BLOOMSBURY, formado por artistas e intelectuales. En epistemología, Moore es recordado por su filosofía del "sentido común", según la cual los seres humanos conocen muchas proposiciones verdaderas acerca de sí mismos y del mundo que resultan inconsistentes con las doctrinas idealistas y escépticas (p. ej., "La Tierra ha existido desde hace muchos años"). Su posición general fue que, ya que ningún argumento en favor del idealismo o del escepticismo es tan cierto como la concepción del sentido común, el idealismo y el escepticismo pueden rechazarse sin más. Fue profesor de filosofía en Cambridge desde 1925 hasta 1939. De 1921 a 1947 editó la revista *Mind*.

Moore, Henry (30 jul. 1898, Castleford, Inglaterra–31 ago. 1986, Much Hadham). Escultor y artista gráfico inglés. Hijo de un minero del carbón, pudo estudiar en el Royal College of Art, gracias a una beca de rehabilitación que obtuvo después de resultar herido en la primera guerra mundial. Sus primeras obras recibieron el influjo de la escultura maya que observó en un museo de París. Hacia 1931 experimentó con el arte abstracto, combinando formas abstractas con la figura humana y, en ocasiones, desechando la figura humana del todo. Cuando los materiales comenzaron a escasear durante la segunda guerra mundial, se dedicó a realizar dibujos de londinenses refugiándose de las bombas en las estaciones de los trenes subterráneos. Los encargos de la *Virgen con el Niño* y el *Grupo de familia* hicieron que su estilo variara de la abstracción a una aproximación más humanística, que llegó a ser la base de su fama internacional. Retomó la experimentación en la década de 1950 con figuras en bronce erguidas, angulares y perforadas. La mayor parte de su obra es monumental y se lo conoce particularmente por una serie de desnudos reclinados. Entre sus principales trabajos por encargo se cuentan esculturas para las sedes de la UNESCO en París (1957–58), el Lincoln Center (1963–65) y la Galería Nacional de Arte de Washington (1978).

Moore, Marianne (Craig) (15 nov. 1887, St. Louis, Mo., EE.UU.–5 feb. 1972, Nueva York, N.Y.). Poetisa estadounidense. Estudió en el Bryn Mawr College y luego se estableció en el Brooklyn, N.Y., con su madre. Desde 1919 en adelante se dedicó a escribir poesía y crítica literaria para distintas publicaciones. Fue editora de la influyente revista *The Dial* (1925–29). Entre sus volúmenes de poesía destacan *Observaciones* (1924) y *Poemas completos* (1951, premios Pulitzer y Bollingen, y National Book Award). En sus poemas altamente rigurosos revela intuiciones morales e intelectuales a partir de la observación meticulosa del

Marianne Moore, 1957.
IMOGEN CUNNINGHAM

detalle objetivo, especialmente del mundo animal, a menudo en innovadoras estrofas. En *Poemas* (1921), pieza de antología, llamaba a crear poemas que presentaran "jardines imaginarios que tengan sapos reales". Durante sus últimos años, la excéntrica y encantadora Moore, con su capa y sombrero de tres picos, se transformó en un icono de la elegancia.

Moore, Mary Tyler (n. 29 dic. 1936, Brooklyn, Nueva York, N.Y., EE.UU.). Actriz de cine y televisión estadounidense. Estudió danza, apareció en comerciales e interpretó roles menores en televisión antes de coprotagonizar el exitoso *Dick Van Dyke Show* (1961–66; dos premios Emmy). Se consagró como la estrella de la serie de televisión *The Mary Tyler Moore Show* (1970–77; cuatro premios Emmy), que se convirtió en la más popular comedia de situaciones de la década de 1970. También obtuvo un premio Emmy por su actuación en la miniserie televisiva *Stolen babies* (1993). Entre sus películas se cuentan *Gente como uno* (1980) y *Flirteando con el desastre* (1996).

Moore, Stanford (4 sep. 1913, Chicago, Ill., EE.UU.–23 ago. 1982, Nueva York, N.Y.). Bioquímico estadounidense. En 1972 compartió el Premio Nobel con Christian Anfinsen (n. 1916–m. 1995) y William Stein (n. 1911–m. 1980) por la investigación sobre las estructuras moleculares de las PROTEÍNAS. Es reconocido sobre todo por sus aplicaciones de la CROMATOGRAFÍA al análisis de AMINOÁCIDOS y PÉPTIDOS obtenidos de proteínas y fluidos biológicos, y por el uso de esos análisis para determinar la estructura de la ENZIMA ribonucleasa.

Moore, Thomas (28 may. 1779, Dublín, Irlanda–25 feb. 1852, Wiltshire, Inglaterra). Poeta, satírico, compositor y cantante irlandés. Se graduó en el Trinity College y estudió derecho en Londres, donde se convirtió en amigo cercano de Lord BYRON y PERCY BYSSHE SHELLEY. Sus colecciones *Irish Melodies* y *National Airs* (1807–34) se componen de 130 poemas originales adaptados a melodías folclóricas, entre ellos "The Minstrel Boy", "Believe Me, if All Those Endearing Young Charms" y "The Last Rose of Summer". Estas canciones, interpretadas por Moore ante la aristocracia londinense, despertaron simpatía y apoyo hacia los nacionalistas irlandeses. Su reputación entre sus contemporáneos rivalizaba con la de Byron y WALTER SCOTT. Su poema *Lalla Rookh* (1817), una fantasía oriental romántica, se convirtió en el poema más traducido de su tiempo. En 1824, Byron le confió sus memorias, pero las quemó, presumiblemente para proteger a este. Más tarde publicó las biografías de Byron y de otros personajes, así como una *Historia de Irlanda* (1827).

mora americana Fruto de gran tamaño de la ZARZA, generalmente considerado una variedad de ZARZAMORA (*Rubus ursinus*), junto con la frambuesa americana (ver FRAMBUESO AMERICANO) y la "youngberry". El fruto negro rojizo oscuro es muy apreciado para enlatados y confituras. En EE.UU. se cultiva fundamentalmente en el sur y sudoeste, así como en la costa del Pacífico desde el sur de California hasta Oregón. Fue desarrollada a comienzos de la década de 1920 por Rudolph Boysen (n. 1895–m. 1950) en Napa, Cal., EE.UU.

Moráceas Familia compuesta de unas 1.000 especies de árboles deciduos o SIEMPREVERDES distribuida en cerca de 40 géneros, que crecen principalmente en regiones tropicales y subtropicales. Las plantas de esta familia contienen un látex lechoso y producen frutos múltiples fusionados. Los frutos comestibles se dan en la morera común (género *Morus*), en la HIGUERA (del género mayor *Ficus*) y en el árbol del pan (ver FRUTA DEL PAN). Los GUSANOS DE SEDA se alimentan casi exclusivamente de las hojas de la morera blanca (*M. alba*). Entre las especies ornamentales de esta familia están la morera del papel y el naranjo chino (*Maclura pomifera*). Otras especies

Morera del papel
(*Broussonetia papyrifera*)

Morera blanca
(*Morus alba*)

Especies de las Moráceas: hojas y frutos.
© ENCYCLOPÆDIA BRITANNICA, INC.

comprenden el árbol del CAUCHO de la India, que a menudo se encuentra en los vestíbulos de las oficinas, y el BANIANO.

Morales, Luis de (c. 1509, Badajoz, España–9 may. 1586, Badajoz). Pintor español. Vivió toda su vida en Badajoz, y realizó viajes sólo para realizar encargos ocasionales. Es considerado el mejor pintor español del MANIERISMO y se le conoce sobre todo por sus emotivas pinturas religiosas. Trabajó siempre sobre paneles, que a menudo representaban temas como el *Ecce Homo*, la *Pietà* y la *Virgen y el Niño*. Sus pinturas revelan la influencia de LEONARDO DA VINCI y RAFAEL, y están marcadas por la ejecución detallada y el ascetismo de la España del s. XVI.

moralidades Drama alegórico europeo de los s. XV–XVI. Los personajes de las obras encarnaban cualidades morales (como la caridad o el vicio) o ideas abstractas (como la muerte o la juventud). Constituyó un importante estilo dramático vernáculo de su época, que dio comienzo a la transición del DRAMA LITÚRGICO al teatro profesional profano. Las breves puestas en escena eran habitualmente representadas por grupos de teatro semiprofesionales que dependían económicamente del público. *Todo hombre* (c. 1495), que abordaba el llamado que recibía el hombre común de parte de la Muerte, y su posterior recorrido hacia la tumba, es considerado el más importante drama de moralidades. En España, este género dramático casi no existió durante el s. XV; sin embargo, en el s. XVI se desarrolló una seudomoralidad, que dio origen al auto sacramental. Ver también MILAGROS; MISTERIOS.

"La Virgen y el Niño", panel de Luis de Morales; National Gallery, Londres.
GENTILEZA DE LA NATIONAL GALLERY, LONDRES; FOTOGRAFÍA, A.C. COOPER

Morandi, Giorgio (20 jul. 1890, Bolonia, Italia–18 jun. 1964, Bolonia). Pintor y grabador italiano. Expuso sus pinturas por primera vez junto con los pintores del FUTURISMO y se lo asoció estrechamente con la pintura METAFÍSICA; sin embargo, no se le identifica con ninguna de las dos escuelas. Regresó una y otra vez al tema de los bodegones simples y geométricos, en los que representaba botellas, jarros y cajas. Al volver sobre el mismo tema, fue capaz de concentrarse en la exploración de la forma pura (p. ej., línea, color, forma). Su enfoque contemplativo dio a sus paisajes y naturalezas muertas finura en el tono y sutileza en la forma. En calidad de profesor de grabado en la Academia de Bellas Artes de Bolonia (1930–56), ejerció una profunda influencia sobre los artistas gráficos italianos.

Morava, río *alemán* **March** Río en la República Checa oriental. Nace en las montañas y fluye en dirección sur durante 365 km (227 mi) hasta desembocar en el DANUBIO, al norte de BRATISLAVA, Eslovaquia. En su curso inferior separa primero a la República Checa de Eslovaquia y luego a Eslovaquia de Austria. Debe su nombre a la región circundante de MORAVIA.

Morava, río Río de Serbia. Formado por la confluencia del Morava meridional (Južna Morava) y el Morava occidental (Zapadna Morava), fluye hacia el norte hasta desembocar en el DANUBIO, después de recorrer 221 km (137 mi). La superficie total de la cuenca del Morava es de 37.444 km^2 (14.457 mi^2), es decir, casi la totalidad del territorio de SERBIA.

Moravia Región de Europa central. Limita con Bohemia, Silesia, Eslovaquia y el nordeste de Austria; atravesada por el río MORAVA, estuvo habitada desde el s. IV AC. Fue reconquistada por los ávaros en los s. VI–VII DC y colonizada posteriormente por tribus eslavas. En el s. IX, se convirtió en el estado de Gran Moravia, cuyo territorio comprendía BOHEMIA y partes de Polonia y Hungría actuales. Los MAGIARES la conquistaron en 906. Quedó en manos de la dinastía HABSBURGO en 1526. Tras la revolución de 1848, Moravia se convirtió en territorio de la corona austríaca y BRNO en su capital. En 1918, fue incorporada al nuevo estado de Checoslovaquia. Alemania anexó parte de su territorio en 1938, que le fue devuelto a Checoslovaquia después de la segunda guerra mundial. Desde 1993, la región integra la República CHECA.

Moravia, Alberto *orig.* **Alberto Pincherle** (28 nov. 1907, Roma, Italia–26 sep. 1990, Roma). Periodista, novelista y cuentista italiano. Trabajó como periodista en Turín y como corresponsal internacional en Londres. *Los indiferentes* (1929), su primera novela, es una mordaz descripción de la corrupción moral de la clase media. Sus obras fueron censuradas por los fascistas del gobierno de BENITO MUSSOLINI e ingresadas al *Índice de libros prohibidos*. Entre sus novelas posteriores más importantes, muchas de ellas descripciones de la alienación social y de una sexualidad sin amor, sobresalen *El conformista* (1951; película, 1971), *La campesina* (1957; película, 1961) y *El aburrimiento* (1960). Entre sus libros de cuentos destacan *Cuentos romanos* (1954) y *Nuevos cuentos romanos* (1959). Estuvo casado con la escritora Elsa Morante (n. 1918–m. 1985).

Moravia, Iglesia de Secta protestante fundada en el s. XVIII. Su origen se remonta a los Hermanos Unidos, movimiento HUSITA del s. XV en Bohemia y Moravia. El movimiento original fue minado por la persecución, pero se revitalizó en 1722 en Herrnhut, una comunidad teocrática establecida en Sajonia. En EE.UU., los moravos fundaron Bethlehem, Pa. (1740), y varios otros asentamientos, y realizaron una obra misionera entre los indígenas. Ordenan obispos, pero son gobernados por sínodos constituidos por representantes elegidos; se guían por la Biblia como su única norma de fe y culto.

Moray, estuario de Ensenada del mar del NORTE, nordeste de Escocia. Se interna tierra adentro por 63 km (39 mi) y mide 29 km (16 mi) en su punto más ancho. La península de Black Isle lo divide en dos ensenadas más pequeñas, Cromarty y de Inverness, donde se sitúa la ciudad de INVERNESS.

mordedura de serpiente Herida por mordedura de SERPIENTE, especialmente aquella venenosa. Las serpientes no venenosas dejan desgarros cutáneos que pueden tratarse como rasguños. Las personas mordidas por serpientes venenosas necesitan atención médica inmediata. Los antídotos deben ser específicos para el tipo de VENENO, de modo que la serpiente debe ser identificada o descrita con precisión. Las diferentes clases de venenos destruyen los glóbulos rojos, o atacan el sistema nervioso causando PARÁLISIS. La destrucción tisular local puede producir GANGRENA. Los primeros auxilios en las mordeduras de serpiente persiguen evitar que el veneno se extienda al resto del cuerpo. La extremidad mordida debe mantenerse quieta bajo el nivel del corazón con un vendaje amplio y firme (no apretado) a su alrededor, por encima de la lesión. Debe evitarse el agotamiento y la excitación. Tampoco son recomendables las incisiones, la succión, los torniquetes ni las aplicaciones de hielo.

Moreau, Gustave (6 abr. 1826, París, Francia–18 abr. 1898, París). Pintor francés. Desarrolló un estilo distintivo adscrito al movimiento SIMBOLISTA, y se hizo conocido por sus pinturas eróticas de temas mitológicos y religiosos. Sus obras como *Edipo y la esfinge* (1864) y *La danza de Salomé* (1876) han sido descritas con frecuencia como decadentes. Hizo una serie de experimentos técnicos, entre ellos el raspado de sus lienzos. Sus pinturas no figurativas, ejecutadas de una manera suelta y con gruesos empastes, ha llevado a algunos a considerarlo el precursor del EXPRESIONISMO ABSTRACTO.

Moreau, Jeanne (n. 23 ene. 1928, París, Francia). Actriz de cine francesa. A la edad de 20 años fue la actriz más joven de la compañía de la COMÉDIE-FRANÇAISE. Debutó en el cine con *Dernier amour* (1949) y fue aclamada por sus roles en *Ascensor para el cadalso* (1957) y *Los amantes* (1958) de LOUIS MALLE. De una belleza no convencional, se hizo conocida por su sensualidad y sofisticación. Posteriormente protagonizó *Moderato cantabile* (1960), *La noche* (1961) y se consagró internacionalmente en *Jules y Jim* (1961), en la que interpretó a una mujer amada por dos hombres. Más tarde actuó en *El proceso* (1962), *Diario de una camarera* (1964) y *La novia vestía de negro* (1968). También dirigió películas, entre las que se cuentan *Lumière* (1976) y *El adolescente* (1978).

Morehouse College Colegio universitario privado de artes liberales para estudiantes de sexo masculino e históricamente destinado a alumnos afroamericanos, con sede en Atlanta, Ga., EE.UU. Fundado en 1867 como un seminario de nombre Augusta Institute, en 1913 cambió de denominación en honor de Henry L. Morehouse, uno de sus administradores. Cuenta con programas en administración de empresas, educación, humanidades y ciencias físicas y naturales. Forma parte de un consorcio educacional en el cual seis instituciones, incluido el Spelman College, intercambian docentes, estudiantes, instalaciones y programas de estudio. Pasaron por sus aulas muchos alumnos destacados, entre los que cabe señalar a MARTIN LUTHER KING, JR., el líder de los derechos civiles JULIAN BOND y el cineasta SPIKE LEE.

Morelia Ciudad (pob., 2000: 549.996 hab.), capital del estado de MICHOACÁN, centro-oeste de México. Fue fundada en 1541 con el nombre de Valladolid, en un lugar poblado por los indios tarascos. En 1582 reemplazó a Pátzcuaro como capital provincial. Durante las guerras de independencia mexicana sirvió un breve período como base de operaciones de la revolución; en 1828 se le dio el nombre de Valladolid Morelia, en honor del líder revolucionario José María Morelos. Es el centro comercial de una región agrícola. Entre sus instituciones de educación superior destacan la Universidad Michoacana de San Nicolás de Hidalgo (1540), institución de educación superior más antigua de México.

Morelos Estado (pob., 2000: 1.555.296 hab.) del centro de México. Con 4.950 km² (1.911 mi²) de superficie, su capital es Cuernavaca. Situado en la ladera sur de la meseta central mexicana, constituye uno de los estados agrícolas más prósperos del país, con valles en los que se cultiva una gran variedad de rubros agrícolas. Llamado Morelos en honor de José María Morelos, allí nació EMILIANO ZAPATA, ambos héroes nacionales.

morena Cualquiera de unas 80 especies (familia Muraenidae) de ANGUILAS de aguas someras que habitan todos los mares tropicales y subtropicales. Las morenas viven entre arrecifes y rocas, y se ocultan en grietas; su piel es gruesa, lisa, sin

escamas y tiene marcas o colores intensos. La mayoría de las especies carece de aletas pectorales. Las morenas poseen una boca amplia y dientes fuertes y afilados que sirven para atrapar y sujetar la presa.

Morena (*Gymnothorax moringa*).
© ENCYCLOPÆDIA BRITANNICA, INC.

Atacan a los humanos sólo cuando se las molesta. La mayoría mide menos de 1,5 m (5 pies) de largo, pero *Thyrsoidea macrurus*, del océano Pacífico, puede sobrepasar los 3,5 m (11 pies). A veces son comestibles, pero su carne puede ser tóxica y causar enfermedad o muerte si se consume.

Moreton, bahía de Ensenada del océano Pacífico, en la costa sudoriental de QUEENSLAND, Australia. Con 105 km (65 mi) de longitud y 32 km (20 mi) de ancho, constituye la puerta de entrada a BRISBANE. En 1770, el navegante británico JAMES COOK bautizó la bahía (con error ortográfico) en honor del conde de Morton. El primer asentamiento en tierra firme fue una colonia penal establecida en Redcliffe a comienzos del s. XIX.

morfema En lingüística, la unidad gramatical más pequeña de una lengua. Puede ser una palabra completa (p. ej., *pan*) o un elemento de una palabra (p. ej., las partículas *"re"*, *"ió"* en *reapareció*). En las lenguas llamadas aislantes, como el vietnamita, cada palabra contiene un solo morfema; en idiomas como el inglés o el español, las palabras suelen contener múltiples morfemas. El estudio de los morfemas constituye la MORFOLOGÍA.

Morfeo En la mitología grecorromana, dios de los sueños. Fue uno de los hijos de Hipnos (Somnus), dios del sueño. Enviaba figuras humanas de todo tipo al durmiente, mientras que sus hermanos Fobetor y Fantasios enviaban figuras de animales y objetos inanimados.

morfina COMPUESTO HETEROCÍCLICO, ALCALOIDE NARCÓTICO ANALGÉSICO aislado originalmente a partir del OPIO. Se cuenta entre los compuestos naturales más potentes capaces de reducir el dolor y la angustia; su efecto calmante protege al organismo en contra del agotamiento en el CHOQUE traumático, HEMORRAGIA interna, INSUFICIENCIA CARDÍACA CONGESTIVA y otras afecciones debilitantes. A menudo, la morfina es administrada mediante inyección, pero puede ingerirse por vía oral. Su inconveniente más serio es que produce adicción; pocos doctores están dispuestos a usar cantidades adecuadas para aliviar el dolor intenso, a pesar de que el uso por breve tiempo en esos casos rara vez conduce a la DROGADICCIÓN. Este aspecto sigue siendo controvertido, incluso en casos terminales, cuando se puede argumentar que la adicción resulta irrelevante; otro problema, en tales casos, es que las dosis grandes deprimen la RESPIRACIÓN y pueden de este modo acelerar la muerte.

morfología En biología, estudio del tamaño, forma y estructura de los organismos en relación con algún principio o generalización. Mientras la ANATOMÍA describe la estructura de los organismos, la morfología explica sus formas y la disposición de sus partes en términos de principios generales como relaciones evolutivas, función y desarrollo.

morfología En lingüística, sistema interno de construcción de las palabras y su estudio. Las lenguas varían considerablemente en cuanto al número de MORFEMAS que puede tener una palabra. El español tiene muchas palabras con múltiples morfemas (p. ej., la palabra *desinteresado* está compuesta de *des-*, *interes*, *-ado*). Muchas lenguas amerindias poseen una morfología sumamente compleja; en cambio otras, como el chino, tienen una simple. La morfología incluye los procesos gramaticales de inflexión, por medio de los cuales se indican categorías como persona, tiempo y caso (p. ej., "-mos" en *queremos* indica la primera persona del plural en el tiempo presente del indicativo) y los procesos gramaticales de derivación, o formación de nuevas palabras, a partir de palabras existentes (p. ej., *aceptable* a partir de *aceptar*).

Morgan Raza de CABALLO ligero proveniente de un ejemplar de Vermont (parido en 1793, fallecido en 1821), llamado en honor de su dueño, Justin Morgan (n. 1747– m. 1797). El "caballo Justin Morgan", mezcla de PURASANGRE, CABALLO ÁRABE y otros elementos, era un caballo paticorto, compacto, muy musculoso, de gran estilo, energía y resistencia. Puesto que él originó por sí solo la raza, es el mejor ejemplo en el mundo de prepotencia (capacidad de transmitir los rasgos propios a la descendencia). Los Morgan actuales se usan sobre todo para cabalgar. Tienen una alzada de 14,1–15,2 palmos (145– 155 cm, 57–61 pulg.), pesan 400–500 kg (900–1.100 lb) y se parecen al caballo árabe en contextura y resistencia.

Semental bayo de raza Morgan.
© SCOTT SMUDSKY–EB INC.

Morgan, Daniel (1736, cond. de Hunterdon, N.J., EE.UU.– 6 jul. 1802, Winchester, Va.). Oficial militar de la guerra de independencia de EE.UU. Alcanzó el grado de capitán de los fusileros de Virginia y actuó a las órdenes de BENEDICT ARNOLD en el asalto infructuoso a Quebec (1775). En 1777 se reunió con el gral. HORATIO GATES en la batalla de Saratoga. En 1780 ascendió a general de brigada y combatió en el Sur, donde derrotó a una numerosa fuerza británica en Cowpens, S.C. En 1794 estuvo al mando de milicianos de Virginia para ayudar a sofocar la rebelión del WHISKY.

Morgan, John (10 jun. 1735, Filadelfia, Pa., EE.UU.– 15 oct. 1789, Filadelfia). Médico y profesor de medicina estadounidense. Estudió medicina en Europa para luego volver a las colonias inglesas en Norteamérica, a fin de fundar en 1765 la primera escuela de medicina, en la Universidad de Pensilvania. Como primer profesor de medicina en Norteamérica, exigió una educación liberal de sus alumnos y separó medicina, cirugía y farmacología en disciplinas independientes, política a la que se oponían ampliamente los médicos de la época. Fue designado jefe del sistema médico del ejército en 1775; sin embargo, el Congreso continental no lo dejó organizar el sistema y lo despidió en 1777, haciéndolo responsable de la alta tasa de mortalidad durante la guerra. Aunque fue absuelto en 1779, nunca se recuperó y murió recluido en la pobreza.

Morgan, J(ohn) P(ierpont) (17 abr. 1837, Hartford, Conn., EE.UU.–31 mar. 1913, Roma, Italia). Financista estadounidense. Hijo de un hombre de negocios, inició su carrera profesional como contador en 1857 y se convirtió en agente de la empresa bancaria de su padre en 1861. En 1871 fue nombrado socio de la firma de Drexel, Morgan, la que llegó a ser la fuente principal de financiamiento del gobierno estadounidense. En 1895, la empresa cambió su razón social por J.P. Morgan & Co. En las décadas de 1880–90 Morgan reorganizó varios ferrocarriles importantes, en particular, las compañías Erie Railroad Co. y Northern Pacific Railway Co. Tuvo un papel decisivo en lograr la estabilidad de las tarifas ferroviarias y en desalentar la competencia excesivamente caótica. Se convirtió en uno de los magnates ferroviarios más poderosos del mundo, por cuanto llegó a controlar unos 8.000 km (5.000 mi) de vías férreas en 1902. Después del pánico de 1893, Morgan formó un consorcio con el

fin de proveer de oro a las reducidas reservas del Departamento del Tesoro de EE.UU. Lideró la comunidad financiera en sus esfuerzos por evitar la crisis económica general tras el pánico sufrido en el mercado de valores en 1907. Financió y organizó una serie de fusiones industriales gigantescas, que dieron origen a las empresas GENERAL ELECTRIC CO. (GE), UNITED STATES STEEL CORP. e International Harvester Co. Fue además un destacado coleccionista de arte y donó muchas obras al Museo METROPOLITANO DE ARTE DE NUEVA YORK. Su colección de libros y el edificio que la albergaba se convirtieron en la Biblioteca Pierpont Morgan de Nueva York.

Morgan, J(ohn) P(ierpont), Jr. (7 sep. 1867, Irvington, N.Y., EE.UU.–13 mar. 1943, Boca Grande, Fla.). Banquero y financista estadounidense. En 1892 se incorporó a J.P. Morgan and Co. y asumió el control de la empresa en 1913 tras la muerte de su padre, J.P. MORGAN. Durante la primera guerra mundial se desempeñó como agente de compras de los gobiernos de Francia y Gran Bretaña en EE.UU., y gestionó la suscripción de más de US$ 1.500 millones en bonos. Junto con otros banqueros reunió fondos en un intento infructuoso por evitar la quiebra bursátil de 1929. La ley de Bancos de 1933 obligó a su firma a separar su banca de inversiones de sus actividades bancarias comerciales. Morgan, Stanley and Co. se transformó en un nuevo banco de inversiones, en tanto que el propio Morgan se mantuvo a la cabeza de la J.P. Morgan & Co., que en lo sucesivo fue exclusivamente un banco comercial.

Morgan, Lewis Henry (21 nov. 1818, cerca de Aurora, N.Y., EE.UU.–17 dic. 1881, Rochester, N.Y.). Etnólogo estadounidense y uno de los principales fundadores de la antropología científica. Morgan desarrolló un profundo interés por los indígenas norteamericanos y en 1846 llegó a ser adoptado por los SENECAS. Su obra *Systems of Consanguinity and Affinity of the Human Family* [Sistemas de consaguinidad y afinidad de la familia humana] (1871) es un estudio sobre los sistemas de PARENTESCO del mundo, que intenta establecer conexiones entre distintas culturas y, en especial, probar el origen asiático de los nativos norteamericanos. Este trabajo condujo a una teoría general de la EVOLUCIÓN SOCIOCULTURAL, presentada en *La sociedad primitiva* (1877). Morgan postulaba que los avances en la organización social surgían principalmente de cambios en la producción de alimentos y que las sociedades habían evolucionado de una etapa de cazadores y recolectores ("salvajismo") hacia otra de agricultura sedentaria ("barbarismo") hasta alcanzar finalmente la "civilización" moderna. Esta teoría, junto con otra asociada, según la cual la sociedad tuvo su origen en un estado de promiscuidad sexual y que posteriormente pasó por varias formas de vida familiar antes de culminar en la monogamia, está hoy obsoleta. Durante muchos años, sin embargo, Morgan encabezó la antropología estadounidense y sus ideas pioneras influyeron, entre otras, en las teorías de KARL MARX y FRIEDRICH ENGELS.

Morgan, Sir Henry (1635, Llanrhymney, Glamorgan, Gales–25 ago. 1688, probablemente Lawrencefield, Jamaica). Bucanero galés. En la segunda de las guerras ANGLO-HOLANDESAS comandó a los bucaneros contra las colonias holandesas en el Caribe. Después de capturar Puerto Príncipe en Cuba y saquear la ciudad de Portobelo, en 1670 partió con 36 naves y 2.000 bucaneros a apresar la ciudad de Panamá, importante colonia española; derrotó a una fuerza española numerosa y saqueó y quemó la ciudad. En el viaje de regreso abandonó a sus subalternos y tomó la mayor parte del botín. En 1674 fue nombrado caballero y enviado a Jamaica como vicegobernador. Un relato exagerado de sus hazañas creó su reputación popular de pirata sanguinario.

Morgan, Thomas Hunt (25 sep. 1866, Lexington, Ky., EE.UU.–4 dic. 1945, Pasadena, Cal.). Zoólogo y genetista estadounidense. Obtuvo un doctorado en la Universidad Johns Hopkins. Mientras se desempeñaba como profesor en la Universidad Columbia (1904–28) y el Instituto Tecnológico de California (1928–45), realizó importantes investigaciones sobre la HERENCIA. Como muchos de sus contemporáneos, Morgan consideraba que la teoría de la selección natural de CHARLES DARWIN era poco verosímil, porque no podía ser probada experimentalmente, y objetaba las teorías mendeliana y cromosómica, argumentando que ningún cromosoma podría portar caracteres hereditarios específicos. Cambió de opinión como resultado de sus estudios con la *Drosophila*. Postuló la hipótesis de los caracteres ligados al sexo. Adoptó el término *gen* y concluyó que posiblemente los genes se ordenaban de manera lineal en los cromosomas. En 1933 se le otorgó el Premio Nobel. Ver también CALVIN BLACKMAN BRIDGES.

Morgana Hechicera en las leyendas del rey ARTURO. Experta en las artes de la sanación y el cambio de forma, gobernaba ÁVALON, la isla donde el rey Arturo se refugió para ser sanado de sus heridas después de su última batalla. Las fuentes de sus poderes mágicos fueron los libros y MERLÍN. En otras historias es la hermana y enemiga de Arturo, a quien seduce para engendrar un hijo que más tarde da muerte al rey.

Mörike, Eduard Friedrich (8 sep. 1804, Ludwigsburg, Württemberg–4 jun. 1875, Stuttgart). Poeta lírico alemán. Clérigo, sufrió toda su vida de enfermedades psicosomáticas, obligándolo a retirarse a los 39 años de edad. Complementó su pensión haciendo clases de literatura. Su pequeña producción literaria incluye la novela *Maler Nolten* (1832), cuentos de hadas y *Mozart auf der Reise nach Prag* [Mozart camino a Praga] (1856), una divertida mirada a los problemas de los artistas en un mundo poco amigo del arte. Sus mejores obras son sus espléndidos poemas, en particular los de *Peregrina*, que inmortalizaron un amor de su juventud, y los sonetos que escribió para una antigua prometida; muchos de estos poemas fueron musicalizados por HUGO WOLF.

Morisot, Berthe (14 ene. 1841, Burgos, Francia–2 mar. 1895, París). Pintora y grabadora francesa. Nieta de JEAN-HONORÉ FRAGONARD, estudió con CAMILLE COROT, pero la principal influencia en su obra la ejerció ÉDOUARD MANET, con cuyo hermano se casó. Expuso regularmente con los artistas del IMPRESIONISMO. Aunque ninguna de sus exposiciones alcanzó éxito comercial, vendió más obras que CLAUDE MONET, PIERRE-AUGUSTE RENOIR y ALFRED SISLEY. Su colorido era delicado y sutil, a menudo con un suave brillo esmeralda, y sus personajes solían ser miembros de su familia. Es conocida sobre todo por su pincelada extremadamente suelta y la sensibilidad de sus figuras femeninas.

"Joven mujer en Malua", obra de Berthe Morisot, 1880.
FOTOBANCO

Morita Akio (26 ene. 1921, Nagoya, Japón–3 oct. 1999, Tokio). Empresario japonés, cofundador de la empresa SONY CORP. Hijo de una antigua familia destiladora de sake, estudió física. En 1946, junto con Ibuka Masaru, fundó la empresa Tokyo Telecommunications Engineering Corp., la que en 1958 cambió su razón social por Sony Corp. Morita, responsable principalmente de las áreas de finanzas y marketing, adoptó técnicas estadounidenses de publicidad. En 1972 instaló la primera planta de Sony en EE.UU. En 1971 asumió como gerente general de la empresa y en 1976 pasó a ser presidente del directorio, cargo que ocupó hasta 1994. Durante su gestión, Sony se convirtió en un fabricante de artículos electrónicos de renombre mundial.

Morley (de Blackburn), John Morley, vizconde (24 dic. 1838, Blackburn, Inglaterra–23 sep. 1923, Wimbledon, Londres). Historiador y político inglés. Trabajó como periodista en Londres desde 1860, principalmente como director de la publicación de tendencia liberal *Fortnightly Review* (1867–82). Partidario de WILLIAM E. GLADSTONE, ocupó un puesto en la Cámara de los Comunes (1883–95, 1896–1908). Como primer secretario para Irlanda (1886, 1892–95), colaboró en los proyectos de ley sobre el gobierno autónomo de IRLANDA. Como secretario para la India (1905–10), consiguió la incorporación en el gobierno de un representante indio elegido. También escribió obras históricas reconocidas, entre ellas, las biografías de Gladstone, VOLTAIRE, JEAN-JACQUES ROUSSEAU y OLIVER CROMWELL.

Morley, Thomas (1557/58, Norwich, Norfolk, Inglaterra–oct. 1602, Londres). Compositor, organista y teórico musical inglés. Fue educado en Oxford y estudió con WILLIAM BYRD. Aunque compuso una cantidad de *anthems* y salmos, es más conocido por sus canciones profanas, como aquellas publicadas en el *First Booke of Ayres* (1600) y en el tratado *Sencilla y fácil introducción a la música práctica* (1597). Por medio de la edición e impresión que hizo de varias antologías de música italiana (con frecuentes reelaboraciones), contribuyó a la importación del MADRIGAL italiano a Inglaterra. También editó *Los triunfos de Oriana* (publicado en 1603), la colección más importante de madrigales ingleses.

mormón Miembro de la Iglesia de Jesucristo de los Santos de los Últimos Días o de una secta estrechamente relacionada con ella (p. ej., la COMUNIDAD DE CRISTO). La religión mormona fue fundada por JOSEPH SMITH, quien recibió una visión angelical que le señaló la ubicación de las tablillas de oro que contenían la revelación de Dios; esta fue publicada en 1830 como el Libro del MORMÓN. Smith y sus seguidores aceptaron tanto la Biblia como las Escrituras sagradas mormonas, pero difirieron notoriamente del cristianismo ortodoxo, en especial en su afirmación de que Dios existe en tres entidades distintas como Padre, Hijo y Espíritu Santo. También creen que los miembros fieles de la iglesia heredarán la vida eterna como dioses. Entre otras doctrinas singulares está la creencia en almas preexistentes que esperan nacer y en la salvación de los muertos a través del bautismo retroactivo. La iglesia cobró descrédito por su práctica de la POLIGAMIA, aunque esta fue oficialmente sancionada sólo en 1852–90. Smith y sus seguidores migraron de Palmyra, N.Y., a Ohio, Missouri y finalmente Illinois, donde fue asesinado por una turba en 1844. En 1846–47, conducidos por BRIGHAM YOUNG, los mormones emprendieron una travesía de 1.800 km (1.100 mi) a Utah, donde fundaron SALT LAKE CITY. A comienzos del s. XXI, la iglesia contaba con alrededor de diez millones de fieles en el mundo, engrosados anualmente por el trabajo misionero (por dos años) que suele exigirse a todos los miembros masculinos.

Mormón, Libro del Escritura sagrada de los MORMONES, complementaria de la BIBLIA. Publicada por primera vez en 1830, es considerada por todas las ramas del mormonismo como una obra de inspiración divina traducida por el fundador de su religión, JOSEPH SMITH. Relata la historia de una tribu de hebreos que emigró de Jerusalén a Norteamérica c. 600 AC. Finalmente se dividieron en dos grupos: los lamanitas, que fueron ancestros de los indios norteamericanos; y los nefitas, que fueron instruidos por JESÚS antes de ser destruidos por los lamanitas. El profeta Mormón registró su historia en tablillas de oro que fueron enterradas, las que permanecieron ocultas por siglos. Moroni, hijo de Mormón, se le apareció a Smith en forma de un ángel y le reveló su ubicación.

Morny, Charles-Auguste-Louis-Joseph, duque de (21 oct. 1811, París, Francia–10 mar. 1865, París). Político francés. Medio hermano de Luis Napoleón (con posterioridad NAPOLEÓN III), se dedicó a la sociedad parisina y a hacer una fortuna antes de integrar la Cámara de Diputados (1842–48, 1849). Nombrado ministro del interior en 1851, organizó el plebiscito que convirtió en dictador a Luis Napoleón. Como presidente de la legislatura (1856–65), infructuosamente intentó persuadir a Napoleón III de que otorgara mayor libertad a Francia.

moro Miembro de la población musulmana en España, de mestizaje árabe, español y bereber. Musulmanes norafricanos (denominados así por la expresión latina *mauri*, originarios de la región romana de Mauritania) invadieron España en el s. VIII y, durante las dinastías OMEYA y ALMORÁVIDE, establecieron la gran civilización de al-Andalus en ciudades como Córdoba, Toledo, Granada y Sevilla. La reconquista cristiana de España con ALFONSO VI comenzó en el s. XI; desde entonces hasta su derrota definitiva en 1492 y durante el siglo siguiente, los moros se asentaron como refugiados en el norte de África. Ver también MUDÉJAR.

moro Miembro de varios pueblos musulmanes que viven en el sur de Filipinas. Los moros, que constituyen cerca del 5% de la población filipina, no se diferencian étnicamente del resto de los filipinos, pero han sido objeto de prejuicio y abandono por la fe islámica que los distingue y por sus culturas locales. Tienen una historia de conflictos de varios siglos con los poderes dominantes: primero con los colonialistas españoles de religión católica (s. XVI–XIX), más tarde con las tropas de ocupación estadounidenses, y finalmente con el gobierno filipino independiente. La sublevación continuó a pesar de que el Frente Moro de Liberación Nacional, que adhirió al separatismo moro y encabezó una insurgencia violenta a fines de las décadas de 1960–70, se dividió en facciones a fines de esta última. En el tratado de 1996 se establecieron disposiciones relativas a la expansión de la Región Autónoma Musulmana de MINDANAO, creada a fines de la década de 1980, pero algunos separatistas continúan exigiendo la independencia total.

Moro, Aldo (23 sep. 1916, Maglie, Italia–9 may. 1978, en Roma o cerca de ella). Político y primer ministro italiano (1963–64, 1964–66, 1966–68, 1974–76, 1976). Profesor de derecho en la Universidad de Bari, fue elegido a la legislatura en 1946. Ocupó cargos en varios gabinetes y luego pasó a ser secretario del Partido Demócrata Cristiano (1959–63). Como primer ministro de Italia, integró a socialistas en sus gobiernos de coalición. En 1976 se convirtió en presidente de los democratacristianos y mantuvo su influencia en la política italiana. En 1978 fue secuestrado en Roma por las BRIGADAS ROJAS; tras la negación del gobierno a liberar a los miembros de las Brigadas Rojas que eran procesados en Turín, fue asesinado por sus captores.

Moro, santo Tomás (7 feb. 1477, Londres, Inglaterra–6 jul. 1535, Londres; canonizado 19 may. 1935; festividad: 22 de junio). Estadista y humanista inglés. Estudió en Oxford y se destacó como jurisconsulto desde 1501. Fue representante adjunto de la corona en Londres (1510–18) y cautivó a los londinenses como juez y asesor imparcial. Escribió la notable obra *History of King Richard III* [Historia del rey Ricardo III] (1513–18) y la renombrada *Utopía* (1516), que fue un inmediato suceso entre los humanistas, como ERASMO DE ROTTERDAM. En 1517 pasó a formar parte del consejo del rey, y se convirtió en secretario y confidente de ENRIQUE VIII. En 1523 resultó elegido presidente de la Cámara de los Comunes. Escribió *A Dialogue Concerning Heresies* [Diálogo sobre las herejías] (1529) para refutar escritos heréticos. Tras la caída del cardenal WOLSEY (1529), lo sucedió como lord canciller, pero renunció en 1532, cuando se opuso a ratificar el divorcio entre Enrique y Catalina. También rehusó aceptar la ley de SUPREMACÍA. En 1534 fue acusado de alta traición y encarcelado en la Torre de Londres, donde escribió su *Dialogue of Comfort Against Tribulation* [Diálogo de consuelo ante la tribulación]. En 1535 fue enjuiciado y sentenciado a morir en la horca, fallo que el rey conmutó por decapitación.

Mezquita en la zona portuaria de Moroni, Comores.
GERALD CUBITT

Moroni Ciudad (pob., 1995: 340.168 hab.) y capital de las islas COMORES desde 1958. Situada en la isla Gran Comore (Njazidja), en el océano Índico, fue fundada por colonos de lengua árabe. El puerto de Moroni consta de un pequeño muelle construido en una caleta natural. La ciudad, la más grande de las Comores, conserva una atmósfera árabe y tiene varias mezquitas, entre ellas, el centro de peregrinación de Chiounda.

morpho Cualquier especie de MARIPOSA tropical del Nuevo Mundo, de pie acepillado, del género *Morpho* (familia Nymphalidae). Las crestas microscópicas sobre las escamas de las alas dispersan y reflejan la luz, lo que produce el azul iridiscente de los machos de algunas especies. Las hembras son normalmente de colores más opacos y tienen alas más anchas y menos agraciadas. Las larvas, vellosas, fitófagas, viven y pupan en una red comunitaria. Algunas especies poseen cerdas venenosas que pueden causar una erupción en la piel humana. Las morphos se crían comercialmente en Sudamérica para usarlas en joyería, y como incrustaciones en bandejas, pantallas de lámparas y otros.

Morpho (*M. nestira*).
APPEL COLOR PHOTOGRAPHY

morraja de agalla azul *o* **pez de agalla azul** Pez de pesca deportiva, muy popular (*Lepomis macrochirus*) y uno de los PERCA SOL más conocidos de toda el área de distribución original, los hábitats de agua dulce de EE.UU. central y meridional. Se ha aclimatado en todo el oeste de EE.UU. y en otras partes del mundo. Las morrajas de agalla azul suelen ser azuladas o verdosas y tienen una solapa oscura característica en la parte posterior del opérculo. Figuran entre los peces de mesa y pesca deportiva más pequeños; miden normalmente sólo 15–23 cm (6–9 pulg.) de largo y pesan menos de 0,25 kg (0,5 lb). Se los conoce por batallar vigorosamente cuando pican.

Morraja de agalla azul (*Lepomis macrochirus*).
© ENCYCLOPÆDIA BRITANNICA, INC.

morrena Acumulación de fragmentos de roca transportados y depositados por un GLACIAR. El material, que puede variar en tamaño desde rocas y peñascos hasta arena y arcilla, no está estratificado cuando es depositado por el glaciar, y no muestra ordenamiento o estructura de capas. Dependiendo de cómo fueron depositados los materiales por el glaciar, se reconocen muchos tipos, como morrenas laterales a lo largo de los márgenes del glaciar y morrenas terminales en su borde frontal.

Morrena mediana en Gornergletscher (glaciar de Gorner) en los Alpes peninos cerca de Zermatt, Suiza.
JEROME WYCKOFF

morrena de fondo *inglés* **till** En geología, material depositado directamente por el glaciar de manera desordenada y que no muestra estratificación. La morrena de fondo es a veces llamada "campos de bloques" (en inglés, *boulder clay*, ya que se compone de arcilla, *clay*, piedras de tamaño intermedio, *boulders*, o ambos). Generalmente los fragmentos de roca son angulares y afilados en lugar de redondeados, ya que son depositados por hielo y han experimentado poco transporte por el agua. Como resultado de la pulverización experimentada mientras se alojan en el glaciar, las piedras y peñascos pueden estar facetados y estriados.

Morrill, ley ver estatuto de 1862 LAND-GRANT COLLEGE

morris, danza Danza folclórica ceremonial propia de las zonas rurales de Inglaterra, que data aprox. del s. XV. Su nombre, una variante de *Moorrish* en inglés (moro, en español), se debe probablemente al hecho de que los bailarines se oscurecían el rostro como parte del ritual. Principalmente es una danza invocatoria de la fertilidad, ejecutada de preferencia durante primavera. La bailaban grupos de hombres que solían llevar vestimenta blanca con campanas en sus piernas que, en ritmo de trote lento, ejecutaban una serie variada e intrincada de pasos, al tiempo que sacudían pañuelos con ambas manos. En la danza morris se presentan personajes como la figura de un caballo y un bufón.

Morris, Mark (n. 29 ago. 1956, Seattle, Wash., EE.UU.). Bailarín y coreógrafo estadounidense. En 1980 formó el Mark Morris Dance Group, que durante varios años fue la compañía de danza permanente del Théâtre Royal de la Monnaie de Bruselas (1988–91). Tras regresar a EE.UU. en 1991, se estableció definitivamente en Brooklyn en 2001. Conocido por su estilo audaz, ha compuesto numerosas coreografías, tanto para su propia compañía como para producciones operáticas y espectáculos de televisión, entre ellas *The Hard Nut* (1991) y una versión modernizada de *Cascanueces*.

Morris, Robert (31 ene. 1734, Liverpool, Merseyside, Inglaterra–8 may. 1806, Filadelfia, Pa., EE.UU.). Financista y político estadounidense de origen inglés. Emigró en 1747 para reunirse con su padre en Maryland y al año siguiente se incorporó a una firma comercial. Como miembro del Congreso continental, durante la guerra de independencia de los ESTADOS UNIDOS DE AMÉRICA prácticamente controló las operaciones financieras de la guerra (1776–78): pidió un préstamo a los franceses, requisó dinero de los estados y hasta adelantó fondos de su propio bolsillo. Fundó el Bank of North America (1781) y fue superintendente de finanzas (1781–84), en virtud de los artículos de la CONFEDERACIÓN. Asistió como delegado a la convención de ANNAPOLIS y la CONVENCIÓN CONSTITUCIONAL y ocupó el cargo de senador (1789–95). Luego de invertir fuertemente en la especulación de tierras, se fue a la quiebra y pasó más de tres años encarcelado por deudas hasta que salió en libertad en 1801.

Morris, Robert (n. 9 feb. 1931, Kansas City, Mo. EE.UU.). Artista estadounidense. La primera exposición individual de sus pinturas tuvo lugar en San Francisco, en 1957. Mientras vivía en Nueva York (1960), comenzó a realizar grandes esculturas geométricas monocromáticas y expuso grupos de ellas en relaciones espaciales específicas. Su obra de este período afectó mucho al movimiento minimalista (Ver MINIMALISMO), que buscaba reducir el arte a su esencia, eliminando la expresión personal y la alusión histórica. Sin embargo, hacia fines de la década de 1960, Morris avanzó hacia una expresividad más espontánea, aunque anónima. Experimentó con una amplia variedad de formas, que incluían el "happening" y las "piezas de dispersión", en las que los materiales eran esparcidos sobre el piso de la galería, en un aparente azar. También desarrolló proyectos de arte ambiental. Su obra de la década de 1970 expresa su inquietud por las paradojas del encierro mental y físico.

Morris, William (24 mar. 1834, Walthamstow, cerca de Londres, Inglaterra–3 oct. 1896, Hammersmith). Pintor, diseñador, artesano, poeta y reformador social británico, fundador del ARTS AND CRAFTS MOVEMENT. Nacido en el seno de una familia adinerada, estudió arquitectura medieval en Oxford. Fue aprendiz de un arquitecto, pero sus viajes por Europa lo volcaron hacia la pintura. En 1861, junto con DANTE GABRIEL ROSSETTI, EDWARD BURNE-JONES, FORD MADOX BROWN y otros, fundó la Morris, Marshall, Faulkner & Co., una sociedad de "trabajadores de las bellas artes", basada en los gremios medievales. Fabricaron mobiliario, tapicería, vitrales, telas, alfombras y notables diseños de papel mural. En 1891, Morris fundó la Kelmscott Press, que durante los siete años siguientes publicó 53 títulos en 66 volúmenes. La obra *Works of Geoffrey Chaucer* es uno de los mejores ejemplos del arte del libro impreso. Aunque quiso producir objetos masivos de artes decorativas, sólo un público acaudalado podía costear sus onerosos productos de manufactura. Socialista utópico, se empeñó en promover el socialismo británico. En 1884 formó la Liga socialista. En 1877 fundó la Sociedad protectora de edificios antiguos, uno de los primeros grupos preservacionistas del mundo. Escribió varios volúmenes de poesía, y muchos romances en prosa, así como la epopeya de cuatro volúmenes *Historia de Sigur el Volsungo y la caída de los Nibelungos* (1876). Sus obras y escritos revolucionaron el gusto victoriano, y se lo ha catalogado como una de las figuras culturales más importantes de la Gran Bretaña del s. XIX.

William Morris, dibujo de C.M. Watts.
THE MANSELL COLLECTION

Morrison, Jim *orig.* **James Douglas Morrison** (8 dic. 1943, Melbourne, Fla., EE.UU.–3 jul. 1971, París, Francia). Cantautor de rock estadounidense. Estudió cine en la Universidad de California, en Los Ángeles, donde conoció a Ray Manzarek (n. 1935). Ambos, junto con Robbie Krieger (n. 1946) y John Densmore (n. 1945), formaron el grupo de rock psicodélico The Doors, nombre tomado de *The Doors of Perception* [Las puertas de la percepción], libro de ALDOUS HUXLEY sobre la mescalina. El oscuro e incitante erotismo de la voz de barítono de Morrison y de sus presuntos textos poéticos contribuyeron a hacer de la banda uno de los números de rock más potentes, controvertidos y teatrales. Entre sus éxitos populares de la década de 1960 destacan "Light My Fire" y "Hello I Love You". Morrison fue famoso por su abuso de la bebida y las drogas y por su conducta desenfrenada en el escenario. En 1971 abandonó The Doors para dedicarse a la poesía y se trasladó a París, donde un paro cardíaco le provocó la muerte.

Morrison, Toni *orig.* **Chloe Anthony Wofford** (n. 18 feb. 1931, Lorain, Ohio, EE.UU.). Escritora estadounidense. Estudió en las universidades de Howard y Cornell, impartió clases en varias universidades y trabajó como editora antes de publicar *Ojos azules* (1970), novela que aborda la realidad estremecedora de la vida de los afroamericanos pobres, y *Sula* (1973). La brillante obra *La canción de Salomón* (1977) atrajo la atención del público. Entre sus novelas posteriores se encuentran *Tar Baby* (1981), *Beloved* (1987, Premio Pulitzer), *Jazz* (1992), *Paradise* (1998) y *Amor* (2003). La experiencia afroamericana, en particular la de la mujer, constituye el tema principal de sus obras de ficción. Su uso de la fantasía, su estilo poético sinuoso y el tramado de elementos míticos le dan a sus historias textura y gran fuerza. Otuvo el Premio Nobel de Literatura en 1993.

Morristown, parque histórico nacional Parque histórico en Morristown, N.J., EE.UU. En 1776–77 y 1779–80, durante la guerra de independencia de los ESTADOS UNIDOS DE AMÉRICA, el ejército continental al mando de GEORGE WASHINGTON instaló allí su principal campamento de invierno. El parque, establecido en 1933, ocupa una superficie de 682 ha (1.684 acres). Incluye la residencia que sirvió de cuartel general de Washington y otros artefactos de la guerra de independencia.

morsa La única especie viviente (*Odobenus rosmarus*) de la familia Odobenidae de los PINNÍPEDOS. Más grande que su pariente la FOCA, los machos morsa crecen hasta 3,7 m (12 pies) de largo y pesan hasta 1.270 kg (2.800 lb). Ambos sexos tienen colmillos largos que apuntan hacia abajo, que pueden crecer hasta 1 m (3 pies) de largo y pesar 5,4 kg (12 lb) por separado. No poseen orejas externas. La piel, grisácea, tiene pliegues profundos en los hombros. Viven en bancos flotantes de hielo, en grupos de hasta 100 individuos, en aguas relativamente someras de los mares árticos de Eurasia y Norteamérica. Se pueden sumergir a grandes profundidades en procura de alimento, en especial mariscos. Sobre la tierra y el hielo se desplazan en cuatro patas. En general siguen el límite sur de los hielos en invierno y el norte en verano. Tradicionalmente, los nativos las utilizaron como fuente de alimento y vestuario; también fueron cazadas con fines de lucro por siglos, hecho que mermó en forma considerable su número. Actualmente, la caza comercial está prohibida.

Morsa (*Odobenus rosmarus*).
© ENCYCLOPÆDIA BRITANNICA, INC.

Morse, código Sistema para la representación de letras, números y signos de puntuación mediante una secuencia de puntos, guiones y espacios. Se transmite como pulsos eléctricos de diversas longitudes, o mediante mecanismos análogos, o bien con señales visuales como destellos. El sistema original fue inventado por SAMUEL MORSE, en 1838, para su TELÉGRAFO; el código Morse internacional, una variación más precisa y sencilla con códigos para letras con signos diacríticos, fue ideado en 1851. Con cambios menores, este código ha permanecido en uso para ciertos tipos de radiotelegrafía, como la de los radioaficionados.

Morse, Samuel F(inley) B(reese) (27 abr. 1791, Charlestown, Mass., EE.UU.–2 abr. 1872, Nueva York, N.Y.). Inventor y pintor estadounidense. Hijo de un distinguido geógrafo,

asistió a la Universidad de Yale y estudió pintura en Inglaterra (1811–15). Regresó a su país para trabajar como pintor itinerante; sus retratos todavía figuran entre los mejores producidos en EE.UU. Cofundó la Academia Nacional de Dibujo de Nueva York y se desempeñó como su primer presidente (1826–45). Sin saber de esfuerzos similares en Europa, elaboró un TELÉGRAFO eléctrico (1832–35), convencido de que era el primero. Desarrolló el sistema de puntos y rayas, que se hizo conocido en el plano internacional como el código MORSE (1838). Aunque el congreso le negó el apoyo para tender una línea telegráfica transatlántica, tuvo su patrocinio para tender la primera línea telegráfica de EE.UU., desde Baltimore hasta Washington; completado el tendido, en 1844, envió el mensaje *What hath God wrought!* (Lo que ha forjado Dios). Sus patentes le brindaron fama y riqueza.

mortero Pieza de ARTILLERÍA de corto alcance con un cañón corto y baja velocidad inicial, que dispara un proyectil explosivo en una trayectoria arqueada. Morteros de gran tamaño han sido usados contra fortificaciones y en operaciones de sitio desde tiempos medievales hasta la primera guerra mundial. Desde 1915, modelos portátiles pequeños han constituido el armamento estándar de infantería, especialmente para GUERRA DE TRINCHERAS y en terrenos abruptos. Hoy está muy difundido el uso de morteros medianos, con calibres de alrededor de 70–90 mm (3–4 pulg.), con alcances de hasta 4 km (2,5 mi) y peso de proyectil de hasta 5 kg (11 lb).

mortero Material utilizado en construcción para pegar ladrillos, piedras, baldosas o bloques de concreto en una estructura. Invento atribuido a los antiguos romanos, consiste en una mezcla de arena, cemento y agua. La sustancia resultante debe ser lo suficientemente pastosa para fluir en forma leve, pero también resistente para no colapsar bajo el peso de la mampostería. Antes de la invención del cemento PORTLAND en el s. XIX, los albañiles pegaban los ladrillos con una delgada capa de mortero de cal, la cual requería mayor precisión que las juntas más gruesas con mortero de cemento portland. Para la colocación de cerámicas se usa un mortero muy fino llamado lechada. El rejuntado es el proceso de acabado de las juntas de la mampostería.

Morton, James Douglas, 4° conde de (c. 1516–2 jun. 1581, Edimburgo, Escocia) Noble escocés. Nombrado canciller por MARÍA I ESTUARDO, en 1563, conspiró con otros nobles protestantes para asesinar al consejero de María, DAVID RICCIO, y probablemente estuvo involucrado en el asesinato de Lord DARNLEY. Dirigió a los nobles que expulsaron de Escocia al esposo de María, el conde de Bothwell, y la forzaron a abdicar en favor de su hijo pequeño, Jacobo (con posterioridad JACOBO I de Inglaterra). Se convirtió en regente de Jacobo en 1572 y restableció el imperio de la ley en Escocia. El resto de la nobleza se resintió con su proceder y fue obligado a renunciar en 1578; con posterioridad, fue acusado de complicidad en el asesinato de Darnley y ejecutado.

Morton, Jelly Roll *orig.* **Ferdinand Joseph La Menthe** (20 oct. 1890, Nueva Orleans, La., EE.UU.–10 jul. 1941, Los Ángeles, Cal.). Pianista estadounidense considerado el primer compositor importante de jazz. Al parecer en su juventud fue un activo tahúr, estafador y alcahuete. Uno de los pianistas pioneros del RAGTIME, desde 1904 viajó por EE.UU. haciendo presentaciones, y en 1923 realizó sus primeras grabaciones en Chicago con su conjunto The Red Hot Peppers. Exponente de la tradición de Nueva Orleans, Morton alcanzó el éxito al integrar, con frecuencia en sus propias composiciones como "King Porter Stomp", elementos del ragtime con secciones de improvisación y otras con arreglos grupales. A comienzos de la década de 1930 la fama de Morton había sido opacada por la de LOUIS ARMSTRONG y otras innovadoras figuras emergentes.

Mosa, río *francés* **Meuse** *neerlandés* **Mass** Río de Europa occidental. Nace en el nordeste de Francia y fluye hacia el norte hasta llegar a Bélgica, donde forma parte de la frontera entre Bélgica y los Países Bajos. En Venlo, Países Bajos, se bifurca en dos ramas: una fluye hacia el canal de Hollandsch y la otra se une al río Waal, formando el río Merwede; ambos ramales desembocan en el mar del Norte. El Mosa tiene una extensión de 950 km (590 mi) y constituye una importante vía fluvial de Europa occidental. Su valle fue escenario de intensos enfrentamientos durante la primera guerra mundial, y en la segunda guerra mundial, el cruce del río Mosa (1940) fue decisivo en la invasión alemana de Francia.

mosaico Decoración de superficie realizada con pequeños elementos coloreados, como trozos de piedras, vidrios, azulejos o conchas, dispuestos uno junto a otro sobre una base adhesiva. Las piezas de mosaico o teselas suelen ser pequeños cuadrados, triángulos u otras formas regulares. Los mosaicos no pueden crear las variaciones de luz y sombra que sí pueden recrear pinturas; las teselas de vidrio logran mayor brillo, sobre todo aquellas a las que se les han aplicado láminas doradas o plateadas. Esta técnica produjo los grandes mosaicos de luz vibrante del período bizantino. Los mosaicos más antiguos que se conocen datan del s. VIII AC y estaban hechos de guijarros, técnica que los griegos refinaron en el s. V. Los romanos usaron ampliamente el mosaico, en especial para los pisos. Los indígenas precolombinos prefirieron los mosaicos de granate, turquesa y madreperla, que por lo general eran incrustados en escudos, máscaras y estatuas de culto.

Mosby, John Singleton (6 dic. 1833, Edgemont, Va., EE.UU.–30 may. 1916, Washington, D.C.). Jefe estadounidense de guerrillas. Ingresó a la caballería de la Confederación durante la guerra de SECESIÓN y fue explorador con las tropas de JEB STUART. Dirigió unidades de guerrilleros, conocidos como Mosby's Rangers, en incursiones a los puestos de avanzada de la Unión en el norte de Virginia y Maryland, en que destruyeron las líneas de comunicaciones y aprovisionamiento. Su captura de un general de la Unión y de 100 de sus soldados detrás de las líneas federales (1863), le ganó el ascenso a coronel. Terminada la guerra, reanudó su ejercicio como abogado y más adelante ocupó el cargo de cónsul de EE.UU. en Hong Kong (1878–85) y fiscal adjunto en el Departamento de justicia (1904–10).

mosca En general, casi cualquier insecto volador pequeño. En entomología, el término es específico para las aproximadamente 85.000 especies de moscas "verdaderas", o de dos alas (ver DÍPTERO). Otros insectos llamados moscas tienen estructuras de alas diferentes a las de los dípteros.

mosca blanca Cualquier miembro chupador de savia de la familia Aleyrodidae (orden Homoptera) de los insectos. Las ninfas son planas, ovaladas y normalmente cubiertas con una sustancia vellosa. Los adultos, de 2–3 mm (0,08–0,12 pulg.) de largo, están cubiertos de un polvo opaco blanco y parecen polillas. Las moscas blancas son abundantes en climas cálidos, plantas de interior e invernaderos. La mosca blanca de invernadero es uno de los miembros más abundantes y destructores de la familia. La mosca blanca y la negra de los cítricos dañan el fruto y otros cultivos al chupar la savia y producir una secreción dulce, un subproducto de la digestión sobre el cual crece

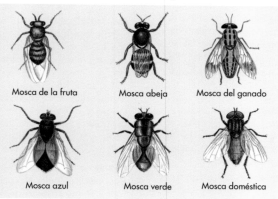

Mosca de la fruta   Mosca abeja   Mosca del ganado

Mosca azul   Mosca verde   Mosca doméstica

Especies de mosca.
© ENCYCLOPÆDIA BRITANNICA, INC.

un hongo fuliginoso que arruina la fruta y reduce la capacidad de fotosintetizar del huésped.

mosca común DÍPTERO común (*Musca domestica*) que representa un 90% de todas las moscas en moradas humanas. El adulto es gris opaco, con zonas de amarillo sucio en el abdomen. El cuerpo varía de 5 a 7 mm (0,2–0,3 pulg.) y los ojos compuestos, notorios, tienen unas 4.000 facetas. No puede picar porque posee un aparato bucal esponjoso o lamedor. En cualquier lugar donde se deja acumular materia orgánica en descomposición y basura, la mosca común resulta un problema. Sus pies pueden transportar millones de microorganismos, algunos de los cuales causan enfermedades como CÓLERA, DISENTERÍA y TIFOIDEA. Algunos insecticidas son efectivos, pero las moscas han desarrollado resistencia a otros.

mosca coridálida Cualquier insecto de la familia Corydalidae con cuatro alas de nervadura reticular, que se distribuye por Norte y Sudamérica, Asia, Australia y África. La especie *Corydalus cornutus* tiene una envergadura de unos 13 cm (5 pulg.) y el macho posee mandíbulas muy grandes de unos 2,5 cm (1 pulg.) o más. Las hembras ovipositan cerca de corrientes de agua. Las larvas viven en estas corrientes; disponen de un aparato bucal mordedor fuerte y son predadores feroces de otros insectos e invertebrados acuáticos pequeños. Pueden infligir mordeduras dolorosas a los humanos; las comen peces, en especial la perca, y los pescadores las usan como cebo.

mosca de la fruta Cualquier especie de DÍPTERO de dos familias: moscas grandes de la fruta (Trypetidae) y moscas pequeñas de la fruta o del vinagre (familia Drosophilidae; ver DROSÓFILA). Las larvas se alimentan de fruta u otro tipo de vegetación. Las alas de los adultos tienen rayas o manchas marrones. Muchas especies atacan los frutos cultivados, y a veces causan un daño suficiente como para provocar una pérdida económica importante. Algunas especies son MINADORES DE LA HOJA, otras horadan los tallos de las plantas. Las plagas bien conocidas de esta especie son la MOSCA DE LOS AGRIOS, el gusanillo de la manzana de las moscas de la fruta de EE.UU., México y el Oriente, y la mosca de la aceituna de la región del Mediterráneo.

mosca de los agrios *o* **mosca mediterránea** MOSCA DE LA FRUTA (*Ceratitis capitata*) que ha probado ser particularmente destructora de cultivos de cítricos, causando grandes pérdidas económicas. Pone hasta 500 huevos en los frutos cítricos (salvo limones y limas agrias) y las larvas horadan en el fruto, haciéndolo incomestible para los seres humanos. Esta peste ha obligado a promulgar en todo el mundo leyes sanitarias que regulan la importación frutícola.

mosca de los barros Cualquiera de varias especies de DÍPTEROS (familia Oestridae o Hypodermatidae de MOSCAS GUSANERAS), muy difundidas en Europa y Norteamérica. Las moscas de los barros *Hypoderma lineatum* y *H. bovis*, también denominadas gusanos del ganado o moscas parásitas de las vacas, son grandes, corpulentas y similares a una abeja. Depositan sus huevos en las patas del ganado. Las larvas penetran la piel, migran a través del cuerpo y producen una protuberancia o barro en el lomo del animal. Los gusanos maduros emergen y caen al suelo para convertirse en pupas. Los barros contienen respiraderos que reducen el valor comercial del cuero. Una especie (*Oedemagena tarandi*) es una plaga del reno que también causa pérdidas económicas.

mosca flebotomo Cualquiera de varias especies de DÍPTERO de la familia Phlebotomidae (considerada a veces parte de la familia Psychodidae), con larvas acuáticas que viven en la zona intermareal de las playas costeras, en el barro o en detritos orgánicos húmedos. El género *Phlebotomus* transmite el virus de la fiebre pappataci, y en zonas de Sudamérica, África y Asia es el portador de los protozoos parásitos que causan la leishmaniasis visceral, la tegumentaria, la mucocutánea y la bartonellosis.

mosca gusanera Cualquier miembro de varias familias de DÍPTEROS con adultos apiformes y larvas parásitas presentes en mamíferos. Algunas especies son pestes graves de caballos, ganado, ciervos, conejos y ardillas, y una especie, el tórsalo, ataca a los humanos. Los adultos de varias especies ponen muchos huevos sobre el cuerpo del huésped y las larvas que emergen penetran la piel, que maduran para transformarse en adultos ovipositores. En la América tropical, la infestación del ganado por la mosca gusanera ha llevado a la pérdida de carne y cueros. Ver también MOSCA DE LOS BARROS.

mosca tsé-tsé Cualquiera de unas 21 especies (género *Glossina*, familia Muscidae) de DÍPTEROS hematófagos africanos robustos, de cerdas escasas y normalmente más grandes que una MOSCA COMÚN. Tienen un aparato bucal rígido y perforante. Sólo dos especies suelen ser vectores de los protozoos parásitos tripanosomas que causan la enfermedad del SUEÑO en humanos: *G. palpalis*, que se distribuye sobre todo en bosques tupidos en las riberas de cursos de agua, y *G. morsitans*, que se distribuye en bosques más abiertos. La hembra necesita una cierta ingesta de sangre para producir larvas viables, aunque ambos sexos chupan sangre casi a diario.

Mosca, Gaetano (1 abr. 1858, Palermo, Sicilia, Reino de las Dos Sicilias–8 nov. 1941, Roma, Italia). Teórico político italiano. Estudió en la Universidad de Palermo, y fue profesor de derecho constitucional en esa misma universidad (1885–88), y en otras como la de Roma (1888–96) y de Turín (1896–1908). Miembro de la cámara de diputados italiana desde 1908, fue designado senador vitalicio por VÍCTOR MANUEL III en 1919. En obras como *Elementos de ciencia política* (1896) sostuvo que históricamente el mundo ha sido regido por minorías, ya sean militares, religiosas, oligárquicas o aristocráticas.

mosco Cualquier miembro de la familia Calliphoridae del orden Diptera (ver DÍPTERO), como el GUSANO BARRENADOR, la mosca azul y mosca verde. De vuelo ruidoso, los moscos se parecen a la MOSCA COMÚN en tamaño y hábitos. Las larvas se alimentan normalmente de carne en descomposición y a veces infestan heridas abiertas. Pueden contribuir a evitar la infección al eliminar el tejido necrótico, pero también pueden destruir el tejido sano. Los moscos se usaron otrora como tratamiento para la gangrena y una enfermedad ósea humana y se los empleó en la primera guerra mundial para asear las heridas de los soldados. Algunas especies dañan gravemente al ganado o lo matan por infestaciones generalizadas o por ser vectores de enfermedades como ÁNTRAX, DISENTERÍA e ICTERICIA.

Mosconi, Willie *p. ext.* **William Joseph Mosconi** (27 jun. 1913, Filadelfia, Pa., EE.UU.–16 sep. 1993, Haddon Heights, N.J.). Jugador de pool estadounidense. Hijo del dueño de un salón de billar, comenzó a jugar profesionalmente a principios de la década de 1930. Conocido por su tiro exacto y rápido, fue 15 veces campeón mundial en 1941–57, y en una ocasión registró una seguidilla de 526 bolas embocadas consecutivas.

Moscova, río *o* **río Moskvá** Río que atraviesa la provincia de Moscú y una parte de la provincia de Smolensk, Rusia occidental. Con 502 km (312 mi) de longitud, drena una superficie de 17.600 km² (6.800 mi²). Cruza la ciudad de MOSCÚ hasta unirse con el río OKÁ a poca distancia aguas abajo de Kolomna, y discurre hacia el sudeste a través de la cuenca del VOLGA. Navegable desde Moscú, es una importante fuente de abastecimiento de agua para la ciudad.

moscovita *o* **mica común** *o* **mica potásica** Mineral de SILICATO muy abundante que contiene potasio y aluminio y que posee una estructura atómica estratificada. Constituye el miembro más común del grupo de la MICA. Debido a que aparece en capas delgadas y transparentes, fue usada en Rusia en ventanas y se hizo conocida como vidrio de Moscú; de ahí su nombre. Por lo general, la moscovita es incolora, pero puede ser gris claro, marrón, verde pálido o rojo rosa. Su bajo contenido de hierro la hace un buen aislante eléctrico y térmico.

Moscú *ruso* **Moskvá** Capital y ciudad principal (pob., est. 2001: 8.546.000 hab.) de Rusia. Está ubicada a orillas del río MOSCOVA, en Rusia occidental, a unos 640 km (400 mi) al sudes-

Catedral de San Basilio, Moscú.
FOTOBANCO

te de SAN PETERSBURGO y a 970 km (600 mi) al este de Polonia. Habitada desde el neolítico, ya en 1147 se mencionaba la existencia de un poblado en su ubicación actual. Pasó a ser la capital del principado de Moscú a fines del s. XIII. Se expandió durante los s. XV–XVI bajo los grandes duques IVÁN III e IVÁN IV y se convirtió en la capital de la Rusia unificada (1547–1712). En 1812 la ocuparon los franceses conducidos por NAPOLEÓN I y los moscovitas le prendieron fuego antes de que fuese ocupada. En 1918 se transformó en la capital de la U.R.S.S. y se expandió en forma considerable. Sufrió grandes daños a causa de los bombardeos alemanes durante la segunda guerra mundial. En 1993, tras la disolución del parlamento por BORIS YELTSIN, la ciudad fue escenario de un conflicto armado entre fuerzas opositoras y fuerzas leales al gobierno. Hogar espiritual de la Iglesia ortodoxa durante más de 600 años, constituye un centro político, industrial, cultural y de transporte. Su construcción más importante es el KREMLIN, fortaleza medieval levantada sobre el río Moscova, con la PLAZA ROJA en el ala del muro oriental. Junto a la plaza se ubica el mausoleo de Lenin y la catedral de San Basilio se levanta en su extremo meridional. Moscú es también sede del Teatro Bolshói, la Universidad Estatal de MOSCÚ y muchas otras instituciones de educación superior.

Moscú, escuela de Escuela del icono y de la pintura mural rusa medieval tardía. Sucedió a la escuela de NÓVGOROD como la más influyente en materia de pintura en tiempos en que Moscú alcanzó una posición de liderazgo en el movimiento para la expulsión de los mongoles. La escuela floreció primero bajo la influencia del pintor Teófanes el Griego (n. circa 1330/40–1405), quien c. 1400 se trasladó a Moscú desde Nóvgorod e introdujo la complejidad en la composición, el color sutil y la presentación casi impresionista de las figuras. Su sucesor más distinguido fue ANDRÉI RUBLEV. Desde 1430 y hasta fines del siglo, Moscú creció en prestigio y sofisticación, a medida que los mongoles eran expulsados de Rusia. En 1453, cuando Constantinopla cayó en manos de los turcos, Moscú se convirtió

"El Salvador", icono pintado sobre panel de Andréi Rublev, escuela de Moscú, 1411; Galería Tretyakov, Moscú.
NOVOSTI–SOVFOTO

en el centro de la ORTODOXIA ORIENTAL, y el nuevo prestigio de la Iglesia ortodoxa rusa llevó a una nueva iconografía didáctica que interpretaba los misterios, ritos y dogmas. En el s. XVII, la escuela de STRÓGANOV de artistas de Moscú asumió el liderazgo del arte ruso.

Moscú, Teatro del Arte de Compañía de teatro rusa que se especializó en el naturalismo teatral. Fue fundada en 1898 por KONSTANTÍN STANISLAVSKI, que ejerció como director artístico, y Vladimir Nemirovich-Danchenko, su director administrativo, con el fin de renovar la anticuada actuación histriónica y los toscos montajes por un estilo más simple y verdadero. El primer montaje de la compañía fue el *Zar Fiódor Ivanóvich* de ALEXÉI TOLSTOI, y su consagración fue con *La gaviota* de ANTÓN CHÉJOV. Posteriormente, el grupo estrenó otras piezas de este y otros escritores como MÁXIMO GORKI y MAURICE MAETERLINCK, y en 1922 fue elogiada en sus giras por Europa y EE.UU. Su estilo influenció el posterior desarrollo del arte teatral en todo el mundo. Desde 1939 es conocido como el Teatro Académico de Arte de Moscú.

Moscú, Universidad Estatal de Universidad administrada por el Estado, con sede en Moscú, Rusia. Fundada en 1755 por el lingüista MIJAÍL VASÍLIEVICH LOMONÓSOV, constituye la universidad de mayor antigüedad y prestigio de Rusia, además de ser la más grande. Hacia fines del s. XIX se había constituido en el principal centro de investigación científica y del conocimiento en general. Mantuvo su preeminencia luego de la Revolución rusa y continuó su expansión durante el período soviético. Actualmente cuenta con más de 350 laboratorios, algunos institutos de investigación, numerosos observatorios y varios museos afiliados. Su biblioteca es una de las más grandes del mundo (8,5 millones de volúmenes).

Mosela, río Río en Europa occidental. Tiene una longitud de 545 km (340 mi), nace en el nordeste de Francia y discurre hacia el norte, donde delinea parte de la frontera entre Alemania y Luxemburgo, y luego sigue en dirección nordeste hasta confluir con el RIN en COBLENZA, Alemania. En esta zona del valle se encuentran los viñedos donde se produce el famoso vino Mosela. El río es navegable en gran parte de su curso, pasa por Nancy, METZ y Thionville en Francia y por Tréveris en Alemania. Los ríos ORNE y SARRE constituyen dos de sus afluentes principales.

Moser-Pröll, Annemarie *orig.* **Annemarie Pröll** (n. 27 mar. 1953, Kleinari, Austria). Esquiadora austríaca especialista en descenso. Comenzó a esquiar a los cuatro años de edad. Ganó las medallas de plata en descenso y SLALOM en los Juegos Olímpicos de 1972 y la medalla de oro en descenso en 1980. Posee el récord histórico de seis títulos mundiales femeninos, cinco de ellos consecutivos (1971–75). Estableció una marca para mujeres y hombres de 59 triunfos en carreras en la Copa del Mundo.

Moses, Edwin (n. 31 ago. 1965, Dayton, Ohio, EE.UU.). Atleta estadounidense. Fue alumno del Morehouse College gracias a una beca académica, pero sobresalió en atletismo. Ganó la medalla de oro de los 400 m vallas en los Juegos Olímpicos de 1976 y 1984, e impuso cuatro récords mundiales sucesivos para esa prueba entre 1976 y 1983.

Moses, Grandma *orig.* **Anna Mary Robertson** (7 sep. 1860, Greenwich, N.Y., EE.UU.–13 dic. 1961, Cataratas de Hoosick, N.Y.). Pintora estadounidense. Comenzó a realizar cuadros bordados después de la muerte de su esposo en 1927. Cuando la artritis le impidió seguir bordando se volcó a la pintura. Montó su primera exposición individual en una farmacia en 1938, a los 78 años de edad. Llegó a producir más de mil escenas sobre la vida rural de fines de siglo, de carácter nostálgico e ingenuo (p. ej., *Catching the Thanksgiving Turkey* y *Over the River to Grandma's House*). En 1939, sus cuadros ya eran exhibidos internacionalmente, y desde 1946 fueron reproducidos en forma regular en tarjetas de saludo.

Moses, Robert (18 dic. 1888, New Haven, Conn., EE.UU.–29 jul. 1981, West Islip, N.Y.). Funcionario público estadounidense. Inició su dilatada carrera en la oficina de investigación municipal de Nueva York. En 1919 el gob. ALFRED E. SMITH lo nombró jefe de personal de la comisión de reconstrucción del estado de Nueva York y, en 1924, jefe de la comisión de parques tanto de Nueva York como de Long Island. Durante 40 años, en dichos cargos y otros similares, supervisó la amplia expansión del sistema de parques y la construcción de numerosos caminos, puentes, túneles y proyectos habitacionales en la ciudad y alrededor de ella, rehaciéndola a gran escala, a menudo de manera controvertida.

moshav (hebreo: "asentamiento"). Comunidad cooperativa israelí que combina el trabajo privado de la tierra y la comercialización colectiva con la industria ligera en ciertas ocasiones. La tierra de un *moshav* pertenece al Estado o al Fondo Nacional Judío. Los primeros *moshavim* exitosos se organizaron en la década de 1920. Durante los primeros años del Estado de ISRAEL, los nuevos inmigrantes eran enviados a estos asentamientos. Ver también KIBUTZ.

Moshesh (c. 1786, cerca del alto Caledon, Basutolandia septentrional–11 mar. 1870, Thaba Bosiu, Basutolandia). Fundador y primer jefe supremo de Sotho (luego Basutolandia; actualmente LESOTHO). En las décadas de 1830–40 se esmeró en oponer los intereses de los británicos y de los bóers. Participó en una serie de guerras, demostrando ser un diestro estratega. En 1868, los británicos anexaron Sotho, con lo que disminuyó su poder. Su descendiente Moshesh II (n. 1938–m. 1996) fue el primer rey de Lesotho independiente.

Mosley, Sir Oswald (Ernald), 6° baronet (16 nov. 1896, Londres, Inglaterra–3 dic. 1980, Orsay, cerca de París, Francia). Político y fascista inglés. Integró la Cámara de los Comunes (1918–31) sucesivamente como conservador, independiente y laborista. Tras una visita a Italia fundó en 1932 la Unión fascista británica. Junto con sus seguidores, distribuyó propaganda antisemita, realizó manifestaciones hostiles en los sectores judíos del este de Londres y vistió uniformes de estilo nazi. Durante la segunda guerra mundial fue recluido (1940–43) junto a su esposa, Diana Guinness, hermana de Jessica y NANCY MITFORD y amiga de ADOLF HITLER. En 1948 relanzó su Movimiento de unión, amalgama de círculos de lectura de tendencia derechista.

mosquero Cualquiera de tres especies (familia Tyrannidae, suborden Tyranni) DE PASERIFORMES suboscines que tienen el hábito de sacudir la cola cuando se posan. El mosquero fibí (*Sayornis phoebe*) de Norteamérica de 18 cm (7,5 pulg.) de largo, es de color marrón grisáceo uniforme arriba y más claro abajo. Su reclamo es un "fí-bí" enérgico que se repite una y otra vez. Fabrica un nido musgoso, reforzado con barro, en una cornisa, a menudo bajo un puente. El mosquero llanero (*S. saya*), ligeramente más grande, con matices anteados por abajo, se encuentra en campo abierto en el oeste de Norteamérica. El mosquero negro (*S. nigricans*), que se distribuye desde el sudoeste de EE.UU. hasta Argentina, es negro por arriba con el vientre blanco.

Mosquero llanero

Mosquero negro

Especies de mosquero.
© ENCYCLOPÆDIA BRITANNICA, INC.

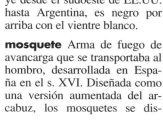

mosquete Arma de fuego de avancarga que se transportaba al hombro, desarrollada en España en el s. XVI. Diseñada como una versión aumentada del arcabuz, los mosquetes se disparaban con una LLAVE DE MECHA hasta que en el s. XVII se desarrollaron las LLAVES DE PEDERNAL; estas fueron reemplazadas por las llaves de percusión a comienzos del s. XIX. Los primeros mosquetes fueron a menudo manejados por dos personas, y disparados desde un apoyo portátil. Por lo general medían 1,7 m (5,5 pies) de longitud, pesaban alrededor de 9 kg (20 lb) y disparaban un proyectil esférico con un alcance de 160 m (175 yd), de escasa precisión. Se fabricaron modelos posteriores más pequeños, livianos y suficientemente precisos para acertar a una persona desde 75–90 m (80–100 yd). El mosquete fue reemplazado a mediados del s. XIX por el RIFLE, que se carga por la recámara.

mosquilla o **mosquita** Cualquiera de un grupo de DÍPTEROS, minúsculos, llamados a veces MOSQUITAS y que se clasifican como no picadores (familia Chironomidae), picadores (familia Ceratopogonidae), o de agalla (familia Cecidomyiidae). Las mosquillas no picadoras parecen zancudos, pero son inofensivas. Se las puede encontrar como enjambres zumbadores cerca del agua al atardecer. Las larvas acuáticas son a menudo rojas y constituyen un alimento importante para los animales de dicho hábitat. Las mosquillas picadoras constituyen los insectos hematófagos más pequeños (1 mm o 0,04 pulg. de largo). Las mosquillas purrujas (géneros *Culicoides* y *Leptoconops*) atacan a los humanos, pero no transmiten enfermedades; muchas especies atacan a otros insectos. Las larvas de las mosquillas de agalla generan tumefacción tisular (agalla) en las plantas.

Especies de mosquito.
© ENCYCLOPÆDIA BRITANNICA, INC.
Mosquito de la malaria — Mosquito del dengue — Mosquito común

mosquitero Cualquiera de unas 120 especies de pájaros canoros vivaces, de Norte y Centroamérica, de la familia Parulidae. Los mosquiteros semejan aparentemente a los CARRICEROS del Viejo Mundo, pero suelen presentar colores más brillantes (al menos durante el celo) y son más pequeños (unos 13 cm [5 pulg.] de largo). Habitan comúnmente bosques y a veces pantanos y matorral xerófilo. Su canto es un zumbido monótono. El nido habitual es un cuenco pulcro en un arbusto o árbol. Ponen de dos a cinco huevos moteados. Ver también CHARLA; COLIRROJO; MONJITA AMERICANA.

mosquito o **zancudo** Cualquiera de las 2.500 especies de DÍPTEROS de la familia Culicidae. Las hembras de la mayoría de las especies necesitan una ingesta de sangre para la maduración de sus huevos. Al succionar sangre, las hembras de varias especies (géneros *Aedes*, *Anopheles* y *Culex*) transmiten enfermedades humanas, como el DENGUE, ENCEFALITIS, filariasis, PALUDISMO, FIEBRE AMARILLA y elefantiasis. El adulto tiene una trompa larga, un cuerpo esbelto y alargado, y patas largas y frágiles. Los machos (y a veces las hembras) se alimentan de jugos vegetales. El sonido característico de las hembras se produce por la vibración de finas membranas en el tórax. Las hembras ponen huevos en un cuerpo de agua, normalmente estancada, y eclosionan de ellos larvas acuáticas (gusarapas). En el extremo norte, las larvas pasan el invierno congeladas en el hielo. Estas son alimento de peces e insectos acuáticos, y los adultos, de aves y libélulas. Las medidas de control consisten en la eliminación de criaderos, la aplicación de capas aceitosas superficiales para ocluir las tráqueas de las larvas y la aplicación de larvicidas.

Mosquitos, costa de los o **Mosquitia** Región costera en el este de Nicaragua y Honduras. Abarca una zona de tierras bajas de alrededor de 65 km (40 mi) de ancho que bordea el mar Caribe por cerca de 360 km (225 mi). Visitada por CRISTÓBAL COLÓN en 1502, los europeos tuvieron poco contacto con la zona hasta 1655, cuando Inglaterra estableció ahí un protectorado. Su nombre deriva de los indios misquitos (o mosquitos). España, Nicaragua y EE.UU. disputaron el protectorado inglés hasta la firma del tratado de CLAYTON-BULWER (1850). En 1894, la región fue incorporada a Nicaragua, pero la Corte Internacional de Justicia concedió en 1960 la zona septentrional a Honduras. Su principal pueblo es Bluefields, en la desembocadura del río Escondido, en Nicaragua.

Moss, Stirling (n. 17 sep. 1929, Londres, Inglaterra). Piloto de Fórmula Uno inglés. Ganó su primera carrera en Inglaterra en 1950, y a partir de ese momento obtuvo decenas de triunfos, entre ellos el Grand Prix de Gran Bretaña y el de Mónaco (tres veces). En 1962, un accidente terminó con su carrera. Vencedor en 16 grandes premios, es considerado el mejor piloto de todos los tiempos que nunca logró un título mundial.

Mossad Organismo de inteligencia y seguridad de Israel, el principal y más importante. El Mossad controla el espionaje exterior y operaciones políticas y paramilitares encubiertas. Su director está subordinado directamente al primer ministro. Ha tenido considerable éxito en operaciones en contra de sus vecinos árabes y organizaciones palestinas, y goza de una excelente reputación internacional por su eficacia. A sus agentes secretos se les atribuye la aprehensión de ADOLF EICHMANN en Argentina, la ejecución de los asesinos de los atletas israelíes en las Olimpíadas de 1972 y el rescate de los rehenes israelíes en la operación ENTEBBE. En las postrimerías del s. XX e inicios del s. XXI, el Mossad fue criticado por el trato dado a los detenidos, muchos de los cuales fueron presuntamente torturados y muertos estando bajo su custodia, y por sus esfuerzos encaminados a asesinar a algunos dirigentes políticos palestinos.

mossi Pueblo de Burkina Faso y otras regiones de África occidental, principalmente Malí y Togo. Hablan el mooré, una de las lenguas GURO de la familia de las NIGEROCONGOLEÑAS. La sociedad de los mossi, organizada como en los antiguos estados MOSSI (c. 1500–1895), se divide en realeza, nobles, plebeyos y libertos. El *morho naba* ("gran señor") habita en la corte de UAGADUGU. En la época colonial actuaban como intermediarios comerciales entre los estados de la selva y las ciudades del Níger. En la actualidad, la mayor parte de los casi seis millones de mossi son agricultores.

Mossi, estados Conjunto de reinos independientes de África occidental (c. 1500–1895) asentados cerca de la fuente del río VOLTA, en lo que actualmente es Burkina Faso y Ghana. Aunque por tradición se sostenía que sus antepasados provinieron del este, tal vez durante el s. XIII, el origen de los reinos no se ha dilucidado debidamente. El pueblo MOSSI hostigó a los imperios de MALÍ y SONGAY y compitió por el control del río NÍGER. Desde c. 1400, los estados Mossi actuaron como intermediarios comerciales entre los estados de la selva y las ciudades del Níger. Siguieron siendo independientes hasta las invasiones francesas de fines del s. XIX.

Mostel, Zero orig. **Samuel Joel Mostel** (28 feb. 1915, Nueva York, N.Y., EE.UU.–8 sep. 1977, Filadelfia, Pa.). Actor estadounidense. En un principio actuó en Broadway como también en el cine, pero en 1955 su nombre apareció en la lista negra de actividades antinorteamericanas de Hollywood, condición que lo llevó a dedicarse principalmente al teatro en Nueva York. Recibió grandes elogios por sus actuaciones en *La noche de Ulises* (1958) y *El rinoceronte* (1961).

Posteriormente protagonizó los musicales *Golfus de Roma* (1962) y *El violinista en el tejado* (1964). Finalizó su carrera en películas como *Los productores* de MEL BROOKS (1968) y *La tapadera* (1976), que retrata la época de las listas negras. Durante su vida, Mostel fue además un respetado pintor.

Mosul *árabe* **Al-Mawsil** Ciudad (pob., última est.: 664.000 hab.) del norte de Irak. Está situada a orillas del TIGRIS, en la ribera opuesta a las ruinas de la antigua NÍNIVE, a la que sucedió. Mosul prosperó hasta 1258, año en que resultó devastada por los MONGOLES. Fue el centro del Imperio OTOMANO (c. 1534–1918). Después de la primera guerra mundial (1914–18), la ocuparon los británicos y en 1926 fue cedida a Irak. La segunda ciudad más populosa de Irak y un importante núcleo comercial del noroeste del país, constituye un centro de intercambio de granos, lana, ganado y frutas; posee refinerías de petróleo y en las cercanías existen yacimientos petrolíferos. Alberga numerosos edificios antiguos, algunos que datan del s. XIII, entre ellos la Gran Mezquita y la Mezquita Roja.

Motagua, río Río del este de Guatemala. El más largo del país, fluye por unos 550 km (340 mi) primero hacia el este y luego al nordeste hasta desembocar en el golfo de Honduras, cerca de la frontera con Honduras. Localmente se lo llama Selapec, cerca de su fuente, y luego toma la denominación de Grande. Es una arteria importante para el transporte de banana, café y otros cultivos de los valles orientales.

motel Hotel diseñado para personas que viajan en automóvil, y que cuenta con cómodos estacionamientos (el nombre proviene de la combinación de "motor" y "hotel"). En sus orígenes consistía generalmente en una serie de cabañas independientes o en bloque a un costado de las carreteras. Actualmente, los moteles atienden a turistas y personas que realizan viajes de negocios y con fines comerciales, que asisten a convenciones y participan en reuniones empresariales. En 1950, el automóvil era el medio principal para viajar en EE.UU., por lo que los moteles se construían cerca de las grandes carreteras, tal como otrora los hoteles se habían construido cerca de las estaciones de ferrocarril.

motete Composición coral en latín, generalmente de un movimiento. Sus orígenes se remontan al s. XIII, cuando empezaron a agregarse palabras (en francés, *mots*) a las distintas voces polifónicas de canto llano, que originalmente no tenían texto. Surgió en forma directa de la *clausula*, decoración polifónica de una porción de ORGANUM, pero pronto se separó para convertirse en una composición independiente, aunque retuvo un fragmento insignificante del texto y la melodía del canto llano en la voz del tenor. A menudo los textos de las voces superiores se convertían en una mezcla confusa de poemas sacros y profanos –e incluso anticlericales–, lo que indica que su ejecución era concebida para ámbitos tanto cortesanos como eclesiásticos. El motete fue el género musical más importante del s. XIII y un vehículo esencial para el desarrollo de la polifonía. En el Renacimiento, compositores como JOSQUIN DES PREZ, ORLANDE DE LASSUS y WILLIAM BYRD escribieron motetes sacros, para los que empleaban un solo texto, aunque todavía no está claro con qué frecuencia se ejecutaban en las iglesias. En los s. XVII–XVIII, JEAN-BAPTISTE LULLY, MARC-ANTOINE CHARPENTIER, HEINRICH SCHÜTZ y JOHANN SEBASTIAN BACH compusieron motetes. Después de 1750 el género declinó, y sus características particulares se tornaron difusas.

Motherwell, Robert (24 ene. 1915, Aberdeen, Wash., EE.UU.–16 jul. 1991, Provincetown, Mass.). Pintor, escritor y profesor estadounidense. Recibió una beca de arte a los 11 años de edad, pero obtuvo títulos en Stanford y Harvard antes de convertirse en un pintor·formal. Desde el inicio de su carrera adoptó el EXPRESIONISMO ABSTRACTO, y sus escritos eruditos fueron en gran medida responsables del tono inte-

Robert Motherwell, fotografía de Arnold Newman, 1959.
© ARNOLD NEWMAN

lectual del movimiento. En su serie de pinturas *Elegías españolas*, iniciada en 1948 y continuada durante tres décadas, desarrolló un repertorio limitado de formas negras, serenas y simples, que se aplicaban al plano pictórico, creando una sensación de movimiento lento y solemne. Aunque trabajó en diversos estilos, su fama radica en su trabajo pionero como fundador y principal exponente del expresionismo abstracto.

motín Resistencia concertada a la autoridad militar legítima. Antiguamente, el motín era considerado un delito gravísimo, especialmente cuando tenía lugar a bordo de un buque en navegación. El comandante de la nave contaba con amplias facultades disciplinarias, entre ellas la de imponer la PENA CAPITAL sin la intervención de una CORTE MARCIAL. Con el desarrollo de las comunicaciones radiales, el peligro que representaba se redujo y se prohibieron las sanciones severas cuando el caso no había sido sometido a una corte marcial.

motín del té ver BOSTON TEA PARTY

motivación Factores internos de un ser humano o un animal que activan y dirigen la conducta orientada a metas. La motivación ha sido por largo tiempo un tema central de estudio en psicología. Los primeros investigadores, influenciados por CHARLES DARWIN, adscribieron gran parte de la conducta humana y animal al INSTINTO. SIGMUND FREUD pensaba que una parte importante de la conducta humana se basaba también en impulsos instintivos irracionales o motivos inconscientes. WALTER B. CANNON postulaba que los impulsos humanos básicos cumplían funciones homeostáticas, al orientar las energías hacia la reducción de tensiones fisiológicas. En contraste, los psicólogos conductistas destacan la importancia de metas externas para incitar a la acción, en tanto que los psicólogos humanistas examinan el rol de las necesidades sentidas. Los psicólogos cognitivos han encontrado que un motivo sensibiliza a la persona con la información relativa al motivo. Un sujeto hambriento, por ejemplo, percibirá los estímulos alimenticios como más poderosos que otros estímulos. Ver también APRENDIZAJE; GENÉTICA DEL COMPORTAMIENTO; NATURALEZA HUMANA.

motocicleta Bicicleta o triciclo propulsado por un MOTOR DE COMBUSTIÓN INTERNA. El primer triciclo con motor se construyó en Inglaterra en 1884, y la primera motocicleta con motor de gasolina fue fabricada por GOTTLIEB DAIMLER en 1885. Las motocicletas fueron muy usadas a partir de 1910, especialmente por las fuerzas armadas durante la primera guerra mundial. Después de 1950, una motocicleta más grande y más pesada se ha empleado principalmente para paseo y deporte. El ciclomotor, una bicicleta con motor, de baja velocidad y liviana, que puede ser también propulsada a pedales, se desarrolló principalmente en Europa, donde la resistente motoneta italiana alcanzó popularidad por su economía.

motociclismo Deporte de competición que se practica pilotando una motocicleta en pistas, circuitos cerrados o terrenos naturales. Las principales especialidades son: (1) motociclismo rutero, que se realiza en un circuito que consta total o parcialmente de caminos públicos; (2) trial, que se compite tanto en carreteras como fuera de ellas; (3) motociclismo de velocidad, que se efectúa en un ovalo pequeño y plano de tierra; (4) *drag racing*, que se realiza en pistas rectas pavimentadas de un cuarto de milla; (5) trepadas, que se llevan a cabo sobre un enorme montículo de tierra, y (6) MOTOCROSS. La primera carrera internacional de motociclismo rutero se llevó a cabo en Douran,

Francia, en 1905. La carrera más famosa es la Tourist Trophy, que se disputa desde 1907 en la isla británica de Man. El motociclismo comenzó en América del Norte en 1903; las 200 millas de Daytona (320 km) han sido desde 1937 la principal carrera de motos de EE.UU.

Piloto de Moto GP, máxima categoría del motociclismo.
FOTOBANCO

motocross Especialidad del motociclismo en que los pilotos compiten en un circuito cerrado y señalizado sobre un terreno accidentado, natural o artificial. Los circuitos varían mucho en cuanto a forma, pero deben tener una extensión de 1,5–5 km (1–3 mi), pendientes escarpadas, curvas muy cerradas y barro. Las motocicletas se agrupan en categorías de acuerdo con la cilindrada (p. ej., 125, 250 y 500 cc). Es quizá la especialidad físicamente más exigente del motociclismo.

Motoori Norinaga (21 jun. 1730, Matsuzaka, Japón–5 nov. 1801, Matsuzaka). Filólogo sintoísta japonés. Médico de profesión, fue influido por el movimiento Kokugaku, que subrayó la importancia de la herencia literaria japonesa. El método crítico que usó en sus comentarios sobre los clásicos japoneses fundamentó teóricamente el resurgimiento del sintoísmo moderno. Al rechazar las interpretaciones budista y confucianista, descubrió el genuino espíritu sintoísta de las tradiciones sagradas y los mitos japoneses. Reafirmó el antiguo concepto japonés de *musubi* (el misterioso poder de toda creación y crecimiento), que se ha convertido en uno de los principios fundamentales del sintoísmo moderno.

motor MÁQUINA capaz de convertir variadas formas de ENERGÍA en POTENCIA mecánica o MOVIMIENTO. Las máquinas de VAPOR desarrolladas durante la REVOLUCIÓN INDUSTRIAL para impulsar máquinas estacionarias se modificaron en el s. XIX para propulsar locomotoras y barcos, como lo haría más tarde la turbina de vapor. Los MOTORES DE COMBUSTIÓN INTERNA fueron desarrollados por NIKOLAUS OTTO y RUDOLF DIESEL a fines del s. XIX. Las turbinas de gas y los motores de cohete comenzaron a usarse a fines del s. XX. Ver también COHETE; MOTOR DE GASOLINA; MOTOR DE REACCIÓN; MOTOR DIÉSEL; MOTOR ROTATORIO.

motor de búsqueda Sistema de búsqueda de información, en especial en la INTERNET o en la WWW. Los motores de búsqueda son esencialmente BASES DE DATOS masivas que cubren campos amplios de la internet. La mayoría consta de tres partes: necesariamente un programa, llamado araña, oruga o larva, el cual "trepa" a través de la red recogiendo información; una base de datos, que almacena la información recolectada; y una herramienta de búsqueda, con la cual los usuarios indagan a través de las bases de datos, escribiendo palabras clave que describen la información deseada (por lo general, en un sitio web dedicado al motor de búsqueda). Cada vez más se emplean motores de metabúsqueda, los cuales investigan en un subconjunto (generalmente diez o más) de un gran número de motores de búsqueda y luego compilan e indexan los resultados.

motor de combustión interna Cualquier MOTOR en el cual se quema una mezcla de combustible y aire en su interior, de manera que los gases calientes de la combustión actúan directamente sobre la superficie de sus partes móviles, como las del pistón (ver PISTÓN Y CILINDRO) o los álabes del rotor de una TURBINA. Son motores de combustión interna el MOTOR DE GASOLINA, el MOTOR DIÉSEL, los motores de turbinas de gas, los MOTORES DE REACCIÓN puros y los motores de COHETES. El motor de combustión interna es una clase de motor térmico; comúnmente se dividen en motores de combustión continua y motores de combustión intermitente. En el primer tipo (p. ej., los motores de reacción) el combustible y el aire fluyen continuamente dentro del motor, el cual mantiene una llama estable para la combustión continua. En el segundo (p. ej., motores de gasolina de pistón), cantidades discretas de combustible y aire se queman a intervalos regulares. Ver también AUTOMÓVIL; MÁQUINA; máquina de VAPOR.

motor de gasolina Tipo de MOTOR DE COMBUSTIÓN INTERNA más usado y que se encuentra en la mayoría de los AUTOMÓVILES y en muchos otros vehículos. Los motores de gasolina varían significativamente en tamaño, peso por unidad de potencia generada y la disposición de sus componentes. El tipo principal es el motor de pistones. En el motor de cuatro tiempos, cada ciclo requiere de cuatro carreras del pistón –admisión, compresión, expansión y escape– y dos revoluciones del cigüeñal. En el motor de dos tiempos, las etapas de compresión y expansión del ciclo de cuatro tiempos se efectúan sin las etapas de admisión y escape, con sólo una carrera ascendente y una descendente del pistón, y una revolución del cigüeñal. El tamaño, peso y costo del motor de dos tiempos por caballo de fuerza resultan por lo tanto menores, por lo que se usan en motocicletas y máquinas pequeñas (p. ej., cortadoras de pasto y rastrilladoras). Ver también relación de COMPRESIÓN; MOTOR ROTATORIO; PISTÓN Y CILINDRO.

motor de reacción Cualquiera de una clase de MOTOR DE COMBUSTIÓN INTERNA que impulsa un avión mediante la descarga hacia atrás de un chorro de fluido, generalmente gases calientes que resultan de quemar un combustible con aire absorbido de la atmósfera. Los motores de reacción funcionan a base de la tercera ley del movimiento de NEWTON (la acción y la reacción de una fuerza son iguales y opuestas). El primer avión con motor de reacción surgió en 1939 en Alemania. El motor de reacción, que es básicamente una turbina de gas, simplificó notablemente la propulsión de los aviones y permitió aumentos sustanciales de su velocidad, tamaño y altitud de

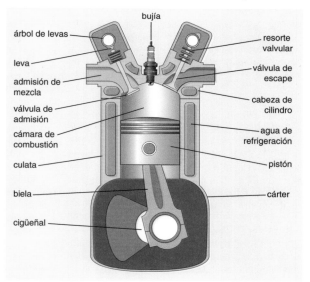

Corte transversal de un cilindro de motor de combustión interna de cuatro tiempos. En el primer tiempo (en la imagen), una leva (izquierda) comprime el resorte valvular y abre la válvula de admisión para permitir el ingreso de la mezcla de combustible-aire en el cilindro. Posteriormente, ambas válvulas se cierran; el pistón comprime la mezcla y llega corriente a la bujía. Debido a la ignición generada por la bujía, la mezcla se quema y empuja el pistón hacia abajo, produciendo energía para hacer girar el cigüeñal y para que el vehículo marche. Otra leva (derecha) abre la válvula de escape, permitiendo la salida de los gases resultantes de la combustión.

operación. Hay diversos tipos de motores de reacción, como el TURBORREACTOR, el reactor con ventilador, el TURBOHÉLICE y el ESTATORREACTOR. Ver también ARRASTRE; AVIÓN; MOTOR DE GASOLINA; SUSTENTACIÓN.

motor diésel MOTOR DE COMBUSTIÓN INTERNA en el cual el aire es comprimido hasta una temperatura lo suficientemente alta como para inflamar el combustible inyectado en el cilindro, en el que la combustión y la expansión deslizan un pistón (ver PISTÓN Y CILINDRO). Como todo motor térmico, convierte la energía química almacenada en el combustible en energía mecánica, la cual puede ser usada para propulsar grandes camiones, locomotoras, barcos, pequeños generadores de energía eléctrica e incluso automóviles. El motor diésel difiere de otros motores de combustión interna (como los MOTORES DE GASOLINA), en que no posee sistema de ENCENDIDO, por lo que a menudo se denomina motor de encendido por compresión. El combustible diésel es de menor calidad y menos refinado que la gasolina. Comparados con otros motores de combustión interna, los motores diésel son más confiables, poseen mayor duración y su operación es más económica, pero también producen mayor contaminación del aire, más ruido y mayor vibración.

motor radial Tipo de MOTOR DE COMBUSTIÓN INTERNA empleado principalmente en aviones pequeños, en el cual los cilindros (entre cinco y 28 en número, según el tamaño del motor) están montados en un círculo alrededor del cigüeñal, y en algunos casos en grupos de dos o más. En un tiempo fue el tipo de motor de pistón más empleado en aviones; en la actualidad, el motor radial tiene sólo una producción limitada. La mayoría de las necesidades de nuevos motores de este tipo se satisfacen refaccionando unidades existentes.

motor rotatorio MOTOR DE COMBUSTIÓN INTERNA en el cual las cámaras de combustión y los cilindros giran alrededor de un eje de control fijo al cual están sujetos los pistones. La presión de los gases de la combustión hace girar el eje. En el motor Wankel, el motor rotatorio más desarrollado y usado, un rotor triangular gira con un movimiento orbital dentro de una cámara de diseño especial, formando cámaras de combustión en forma de media luna entre sus lados y la pared curva de la cámara.

Motorola, Inc. Empresa estadounidense fabricante de productos de comunicaciones inalámbricas, sistemas electrónicos y semiconductores. La compañía, con oficinas centrales en Schaumburg, Ill., fue fundada en 1928 en Chicago por los hermanos Paul y Joseph Galvin con la razón social Galvin Manufacturing Corp. En 1930, la empresa empezó a vender una radio para automóviles de bajo costo, denominada Motorola, y en 1947 cambió su razón social por Motorola. Al año siguiente introdujo al mercado el televisor. En 1952, la empresa obtuvo la licencia de los transistores diseñados por la Bell Laboratories y en 1956 comenzó a venderlos a otros fabricantes. En 1962 tenía en el mercado más de 4.000 componentes electrónicos distintos. En 1974 lanzó a la venta su primer microprocesador para fabricantes de computadoras. En 1993 desarrolló en conjunto con la IBM Corp. y Apple Computer, Inc. el microprocesador PowerPC con circuito integrado RISC de alta velocidad de procesamiento. Motorola se convirtió en el fabricante líder del mercado de los microprocesadores incorporados, que se hallan por doquier en productos tan comunes como artefactos de cocina, buscapersonas, videojuegos y computadoras personales portátiles. Motorola también lideró el desarrollo de los sistemas de telefonía celular. En 1989 introdujo el teléfono MicroTAC que se convirtió rápidamente en símbolo internacional de estatus.

Motown Compañía discográfica estadounidense que en la década de 1960 creó un estilo de música SOUL al que dio su nombre y que alcanzó gran popularidad. El nombre "Motown", contracción de "Motor Town (La ciudad de los motores)", es un término que alude a la industria automotriz de Detroit,

Mich, EE.UU. La compañía fue fundada en 1959 en Detroit por Berry Gordy, Jr. (n. 1929), compositor de canciones. Los primeros éxitos nacionales de la compañía fueron "Shop Around" (1960) con The Miracles (ver SMOKEY ROBINSON) y "Please Mr. Postman" (1961) con The Marvelettes. Su catálogo pronto incluyó a The Temptations, The Four Tops, The SUPREMES, MARVIN GAYE y STEVIE WONDER. El equipo de autores Holland-Dozier-Holland (ver BRIAN AND EDDIE HOLLAND) contribuyó a crear el "sonido Motown", que se caracterizó por baladas líricas que se cantaban con un ritmo contagioso en el acompañamiento. La compañía se convirtió en uno de los negocios de propietarios afroamericanos de mayor éxito y en una de las discográficas independientes más influyentes en la historia de EE.UU. Entre los artistas que posteriormente grabaron para Motown se cuentan The Isley Brothers, Gladys Knight and the Pips y, en 1969, The Jackson Five (ver MICHAEL JACKSON). La producción de discos de gran venta de Motown continuó hasta la década de 1980 con nuevos artistas como Lionel Ritchie. En 1971, Gordy trasladó la sede de la compañía a Los Ángeles y finalmente vendió el sello a MCA en 1988.

Mo-tzu o Mozi (¿470?, China–¿391? AC, China). Filósofo chino. Inicialmente un seguidor de CONFUCIO, desarrolló una doctrina de amor universal que originó un movimiento religioso. Tal como Confucio, dedicó gran parte de su vida a viajar de un estado feudal a otro en busca de un príncipe que le permitiera poner en práctica sus enseñanzas. El *Mozi*, principal obra del movimiento, condenó la guerra ofensiva y exhortó al pueblo a seguir una vida simple que no dañara a nadie. Tuvo un número importante de seguidores, pero desapareció después del s. II AC.

Moultrie, William (4 dic. 1730, Charleston, S.C.–27 sep. 1805, Charleston, S.C. EE.UU.). Oficial de ejército de la guerra de independencia de los Estados Unidos de América. Perteneció a la asamblea provincial de Carolina del Sur (1752–62) y obtuvo experiencia militar combatiendo contra los indios cherokees. Durante la guerra de independencia tomó el mando de un fuerte en Sullivan's Island, en la bahía de Charleston, donde, en 1776, repelió un ataque británico. En su honor el fuerte lleva su nombre y él ascendió a general de brigada. Combatió a los británicos en Beaufort, S.C. (1779), pero se rindió con la caída de Charleston (1780). Posteriormente fue gobernador de Carolina del Sur (1785–87, 1792–94).

Mount Holyoke College Colegio universitario privado de artes liberales para mujeres, con sede en South Hadley, Mass., EE.UU. Fundado en 1837 por Mary Lyon como un seminario dedicado exclusivamente a estudiantes de sexo femenino, fue uno de los primeros en su tipo del país. En él se dictan cursos de bachillerato en humanidades, ciencias, matemática y ciencias sociales. Mount Holyoke forma parte de un consorcio educacional conjuntamente con los *colleges* AMHERST, Hampshire y SMITH y la Universidad de MASSACHUSETTS, ubicada en Amherst.

Mount Vernon Hogar de GEORGE WASHINGTON y lugar de su sepultura. Se ubica en el norte del estado de Virginia, EE.UU., junto al río POTOMAC, cerca de WASHINGTON, D.C. En 1751, Washington heredó la plantación en Mount Vernon, donde edificó la mansión de estilo georgiano del s. XVIII. Cercana a su hogar, se encuentra la sencilla sepultura de ladrillos construida conforme a las instrucciones que él expresó, donde descansan sus restos y los de su esposa. Después de que el gobierno estadounidense rehusara comprarla, en 1858 la Mount Vernon Ladies' Association of the Union reunió US$ 200.000 y adquirió la residencia junto con las 81 ha (200 acres) de la finca; la asociación aún mantiene el lugar.

Mount, William Sidney (26 nov. 1807, Setauket, N.Y., EE.UU.–19 nov. 1868, Setauket). Pintor estadounidense. A los 17 años de edad fue aprendiz de su hermano mayor en calidad de pintor de letreros. Luego de estudiar dibujo en la Academia nacional de diseño pintó temas históricos, pero después se volcó a la pintura de género y alcanzó éxito inmediato con obras como *Rustic Dance After a Sleigh Ride* (1830). Sus retratos de la vida campesina, afectuosos y graciosos, sin ser sentimentales, constituyen un registro valioso de su época. Fue uno de los primeros y más notables pintores de género estadounidense.

Mountbatten (de Birmania), Louis Mountbatten, 1er conde *orig.* **Louis Francis Albert Victor Nicholas, príncipe de Battenberg** (25 jun. 1900, Frogmore House, Windsor, Inglaterra–27 ago. 1979, Donegal Bay, afueras de Mullaghmore, condado de Sligo, Irlanda). Almirante y estadista británico. Hijo del príncipe Louis de Battenberg y bisnieto de la reina VICTORIA, ingresó a la Armada Real en 1913 y se convirtió en asistente del príncipe de Gales en 1921. En la segunda guerra mundial dirigió las fuerzas aliadas en el Sudeste asiático (1943–46) y comandó la recaptura de Birmania. Nombrado virrey de la India (1947), administró la transferencia de poder de los británicos a las naciones independientes de India y Pakistán y se transformó en el primer gobernador general de la India (1947–48). Fue nombrado primer lord del almirantazgo (1955–59) y jefe del estado mayor de la defensa del Reino Unido (1959–65). En 1979, mientras realizaba un viaje en velero a Irlanda, fue asesinado por terroristas irlandeses que colocaron una bomba en su embarcación.

Lord Mountbatten, 1950.
FOTOBANCO

Mountbatten, familia ver familia BATTENBERG

Mounties ver Real Policía Montada de CANADÁ

Mousa ver MŪSĀ

mouse ver RATÓN

móvil Escultura abstracta con partes móviles, accionadas ya sea por motores o por la fuerza natural de las corrientes de aire. Sus partes giratorias crean una experiencia visual nueva de volúmenes y formas en constante cambio. El término fue sugerido inicialmente por MARCEL DUCHAMP con motivo de una exposición en París, en 1932, para las obras de ALEXANDER CALDER, quien se convirtió en el más grande exponente del móvil.

"Trampa de langosta y cola de pescado", móvil de alambre de acero pintado y lámina de aluminio de Alexander Calder, 1939; Museo de Arte Moderno de Nueva York.
COLECCIÓN DEL MUSEO DE ARTE MODERNO DE NUEVA YORK, DONACIÓN DEL ADVISORY COMMITTEE

movilización Organización de las fuerzas armadas de una nación para el servicio militar activo en tiempo de guerra u otra emergencia nacional. Comprende el reclutamiento e instrucción de personal, la construcción de bases militares y de campos de entrenamiento, y la obtención y distribución de armas, municiones, uniformes, equipos y pertrechos. La movilización total involucra exigir que se pongan a disposición del esfuerzo militar todos los recursos de la nación; p. ej., los civiles pueden recolectar las materias primas necesitadas por el aparato militar, conservar para usos militares recursos escasos, como la gasolina, o vender bonos de guerra para financiar el esfuerzo bélico.

movimiento Cambio en la posición de un cuerpo en relación a otro o con respecto a un marco de referencia o sistema de coordenadas. Ocurre a lo largo de una trayectoria definida, cuya naturaleza determina el carácter del movimiento. El movimiento de traslación ocurre si todos los puntos de un cuerpo poseen trayectorias similares relativas a otro cuerpo. Los puntos en ambos cuerpos tienen la misma velocidad (direccional) y la misma aceleración (tasa de cambio de la velocidad). El movimiento de rotación ocurre cuando cualquier línea en un cuerpo cambia su orientación en relación a una línea en otro cuerpo. El movimiento de un cuerpo en relación a otro cuerpo en movimiento, como aquel al interior de un tren en marcha, se denomina movimiento relativo. De hecho todos los movimientos son relativos, pero aquellos relativos a la Tierra o a cualquier cuerpo fijo en la Tierra, a menudo se suponen absolutos, ya que los efectos del movimiento de la Tierra suelen considerarse insignificantes. Ver también MOVIMIENTO BROWNIANO; MOVIMIENTO CIRCULAR UNIFORME; MOVIMIENTO PERIÓDICO; OSCILACIÓN ARMÓNICA.

Movimiento adventista del Séptimo Día ver ADVENTISTA

movimiento browniano ver movimiento BROWNIANO

movimiento circular uniforme Movimiento de una partícula que describe un círculo con una velocidad constante. Aunque la magnitud de la VELOCIDAD de tal objeto sea constante, el objeto experimenta una aceleración constante, porque su dirección está cambiando en forma constante. En cualquier instante, su dirección es perpendicular al radio del círculo trazado hasta la posición del objeto en el círculo. En este caso, la ACELERACIÓN es sólo un cambio en la dirección y constituye el resultado de una fuerza dirigida hacia el centro del círculo. Esta fuerza centrípeta causa la ACELERACIÓN CENTRÍPETA.

Movimiento de Liberación Nacional de Palestina ver al-FATAH

movimiento de masas ver movimiento de MASAS

Movimiento de Resistencia Islámica ver ḤAMÁS

movimiento estético negro o **movimiento artístico negro** Período de desarrollo artístico y literario que floreció en EE.UU. entre los afroamericanos durante la década de 1960 y comienzos de 1970. Basado en la política cultural del nacionalismo negro, el movimiento estético se propuso crear formas artísticas que expresaran las variedades de la experiencia negra en EE.UU. Entre sus teóricos más importantes, se cuentan AMIRI BARAKA, Houston Baker (n. 1943) y HENRY LOUIS GATES. Don L. Lee (n. 1942) fue uno de sus escritores más populares, conocido como Haki R. Madhubuti después de 1973; otros autores importantes son TONI MORRISON, ALICE WALKER y Ntozake Shange (n. 1948). El movimiento también produjo autobiografías como *The Autobiography of Malcolm X* (1965; con ALEX HALEY), *Alma encadenada* de Eldridge Cleaver (1968) y *Angela Davis: An Autobiography* (1974).

Movimiento internacional de la Media Luna Roja ver CRUZ ROJA

movimiento periódico Movimiento que se repite en intervalos iguales de tiempo. El período es el tiempo de cada intervalo. Algunos ejemplos de movimiento periódico son el balanceo de una mecedora, el rebote elástico de una pelota, la vibración de una cuerda de guitarra, la oscilación de un PÉNDULO y la ondulación de una ola. Ver también OSCILACIÓN ARMÓNICA.

movimiento propio Movimiento aparente de una estrella en la ESFERA CELESTE en ángulo recto respecto de la línea visual del observador, generalmente medido en segundos de arco por año. Cualquier movimiento radial (acercándose o alejándose del observador) no está incluido en la definición. EDMOND HALLEY fue el primero en detectar los movimientos propios; el mayor movimiento propio conocido es el de la estrella de BARNARD, de unos diez segundos por año.

movimiento retrógrado En astronomía, el movimiento real o aparente de un cuerpo celeste en la dirección opuesta al movimiento predominante en cuerpos similares. Históricamente, y según las observaciones, el movimiento retrógrado se refiere al aparentemente inverso movimiento de los planetas respecto de las estrellas durante algunos meses en cada PERÍODO SINÓDICO. En los modelos geocéntricos del universo (ver TOLOMEO), este movimiento requería una explicación muy compleja; los modelos heliocéntricos (ver sistema de COPÉRNICO) lo explican de manera natural por el movimiento relativo de los otros planetas respecto de la Tierra. Actualmente, se sabe que casi todos los cuerpos en el sistema SOLAR se trasladan y giran sobre sus ejes en la misma dirección, contraria a las manecillas del reloj, respecto de un punto en el espacio sobre el Polo Norte terrestre. Esta dirección común se originó quizá durante la formación de la NEBULOSA SOLAR. Los objetos del sistema solar con movimientos en el sentido de las manecillas del reloj (p. ej., la rotación de Venus, Urano y Plutón), relativamente escasos, son también descritos como retrógrados.

Moyle Distrito (pob., 2001: 15.933 hab.) en Irlanda del Norte. Se extiende a través de la costa norte de Irlanda y comprende la isla de Rathlin y parte de los montes Antrim. Se dice que en una cueva de la isla Rathlin se ocultó ROBERTO I en 1306. BALLYCASTLE es la capital de Moyle. A lo largo de los acantilados costeros se encuentra la vía Giant's Causeway y las cañadas Glens of Antrim.

Moynihan, Berkeley George Andrew *post.* **barón Moynihan (de Leeds)** (2 oct. 1865, Malta–7 sep. 1936, Carr Manor, Leeds, Yorkshire, Inglaterra). Cirujano y profesor de medicina británico. Escribió y colaboró en monografías autorizadas sobre el tratamiento quirúrgico de las enfermedades de varios órganos abdominales, así como en *Abdominal Operations* (1905), texto estándar durante dos décadas, y *Duodenal Ulcer* (1910), que avalaron su reputación como científico clínico. Subrayó la necesidad de obtener muestras de los pacientes en el acto operatorio y no en las autopsias. Colaboró en la fundación del *British Journal of Surgery* y de organizaciones que promueven la comunicación nacional e internacional entre cirujanos y especialistas. En 1929 fue nombrado par.

Moynihan, Daniel Patrick (16 mar. 1927, Tulsa, Okla., EE.UU.–26 mar. 2003, Washington, D.C.). Político y erudito estadounidense. Se crió en la pobreza en Nueva York. Después de prestar servicios en la marina durante la segunda guerra mundial, asistió a la Universidad Tufts, donde obtuvo un doctorado en 1961. Entre 1961–65 se desempeñó en el Departamento del trabajo, donde fue coautor de un informe controvertido, en el que se atribuían los problemas educacionales de los ciudadanos afroamericanos a la inestabilidad de sus familias. Enseñó en Harvard (1966–77) y ocupó cargos de asesoría durante el gobierno de RICHARD NIXON. Fue embajador en la India (1973–75) y representante de EE.UU. ante la ONU (1975–76). En 1976 presentó con éxito su candidatura a senador por Nueva York; aunque era demócrata, algunos liberales del partido se opusieron a su candidatura. Fue reelegido tres veces y se retiró en 2001. En 2000 recibió la Medalla presidencial de la libertad.

MOZAMBIQUE

▸ **Superficie:** 812.379 km² (313.661 mi²)

▸ **Población:** 19.407.000 hab. (est. 2005)

▸ **Capital:** MAPUTO

▸ **Moneda:** metical

Mozambique *ofic.* **República de Mozambique** *ant.* **África Oriental Portuguesa** País de la costa sudoriental de África. Cerca de la mitad de los habitantes son africanos de habla bantú. Entre los grupos etnolingüísticos se encuentran los pueblos makua, tsonga, malawi, shona y YAO. Idiomas: portugués (oficial), lenguas BANTÚES y SWAHILI. Religiones: creencias tradicionales, cristianismo e Islam. El país puede dividirse en dos grandes regiones: las tierras bajas del sur y las tierras altas del norte, separadas por el río ZAMBEZE. Tiene una economía en vías de desarrollo, centralmente planificada, basada en la agricultura, el comercio internacional y la fabricación liviana. Varias industrias fueron nacionalizadas después de 1975. Es una república unicameral; el jefe de Estado y del Gobierno es el presidente, asistido por el primer ministro. Habitada desde tiempos prehistóricos, fue poblada por pueblos bantúes c. siglo III DC. Comerciantes árabes ocuparon la región costera a partir del s. XIV, y los portugueses controlaron la zona desde comienzos del s. XVI. Con posterioridad, el comercio de esclavos se transformó en una importante actividad económica, y aunque se proscribió a mediados del s. XVIII, siguió operando en forma ilegal. A fines del s. XIX, diversas compañías comerciales privadas comenzaron a administrar distintas zonas del interior. En 1951, Mozambique pasó a ser una provincia de ultramar de Portugal. En la década de 1960 se inició un movimiento independentista y, después de años de guerra, se reconoció la independencia del país en 1975. A partir de ese momento se instauró un sistema unipartidista dominado por el Frente de Liberación de Mozambique (Frelimo), quedando el país arruinado por las guerras civiles en las décadas de 1970–80. En 1990, una nueva constitución puso fin al colectivismo marxista e introdujo reformas como la privatización, la economía de mercado y el gobierno pluripartidista. En 1992 se firmó un tratado de paz con los rebeldes.

Mozambique, canal de Estrecho en el océano Índico, África meridional. Ubicado entre la isla de Madagascar y Mozambique, mide cerca de 1.530 km (950 mi) de largo, 400–1.000 km (250–625 mi) de ancho y tiene una profundidad máxima de 3.000 m (10.000 pies). Es una importante ruta marítima de África oriental. Recibe las aguas de todos los ríos importantes de Madagascar y allí se encuentran los puertos de Mahajanga y Toliara, en Madagascar. En la costa de Mozambique desemboca el río ZAMBEZE y se encuentran los puertos de MAPUTO y BEIRA.

mozárabe, arte Arquitectura y arte religioso de los mozárabes, cristianos que habitaban en la península Ibérica tras la invasión árabe de 711. Está comprobada la influencia ejercida por la cultura y las formas de arte islámicos sobre los cristianos conquistados, transformando sus creaciones en una síntesis de ambas tradiciones. El

Ilustración del *Comentario al Apocalipsis* del Beato de Liébana, miniatura mozárabe.
FOTOBANCO

tema es cristiano, pero el estilo revela la asimilación de motivos y formas decorativas islámicas. La influencia islámica se puede observar especialmente en la arquitectura mozárabe a través de sus arcos de herradura y cúpulas acanaladas. Con la emigración de los mozárabes, la influencia islámica en las artes se propagó hacia el norte y de ahí al resto de Europa.

Mozart, Wolfgang Amadeus *orig.* **Johannes Chrysostomus Wolfgangus Theophilus Mozart** (27 ene. 1756, Salzburgo, arzobispado de Salzburgo–5 dic. 1791, Viena). Compositor austríaco. Hijo del violinista y compositor Leopold Mozart (n. 1719–m. 1787), nació el mismo año en que su padre publicó el tratado más difundido sobre la interpretación del violín. Tanto él como su hermana mayor, Maria Anna (n. 1751–m. 1829), fueron niños prodigio; a los cinco años empezó a componer y realizó su primera presentación pública. Desde 1762 Leopold realizó giras con sus hijos por Europa, presentando el "milagro que Dios permitió que naciera en Salzburgo". El primer ciclo de giras (1762–69) los llevó hasta Francia e Inglaterra, donde Wolfgang conoció a JOHANN CHRISTIAN BACH y escribió sus primeras sinfonías (1764). Continuaron los viajes a Italia (1769–74), donde por primera vez fue testigo de los cuartetos de JOSEPH HAYDN y escribió su primera ópera italiana. Entre 1775 y 1777 compuso sus conciertos para violín y sus primeras sonatas para piano. En 1779 falleció su madre. Retornó a Salzburgo como organista de la catedral y en 1781 escribió su ópera seria *Idomeneo*. Molesto con el régimen del arzobispo, en 1781 fue relevado de su puesto. Se trasladó a vivir con la familia Weber, amigos suyos, y comenzó su carrera independiente en Viena. Contrajo matrimonio con Constanze Weber, dio clases de piano y compuso *El rapto en el serrallo* (1782), además de varios de sus grandes conciertos para piano. A fines de la década de 1780 alcanzó el cenit de su éxito, con los cuartetos dedicados a Haydn (quien llamó a Mozart "el más grande compositor vivo"), las tres grandes óperas con libretos de LORENZO DA PONTE –*Las bodas de Fígaro* (1786), *Don Giovanni* (1787) y *Così fan tutte* (1790)– y sus espléndidas sinfonías posteriores. En su último año de vida compuso la ópera *La flauta mágica* y su magnífico *Réquiem* (que dejó inconcluso). A pesar de su éxito, siempre careció de dinero (debido posiblemente a sus deudas de juego y su afición a la ropa fina) por lo que tuvo que pedir muchos préstamos a sus amigos. Murió a los 35 años probablemente de una infección renal. Ningún otro compositor ha dejado un legado tan extraordinario en un período tan corto de vida.

Mozi ver MO-TZU

MP3 *abreviatura de* **MPEG-1, nivel de audio 3** Tecnología y formato estándar para la compresión de señales de audio en archivos computacionales muy pequeños. A modo de ejemplo, los datos de sonidos de un DISCO COMPACTO (CD) pueden comprimirse en un doceavo de su tamaño original sin sacrificar la calidad del sonido. Debido al pequeño tamaño de los archivos y a la facilidad de producción desde un CD, el formato MP3 es muy popular para la transmisión de archivos musicales por INTERNET. Aunque las compañías discográficas han demandado a diversos SITIOS WEB por facilitar el intercambio de ese material protegido por derechos de autor, muchas ofrecen actualmente canciones de muestra en formato MP3 para promover las ventas de CD, y algunos músicos pasan por alto a las compañías discográficas y publican sus canciones en internet sólo en formato MP3. Ver también COMPRESIÓN DE DATOS.

MPAJA ver MALAYAN PEOPLE'S ANTI-JAPANESE ARMY

MS-DOS *sigla de* **Microsoft Disk Operating System**. SISTEMA OPERATIVO para COMPUTADORAS PERSONALES. El MS-DOS se basa en el DOS, desarrollado en 1980 por la Seattle Computer Products. MICROSOFT CORP. compró los derechos de patente del DOS en 1981 y ese mismo año lanzó al mercado el MS-DOS junto con las computadoras personales (PC) de IBM. Desde entonces, la mayoría de los fabricantes de PC han obtenido licencia para usar el MS-DOS como su sistema operativo; a principios de la década de 1990 se habían vendido más de 100 millones de copias. WINDOWS, un programa de INTERFAZ GRÁFICA DE USUARIO basado en MS-DOS, se transformó en una alternativa popular con el lanzamiento de la versión 3.0 en 1990; Windows 95 integró completamente el sistema operativo y la interfaz gráfica.

MSG ver GLUTAMATO MONOSÓDICO

MSI ver MUERTE SÚBITA INFANTIL

MT ver MEDITACIÓN TRASCENDENTAL

MTV *sigla de* **Music Television** Cadena de televisión por cable estadounidense fundada en 1980, cuyo propósito es exhibir los más recientes vídeos de músicos y cantantes de rock. MTV logró una gran audiencia entre los aficionados al rock de todo el mundo e incidió de manera importante en el negocio de la música popular. Esto provocó que la gran mayoría de los músicos importantes de pop o rock se dedicaran a realizar vídeos para ser presentados en MTV, ya que la acogida por parte del público afectaba en forma directa sobre las ventas futuras del disco. Posteriormente, la red se amplió, e introdujo una programación propia como los dibujos animados *Beavis y Butthead* y la serie de televisión de realidad *Mundo real*. Además, estableció cadenas internacionales independientes como la MTV Europa, MTV Latino y MTV Rusia, y creó los MTV Music Awards. Hoy en día es controlada por el conglomerado comunicacional Viacom Inc.

Mu'āwiyah I (c. 602, La Meca, península Arábiga–abr./may. 680, Damasco, Siria). Primer califa (661–680) de la dinastía OMEYA. Nacido en un clan que inicialmente rechazó las enseñanzas de MAHOMA, sólo aceptó el Islam después de que este conquistara La Meca. Como gobernador de Damasco fortaleció el ejército sirio hasta dejarlo lo suficientemente poderoso como para resistir los ataques del Imperio BIZANTINO. Se opuso al liderazgo de 'ALĪ, el cuarto califa, participó en una campaña en su contra y reclamó el califato después de su muerte. Para ganar la lealtad de los árabes no sirios, introdujo mecanismos mediante los cuales las tribus podían mantener al califa informado de sus intereses. Canalizó la agresividad de las tribus en campañas contra Bizancio y envió fuerzas al norte de África, que capturaron Tripolitania e Ifriqiyah. Administró su gran imperio adoptando procedimientos romanos y bizantinos y empleando a burócratas cristianos cuyas familias habían servido a Bizancio. Aseguró a su hijo como sucesor y estableció así un reinado hereditario. Pese a haber sido desacreditado por los historiadores musulmanes posteriores por desviarse del estilo de liderazgo de Mahoma, y por los chiítas por usurpar la autoridad de 'Alī y su familia, en la literatura árabe tradicional aparece a menudo como el gobernante ideal.

Mubārak, Ḥosnī (n. 4 may. 1928, gobernación de Al-Minufiya, Egipto). Presidente egipcio (desde 1981). Asistió a una academia aérea soviética y como comandante de la fuerza aérea (desde 1972) planificó el ataque aéreo de Egipto en la guerra ÁRABE-ISRAELÍ de 1973. Nombrado vicepresidente en 1975, asumió el cargo de presidente tras el asesinato de ANWAR EL-SĀDĀT en 1981. Ha mantenido relaciones diplomáticas con Israel, procurando al mismo tiempo restablecer a Egipto su posición tradicional como el más influyente de los estados árabes.

Ḥosnī Mubārak, 1982.
BARRY IVERSON/GAMMA

Mucha, Alphonse *orig.* **Alfons Maria Mucha** (24 jul. 1860, Ivančice, Moravia, Imperio austríaco–14 jul. 1939, Praga, Checoslovaquia). Pintor y diseñador checoslovaco. Después de estudiar en Praga, Munich y París se convirtió en el principal cartelista de los afiches que publicitaban las apariciones escénicas de SARAH BERNHARDT; también diseñó escenografías y trajes para ella. Sus numerosos y exuberantes carteles e ilustraciones de revistas, lo convirtieron en uno de los principales diseñadores del ART NOUVEAU. En 1922, luego de la independencia de Checoslovaquia, se radicó en Praga, y diseñó las estampillas y los billetes bancarios de la nueva república.

mucoviscidosis ver FIBROSIS QUÍSTICA

muda Caída o desprendimiento de la capa o cubierta externa de un animal y la formación de su restitución. Bajo regulación hormonal, la muda ocurre en todo el reino animal. Comprende el desprendimiento y reemplazo de cuernos, pelo, piel y plumas, y el proceso por el cual una ninfa u otro organismo se desprende de su exoesqueleto con el objeto de crecer o cambiar de forma.

mudéjar (del árabe *mudajjan*: "autorizado a quedarse"). Miembro de un grupo de musulmanes que vivió en los reinos cristianos de España durante la reconquista de la península Ibérica (s. XI–XV). A cambio del pago de un tributo, los mudéjares eran una minoría protegida; se les permitió mantener su religión, idioma y costumbres. Formaron comunidades separadas en los poblados más grandes en las que se regían por sus propias leyes musulmanas. En el s. XIII habían comenzado a usar el español, que escribían en caracteres árabes. Después de 1492 fueron obligados a abandonar España o convertirse al cristianismo, y a comienzos del s. XVII más de tres millones de musulmanes españoles habían sido expulsados.

Mudge, Thomas (sep. 1715, Exeter, Devon, Inglaterra– 14 nov. 1794, Newington Place, Surrey). Relojero británico. En 1765 inventó el escape de áncora, el dispositivo más confiable y ampliamente usado para regular el movimiento del RELOJ DE PULSERA de cuerda. Más tarde trabajó en el mejoramiento del CRONÓMETRO DE NAVEGACIÓN.

mudra En el BUDISMO y el HINDUISMO, gesto simbólico de las manos y los dedos que se expresa en ceremonias, danza, escultura y pinturas. Cientos de mudras se utilizan en ceremonias y danzas, a menudo en combinación con movimientos de muñecas, codos y hombros. En las ceremonias, especialmente budistas, un mudra obra como una especie de sello que confirma un voto o declaración mística o mágica, tal como una plegaria para evitar un mal. Con frecuencia acompaña la pronunciación de un MANTRA.

muela Cualquiera de dos discos de piedra utilizados en la molienda de granos para elaborar harina. La muela fija inferior tiene ranuras acanaladas superficiales y radiadas. La muela superior gira horizontalmente y posee un orificio en el centro por el cual se vierte el grano. Las ranuras de la muela inferior conducen el grano hacia la sección de molienda, plana, llamada área de contacto, y hacia los bordes, donde emerge como harina. Las mejores muelas están hechas de asperón francés, extraído cerca de París. En EE.UU. se utiliza un conglomerado de cuarzo, cuarcita, arenisca o granito. La harina molida en piedra representa sólo una pequeña parte de la harina elaborada actualmente.

Muela con ranuras acanaladas.
GENTILEZA DEL DEPARTAMENTO DE AGRICULTURA DE EE.UU.

muérdago Cualquiera de muchas especies de plantas verdes semiparásitas de las familias Loranthaceae y Viscaceae, especialmente las de los géneros *Viscum*, *Phoradendron* y *Arceuthobium*, todas miembros de la familia Viscaceae. *V. album*, el muérdago tradicional de la literatura y de las celebraciones navideñas, se halla en toda Eurasia. Este arbusto siempreverde, amarillento (0,6–0,9 m o 2–3 pies de largo) crece sobre las ramas de un árbol hospedero. Las ramas, ahorquilladas, densas y abundantes, dan hojas coriáceas pequeñas y flores amarillentas que producen bayas blancas, cerosas, de pulpa venenosa. Una raíz modificada penetra la corteza del hospedero y forma túbulos por los cuales fluyen agua y nutrientes desde el hospedero hacia la planta parásita, de crecimiento lento pero persistente. La contraparte norteamericana es *P. serotinum*. Antiguamente se creía que el muérdago tenía poderes mágicos y medicinales, y era costumbre decir que besarse bajo un muérdago colgante llevaba inevitablemente al matrimonio.

Muérdago (*Phoradendron flavescens*).
© ENCYCLOPÆDIA BRITANNICA, INC.

muerte celular programada ver APOPTOSIS

muerte cerebral Estado de destrucción irreversible del encéfalo. Antes de la invención de los sistemas de apoyo vital, la muerte cerebral llevaba siempre rápidamente a la muerte corporal. Las consideraciones éticas son cruciales para definir los criterios de muerte cerebral, los que deben satisfacerse en la mayoría de las naciones antes de cesar los esfuerzos para prolongar la vida. Tales criterios son el coma profundo de causa conocida, la ausencia de funciones del tronco cerebral (p. ej., respiración espontánea, reacción pupilar, reflejos de ahogo y tos) y la exclusión de causas como hipotermia, medicamentos y venenos. La ELECTROENCEFALOGRAFÍA es útil pero no indispensable para determinar la muerte cerebral. Los donantes de órganos deben ser declarados en muerte cerebral antes de que sus órganos se extirpen para trasplantarlos. El asunto de cuándo puede ponerse fin legalmente al apoyo vital ha sido objeto de numerosos juicios.

muerte, experiencia cercana a la Experiencia mística o trascendental que ha sido relatada por individuos que han estado en el umbral de la muerte. La experiencia cercana a la muerte varía de un individuo a otro, sin embargo, las características más frecuentes son que el individuo escuche que ha sido declarado muerto, sentimientos de paz, sensación de dejar el propio cuerpo, sensación de viajar a través de un túnel negro hacia una luz brillante, revisión de la vida, cruzar una frontera y el reencuentro con otras almas espirituales, a menudo con amigos y familiares fallecidos. Las experiencias cercanas a la muerte han sido relatadas por aproximadamente un tercio de las personas que han estado cerca de morir. Se han atribuido explicaciones culturales y fisiológicas, sin embargo, las causas permanecen desconocidas. Después de esta experiencia, los efectos posteriores típicos son una mayor espiritualidad y un temor disminuido a la muerte.

muerte súbita infantil (MSI) *o* **muerte en la cuna** Muerte imprevista de un lactante aparentemente sano. Casi siempre sucede durante el sueño nocturno y, comúnmente, entre los dos y cuatro meses de edad. Se han implicado como causas dormir boca abajo y la exposición al humo de cigarrillos. Es más común en casos de nacimiento prematuro, bajo peso al nacer y atención prenatal deficiente. Muchos casos que antes se habrían rotulado de MSI, son causados por sofocación con la ropa de cama o sobrecalentamiento. En algunos lactantes que mueren de MSI, se han observado anomalías del tronco cerebral, que interfieren su respuesta ante altas concentraciones de dióxido de carbono en la sangre.

Muerte, valle de la ver VALLE DE LA MUERTE

Muerto, manuscritos del mar Colecciones de antiguos manuscritos, en su mayor parte hebreos, descubiertos en varios lugares en la orilla noroccidental del mar Muerto (1947–56). Datan del s. III AC–II DC y suman unos 800– 900 manuscritos en 15.000 fragmentos. Muchos estudiosos creen que aquellos depositados en once cuevas cerca de las ruinas de QUMRÁN pertenecieron a una comunidad sectaria a la que la mayoría de los expertos identifica como ESENIOS, aunque otros sugieren que son SADUCEOS o zelotes. La comunidad rechazaba al resto del pueblo judío y veía el mundo dividido tajantemente entre buenos y malos. Cultivaban una vida comunitaria de pureza ritual, llamada la "Unión", dirigida por un mesiánico "Maestro de la Virtud". Los manuscritos del mar Muerto en su conjunto representan un espectro más amplio de creencias judías y pueden haber formado parte de bibliotecas de Jerusalén, ocultados durante la guerra de 66–73 DC. Proyectan además una nueva luz sobre el surgimiento del cristianismo y la relación de los primeros cristianos con las tradiciones religiosas judías. Ver también manuscritos de QUMRÁN.

Muerto, mar *árabe* **Baḥr Lūṭ** *hebreo* **Yam ha-Melah** *ant.* **Lacus Asphaltites** Lago salado entre Israel y Jordania. No tiene salida y es la masa de agua más baja de la Tierra, a unos 400 m (1.312 pies) bajo el nivel del mar. Mide 80 km (50 mi) de largo y hasta 18 km (11 mi) de ancho. La mitad septentrional pertenece a Jordania; la mitad meridional se divide entre Jordania e Israel. Sin embargo, después de la guerra de los SEIS DÍAS (1967), el ejército israelí ocupó toda la costa occidental. El mar Muerto se encuentra entre JUDEA hacia el oeste y las mesetas de Transjordania hacia el este; el río JORDÁN ingresa al mar desde el norte. Ha estado asociado a la historia bíblica desde tiempos de Abraham.

muertos, Libro de los Antigua colección egipcia de textos mortuorios, compuesta de encantamientos y hechizos que eran depositados en los sarcófagos para ayudar a los difuntos en el otro mundo. Fue probablemente compilado y reeditado durante el s. XVI AC. Las compilaciones posteriores incluyeron himnos a RA. Los escribas elaboraban y vendían copias, a menudo ilustradas en forma colorida, para uso funerario. De las muchas copias existentes, ninguna contiene la totalidad de unos 200 capítulos conocidos.

muestra comercial ver FERIA COMERCIAL

muftí Autoridad legal islámica encargada de emitir una sentencia (fatwá) en respuesta a la consulta de un juez o de un particular. Tal dictamen requiere de un conocimiento acabado del CORÁN y el HADIZ, así como de los precedentes legales. Durante el Imperio otomano, el muftí de Estambul fue la autoridad legal suprema del Islam, que presidía toda la jerarquía teológica y judicial. El desarrollo de códigos legales modernos en los países islámicos ha reducido bastante su autoridad y en la actualidad sólo tratan asuntos de carácter personal, como herencias, matrimonios y divorcios.

Sedimentos salinos en una de las riberas del mar Muerto, Israel.
Z. RADOVAN, JERUSALÉN

Mugabe, Robert (Gabriel) (n. 21 feb. 1924, Kutama, Rhodesia del Sur). Primero en ocupar el cargo de primer ministro (1980–87) y presidente (desde 1987) de Zimbabwe. Junto a JOSHUA NKOMO, encabezó una guerra de guerrillas de orientación marxista que obligó al gobierno de IAN SMITH, de mayoría blanca, a aceptar elecciones generales, en las cuales el partido de Mugabe, la Unión Nacional Africana de Zimbabwe (ZANU), ganó con holgura. Formó un gobierno de coalición con la Unión Popular Africana de Zimbabwe (ZAPU), dirigida por Nkomo, a quien destituyó en 1982. En 1984 los dos partidos se fusionaron en el Frente Patriótico-ZANU, cuando Mugabe emprendía la transformación de Zimbabwe desde una democracia parlamentaria a un estado socialista de partido único. Su gobierno estuvo marcado por la violencia e intimidación y por una creciente intolerancia a la oposición política.

muguete *o* **lirio del valle** Hierba perenne y fragante, especie única (*Convallaria majalis*) del género *Convallaria*, de la familia de las LILIÁCEAS, originaria de Eurasia y del este de América del Norte. Sus flores acampanadas y blancas cuelgan arqueadas en fila en un lado del tallo desnudo, el cual normalmente presenta dos hojas brillantes en la base. El fruto es una única baya roja. Se cultiva en jardines de sombra en muchas zonas templadas del mundo.

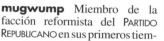
Muguete o lirio del valle (*Convallaria majalis*).
© ENCYCLOPÆDIA BRITANNICA, INC.

mugwump Miembro de la facción reformista del PARTIDO REPUBLICANO en sus primeros tiempos. En 1884, los *mugwumps* se negaron a apoyar al candidato presidencial, JAMES BLAINE, a quien consideraban políticamente corrupto, y favorecieron en cambio al candidato demócrata, GROVER CLEVELAND, en quien veían a un reformador. El término, que se deriva de una palabra india que significa "líder en la guerra", se había usado en la jerga política con el significado de "líder", y un diario de Nueva York lo aplicó en referencia al grupo rebelde. En la jerga política, *mugwump* llegó a significar todo votante independiente; el término se adoptó también en Inglaterra.

Muḥammad I Askia *o* **Muḥammad Ture** (m. 2 mar. 1538, Gao, Imperio de Songay). Estadista y jefe militar de África occidental. En 1493, después de usurpar el poder a Sonni Baru, hijo de SONNI 'ALĪ, creó un estado islámico cuyo código civil era el Corán y la escritura oficial el árabe. Estableció una administración ejemplar y se mantuvo en el poder hasta que fue derrocado por su hijo, Askia Musa, en 1528.

Muḥammad V *orig.* **Sīdī Muḥammad ibn Yūsuf** (10 ago. 1909, Fez, Marruecos–26 feb. 1961, Rabat). Sultán (1927–57) y rey (1957–61) de Marruecos. A la muerte de su padre, fue nombrado sultán del Marruecos bajo ocupación francesa, en gran medida porque esperaban que fuera más complaciente que sus dos hermanos. Pero en el transcurso de su reinado expresó con sutileza sus sentimientos nacionalistas. Durante la segunda guerra mundial (1939–45) protegió a los judíos marroquíes del régimen de Vichy. En 1953, los franceses lo enviaron al exilio por dos años, pero las constantes presiones nacionalistas los obligaron a autorizar su regreso. En 1956 negoció la independencia de Marruecos y al año siguiente fue nombrado rey.

Muḥammad, Elijah *orig.* **Elijah Poole** (7 oct. 1897, Sandersville, Ga., EE.UU.–25 feb. 1975, Chicago, Ill.). Separatista afroamericano estadounidense y líder de la NACIÓN DEL ISLAM. Hijo de aparceros y antiguos esclavos, se trasladó a Detroit en 1923. Ingresó a la Nación del Islam y estableció su segundo templo, en Chicago; al desaparecer su fundador, Wallace D. Fard, en 1934, se convirtió en el líder del movimiento. Fue encarcelado por propiciar la evasión del servicio militar durante la segunda guerra mundial, pero continuó reclutando miembros al movimiento de los musulmanes afroamericanos en la posguerra. Su persistente llamado a crear una nación aparte para afroamericanos, a quienes proclamó el pueblo elegido de Alá, impulsó a MALCOLM X, su discípulo más famoso, a romper con el grupo en 1964. Moderó su pensamiento en sus últimos años.

Muḥammad ibn Tughluq (c. 1290, Delhi, India–20 mar. 1351, Sonda) Segundo sultán (r. 1325–51) de la dinastía Tughluq. Extendió por poco tiempo el dominio del sultanato de Delhi del norte de la India a casi la mayor parte del subcontinente. Trasladó la capital de Delhi a Deogir (actual Daulatabad), en un intento por consolidar el control del sur de la India; la consiguiente emigración de la población desde el norte hacia el sur propagó en esta región el idioma urdu. Trató de obtener el apoyo de los *ulema* (doctores en disciplinas religiosas y jurídicas musulmanas), pero fue rechazado; sus intentos de acercamiento con los sufíes encontraron una suerte similar. Introdujo innovaciones agrícolas como la rotación de los cultivos y la creación de predios agrícolas estatales, así como mejoras en el riego de los cultivos. Aunque aspiraba a crear un orden social más equitativo, su severidad debilitó su autoridad; durante su reinado se enfrentó a 22 rebeliones.

Muir, John (21 abr. 1838, Dunbar, East Lothian, Escocia–24 dic. 1914, Los Ángeles, Cal., EE.UU.). Naturalista y conservacionista estadounidense. Emigró con su familia de Escocia a Wisconsin en 1849. En 1867, un accidente lo hizo abandonar una carrera en la industria y dedicarse a la naturaleza. En 1876 comenzó con sus esfuerzos para instituir una política federal de conservación forestal. Sus escritos inclinaron la opinión pública en favor de la propuesta del pdte. GROVER CLEVELAND de establecer reservas forestales nacionales e influyeron en el programa conservacionista del pdte. THEODORE ROOSEVELT. En gran parte el encargado del establecimiento de los parques nacionales SECUOYA y YOSEMITE (1890), fue el fundador principal y primer presidente del SIERRA CLUB (1892–1914). En 1908, el gobierno de EE.UU. estableció el MUIR WOODS NATIONAL MONUMENT en el cond. Marin, Cal.

John Muir.
GENTILEZA DE LA BIBLIOTECA DEL CONGRESO, WASHINGTON, D.C.

Muir Woods National Monument Bosque nacional en el norte del estado de California, EE.UU. Rodal virgen de SECUOYA roja costera, ocupa una superficie de 224 ha (554 acres) cerca de la costa del Pacífico, al noroeste de SAN FRANCISCO. Algunos de sus árboles miden más de 90 m (300 pies) de altura y 5 m (15 pies) de diámetro y tienen 2.000 años de antigüedad. El parque, establecido en 1908, recibió su nombre en honor al naturalista JOHN MUIR.

muisca ver CHIBCHA

Mukden ver SHENYANG

Mukden, incidente de (1931). Captura de la ciudad manchuriana de Mukden (actual Shenyang, China). En respuesta a la presión rusa desde el norte y a la unificación de China por CHIANG KAI-SHEK, la guarnición japonesa en Manchuria utilizó el pretexto de una explosión en la vía férrea para ocupar Mukden. Con refuerzos provenientes de la colonia japonesa de Corea, en tres meses su ejército ocupó la totalidad de Manchuria. Los chinos se retiraron y permitieron que los japoneses establecieran el estado de MANCHUKUO.

mula Híbrido de un ASNO y una yegua (ver CABALLO). El cruzamiento, menos común, entre una burra y un caballo genera un burdégano. La mayoría de las mulas es estéril. La mula se asemeja al caballo en la alzada y en la forma del cuello y la grupa; se parece al asno en sus orejas largas, pezuñas pequeñas y crin corta. El pelaje es normalmente marrón o bayo. Las mulas tienen una alzada de 12–17,5 palmos (120–180 cm, 50–70 pulg.) y pesan 275–700 kg (600–1.500 lb). Se han usado como bestias de carga por al menos 3.000 años por su capacidad de soportar penurias.

Mula.
© ENCYCLOPÆDIA BRITANNICA, INC.

mullah Título musulmán aplicado a un líder religioso o erudito, especialmente en el Medio Oriente y en el subcontinente indio. Significa "señor" y también ha sido utilizado en África septentrional como una fórmula honorífica agregada al nombre de un rey, un sultán o un miembro de la nobleza. En la actualidad, el título se otorga a una serie de líderes religiosos, como profesores de colegios confesionales, estudiosos del derecho canónico, guías de la oración en las mezquitas (IMÁN) y recitadores del CORÁN. La expresión también alude a toda la clase que defiende la interpretación tradicional del Islam.

Muller, Hermann Joseph (21 dic. 1890, Nueva York, N.Y., EE.UU.–5 abr. 1967, Indianápolis, Ind.). Genetista estadounidense. Estudió en la Universidad Columbia. La motivación inicial de sus investigaciones fue la posibilidad de dirigir concientemente la evolución humana, lo que lo llevó a trabajar en el Instituto de Genética de la Unión Soviética. Más tarde apoyó a las tropas republicanas en la guerra civil española, antes de volver a EE.UU. en 1940. Desde entonces enseñó principalmente en la Universidad de Indiana (1945–67). En 1926 indujo por primera vez mutaciones genéticas mediante el empleo de rayos X, y demostró que las mutaciones son el resultado de roturas en los cromosomas y de cambios en genes individuales. Tras obtener el Premio Nobel en 1946 consiguió mayor tribuna para publicitar los peligros que implicaba la acumulación de mutaciones espontáneas en la dotación genética humana, como resultado de procesos industriales y radiaciones, y dedicó mucho esfuerzo a aumentar la conciencia pública sobre los riesgos genéticos de la radiación.

Müller, Johannes Peter (14 jul. 1801, Coblenza, Francia–28 abr. 1858, Berlín, Alemania). Fisiólogo, anatomista comparativo y filósofo naturalista alemán. Estudió en las universidades de Bonn y Berlín, y luego fue docente en ambas. Su descubrimiento de que cada órgano de los sentidos responde en forma diferente a los estímulos, implicaba que los eventos externos eran percibidos sólo por los cambios que producen en los sistemas sensoriales. Sus investigaciones en fisiología, evolución y anatomía comparada contribuyeron al conocimiento de los reflejos, los procesos de coagulación y secreción, la composición de la sangre y linfa, la visión y audición. Sus estudios de la estructura de las células tumorales iniciaron el establecimiento de la histopatología como una rama de la ciencia.

Mulligan, Gerry orig. **Gerald Joseph Mulligan** (6 abr. 1927, Queens Village, Long Island, N.Y., EE.UU.–20 ene. 1996, Darien, Conn.). Saxofonista, pianista, arreglista, compositor y director de JAZZ estadounidense. Trabajó como arreglista estable de la orquesta de GENE KRUPA en 1946 y luego escribió arreglos y tocó con el noneto de MILES DAVIS en las grabaciones de *Birth of the Cool* (1949). Mulligan se convirtió en uno de los exponentes más conocidos del "cool jazz" (ver BEBOP). En 1952 formó un cuarteto sin piano en el que se destacaba el trompetista CHET BAKER.

Mullis, Kary B(anks) (n. 28 dic. 1944, Lenoir, N.C., EE.UU.). Bioquímico estadounidense. Se doctoró en la Universidad de California, en Berkeley. En 1983 inventó la REACCIÓN EN CADENA DE LA POLIMERASA, enzima con la cual los científicos pueden determinar el orden de los nucleótidos en un gen, usar la huella digital genética para identificar individuos por sus patrones de ADN, estudiar procesos evolutivos y hacer diagnósticos médicos. Realizó en la Cetus Corporation la investigación por la cual fue premiado, y más tarde se convirtió en consultor independiente. En 1993 compartió el Premio Nobel con Michael Smith (n. 1932). Es conocido por su estilo despreocupado y sus opiniones y escritos iconoclastas, como el libro *Dancing Naked in the Mind Field* [Bailando desnudo en el campo de la mente] (1998).

Mulroney, (Martin) Brian (n. 20 mar. 1939, Baie-Comeau, Quebec, Canadá). Primer ministro de Canadá (1984–93). Hijo de un electricista de un pueblo dedicado a la industria papelera, creció hablando inglés y francés. Comenzó a ejercer como abogado en Montreal en 1965. En 1974 formó parte de una comisión que investigaba prácticas delictivas en la industria de la construcción de Quebec. En 1977–83 fue presidente de la Iron Ore Company. Fue elegido presidente del PARTIDO CONSERVADOR PROGRESISTA en 1983 y llegó a primer ministro cuando su partido derrotó a los liberales en la elección general de 1984. Creó una alianza formada por los nacionalistas de Quebec y los conservadores del oeste del país y abogó por la unificación, aunque reconocía que Quebec era, en sus palabras, una sociedad bien diferenciada. Buscó la colaboración de EE.UU. en el tema de la lluvia ácida y en las políticas comerciales, y colaboró en la negociación del TLC. Se retiró de la política en 1993.

Brian Mulroney, 1993.
RICK FRIEDMAN/BLACK STAR

Multan Ciudad (pob., 1998: 1.182.000 hab.) del centro de Pakistán. Ubicada cerca del río CHENAB, tiene una larga historia; en 326 AC fue capturada por ALEJANDRO MAGNO y c. 712 DC cayó en poder de los musulmanes. Fue durante tres siglos un puesto de avanzada del ISLAM en lo que en esa época era India. Sometida al sultanato de Delhi y al imperio mogol, más tarde fue capturada por los afganos (1779) y los sijs (1818) antes de ser subyugada a los británicos (1849–1947). Centro de la actividad comercial e industrial, cuenta con plantas textiles, fábricas de vidrio y manufacturas artesanales, entre ellas, alfarería y trabajos en piel de camello. En Multan se encuentran numerosos santuarios musulmanes y un antiguo templo hindú.

Mezquita 'Idgah, Multan, Pakistán.
ROBERT HARDING PICTURE LIBRARY

multimedia Sistema electrónico computarizado que permite al usuario controlar, combinar y manipular diferentes tipos de medios, como texto, sonido, vídeo, gráficos computacionales y animación. La mayoría de los equipos multimedia comunes consisten en una COMPUTADORA PERSONAL con una tarjeta de sonido y vídeo, un MÓDEM, una unidad de altavoz digital, un CD-ROM y DVD. Los sistemas multimedia interactivos, actualmente en desarrollo para el comercio, comprenden servicios de TELEVISIÓN POR CABLE con interfaz computacional, que permite a los usuarios interactuar con los programas de televisión; sistemas de comunicación audiovisual interactivos de alta velocidad, como consolas de videojuegos, basados en datos digitales de líneas de FIBRA ÓPTICA o transmisiones inalámbricas digitalizadas; además, sistemas de REALIDAD VIRTUAL que crean ambientes sensoriales artificiales en pequeña escala.

multinacional, empresa Toda *corporation* registrada que opera en forma simultánea en más de un país, y que habitualmente tiene su casa matriz en uno solo. Entre las ventajas de las empresas multinacionales cabe mencionar las economías de escala tanto horizontales como verticales (reducción de costos como consecuencia de una expansión del ámbito de producción). Para sus detractores, destruyen la economía local de los países en que operan y tienden a aplicar prácticas monopólicas. Aunque el uso posiblemente llevará a aceptar el término corporación por *corporation*, en nuestros sistemas por ahora se refiere únicamente a entidades sin fines de lucro. En general se utiliza la expresión empresa multinacional o transnacional. Ver también CONGLOMERADO.

multiplexado Proceso de transmisión de señales múltiples (pero separadas) en forma simultánea sobre un canal o línea únicos. Debido a que las señales son enviadas en una sola transmisión compleja, el receptor final tiene que separar las señales individuales. Los dos tipos principales de métodos multiplexados son el multiplexado por división de tiempo (TDM, por su sigla en inglés) y el multiplexado por división de frecuencia (FDM, por su sigla en inglés). En el TDM (casi siempre empleado para señales digitales), a un dispositivo se le da un espacio de tiempo específico durante el cual puede usar el canal. En el FDM (por lo general usado para señales analógicas), el canal se subdivide en subcanales, cada uno con un ancho de frecuencia diferente, asignado a una señal específica. Las redes de fibra óptica pueden usar el DWDM (por su sigla en inglés, multiplexado denso por división de longitud de onda), en el cual señales de datos distintos se envían en longitudes de onda de luz diferentes a través de la fibra óptica.

multiplicador En economía, coeficiente numérico que muestra el efecto del cambio de una variable económica sobre otra. Un multiplicador macroeconómico, el multiplicador del gasto autónomo, muestra el impacto que tiene un cambio de la inversión nacional total en el ingreso total de la nación; es igual a la razón entre el cambio en el ingreso total y el cambio en la inversión. Por ejemplo, si en una economía se incrementa en US$ 1 millón la inversión total, se produce una reacción en cadena de aumentos del consumo. Los productores de las materias primas utilizadas en los proyectos de inversión y los trabajadores contratados en dichos proyectos obtienen ingresos por US$ 1 millón. Si gastan en promedio el 60% de ese ingreso, se agregarán US$ 600.000 a los ingresos de otros. A su vez, los fabricantes de los productos que ellos compran gastarán el 60% de su nuevo ingreso en consumo. El proceso continúa de modo que el monto en que aumenta el ingreso total puede calcularse mediante una fórmula algebraica. En este caso, el multiplicador es igual a 1/(1-3/5), o 2,5. Esto significa que un aumento de la inversión en US$ 1 millón crea un incremento de US$ 2,5 millones en el ingreso total. Otros multiplicadores son el multiplicador monetario, que mide la creación de dinero resultante de un cambio en la política MONETARIA; el multiplicador del gasto público, que mide el cambio en el ingreso nacional resultante de los cambios en la política FISCAL y el multiplicador tributario, que mide los cambios en el ingreso nacional derivados de un cambio en los impuestos. El concepto del proceso multiplicador fue divulgado por JOHN MAYNARD KEYNES en la década de 1930, como una forma de medir los efectos del gasto público.

multiprocesamiento Modo de operación computacional en el cual dos o más procesadores (ver CPU) se conectan y se activan al mismo tiempo. En tal sistema, cada procesador ejecuta un programa o conjunto de instrucciones diferentes (o el mismo programa sobre conjuntos de datos diferentes), con lo que se incrementa la velocidad computacional sobre un sistema que tiene un procesador único (lo cual significa que se puede ejecutar sólo un programa a la vez). Debido a que los procesadores deben acceder algunas veces al mismo recurso (como cuando dos procesadores deben escribir en el mismo disco), un programa de sistema denominado administrador de tareas debe coordinar las actividades del procesador.

multitarea Modo de operación computacional en el cual la COMPUTADORA ejecuta múltiples tareas al mismo tiempo. Una tarea es un programa computacional (o parte de un programa) que puede ejecutarse como una entidad separada. En un sistema de procesador único, la CPU puede realizar multitareas prioritarias (llamadas también tiempo fraccionado o tiempo compartido) donde ejecuta partes de un programa, luego cambia a otro y después retorna al primero de ellos. En los sistemas de MULTIPROCESAMIENTO, cada procesador puede manejar una tarea separada.

Fachada de la estación Victoria en la ciudad portuaria de Mumbai, India.
ARCHIVO EDIT. SANTIAGO

Mumbai *ant.* **Bombay** Ciudad (pob., est. 2001: ciudad, 11.914.398 hab.; área metrop., 16.368.084 hab.), capital del estado de MAHARASHTRA, India occidental. Asentada parcialmente en la isla de Mumbai, está flanqueada por la rada de Mumbai y el mar de ARABIA. Es el puerto principal de India en ese mar y una de las ciudades más grandes y densamente pobladas del mundo. Adquirida por los portugueses en 1534, fue cedida a los ingleses como parte de la dote de CATALINA DE BRAGANZA, quien se casó con CARLOS II en 1661. Alquilada a la COMPAÑÍA INGLESA DE LAS INDIAS ORIENTALES en 1668, cuatro años después albergaba las oficinas centrales de la compañía y en 1708, la sede de la autoridad británica en India. Luego de la inauguración del canal de SUEZ, en 1869, Mumbai creció hasta convertirse en el centro de distribución más grande de India. Es aún el centro económico del país y núcleo de la actividad financiera y comercial, centro cultural y educacional, y sede principal de la industria cinematográfica local.

Mumford, Lewis (19 oct. 1895, Flushing, N.Y., EE.UU.– 26 ene. 1990, Amenia, N.Y.). Urbanista e historiador cultural estadounidense. Después de estudiar en el City College de Nueva York y en la New School for Social Research, dictó cátedra en varias universidades y escribió para *The New Yorker*, *The Dial* y otras revistas. En obras como *Técnica y civilización* (1934), *La ciudad en la historia* (1961) y *El mito de la máquina* (3 vol., 1967–70), analizó los efectos de la tecnología y la urbanización en las socie-

dades humanas, criticó las tendencias deshumanizadoras de la sociedad tecnológica moderna y exhortó a armonizarla con metas y aspiraciones humanistas. Ver también PLANIFICACIÓN URBANA.

mumming play *u* **obra de teatro de "mummers"** Espectáculo dramático tradicional anglosajón. Obras de teatro que presentan la muerte de un caballero medieval que es reanimado por un médico; estas obras aún son representadas en algunas aldeas de Inglaterra e Irlanda del Norte. Originalmente, los "mummers" eran grupos de personas que llevaban máscaras y que durante las festividades de invierno en Europa desfilaban por las calles y entraban en las casas a bailar o a jugar a los dados en silencio. De este modo, el nombre ha sido vinculado con palabras como *"mumble"* (hablar entre dientes) y *"mute"* (mudo) y con palabras que no son inglesas y que significan "máscara". Las obras de teatro de "mummers" probablemente se originaron en ceremonias primitivas que marcaban importantes etapas en el año agrícola.

Muna, isla Isla del centro-este de Indonesia. Ubicada en el mar de Flores, frente a la costa sudoriental de CÉLEBES (Sulawesi), mide 101 km (63 mi) de largo, 56 km (35 mi) de ancho y tiene una superficie 2.911 km² (1.124 mi²). Con una altura máxima de 445 m (1.460 pies), es montañosa y cubierta de bosques. Los muna, pueblo musulmán que habla una lengua austronesia, cultivan arroz y tubérculos, con métodos simples. La babirusa, cerdo salvaje, y un marsupial llamado cascús, son parte de su peculiar fauna. Raha, situado en la costa nororiental, es el poblado más grande y el puerto principal de la isla.

Munch, Edvard (12 dic. 1863, Løten, Noruega–23 ene. 1944, Ekely). Pintor y grabador noruego. Su vida y su arte estuvieron marcados por la muerte de sus padres, hermano y hermana ocurridas durante su niñez, y por la enfermedad mental de otra hermana. Recibió muy poca formación académica, pero el estímulo de un círculo de artistas de Cristianía (actual Oslo) y el contacto con el IMPRESIONISMO Y POSTIMPRESIONISMO, lo ayudaron a desarrollar un estilo muy original. Fue principalmente a través de su obra de la década de 1890 –una serie de pinturas sobre el amor y la muerte, en las que dio forma a fuerzas psíquicas misteriosas y peligrosas– que realizó contribuciones cruciales al arte moderno. Su obra más famosa, *El grito* (1893), se suele considerar un símbolo de la angustia espiritual de la humanidad moderna. Sus grabados, litografías, puntas secas y xilografías se asemejan en gran medida a sus pinturas en estilo y tema. Tras una crisis nerviosa que sufriera en 1908–09, la terapia le dio a su obra un tono más positivo y extrovertido, pero su arte nunca recuperó la intensidad anterior. Su legado artístico ejerció una gran influencia en los pioneros del EXPRESIONISMO alemán.

Munda, batalla de (45 AC). Conflicto que puso fin a la guerra civil romana entre las fuerzas de POMPEYO EL GRANDE y JULIO CÉSAR. Los dos ejércitos se encontraron en Hispania, donde los hijos del fallecido Pompeyo se habían apoderado de Córdoba. César instigó a los pompeyanos que se encontraban en una zona en altura; cuando los hermanos rebeldes intentaron

Edvard Munch, autorretrato, litografía, 1895; Museo Albertina, Viena.
GENTILEZA DEL MUSEO ALBERTINA, VIENNA

movilizar un contingente para ir al encuentro de una carga de caballería, su ejército creyó que emprendían la retirada, y se disgregaron, con lo cual César proclamó la victoria.

mundas, lenguas Familia de cerca de 17 lenguas habladas en India, Bangladesh y Nepal que, junto con las lenguas MON-JMER, constituye la gran familia de lenguas AUSTROASIÁTICAS. Las mundas son habladas por más de siete millones de personas, todas ellas miembros de grupos tribales que viven en regiones montañosas y boscosas. Las más importantes son el santali, con más de cuatro millones de hablantes concentrados en el norte de Orissa, el sur y el este de Bihar, el noroeste de Bengala y la frontera de Nepal y Assam; el ho, con alrededor de 750.000 hablantes principalmente en Bihar y Orissa; el mundari, con cerca de 850.000 hablantes dispersos en el nordeste de India, y el korku, la lengua munda más occidental, hablada por alrededor de 320.000 personas en el sur de Madhya Pradesh y el norte de Maharashtra. Las lenguas mundas difieren de todas las otras lenguas austroasiáticas en la complejidad de su MORFOLOGÍA y por tener un orden sintáctico básico en términos de sujeto-complemento-verbo, en lugar de sujeto-verbo-complemento.

Mundell, Robert A(lexander) (n. 24 oct. 1932, Kingston, Ontario, Canadá). Economista canadiense. Obtuvo el Premio Nobel de ciencias económicas en 1999 por su trabajo sobre dinámica monetaria y áreas monetarias óptimas. Estudió en la Universidad de la Columbia Británica (B.A., 1953), en la Universidad de Washington (M.A., 1954) y en el Instituto Tecnológico de Massachusetts (Ph.D., 1956). Fue profesor de economía en la Universidad de Chicago (1956–57) y en la Universidad de Columbia. En trabajos de investigación para el FMI, Mundell analizó el efecto de los TIPOS DE CAMBIO en las políticas MONETARIAS. En 1961 planteó que en una región económica caracterizada por el libre desplazamiento de la mano de obra y el comercio se podía mantener una moneda única. Sus teorías contribuyeron a la creación del EURO, la moneda única adoptada por la UNIÓN EUROPEA (desde 1 ene. 1999).

mundo posible Concepción según la cual el universo pudo haber sido totalmente distinto. A menudo se opone ese mundo posible al modo en que las cosas son realmente. En *Ensayos de teodicea* (1710), G.W. LEIBNIZ utilizó el concepto de mundo posible para tratar de solucionar el problema teológico de la existencia del mal, argumentando que un Dios enteramente perfecto crearía el mejor de los mundos posibles; esta idea fue satirizada por VOLTAIRE en su novela humorística *Cándida* (1759). Desde entonces los filósofos han construido varias formulaciones diferentes del concepto de mundo posible.

Mundo, El Periódico español fundado en 1989 por Alfonso de Salas, Balibino Fraga, Juan González y Pedro J. Ramírez. Este último, director del diario desde su primer número, es considerado el verdadero artífice del proyecto. Nació como órgano de oposición al gobierno socialista; desde un principio se distinguió por ejercer un periodismo investigativo, con énfasis en las denuncias de corrupción y escándalos financieros. Pertenece a uno de los grupos multimedia más poderosos de España, Unidad Editorial, el que a su vez tiene como accionista mayoritario al grupo italiano Rizzoli-Corriere della Sera (ver periódico *Il CORRIERE DELLA SERA*).

Munich alemán **München** Ciudad (pob., est. 2002: ciudad, 1.227.958 hab.; área metrop., 1.893.715 hab.) y capital de BAVIERA, Alemania. Ubicada junto al río Isar, fue fundada c. 1158 en el emplazamiento de un antiguo monasterio. Se convirtió en capital de Baviera durante el gobierno de

Iglesia de Nuestra Señora (izquierda) y el Ayuntamiento (derecha), referentes del casco antiguo de Munich, Alemania.
CAMERIQUE–H. ARMSTRONG ROBERTS

la familia WITTELSBACH. En el transcurso del s. XIX, la ciudad se desarrolló como un centro musical y teatral. Después de la primera guerra mundial, se convirtió en centro de la agitación política derechista. Fue escenario del putsch de la CERVECERÍA DE MUNICH, que ADOLF HITLER intentó llevar a cabo contra el gobierno de Baviera y las actividades posteriores del PARTIDO NAZI. En 1938 se suscribió en esta ciudad el acuerdo de MUNICH. Pese a los graves daños provocados por el bombardeo aliado durante la segunda guerra mundial, algunos edificios medievales como la catedral y el ayuntamiento resistieron el embate. En la actualidad, Munich es un centro comercial, cultural, educacional e industrial, conocido por sus numerosos museos, su industria manufacturera y la fabricación de distintos tipos de cerveza.

Munich, acuerdo de (1938) Pacto celebrado entre Alemania, Francia, Gran Bretaña e Italia que permitió a Alemania anexar la región de los SUDETES, ubicada en Checoslovaquia. Las amenazas de ADOLF HITLER de ocupar esa zona habitada principalmente por alemanes, derivaban de su objetivo más amplio y declarado de reunir todas las regiones de Europa pobladas por alemanes. Aunque Checoslovaquia tenía tratados de defensa con Francia y la Unión Soviética, ambos países acordaron que las zonas de los Sudetes con mayoría alemana debían devolverse. Hitler exigió que todos los checos de esa zona la abandonaran. Cuando Checoslovaquia rehusó, el primer ministro británico NEVILLE CHAMBERLAIN negoció un acuerdo que permitió a Alemania ocupar dichas zonas, pero bajo la promesa de que todas las futuras diferencias se resolverían por la vía de la consulta. El acuerdo, que se convirtió en sinónimo de APACIGUAMIENTO, fue revocado cuando Hitler se anexionó el resto de Checoslovaquia al año siguiente.

Munich, Universidad de alemán **Ludwig-Maximilians Universität München** Universidad autónoma financiada por el estado de Baviera, Alemania. Fue fundada en 1472 en Ingolstadt, posteriormente utilizó como modelo a la Universidad de VIENA. Durante la Reforma fue el centro de la oposición católica romana a MARTÍN LUTERO. En 1799 se incorporaron las escuelas de economía y ciencias políticas, y en 1826 se trasladó a Munich, donde se crearon programas agrícolas y técnicos.

Munro, Alice orig. **Alice Anne Laidlaw** (n. 10 jul. 1931, Wingham, Ontario, Canadá). Escritora canadiense. Es conocida por sus cuentos finamente narrados, ambientados por lo general en el Ontario rural y de personajes descendientes de escoceses e irlandeses. Sus colecciones *Danza de las sombras felices* (1968), *¿Quién te crees que eres?* (1978) y *El progreso del amor* (1986) obtuvieron el premio Governor General's Award for Fiction. Otras colecciones son *Algo que he intentado decirte* (1974), *Las lunas de Júpiter* (1982), *Amistad de juventud* (1986), *Secretos a voces* (1994), *El amor de una mujer generosa* (1998) y *Odio, amistad, noviazgo, amor, matrimonio* (2001).

Munster Provincia (pob., est. 2002: 1.101.266 hab.) del sur de Irlanda. Tiene una superficie de 24.127 km² (9.315 mi²). Hacia 400 DC, la región era gobernada por un clan del sur que habría ampliado gradualmente su poderío. En el s. X la invadieron los vikingos, que con el tiempo se establecieron en Waterford y Limerick. Después de la invasión anglonormanda del s. XII, en Munster reinaron las familias feudales

Fitzgerald y Butler. En la actualidad, comprende los condados de Clare, Cork, Kerry, Limerick, Tipperary (del Norte y del Sur) y Waterford.

Münster Ciudad (pob., est. 2002: 267.197 hab.) en el oeste de Alemania. Fundada en 804 como sede episcopal, recibió el nombre de Münster en 1068 y adquirió el título de ciudad en 1137. Como miembro de la liga HANSEÁTICA desde el s. XIII, se establecieron los ANABAPTISTAS en 1535. En Münster se firmó la paz de WESTFALIA en 1648, y en 1815

Fachada de la Universidad Westfaliana Wilhelm, antiguamente el palacio episcopal, Münster, Alemania.
K. PRAEDEL—ZEFA

la ciudad se convirtió en la capital de la WESTFALIA prusiana. Pese a los graves daños que sufrió durante la segunda guerra mundial, la mayoría de sus edificios históricos fueron restaurados o reconstruidos, entre ellos, la catedral del s. XIII y el ayuntamiento del s. XIV. Es un centro de la cultura westfaliana.

muntiaco Cualquiera de unas siete especies de CIERVOS solitarios y nocturnos, originarios de Asia y aclimatados en Inglaterra y Francia, que constituyen el género *Muntiacus* (familia Cervidae). La mayoría de las especies tiene una alzada de 40–65 cm (15–25 pulg.), pesa 15–35 kg (33–77 lb); su color es grisáceo, rojizo o marrón. Los machos tienen los caninos superiores acolmillados y astas cortas de un candil. Las crestas óseas se extienden desde la base de las astas hasta la cara. El muntiaco gigante (40–50 kg u 88–110 lb) se descubrió en Vietnam del Norte en 1993–94. El muntiaco de Fea (*M. feae*), de Myanmar y Tailandia, está en peligro de extinción y otras especies también se encuentran amenazadas.

Muntiaco chino (*Muntiacus reevesi*).
KENNETH W. FINK—ROOT RESOURCES

muñeca Pequeña figura de un ser humano o un animal, usada especialmente como juguete infantil. Las muñecas son tal vez el juguete más antiguo de la humanidad. Algunas muñecas antiguas pueden haber cumplido funciones religiosas o mágicas, como ocurre en el presente con las muñecas VUDÚ. En Egipto, Grecia, Roma y en las primeras catacumbas cristianas se enterraban muñecas en las tumbas de niños. En Europa se han confeccionado en forma comercial desde el s. XVI aprox. La cabeza se hacía de madera, terracota, alabastro y cera, mientras que el cuerpo se elaboraba de madera tallada o cuero relleno con aserrín. Hacia 1820 se hicieron populares las cabezas de porcelana barnizada (Dresde) o de porcelana mate (cerámica), que en el s. XX fueron reemplazadas por las de plástico moldeado. En Japón se utilizan muñecas como figuras de festividades tradicionales. En India, hindúes y musulmanes regalaban muñecas primorosamente vestidas a las niñas prometidas en matrimonio. Muchas personas se dedican en la actualidad a coleccionar muñecas, antiguas o modernas.

Muñeca egipcia de madera pintada, 2000 AC.
GENTILEZA DEL DIRECTORIO DEL MUSEO BRITÁNICO, LONDRES

Muñoz Marín, Luis (18 feb. 1898, San Juan, Puerto Rico–30 abr. 1980, San Juan). Estadista y gobernador de Puerto Rico por cuatro períodos (1948–64). Educado en EE.UU., se convirtió en director del diario *La Democracia* y fue elegido para ocupar un escaño en el senado puertorriqueño en 1932. En los inicios de su carrera abogó por independizarse de EE.UU., pero luego trabajó muy de cerca con el gobernador designado por EE.UU. buscando mejorar la situación en Puerto Rico. Logró éxito con la operación Manos a la obra (*Bootstrap*), programa para un desarrollo económico rápido. Cuando Puerto Rico pudo elegir su propio gobernador en 1948, obtuvo una votación aplastante; fue reelegido varias veces. Logró su objetivo de convertir a Puerto Rico en un Estado Libre Asociado a EE.UU.

Muñoz Rivera, Luis (17 jul. 1859, Barranquitas, Puerto Rico–15 nov. 1916, Santurce). Estadista, periodista y patriota puertorriqueño. En 1889 fundó el diario *La Democracia*, que abogaba por un gobierno autónomo para Puerto Rico. Desempeñó un papel importante en la aceptación española de conceder el autogobierno para la isla en 1897. Fue presidente de su primer gabinete, pero renunció luego de que España cediera Puerto Rico a EE.UU. Su hijo LUIS MUÑOZ MARÍN fue gobernador de la isla.

muqarnas ver MOCÁRABE

Muqi Fachang *o* **Mu-hsi Fa-ch'ang** (floreció en s. XIII, provincia de Sichuan, China). Pintor budista chan chino (japonés: ZEN). Hacia fines de la dinastía Song del Sur (1127–1279), Muqi huyó a un monasterio cerca de Hangzhou. Pintó una variedad de temas como paisajes, flores, naturalezas muertas y temas iconográficos más ortodoxos. Entre las pinturas más famosas asociadas a Muqi se cuentan *Seis caquis* y un tríptico donde figura un Guanyin de túnica blanca flanqueado a ambos lados por un pergamino donde aparecen monos y una grulla. Las pinturas son de distinto estilo y temática, pero en todas se aprecia una sensación de visión inmediata y una mano muy sensible, todo ello expresado por medio de amplias y evocadoras aguadas de tinta. Sus pinturas sobre temas chan estimularon la realización de muchas copias en Japón.

Murad, Ferid (n. 14 sep. 1936, Whiting, Ind., EE.UU.). Farmacólogo estadounidense. Obtuvo un bachiller y un Ph.D. en la Case Western Reserve University. Demostró que la NITROGLICERINA y los medicamentos cardiovasculares afines inducen la formación de ÓXIDO NÍTRICO, gas que aumenta el diámetro de los vasos sanguíneos. En 1998 compartió el Premio Nobel con ROBERT F. FURCHGOTT y LOUIS J. IGNARRO, por descubrir que el óxido nítrico actúa como una molécula señalizadora en el sistema cardiovascular. Su trabajo conjunto sacó a luz un mecanismo enteramente novedoso sobre cómo los vasos sanguíneos se relajan y dilatan. Este descubrimiento llevó al desarrollo del VIAGRA (sildenafil), medicamento que se emplea para tratar la disfunción eréctil.

mural Pintura realizada sobre la superficie de un muro o un techo interior que conforma un todo integral con estos. Es posible encontrar sus raíces en el impulso universal que llevó a los pueblos prehistóricos a crear pinturas rupestres: el deseo de decorar sus alrededores y expresar sus ideas y creencias. Los romanos pintaron numerosos murales en Pompeya y en Ostia, pero la pintura mural (que no es sinónimo de la pintura al FRESCO) alcanzó su mayor nivel de creatividad en Europa con la obra de los maestros renacentistas como MASACCIO, Fra ANGELICO, LEONARDO DA VINCI, MIGUEL ÁNGEL y RAFAEL. En el s. XX, el mural fue adoptado por los cubistas y los fauvistas de París, los muralistas mexicanos (p. ej., DIEGO RIVERA, JOSÉ CLEMENTE OROZCO, DAVID ALFARO SIQUEIROS) y los artistas estadounidenses de la época de la gran depresión, con el patrocinio del gobierno (p. ej., BEN SHAHN, THOMAS HART BENTON).

muralla *o* **muro** Construcción vertical de varios tipos para dividir o cerrar un recinto o edificación. En la construcción de albañilería tradicional, las murallas exteriores eran MUROS SOPORTANTES y debían resistir el peso de los pisos superiores y la techumbre, pero en las construcciones modernas de armazones de acero y hormigón armado, o de madera, los muros exteriores son sólo de abrigo. Algunos edificios urbanos no tienen murallas en la planta baja, de manera que las plazas exteriores se prolongan bajo el edificio y permiten un acceso más fácil a escaleras mecánicas, ascensores y escaleras. En construcciones de albañilería, todos los tipos de pisos y techos, excepto las bóvedas, se sostienen mejor con murallas verticales y paralelas. Los muros no soportantes, que se utilizan cuando las cargas son absorbidas por vigas u otros elementos, pueden ser MUROS CORTINA o rellenos con ladrillos, bloques u otro material. Ver también MURO DE CONTENCIÓN; MURO DE CORTE; MURO SORDO.

Muralla, Gran ver GRAN MURALLA

Murano, cristal de Variedad de cristalería fabricada en Venecia desde el s. XIII hasta la actualidad. En el s. XV, los esfuerzos se concentraron en perfeccionar el *cristallo* (cristal transparente, de apariencia cercana al cristal de roca). En el s. XVI, los fabricantes

Jarra en calcedonia, Venecia, inicios del s. XVI; Museum für Kunsthandwerk, Francfort del Meno, Alemania.

GENTILEZA DEL MUSEUM FÜR KUNSTHANDWERK, FRANCFORT DEL MENO, ALEMANIA; FOTOGRAFÍA, FOTO MARBURG—ART RESOURCE/EB INC.

de vidrio venecianos ya dominaban las técnicas para añadir color y remover el tinte pavonado producido por el metal en el material vidrioso. Estos y otros secretos fueron guardados celosamente, y los trabajadores que no cumplieran con esta exigencia eran castigados en forma severa. Sin embargo, con el tiempo muchos fabricantes de vidrio venecianos no guardaron los secretos y así las técnicas se hicieron conocidas en Francia, Alemania, los Países Bajos e Inglaterra.

Murasaki Shikibu (n. circa 978, Kioto, Japón). Escritora japonesa. No se conoce su verdadero nombre y la principal fuente de información que se tiene de ella es un diario de vida (1007–10). Su obra, *La historia de Genji* (terminado c. 1010), es un relato extenso y complejo centrado principalmente en los amores del príncipe Genji y las mujeres que conoció en su vida. Extremadamente sensible a las emociones humanas y a la belleza de la naturaleza, ofrece encantadores relatos de lo sucedido en la corte de la emperatriz Akiko, a quien Murasaki sirvió. Es considerada la gran obra de la literatura japonesa y en opinión de algunos es la primera novela del mundo.

Murat, Joachim (25 mar. 1767, La Bastide-Fortunière, Francia–13 oct. 1815, Pizzo, Calabria). Militar francés y rey de Nápoles (1808–15). En Italia y Egipto fue un osado comandante de caballería y con posterioridad colaboró con NAPOLEÓN I en su golpe de Estado (1799); se casó con CAROLINA BONAPARTE. Ayudó a ganar la batalla de MARENGO (1800). Nombrado gobernador de París, fue promovido a mariscal en 1804. Tras las victorias en las batallas de AUSTERLITZ (1805) y JENA (1806), fue nombrado rey de Nápoles (1808), donde realizó reformas administrativas y económicas, y fomentó el nacio-

Joachim Murat, detalle de un dibujo de Antoine-Jean Gros; École des Beaux-Arts, París, Francia.

CLICHÉ MUSÉES NATIONAUX, PARÍS

nalismo italiano. Dirigió tropas en la batalla de BORODINO (1812), en la campaña rusa de Napoleón, pero abandonó el ejército durante su retirada de Moscú. En 1815 nuevamente apoyó a Napoleón durante los CIEN DÍAS, pero fue derrotado con sus fuerzas napolitanas en la batalla de Tolentino; con posterioridad fue tomado prisionero y fusilado.

Murchison, río Río de AUSTRALIA OCCIDENTAL. Con una extensión total de 708 km (440 mi) fluye en forma intermitente hacia el oeste hasta desembocar en el océano Índico. En 1891 se dio el nombre del río a uno de los yacimientos auríferos más ricos de Australia, y algo de oro se extrae aún en la zona. El curso inferior cruza el parque nacional de Kalbarri, donde las aguas han excavado una espectacular garganta a través de la cordillera de la costa.

Murcia Comunidad autónoma (pob., 2001: 1.197.646 hab.), provincia y región histórica en el sudeste de España. Cubre una superficie de 11.314 km^2 (4.368 mi^2) y su capital es la ciudad de MURCIA. Fue un reino moro independiente hasta su anexión a CASTILLA en 1243. El estatuto de autonomía se promulgó en 1982. Con las aguas del río Segura, que atraviesa la región, se riegan sus fértiles tierras agrícolas. Los puertos de CARTAGENA, Mazarrón y Águilas han crecido gracias al desarrollo de la navegación y de la minería en la llanura costera. Entre sus principales cultivos figuran cereales, aceitunas, uvas y melones.

Murcia Ciudad (pob., 2001: 370.745 hab.), capital de la comunidad autónoma de MURCIA en el sudeste de España. La zona se pobló antes de que los romanos conquistaran España en el s. III AC. En 825 DC se convirtió en la ciudad musulmana de Murŝiya; el emir de CÓRDOBA la declaró capital provincial. Fue cuna de IBN AL-ʿARABĪ (1165). El río Segura divide la ciudad en un sector antiguo y otro nuevo. Su catedral del s. XIV se restauró en el s. XVIII. Constituye un centro de comunicaciones y comercio agrícola, para las zonas aledañas. Su industria de la seda data de la época mora.

murciélago Cualquiera de unas 900 especies (orden Chiroptera) de los únicos MAMÍFEROS que han desarrollado un vuelo genuino. Las alas son una modificación evolutiva de los miembros anteriores, con dedos sumamente alargados, unidos por una membrana que se extiende hacia abajo por los costados del cuerpo. La mayoría de los murciélagos se sirven de la ECOLOCACIÓN para orientarse y hallar la presa. De distribución mundial, son particularmente abundantes en los trópicos. La envergadura varía entre las especies de 15 cm (6 pulg.) a 1,5 m (5 pies). Casi todas las especies descansan de día (en cavernas, grietas, madrigueras, edificios o árboles) y se alimentan de noche. En su mayoría son INSECTÍVOROS, que consumen suficientes individuos como para afectar el equilibrio de las poblaciones de insectos. Otros se alimentan de fruta, polen, néctar o sangre (VAMPIROS). Algunos viven más de 20 años. El GUANO de los murciélagos se ha usado por mucho tiempo como fertilizante agrícola. Ver también MURCIÉLAGO COLUDO, MURCIÉLAGO FRUGÍVORO.

murciélago coludo Cualquiera de unas 90 especies de MURCIÉLAGOS (familia Molossidae), de distribución mundial en regiones cálidas y llamado así por la manera en que parte de su cola se extiende más allá del uropatagio. Los murciélagos coludos son voladores veloces, corpulentos, con alas ligeras y alargadas. Miden unos 4–13 cm (1,6–5 pulg.) de largo sin incluir la cola de 1,5–8 cm (0,6–3 pulg.) y tienen normalmente ojos pequeños, un morro macizo, orejas grandes y piel oscura. Devoran insectos y anidan en troncos huecos, cavernas y edificios. La mayoría de las especies vive en grupos; algunas, como la mexicana, forman colonias de varios millones. Otrora, el GUANO de tales colonias se extraía para fertilizante y fuente de nitrato de sodio (para hacer pólvora).

Gran murciélago marrón
(*Eptesicus fuscus*)

Murciélago pequeño marrón
(*Myotis lucifugus*)

Especies de murciélago.
© ENCYCLOPÆDIA BRITANNICA, INC.

murciélago frugívoro Cualquiera de muchos MURCIÉLA-GOS tropicales del Viejo Mundo de la familia Pteropodidae, así como varias especies de murciélagos herbívoros del Nuevo Mundo. Los murciélagos frugívoros del Viejo Mundo se distribuyen ampliamente de África a Asia meridional y Australasia. La mayoría de las especies depende de la visión más que de la ECOLOCACIÓN para evitar obstáculos. Algunas especies son solitarias, otras, gregarias; la mayoría reposa al aire libre en los árboles, aunque algunas viven en cavernas, rocas o edificios. Existen rojas o amarillas, como también, rayadas o manchadas. Comen frutas o flores (incluyendo polen y néctar). Las especies más pequeñas de la familia, los murciélagos frugívoros de lengua larga, alcanzan una longitud de unos 6–7 cm (2,5 pulg.), la cabeza inclusive, y una envergadura de 25 cm (unas 10 pulg.). La misma familia contiene los murciélagos de mayor tamaño, los zorros volantes, que alcanzan un largo de hasta 40 cm (16 pulg.) y una envergadura de 1,5 m (5 pies). Los del Nuevo Mundo son, en general, de menor tamaño y utilizan la ecolocación. Se hallan en los trópicos y muchas especies pertenecen a los géneros *Artibeus* y *Sturnira*.

Murdoch, Dame (Jean) Iris (15 jul. 1919, Dublín, Irlanda–8 feb. 1999, Oxford, Oxfordshire, Inglaterra). Novelista y filósofa británica. Graduada de la Universidad de Oxford, trabajó como profesora universitaria mientras se dedicaba a su carrera como escritora. El primer trabajo que publicó fue un estudio sobre JEAN-PAUL SARTRE (1953). Entre sus novelas destacan *La campana* (1958), *La cabeza cortada* (1961), *El príncipe negro* (1973), *El mar, el mar* (1978) y *El libro y la hermandad* (1987), que se caracterizan por sus argumentos intrincados con elementos filosóficos y cómicos. Sus obras filosóficas incluyen *La soberanía del bien* (1970) y *Metafísica como guía para la moral* (1992). Su deterioro a causa del Alzheimer fue relatado por su esposo, el crítico John Bayley, en *Elegía a Iris* (1999).

Murdoch, (Keith) Rupert (n. 11 mar. 1931, Melbourne, Victoria, Australia). Editor de periódicos y empresario de medios de comunicación australiano. Hijo de un famoso corresponsal de guerra, heredó dos periódicos de Adelaida en 1954 e incrementó enormemente su circulación al dar énfasis a las noticias sobre crímenes, sexo, escándalos, deportes e historias de interés popular; entretanto, asumía una postura editorial abiertamente conservadora. Siguió esta misma estrategia ganadora luego de comprar periódicos en Australia, Gran Bretaña y EE.UU. a través de su empresa global de medios de comunicación, The News Corporation Ltd. También adquirió publicaciones convencionales y respetadas, entre ellas, *The Times* de Londres. En las décadas de 1980–90 se expandió al campo editorial de libros y publicaciones electrónicas, televisión, producción de cine y vídeo. Entre sus empresas se cuentan el periódico *New York Post*, Fox, Inc. (ver FOX BROAD-CASTING CO.), Harper Collins Publishers, British Sky Broadcasting, Star TV (servicio de televisión panasiático) y el equipo de béisbol Los Angeles Dodgers.

Mureş, río Río que nace en los montes CÁRPATOS orientales, en el centro-este de Rumania. En su recorrido hacia el oeste atraviesa el norte de Rumania y la frontera húngara hasta confluir con el río TISZA en Szeged, Hungría. Con una extensión aprox. de 725 km (450 mi), es el afluente principal del Tisza. Importante vía de transporte, navegable para embarcaciones pequeñas durante más de 320 km (200 mi).

Murgāb, río Río que cruza el noroeste de Afganistán y el sudeste de Turkmenistán. Principalmente fluye hacia el oeste y luego se desvía al norte. Tiene una longitud de 970 km (600 mi) y en varios kilómetros, forma la frontera entre Turkmenistán y Afganistán. Al norte de la localidad de Marí (MERV), desaparece en las arenas del desierto de KARAKUM.

muriático, ácido ver ácido CLORHÍDRICO

Murillo, Bartolomé Esteban (bautizado 1 ene. 1618, Sevilla, España–3 abr. 1682, Sevilla). Pintor español. Considerado el representante del estilo barroco más admirado de la España del s. XVII. Destacó por sus figuras idealizadas, la mayoría pintadas para órdenes religiosas y confraternidades de su Sevilla natal. Sus primeras obras fueron realizadas en el estilo naturalista de FRANCISCO DE ZURBARÁN, pero con la madurez de su estilo, durante la década de 1650, pronto sobrepasó al maestro en fama y popularidad. Las formas modeladas suavemente, la riqueza de colores y la pincelada amplia de sus pinturas posteriores, como en la *Inmaculada Concepción* de 1652 (su tema favorito), revelan la influencia de los pintores barrocos venecianos y flamencos del s. XVI. Las obras de Murillo fueron copiadas e imitadas en toda España y su imperio, y fue el primer pintor español de la época en alcanzar fama internacional.

"La dos Trinidades", óleo sobre tela de Bartolomé Esteban Murillo, c. 1681; National Gallery, Londres.

GENTILEZA DEL DIRECTORIO DE LA NATIONAL GALLERY, LONDRES; FOTOGRAFÍA, J.R. FREEMAN & CO. LTD.

Murji'ah Una de las primeras sectas del ISLAM en creer en el aplazamiento del juicio de aquellos que han cometido graves pecados, reconociendo que sólo Dios es capaz de decidir si un musulmán ha perdido su fe. Florecieron durante los s. VII–VIII, período de rivalidad en la comunidad musulmana. A diferencia de los jariyíes, una secta militante que deseaba expulsar de la comunidad a los grandes pecadores y declararles la YIHAD, los Murji'ah, quienes preconizaban dejar en manos de Dios a esos pecadores, argumentaban que nadie que había profesado el Islam podía ser declarado infiel. Cuando los jariyíes se rebelaron contra la dinastía OMEYA, los Murji'ah declararon que esa sublevación contra un gobernante musulmán no podía justificarse bajo ninguna circunstancia. Fueron moderados y enfatizaron el amor y la bondad de Dios.

Múrmansk Ciudad portuaria (pob., est. 1999: 382.700 hab.) del noroeste de Rusia. Situada en la costa oriental de la bahía de Kola, cerca del mar de BARENTS, es la ciudad más grande del mundo al norte del círculo polar ÁRTICO. Las aguas del puerto no se congelan, por lo que es el único puerto ruso con acceso irrestricto al Atlántico. Fundado en 1915 como puerto de abastecimiento durante la primera guerra mundial, sirvió de base a las fuerzas británicas, francesas y estadounidenses que lucharon contra los BOLCHEVIQUES en 1918; también fue una importante base de abastecimiento durante la segunda guerra mundial. Además de ser una base naval rusa, en la actualidad alberga una gran flota pesquera y una industria procesadora de productos del mar.

Puerto de Múrmansk, noroeste de Rusia.
BAVARIA-VERLAG/IDF

Murnau, F.W. *orig.* **Friedrich Wilhelm Plumpe** (28 dic. 1888, Bielefeld, Alemania–11 mar. 1931, Hollywood, Cal., EE.UU.). Director de cine alemán. Después de estudiar en la Universidad de Heidelberg, se convirtió en el protegido del director teatral MAX REINHARDT en Berlín. Durante la primera guerra mundial fue piloto de combate y luego realizó películas de propaganda. En 1919 dirigió su primer largometraje, y poco después fue aclamado internacionalmente por *Nosferatu, el vampiro* (1922), considerada por muchos como la más certera adaptación cinematográfica de la novela *Drácula* de BRAM STOKER, y *El último* (1924). En 1927 se mudó a Hollywood, donde realizó su obra maestra *Amanecer* (1927), y *Tabú* (1931; en colaboración con ROBERT FLAHERTY). Las películas de Murnau revolucionaron el arte cinematográfico al utilizar la cámara subjetiva como medio expresivo del estado emocional de sus personajes.

muro ver MURALLA

muro cortina Muro no soportante de vidrio, metal o albañilería, adosado a la armazón estructural exterior de un edificio. Después de la segunda guerra mundial, los bajos costos energéticos impulsaron el concepto de edificios en altura como prismas de vidrio, una idea planteada inicialmente por LE CORBUSIER y LUDWIG MIES VAN DER ROHE en sus proyectos visionarios de la década de 1920. El edificio de la Secretaría General de la ONU (1949), en Nueva York, con sus muros de vidrio verde, contribuyó a establecer un estándar mundial para los rascacielos.

muro de contención Muro que se levanta para mantener en su sitio una masa de tierra o prevenir la erosión de un terraplén. También puede ser un talud, con un paramento inclinado hacia la carga que soporta. El tipo de muro reforzado de sostenimiento más básico es el de contención por gravedad, hecho de una gran masa de hormigón, cuyo propio peso y volumen impiden que se vuelque. Un muro de contención en voladizo (ver VIGA VOLADIZA) (en forma de L) resiste al volcamiento por la FUNDACIÓN, adaptada y ensanchada para resistir el desplazamiento.

muro de corte En construcción, una superficie vertical rígida capaz de transferir esfuerzos laterales desde muros exteriores, pisos y techos, a la fundación en el terreno, en una dirección paralela a sus planos. El muro de hormigón armado

o el RETICULADO son ejemplos de este tipo. Los esfuerzos laterales causados por el viento, terremotos o por asentamientos diferenciales, además del peso de la estructura y de sus ocupantes, crean importantes fuerzas de torsión. Estas fuerzas pueden literalmente cizallar un edificio. Se puede reforzar un armazón con muros rígidos en su interior, de modo que mantenga su forma e impida la rotación de sus vértices. Los muros de corte son muy importantes en edificios de gran altura sujetos a cargas laterales por viento y sismos.

Muro occidental *o* **Muro de las lamentaciones** Para el pueblo judío, lugar sagrado de oración en la ciudad antigua de JERUSALÉN. Es el único vestigio del segundo templo de JERUSALÉN. Como en la actualidad forma parte de una zona más extensa –conocida como el monte del Templo por los judíos y al-Ḥaram al-Sharīf por los musulmanes– que rodea la CÚPULA DE LA ROCA y la mezquita de al-Aqṣā musulmanes, con frecuencia ambos grupos se han disputado su control. Cuando Israel capturó la ciudad antigua durante la guerra de los SEIS DÍAS (1967), los judíos recuperaron nuevamente la autoridad sobre este lugar.

muro soportante Muro capaz de resistir cargas producidas por su propio peso y el de pisos superiores y techos. El espesor del muro soportante tradicional de albañilería es directamente proporcional a las cargas que tiene que resistir: su propio peso, el peso muerto de pisos y techo, la carga viva de las personas, así como los esfuerzos laterales de ARCOS, BÓVEDAS y viento. Tales muros pueden ser más gruesos en su base, donde se acumula el máximo de carga. Los muros soportantes también pueden formar parte de un armazón estructural y recubrirse o construirse de hormigón armado.

muro sordo En arquitectura, muro que consiste en dos paredes verticales de mampostería separadas por un espacio de aire y arriostradas entre sí con traviesas metálicas. La cavidad entre las paredes permite que la humedad que penetra la pared exterior escurra sin afectar la interior. Los muros sordos se usan tanto como relleno no soportante en construcciones de marcos, como en la construcción de MUROS SOPORTANTES.

Muromachi, período En la historia japonesa, período de gobierno militar (BAKUFU o sogunado) desde el s. XIV hasta el XVI. El *bakufu* fue establecido en 1338 por el SAMURÁI Ashikaga Takauji. Aunque oficialmente se prolongó hasta 1573, fecha en que se destituyó al último SOGÚN Ashikaga, en la práctica, los Ashikaga perdieron el control de Japón durante la guerra ONIN (1467–77). A pesar de la agitación y el desorden político, el período Muromachi fue una época de gran desarrollo cultural, durante el cual florecieron el budismo ZEN, el TEATRO NŌ y otras formas literarias, además del

Muro occidental, lugar sagrado para los judíos en la ciudad antigua de Jerusalén.
© DON SMETZER/STONE

sumi-e (pintura con tinta china). Ver también familia ASHIKAGA; DAIMIO; escuela KANO.

Murphy, Audie (Leon) (20 jun. 1924, cerca de Kingston, Texas, EE.UU.–28 may. 1971, cerca de Roanoke, Va.). Héroe de guerra y actor estadounidense. Se alistó en el ejército en 1942 y fue el soldado estadounidense más condecorado de la segunda guerra mundial. Ejecutó a cientos de alemanes y en una ocasión saltó al interior de un destructor de tanques que estaba en llamas, para dirigir su ametralladora contra los soldados enemigos. En 1945 recibió la Medalla de honor del congreso. Después de la guerra, con su prestigio de héroe, se hizo actor de cine y trabajó en películas como *The Red Badge of Courage* (1951), *To Hell and Back* (1955) y *The Quiet American* (1958). Murió cuando viajaba en su avión particular y fue enterrado en el cementerio nacional de Arlington con todos los honores militares.

Murphy, Frank *orig.* **William Francis Murphy** (13 abr. 1890, Harbor Beach, Mich., EE.UU.–19 jul. 1949, Detroit, Mich.). Juez de la Corte Suprema de EE.UU. (1940–49). Después de prestar servicios en la primera guerra mundial, ocupó varios cargos públicos por elección, entre ellos, el de alcalde de Detroit (1930–33). Fue gobernador general (1933–35) y alto comisionado de EE.UU. (1935–36) en Filipinas. Elegido gobernador de Michigan (1937–38), se negó recurrir a las tropas para abatir las huelgas de brazos caídos de los obreros de la industria automovilística. Como fiscal general (ministro de justicia) (1939–40), creó la unidad de derechos civiles en el Departamento de justicia. Como juez de la Corte Suprema de los ESTADOS UNIDOS DE AMÉRICA, nombrado por el pdte. FRANKLIN D. ROOSEVELT, defendió con energía los derechos civiles y dio su opinión discrepante en un juicio en que se confirmó la internación de estadounidenses de origen japonés durante la segunda guerra mundial.

Frank Murphy.
GENTILEZA DE LA BIBLIOTECA DEL CONGRESO, WASHINGTON, D.C.

Murray, George Redmayne (20 jun. 1865, Newcastle-upon-Tyne, Northumberland, Inglaterra–21 sep. 1939, Mobberley, Cheshire). Médico británico. Tras obtener un doctorado en medicina en la Universidad de Cambridge, fue pionero en el tratamiento de los trastornos endocrinos y uno de los primeros en emplear extractos de glándulas tiroideas de animales para aliviar una forma de hipotiroidismo.

Murray, río Río principal de Australia. Nace cerca del monte KOSCIUSKO, en el sudeste de NUEVA GALES DEL SUR y fluye en dirección noroeste delimitando la frontera entre las provincias de VICTORIA y Nueva Gales del Sur. En Australia Meridional desvía hacia el sur y atraviesa el lago ALEXANDRINA hasta desembocar en el océano Índico por la bahía del Encuentro. Tiene una longitud de 2.590 km (1.610 mi). El transporte fluvial fue importante en el s. XIX, pero la navegación prácticamente cesó debido a la competencia creciente de los ferrocarriles y la demanda de agua para regadío. Su valle es de gran importancia económica para la producción de cereales, frutas y vid, así como para la crianza de ganado vacuno y ovino.

Murray, Sir James (Augustus Henry) (7 feb. 1837, Denholm, Roxburghshire, Escocia–26 jul. 1915, Oxford, Oxfordshire, Inglaterra). Filólogo escocés. Impartió clases en una escuela de gramática (1855–85). Su obra *Dialect of the Southern Counties of Scotland* [Dialecto de los condados del sur de Escocia] (1873) y un artículo muy importante sobre el inglés para la *Encyclopædia Britannica* (1878) lo convirtieron en un filólogo de renombre. Fue contratado por la Sociedad de Filología como editor del exhaustivo

Río Murray cerca de Tintalba, Nueva Gales del Sur, Australia.
PICTUREPOINT, LONDRES

New English Dictionary on Historical Principles, cuyo nombre pasó a ser en 1879 *Oxford English Dictionary*. Se dedicó a esta labor con una energía e inventiva que llegarían a ser legendarias. El primer volumen apareció en 1884 y cercana a la fecha de su muerte había terminado casi la mitad del diccionario.

Murrumbidgee, río Río del sudeste de NUEVA GALES DEL SUR, Australia. Principal afluente oriental del río MURRAY, fluye hacia el oeste desde la GRAN CORDILLERA DIVISORIA cerca de CANBERRA para unirse con el Murray a 224 km (140 mi) del límite con VICTORIA; mide 1.578 km (980 mi) de longitud. Sólo pequeñas embarcaciones pueden navegar a lo largo de unos 800 km (500 mi) durante la estación lluviosa. La zona de riego del Murrumbidgee abarca una superficie aprox. de 2.600 km^2 (1.000 mi^2) de tierras de cultivo, con pastizales para forraje y producción de vid, cítricos, trigo, algodón y arroz.

musa En la mitología grecorromana, cualquiera de las diosas hermanas, hijas de ZEUS y Mnemosine (diosa de la memoria). Una festividad se celebraba en su honor cada cuatro años cerca del monte Helicón, centro de su culto en Grecia. Probablemente comenzaron como diosas protectoras de poetas, aunque con posterioridad su ámbito se extendió para incluir todas las ciencias y artes liberales. Con frecuencia se mencionan nueve musas: Calíope (poesía épica o heroica), Clío (historia), Erato (poesía amorosa o lírica), Euterpe (música o flauta), Melpómene (tragedia), Polimnia (mimo o poesía sagrada), Terpsícore (danza y música coral), Talía (comedia) y Urania (astronomía).

Mūsā *o* **Mousa** (m. ¿1332/37?). Emperador (*mansa*) del Imperio de MALÍ en África occidental desde 1307 (o 1312). Dejó un reino que se destacó por su extensión y riqueza (construyó la gran mezquita de TOMBOUCTOU), pero es más recordado por la magnificencia de su peregrinación a La Meca (1324), que permitió al mundo percatarse de la asombrosa riqueza de Malí; entre los africanos del norte y los europeos despertó el deseo de encontrar la fuente de esa riqueza. Durante su gobierno, Malí se convirtió en uno de los imperios más grandes del mundo y Tombouctou se transformó en una importante ciudad comercial.

Musaddaq, Muhammad *o* **Muhammad Mossadeg** (1880, Teherán, Persia safawí–5 mar. 1967, Teherán, Irán). Político y líder nacionalista iraní. Luego de estudiar derecho en Suiza, sirvió en el gobierno hasta el ascenso al trono de Reza Kan (1925). Tras la destitución del sha Reza en 1941, fue reelegido al parlamento (1944). Cuando Musaddaq logró nacionalizar la Anglo-Iranian Oil Company, de propiedad británica, el sha MUHAMMAD REZA PAHLAVI (r. 1941–79) se vio prácticamente obligado a nombrarlo premier (1951). Sin embargo, al culminar las tensiones entre el premier y el monarca, el sha intentó deponerlo en 1953. La consiguiente agitación política obligó al sha a escapar del país hasta que Musaddaq fue removido del poder mediante un golpe de Estado respaldado por los servicios de inteligencia británico y estadounidense. Condenado por traición, pasó tres años en prisión y el resto de su vida bajo arresto domiciliario

musaraña Cualquiera de más de 300 especies de INSECTÍVOROS pequeños que constituyen la familia Soricidae. Cerca de un 40% de estas especies vive en África, también se distribuyen por todo el hemisferio norte; no existen en Australia y en la mayor parte de Sudamérica.

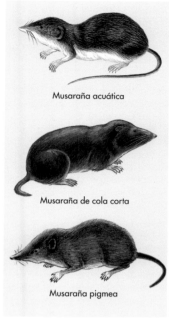

Musaraña acuática

Musaraña de cola corta

Musaraña pigmea

Especies de musaraña.
© ENCYCLOPÆDIA BRITANNICA, INC.

Las musarañas tienen ojos y orejas minúsculos, un morro movible e incisivos largos de puntas ganchudas. Normalmente miden 6 a 8 cm (2 a 3 pulg.) de largo, con una cola más corta y muchas pesan sólo unos 14 g (0,5 oz). Algunas se consideran como los mamíferos más pequeños, pues pesan unos pocos gramos y miden menos de 5 cm (2 pulg.) de largo. La mayoría de las especies vive en los desperdicios del suelo, pero algunas habitan en madrigueras o árboles, y unas pocas son semiacuáticas. Por su tamaño tan pequeño, tienen las tasas metabólicas más altas de todos los mamíferos (con un pulso de hasta 800 palpitaciones por minuto). Pasan la mayor parte del tiempo buscando comida, ya que pueden sobrevivir sólo unas pocas horas sin comer. Su presa normal son invertebrados como los gusanos, aunque algunas devoran también otros animales pequeños. Algunas especies tienen la saliva tóxica (dolorosa para los humanos). Son alimentos de las aves rapaces y serpientes, pero los mamíferos las evitan. Las musarañas arborícolas (familia Tupaiidae) pertenecen a otro orden de mamíferos (Scandentia) sin parentesco con las musarañas genuinas.

Muscari Género que comprende unas 50 especies de plantas bulbosas pequeñas perennes, familia de las LILIÁCEAS, originarias de la región del Mediterráneo. La mayoría de las especies tienen racimos florales densos, de color azul, blanco o

M. botryoides, género Muscari.
© ENCYCLOPÆDIA BRITANNICA, INC.

rosado, con forma de urna, que nacen del extremo de un tallo floral áfilo. Algunas especies tienen un olor almizcleño. Generalmente se plantan como ornamentales de jardín que florecen en primavera.

Muscle Shoals Antiguos rápidos del río TENNESSEE en el noroeste del estado de Alabama, EE.UU. En sus 60 km (37 mi) aprox. de longitud, eran un peligro para la navegación, pero en la actualidad se encuentran sumergidos bajo 3 m (9 pies) de agua debido a las represas de Wilson, Wheeler y Pickwick Landing, que eliminaron los rápidos por completo. Las plantas fabriles y las centrales hidroeléctricas son administradas por la TENNESSEE VALLEY AUTHORITY (TVA). La ciudad de Muscle Shoals (pob., 2000: 11.924 hab.) se desarrolló a partir del complejo de la TVA, ubicado en el área de la represa de Wilson.

muscogee ver CREEK

músculo Tejido contráctil que produce movimiento para distintas funciones, como movilidad corporal, digestión, acomodación, circulación y calentamiento corporal. Puede clasificarse como estriado, cardíaco y liso, o como fásico y

tónico (si responde de modo rápido o gradual a la estimulación, respectivamente). El músculo estriado, cuyas fibras muestran bandas al microscopio, es responsable del movimiento voluntario. La mayoría de estos músculos son fásicos. Insertos en el esqueleto, mueven el cuerpo contrayéndose en respuesta a señales del sistema NERVIOSO central; la contracción se consigue por el deslizamiento de filamentos delgados (de ACTINA) entre otros más gruesos (de miosina); los receptores de estiramiento del tejido proporcionan retroalimentación que permiten movimientos suaves y el control motor fino. Las fibras ramificadas del músculo cardíaco le otorgan una estructura reticular; a una señal del marcapaso natural, la contracción se origina en el propio tejido muscular cardíaco; la frecuencia cardíaca es controlada por los nervios vago y simpático. El músculo liso es el músculo de los órganos internos y los vasos sanguíneos, generalmente es involuntario y tónico; sus células pueden funcionar en forma colectiva o individual (en respuesta a terminaciones nerviosas separadas) y tienen formas distintas. Los trastornos de los músculos voluntarios producen debilidad, atrofia, dolor y fasciculaciones. Algunas enfermedades sistémicas (p. ej., dermatomiositis, polimiositis) pueden causar inflamación muscular. Ver también músculos ABDOMINALES; DISTROFIA MUSCULAR; MIASTENIA GRAVE; TUMOR MUSCULAR.

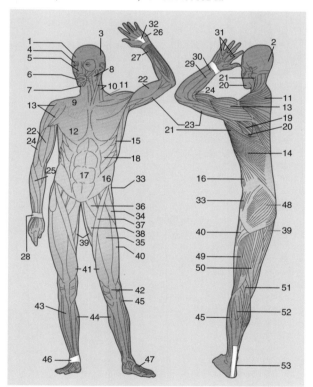

Principales músculos del cuerpo humano. (1) frontal (2) occipital (3) temporal (4) orbicular del ojo (5) nasal (6) orbicular de la boca (7) mentoniano (8) masetero (9) platisma (10) esternocleidomastoideo (11) trapecio (12) pectoral mayor (13) deltoides (14) dorsal ancho (15) serrato anterior (16) oblicuo externo (17) recto del abdomen (18) oblicuo interno (19) infraespinoso (20) redondo menor (21) redondo mayor (22) bíceps (23) tríceps (24) braquial (25) extensor radial largo del carpo (26) palmar menor (27) pronador cuadrado (28) ligamento anular del carpo (29) extensor común de los dedos (30) extensor del carpo (31) tendones de los extensores de los dedos y las muñecas (32) aponeurosis palmar (33) glúteo medio (34) tensor de la fascia lata (35) recto anterior (36) pectíneo (37) sartorio (38) aductor mayor (39) aductor menor (40) vasto lateral (41) vasto medial (42) ligamento rotuliano (43) tibial anterior (44) cabeza medial del gemelo (45) sóleo (46) ligamento anular del tobillo (47) extensor corto (48) glúteo mayor (49) bíceps crural (50) semitendinoso (51) plantar (52) cabeza lateral del gemelo (53) tendón de Aquiles.

© 2006 MERRIAM-WEBSTER INC.